LES VEINES OUVERTES
DE
L'AMÉRIQUE LATINE

DÉJÀ PARUS DANS PRESSES POCKET :

3000 Pierre Jakez Hélias - Le cheval d'orgueil
3001 Jean Malaurie - Les derniers rois de Thulé
3002 Jean Recher - Le grand métier
3003 Margaret Mead - Mœurs et sexualité en Océanie
3004 Jacques Soustelle - Les quatre soleils
3005 Georges Balandier - Afrique ambiguë
3006 Victor Ségalen - Les Immémoriaux
3007 Adélaïde Blasquez - Gaston Lucas serrurier
3008 Gaston Roupnel - Histoire de la campagne française
3009 Claude Lévi-Strauss - Tristes tropiques
3010 Don C. Talayesva - Soleil Hopi
3011 Mahmout Makal - Un village anatolien
3012 Antoine Sylvère - Toinou
3013 Francis Huxley - Aimables sauvages
3014 Taca Ushte/Richard Erdoes - De mémoire indienne
3015 C.F. Ramuz - La pensée remonte les fleuves
3016 Eric de Rosny - Les yeux de ma chèvre
3017 Wilfred Thesiger - Les Arabes des marais
3018 Jacques Lacarrière - L'Été grec
3019 Pierre Clastres - Chronique des Indiens Guayaki
3020 Bruce Jackson et Diane Christian - Le Quartier de la mort
3021 Theodora Krœber - Ishi
3022 Edouardo Galeano - Les veines ouvertes de l'Amérique latine
3023 René Dumont - Pour l'Afrique, j'accuse
3024 Colin Turnbull - Les Iks
3025 Ettore Biocca - Yanoama
3026 Josef Erlich - La flamme du Shabbath
3027 Bernard Alexandre - Le Horsain
3028 Wilfred Theriger - Le Désert des déserts
3029 Émile Zola - Carnets d'enquêtes
3030 Margit Gari - Le vinaigre et le fiel
3031 Robert Jaulin - La mort sara
3032 Jean Malaurie - Ultima Thulé
3031 Robert Jaulin - La mort sara
3032 Jean Malaurie - Ultima Thulé
3033 Robert F. Murphy - Vivre à corps perdu

TERRE HUMAINE/POCHE
CIVILISATIONS ET SOCIÉTÉS
COLLECTION DIRIGÉE PAR JEAN MALAURIE

LES VEINES OUVERTES DE L'AMÉRIQUE LATINE

Une contre-histoire

par

EDUARDO GALEANO

3 cartes

Traduit de l'espagnol par Claude Couffon

*Édition augmentée d'une postface,
d'une annexe statistique*

PLON

Cet ouvrage a paru en langue espagnole sous le titre :

LAS VEGAS ABIERTAS
DE AMERICA LATINA

La présente édition reproduit dans son intégralité le texte original, à l'exception des illustrations hors-texte, des index et des « débats et critiques ».

L'édition complète dans TERRE HUMAINE Plon est toujours disponible. Le lecteur trouvera en fin de volume la liste des titres de la collection TERRE HUMAINE Plon.

La loi du 11 mars 1957 n'autorisant, aux termes des alinéas 2 et 3 de l'article 41, d'une part, que les « copies ou reproductions strictement réservées à l'usage privé du copiste et non destinées à une utilisation collective », et, d'autre part, que les analyses et les courtes citations dans un but d'exemple et d'illustration, « toute représentation ou reproduction intégrale, ou partielle, faite sans le consentement de l'auteur ou de ses ayants droit ou ayants cause, est illicite » (alinéa 1er de l'Article 40).

Cette représentation ou reproduction, par quelque procédé que ce soit, constituerait donc une contrefaçon sanctionnée par les articles 425 et suivants du Code pénal.

© Siglo veintiuno de españa Editores, S.A., 1971.
Librairie Plon, 1981, pour la traduction française.

ISBN : 2-266-03129-5

DÉCOUVERTE ET CONQUÊTE

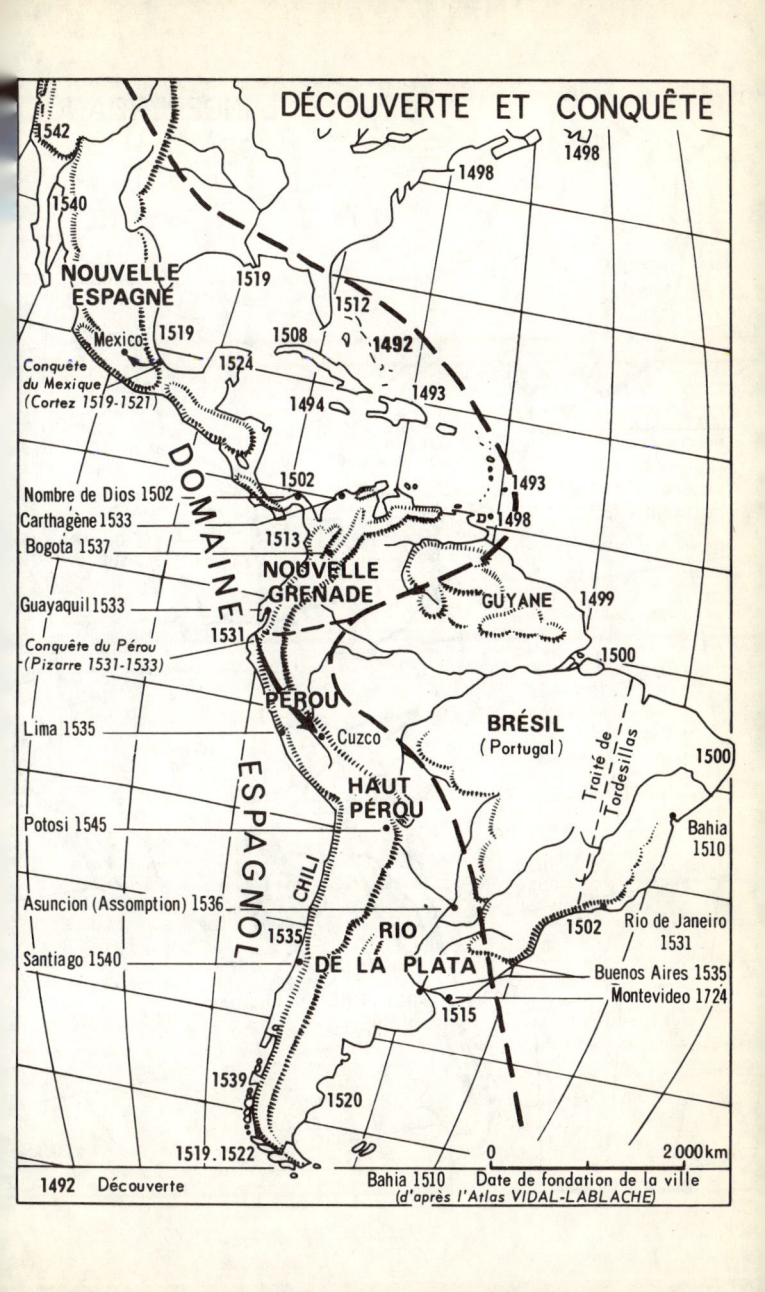

NOUVELLE ESPAGNE

1542
1540
1498
1498
1519
1512
1519
1508
1492
Mexico
1524
1493
Conquête du Mexique (Cortez 1519-1521)
1494

Nombre de Dios 1502
Carthagène 1533
Bogota 1537

1502
1493
1498
1513

NOUVELLE GRENADE

GUYANE 1499

Guayaquil 1533
Conquête du Pérou (Pizarre 1531-1533)

1531
1500

DOMAINE

PÉROU

Cuzco

BRÉSIL (Portugal)

Lima 1535

HAUT PÉROU

Traité de Tordesillas

1500
Bahia 1510

Potosi 1545

ESPAGNOL

CHILI

Asuncion (Assomption) 1536

1535

RIO DE LA PLATA

1502

Rio de Janeiro 1531

Santiago 1540

Buenos Aires 1535
Montevideo 1724

1515

1539
1520
1519-1522

0   2 000 km

| 1492 | Découverte | Bahia 1510 | Date de fondation de la ville (d'après l'Atlas VIDAL-LABLACHE) |

L'INDÉPENDANCE

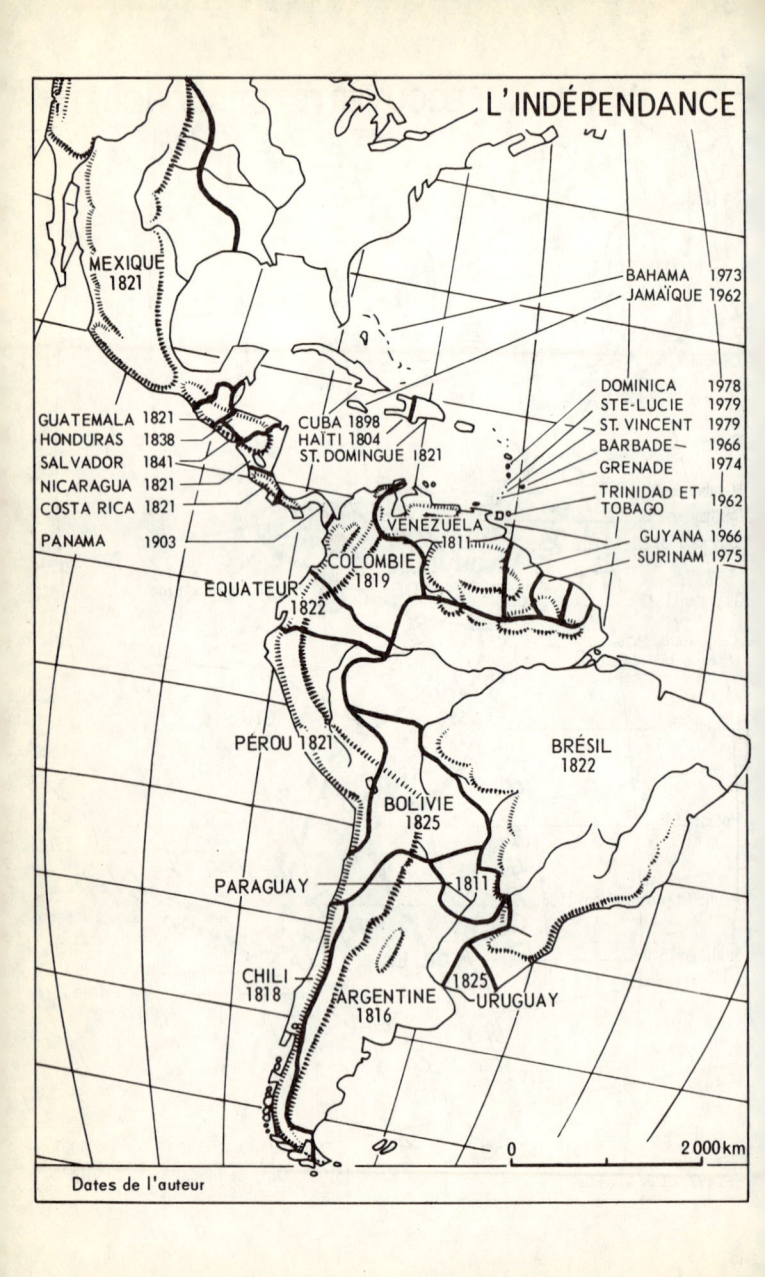

MEXIQUE 1821

BAHAMA 1973
JAMAÏQUE 1962

GUATEMALA 1821
HONDURAS 1838
SALVADOR 1841
NICARAGUA 1821
COSTA RICA 1821
PANAMA 1903

CUBA 1898
HAÏTI 1804
ST. DOMINGUE 1821

DOMINICA 1978
STE-LUCIE 1979
ST. VINCENT 1979
BARBADE 1966
GRENADE 1974
TRINIDAD ET TOBAGO 1962
GUYANA 1966
SURINAM 1975

VENEZUELA 1811
COLOMBIE 1819
EQUATEUR 1822

PÉROU 1821

BRÉSIL 1822

BOLIVIE 1825

PARAGUAY 1811

CHILI 1818
ARGENTINE 1816
URUGUAY 1825

0   2000 km

Dates de l'auteur

1980

- **MEXIQUE** — Mexico
- **GUATEMALA** — Guatemala
- Belize (G.B.)
- **SALVADOR** — San Salvador
- **HONDURAS** — Tegucigalpa
- **NICARAGUA** — Managua
- **COSTA RICA** — San José
- **PANAMA** — Panama
- **CUBA** — La Havane
- **RÉPUBLIQUE D'HAÏTI** — Port au Prince
- **RÉPUBLIQUE DOMINICAINE** — St Domingue
- Porto-Rico (U.S.A.) San Juan
- Guadeloupe (Fr.)
- Martinique (Fr.)
- **VENEZUELA** — Caracas
- **COLOMBIE** — Bogota
- **ÉQUATEUR** — Quito
- **GUYANA** — Georgetown
- **SURINAM** — Paramaribo
- Guyane française
- **PEROU** — Lima
- **BRÉSIL** — Brasilia
- **BOLIVIE** — La Paz, Sucre
- **PARAGUAY** — Asuncion
- **CHILI** — Santiago
- **ARGENTINE** — Buenos Aires
- **URUGUAY** — Montevideo

0 — 2 000 km

... Nous avons gardé un silence qui ressemble fort à de la stupidité...

(Proclamation insurrectionnelle de la Junte de Défense, La Paz, 16 juillet 1809.)

INTRODUCTION

CENT VINGT MILLIONS D'ENFANTS AU CŒUR DE LA TEMPÊTE

La division internationale du travail fait que quelques pays se consacrent à gagner, d'autres à perdre. Notre partie du monde, appelée aujourd'hui Amérique latine, s'est prématurément consacrée à perdre depuis les temps lointains où les Européens de la Renaissance s'élancèrent sur l'Océan pour lui rentrer les dents dans la gorge.

Les siècles ont passé et l'Amérique latine a perfectionné ses fonctions. Elle n'est plus le royaume des merveilles, où l'imagination pâlissait devant les trophées de la conquête, les mines d'or et les montagnes d'argent. Mais elle a gardé sa condition de servante. Elle demeure au service des besoins étrangers, étant source et réserve de pétrole et de fer, de cuivre et de viande, de fruits et de café, de matières premières et de denrées alimentaires pour ces pays riches qui gagnent en les consommant beaucoup plus que ne gagne l'Amérique latine en les produisant. Les taxes que perçoivent les acheteurs sont beaucoup plus élevées que les sommes versées aux vendeurs ; et, en fin de compte, comme l'a déclaré en juillet 1968 Covey T. Oliver, coordinateur de l'Alliance pour le Progrès, « parler de prix équitables à l'heure actuelle est une notion médiévale. Nous sommes dans le temps de la liberté commerciale... ». Mais plus on accepte de liberté dans les affaires, plus il faut bâtir de prisons pour ceux qu'elles défavorisent. Nos systèmes d'inquisiteurs et de bourreaux ne fonctionnent pas seulement en faveur du marché extérieur capitaliste : ils protègent d'importantes sources de revenus engendrées par les emprunts et les investissements étrangers dans les marchés intérieurs contrôlés. « On a entendu parler de concessions faites par l'Amérique au capital étranger, mais non de concessions faites par les États-Unis au capital d'autres pays... C'est que nous ne faisons pas de concessions », signalait en 1913 le président Woodrow Wilson. Il affirmait aussi qu'« un pays est possédé et dominé par le capital qu'on y a investi ». Il avait raison. En cours de route, nous avons perdu jusqu'au droit de nous appeler *Américains*, bien que les Haïtiens et les Cubains soient apparus dans l'Histoire comme des peuples nouveaux un siècle avant que les émigrants du *Mayflower* aient atteint les côtes de Plymouth. Aujourd'hui, pour le monde entier, l'Amérique, cela signifie : les États-Unis. Nous habitons, nous, tout au plus, une sous-Amérique, une Amérique de seconde classe, à l'identité nébuleuse.

L'Amérique latine est le continent des veines ouvertes. Depuis la découverte jusqu'à nos jours, tout s'y est toujours transformé en capital européen ou, plus tard, nord-américain, et comme tel s'est accumulé et s'accumule dans ces lointains centres de pouvoir. Tout : la terre, ses fruits et ses profondeurs riches en minerais, les hommes et leur capacité de travail et de consommation, toutes les ressources naturelles et humaines. Les modes de production et les structures sociales de chaque pays ont été successivement déterminés de l'extérieur en vue de leur incorporation à l'engrenage universel du capitalisme. A chacun a été assignée une fonction, toujours au bénéfice du développement de la métropole étrangère prépondérante, et la chaîne des dépendances successives est devenue infinie, elle comporte beaucoup plus de deux maillons : en particulier, à l'intérieur de l'Amérique latine, l'oppression des petits pays par leurs voisins plus puissants, et, dans le cadre de chaque frontière, l'exploitation que les grandes villes et les ports exercent sur les sources locales d'approvisionnement et de main-d'œuvre. (Il y a quatre siècles, seize des vingt villes les plus peuplées de l'Amérique latine étaient déjà fondées.)

Pour ceux qui conçoivent l'Histoire comme une compétition, le retard et la misère de l'Amérique latine sont le résultat de son échec : nous avons perdu, d'autres ont gagné. Mais il se trouve en outre qu'ils ont gagné uniquement parce que nous avons perdu : l'histoire du sous-développement de l'Amérique latine est liée, on l'a dit, à celle du développement du capitalisme mondial. Notre défaite a toujours été la condition implicite de la victoire étrangère ; notre richesse a toujours engendré notre pauvreté pour alimenter la prospérité des empires et des gardes-chiourme autochtones à leur solde. Dans l'alchimie coloniale et néo-coloniale, l'or se métamorphose en ferraille et les aliments en poison. Potosí, Zacatecas et Ouro Preto tombèrent à pic de la cime éblouissante des métaux précieux aux fosses profondes des galeries vides, et la ruine fut le destin commun de la pampa chilienne du salpêtre et de la forêt amazonienne du caoutchouc ; le Nord-Est sucrier du Brésil, les forêts argentines du *quebracho* (1) ou certaines zones pétrolières du lac de Maracaïbo ont de douloureuses raisons de croire à la précarité des richesses que la nature octroie et que l'impérialisme usurpe. La pluie qui irrigue les centres du pouvoir impérialiste noie les vastes faubourgs du système. Et, simultanément, le bien-être de nos classes dominantes — dominantes à l'intérieur, mais dominées de l'extérieur — est la malédiction de nos masses populaires, condamnées à vivre comme des bêtes de somme.

La brèche s'étend. Aux environs de 1850, le niveau de vie des pays riches dans le monde dépassait de cinquante pour cent celui des pays pauvres. Le développement a accentué encore l'inégalité. Dans son discours devant l'O.E.A., en avril 1969, Richard Nixon annonçait qu'à la fin du xxe siècle le revenu *per capita* aux États-Unis serait quinze fois plus élevé qu'en Amérique latine. La force globale du système impérialiste repose sur la nécessaire inégalité de ses composantes, et cette inégalité atteint des proportions chaque jour plus dramatiques. Par la dynamique d'une disparité grandissante, les pays oppresseurs deviennent toujours plus riches en termes absolus, et beaucoup plus encore en termes relatifs. Le capitalisme central peut s'offrir le luxe de créer ses propres

---

(1) Arbre au bois très dur dont on extrait le tanin. *(N. du T.)*

mythes de l'opulence et d'y croire, mais on ne se nourrit pas de mythes, et les pays pauvres, qui constituent le vaste capitalisme périphérique, le savent bien. Le revenu moyen d'un Nord-Américain est sept fois plus élevé que celui d'un Latino-Américain et augmente à un rythme dix fois plus rapide. Et les moyennes se révèlent trompeuses quand on tient compte des abîmes insondables qui séparent, au sud du Río Bravo, les nombreux pauvres des quelques riches. En effet, selon les Nations Unies, six millions de Latino-Américains, au sommet de la pyramide sociale, accaparent un revenu égal à celui des cent quarante millions de travailleurs qui s'entassent à la base. Il existe soixante millions de paysans dont la fortune s'élève à un quart de dollar par jour, alors qu'à l'autre extrémité les proxénètes du malheur se paient le luxe d'accumuler cinq milliards de dollars sur leurs comptes privés en Suisse ou aux États-Unis et gaspillent en apparat, en faste stérile — offense et provocation — et en placements improductifs, qui constituent la moitié des investissements, les capitaux que l'Amérique latine pourrait destiner au renouvellement, au développement et à la création de sources de production et de travail. Intégrées depuis toujours à la constellation du pouvoir impérialiste, nos classes dirigeantes n'ont pas le moindre intérêt à vérifier si le patriotisme pourrait être plus rentable que la trahison ou si la mendicité est la seule forme possible de la politique internationale. On hypothèque la souveraineté parce qu' « il n'y a pas d'autre issue » ; les alibis de l'oligarchie confondent d'une manière intéressée l'impuissance d'une classe sociale et l'a priori fataliste d'une absence de destin national.

Josué de Castro déclare : « J'ai reçu un prix international de la Paix, mais je pense qu'il n'y a malheureusement pas d'autre solution que la violence pour l'Amérique latine. » Cent vingt millions d'enfants se débattent au cœur de cette tempête. La population de l'Amérique latine s'accroît plus qu'aucune autre ; elle a plus que triplé en cinquante ans. Chaque minute, un enfant meurt de maladie ou de faim, et pourtant en l'an 2000 il y aura six cent cinquante millions de Latino-Américains et la moitié d'entre eux auront moins de quinze ans : une bombe de temps. Sur deux cent quatre-vingts millions de Latino-Américains, il y a actuellement cinquante millions de chômeurs ou de personnes sous-employées et près de cent millions d'analphabètes. La moitié des Latino-Américains vivent entassés dans des taudis. Les trois plus gros marchés de l'Amérique latine — l'Argentine, le Brésil et le Mexique — n'arrivent pas ensemble à égaler la capacité de consommation de la France ou de l'Allemagne occidentale, bien qu'au total la population de nos trois grands dépasse largement celle de n'importe quel pays européen. Compte tenu de sa population, l'Amérique latine produit moins aujourd'hui qu'avant la dernière guerre mondiale ; ses exportations par habitant ont diminué des deux tiers, sans fluctuations, par rapport à ce qu'elles étaient à la veille de la crise de 1929. Le système est très rationnel en ce qui concerne les patrons étrangers et notre bourgeoisie de commissionnaires, qui a vendu son âme au Diable à un prix qui eût fait rougir Faust de honte. Mais il est tellement irrationnel pour tous les autres que plus il se développe et plus il accentue ses déséquilibres, ses tensions et ses contradictions brûlantes. L'industrialisation elle-même, dépendante et tardive, qui coexiste avantageusement avec le latifondo et les structures de l'inégalité, contribue à répandre le chômage au lieu d'aider à le résoudre ; la pauvreté s'étend et la richesse se concentre dans cette partie du monde qui compte d'innombrables légions de bras baissés, indéfiniment multipliés. De nouvelles usines s'installent dans les centres privilégiés de développement — São Paulo, Buenos Aires, Mexico — mais elles ont de moins en moins besoin de main-d'œuvre. Le système n'a pas prévu cet inconvénient : ici ce sont les hommes qui sont en excédent. Et les hommes se reproduisent. On s'accouple en riant et sans précautions. Le nombre de ceux qui se retrouvent au bord du chemin grandit sans cesse : sans travail à la campagne, où règne le latifondo avec ses gigantesques étendues en friche ; sans travail en ville, où règnent les machines. Le système vomit les hommes. Les missions nord-américaines stérilisent massivement les femmes et distribuent avec largesse pilules, diaphragmes, tampons, préservatifs et calendriers, et pourtant les enfants pullulent ; les enfants latino-américains continuent obstinément à naître et à revendiquer leur droit naturel à une place au soleil sur ces terres magnifiques qui pourraient offrir à tous ce qu'elles refusent à presque tous.

Dans les premiers jours de novembre 1968, Richard Nixon constatait à voix haute que l'Alliance pour le Progrès, après sept années d'existence, n'avait pas réduit les problèmes de la malnutrition et de la rareté des denrées en Amérique latine, mais qu'ils s'étaient au contraire aggravés. Quelques mois auparavant, en avril, George W. Ball écrivait dans *Life* : « Le mécontentement des nations les plus pauvres ne constituera pas pour le monde une menace de destruction, au moins pendant les prochaines décennies. Quelque honteux que ce soit, le monde a vécu, pendant des générations, avec deux tiers de pauvres et un tiers de riches. Si injuste que cela paraisse, le pouvoir des pays pauvres est limité. » Ball avait dirigé la délégation des États-Unis à la première conférence du Commerce et du Développement réunie à Genève et il avait voté contre neuf des douze principes approuvés par la conférence afin de réduire les désavantages des pays sous-développés dans le commerce international. Les tueries de la misère en Amérique latine sont secrètes ; chaque année, trois bombes comme celle d'Hiroshima explosent silencieusement au-dessus de ces peuples qui ont l'habitude de souffrir en serrant les dents. Cette violence systématique, cachée mais bien réelle, ne cesse de grandir : ses crimes ne sont pas relatés dans la chronique des faits divers mais dans les statistiques de la F.A.O. Ball dit que l'impunité reste possible — les pauvres ne pouvant pas déclarer la guerre mondiale —, et l'impérialisme a ses idées : incapable de multiplier les pains, il fait de son mieux pour supprimer les convives. *Combattez la pauvreté : tuez un mendiant !* griffonnait un maître de l'humour noir sur un mur de La Paz, en Bolivie. Que se proposent de faire les héritiers de Malthus ? Tuer purement et simplement tous les futurs mendiants avant qu'ils naissent ! Robert McNamara, président de la Banque Mondiale, ancien président de la Ford et ex-secrétaire à la Défense, affirme ainsi que l'explosion démographique constitue le principal obstacle au progrès de l'Amérique latine et annonce que la Banque Mondiale donnera la priorité, en ce qui concerne ses prêts, aux pays qui appliqueront des plans pour le contrôle des naissances. McNamara constate avec tristesse que le cerveau des pauvres fonctionne aux trois quarts d'un cerveau normal, et les technocrates de la Banque Mondiale (qui, eux, sont déjà nés) font bourdonner les machines à calculer et inventent un « accroche-langue » très compliqué sur les avantages de ne pas naître : « Si un pays en voie de développement, avec un revenu annuel moyen de cent cinquante à deux cents dollars *per capita*, réussit à réduire sa fécondité de cinquante pour cent en vingt-cinq ans, au bout de trente ans son revenu *per capita* sera supérieur de quarante pour cent au moins au niveau qu'il aurait atteint dans le cas contraire, et deux fois plus élevé au bout de soixante ans », affirme un document de cet organisme. Et la phrase de Lyndon Johnson est devenue célèbre : « Cinq dollars investis contre l'accroissement de la population sont plus productifs que cent dollars investis dans la croissance économique. » Dwight Eisenhower, lui, a pronostiqué que si les habitants de la terre continuaient à se multiplier au même rythme, non seulement le risque de révolution s'accentuerait, mais on verrait se produire en outre « une dégradation du niveau de vie de tous les peuples, y compris du nôtre ».

Les États-Unis ne souffrent pas, à l'intérieur de leurs frontières, du problème de l'explosion de la natalité, mais ils se soucient plus que tout autre pays de divulguer et d'imposer aux quatre coins du monde le planning familial.

Le gouvernement, Rockefeller et la Fondation Ford voient, dans leurs cauchemars, des millions d'enfants s'avancer des horizons du Tiers Monde tels des criquets. Platon et Aristote s'étaient penchés sur le problème avant Malthus et McNamara ; néanmoins, à notre époque, cette offensive universelle remplit une fonction bien définie : elle se propose de justifier la très inégale répartition des revenus entre les pays et les classes sociales et de convaincre les pauvres que la pauvreté est le résultat de trop nombreuses naissances ; elle cherche à endiguer la fureur des masses en mouvement et en rébellion. Les contraceptifs intra-utérins rivalisent avec les bombes et la mitraille, dans le Sud-Est asiatique, pour stopper la natalité au Viêt-nam. En Amérique latine, il est plus hygiénique et plus efficace de tuer les guérilleros dans les utérus que dans les sierras ou dans les rues. Diverses missions nord-américaines ont stérilisé des milliers de femmes en Amazonie, bien que ce soit la zone habitable la plus déserte de la planète. Dans la plupart des pays latino-américains, la population n'est pas en excédent ; au contraire, elle fait défaut. Le Brésil a trente-huit fois moins d'habitants au kilomètre carré que la Belgique ; le Paraguay, quarante-neuf fois moins que l'Angleterre ; le Pérou, trente-deux fois moins que le Japon. Haïti et le Salvador, fourmilières humaines de l'Amérique latine, ont une densité inférieure à celle de l'Italie. Les prétextes invoqués offensent l'intelligence ; les intentions véritables soulèvent l'indignation. En définitive, la moitié des territoires de la Bolivie, du Brésil, du Chili, de l'Équateur, du Paraguay et du Venezuela sont inhabités. Aucune population latino-américaine ne croît moins que celle de l'Uruguay, pays de vieillards, et pourtant aucune nation n'a été aussi éprouvée, ces dernières années, par une crise qui semble l'entraîner vers l'extrême cercle des enfers. L'Uruguay est vide et ses prairies fertiles pourraient nourrir une population bien plus nombreuse que celle qui y souffre aujourd'hui de tant de pénuries.

Il y a plus d'un siècle, un ministre du Guatemala avait prophétiquement déclaré : « Il serait curieux que du sein même des États-Unis, source du mal, nous vienne aussi le remède. » Désormais morte et enterrée l'Alliance pour le Progrès, l'empire propose, avec plus de panique que de générosité, de résoudre les problèmes de l'Amérique latine en éliminant d'avance les Latino-Américains. A Washington, on a déjà des raisons de supposer que les peuples pauvres ne préfèrent pas être pauvres. Mais on ne peut vouloir la fin sans vouloir les moyens : ceux qui refusent la libération de l'Amérique latine nient également notre seul redressement possible, et au passage approuvent les structures en vigueur. Les jeunes se multiplient, se lèvent, écoutent : que leur offre la voix du système ? Le système parle un langage surréaliste : il propose d'éviter les naissances sur ces terres dépeuplées ; il juge que les capitaux manquent dans des pays où ils sont excédentaires, mais gaspillés ; il nomme *aide* l'orthopédie déformante des emprunts et le drainage de richesses que provoquent les investissements étrangers ; il invite les latifondistes à réaliser la réforme agraire et l'oligarchie à mettre en pratique la justice sociale. La lutte des classes n'existe, décrète-t-on, que par la faute des agents étrangers qui la provoquent ; en revanche, les classes sociales existent et la vie à l'occidentale repose sur l'oppression des unes par les autres. Les commandos criminels des *marines* ont pour but de rétablir l'ordre et la paix sociale, et les dictatures acquises à Washington fondent leur code sur les prisons, interdisent les grèves et liquident les syndicats pour protéger la liberté du travail.

Tout nous est-il donc défendu hormis nous croiser les bras ? La pauvreté n'est pas écrite dans les astres ; le sous-développement n'est pas le fruit d'un obscur dessein de Dieu. Il y a des années de révolution, des époques de rédemption. Les classes dirigeantes tendent les reins en annonçant l'enfer pour tous. D'une certaine façon, la droite a raison lorsqu'elle s'identifie à la tranquillité et à l'ordre : cet ordre-là humilie quotidiennement le plus grand nombre, mais c'est l'ordre tout de même ; et cette tranquillité assure que l'injustice continuera d'être injuste et la faim affameuse. Si l'avenir se transforme en une boîte à malice, le conservateur crie, à juste titre : « On m'a trahi. » Et les idéologues de l'impuissance, les esclaves qui se regardent avec les yeux du maître, ne tardent pas à pousser les hauts cris. L'aigle de bronze du *Maine*, abattu le jour du triomphe de la révolution cubaine, gît maintenant abandonné, les ailes brisées, sous un portique du vieux quartier à La Havane. Depuis Cuba, d'autres pays ont également amorcé par différentes voies et différents moyens l'expérience du changement : perpétuer l'ordre actuel des choses signifie perpétuer le crime. Récupérer les ressources usurpées depuis toujours équivaut à récupérer notre destin.

Les fantômes de toutes les révolutions étranglées ou trahies au long de l'histoire tourmentée de l'Amérique latine réapparaissent dans les nouvelles expériences, de même que les temps présents avaient été pressentis et engendrés par les contradictions du passé. L'histoire est un prophète au regard tourné vers l'arrière : à partir de ce qui a été et en opposition à ce qui a été, il annonce ce qui arrivera. C'est pourquoi dans ce livre, qui veut présenter une histoire du pillage d'un continent et en même temps montrer comment fonctionnent les mécanismes actuels de la dépossession, les conquistadors sur leurs caravelles voisinent avec les technocrates en jets, Hernán Cortés avec les *marines* nord-américains, les corregi-dores du royaume avec les missions du Fonds monétaire international, les dividendes des trafiquants d'esclaves avec les gains de la General Motors. Également, les héros vaincus avec les révolutions actuelles, les infamies avec les espérances mortes et ressuscitées : les sacrifices féconds. Lorsque Alexandre de Humboldt entreprit ses recherches sur les coutumes des anciens habitants indigènes du plateau de Bogota, il apprit que les Indiens appelaient *quihica* les victimes des cérémonies rituelles. *Quihica* signifiait *porte :* la mort de chaque élu ouvrait un nouveau cycle de cent quatre-vingt-cinq lunes.

PREMIÈRE PARTIE

LA RICHESSE DE LA TERRE ENGENDRE LA PAUVRETÉ DE L'HOMME

Chapitre 1

FIÈVRE DE L'OR, FIÈVRE DE L'ARGENT

LE SIGNE DE LA CROIX SUR LE POMMEAU DES ÉPÉES

Lorsque Christophe Colomb entreprit de traverser les grands espaces déserts à l'ouest de l'écoumène, il avait accepté le défi des légendes. De terribles tempêtes joueraient avec ses navires comme avec des coquilles de noix qu'elles allaient jeter dans la gueule des monstres ; le grand serpent des mers ténébreuses, avide de chair humaine, serait à l'affût. Les hommes du XVe siècle croyaient qu'il ne restait plus que mille ans avant que les feux purificateurs du Jugement dernier anéantissent le monde, un monde constitué alors par la Méditerranée avec ses rivages aux arrière-pays ambigus : l'Europe, l'Asie, l'Afrique. Les navigateurs portugais assuraient que le vent d'ouest apportait d'étranges cadavres et traînait parfois des épaves aux sculptures bizarres, mais personne n'imaginait que le monde s'accroîtrait bientôt, ô merveille ! d'un nouveau continent.

Non seulement l'Amérique n'avait pas de nom, mais les Norvégiens ignoraient qu'ils l'avaient découverte depuis longtemps et Colomb lui-même, jusqu'à sa mort, après ses voyages, demeura convaincu qu'il était arrivé en Asie par la route de l'ouest. En 1492, quand la botte espagnole se posa pour la première fois sur les sables des Bahamas, l'amiral pensa que ces terres étaient une avancée de l'île fabuleuse de Cipango : le Japon. Colomb avait emporté un exemplaire du livre de Marco Polo, aux marges couvertes d'annotations. Les habitants de Cipango, affirmait Marco Polo, « possèdent de l'or en abondance et les mines d'où ils l'extraient ne s'épuisent jamais... Il y a aussi dans cette île des quantités de perles orientales les plus pures. Elles sont roses, rondes et de grande taille, et leur valeur est supérieure à celle des perles blanches. » La richesse de Cipango était parvenue aux oreilles du Grand Khan Kūbīlāy, éveillant en lui le désir de la conquérir : il avait échoué. Des pages fulgurantes de Marco Polo, tous les biens de la création prenaient leur envol : il y avait presque treize mille îles dans la mer des Indes, avec des montagnes d'or et de perles, et douze sortes d'épices en énormes quantités, sans oublier le poivre blanc et noir qui abondait.

Le poivre, le gingembre, le clou de girofle, la noix muscade et la cannelle étaient aussi convoités que le sel pour conserver la qualité et la saveur de la viande en hiver. Les Rois Catholiques décidèrent de financer l'aventure de l'accès direct aux sources afin de se libérer de l'onéreuse chaîne d'intermédiaires et de revendeurs qui accaparaient le commerce des épices et des plantes tropicales, des mousselines et des armes blanches provenant des mystérieuses régions de l'Orient. L'attrait des métaux précieux, monnaie d'échange pour le commerce, favorisa également l'idée d'une traversée des mers maudites. L'Europe entière avait besoin d'argent : les gisements de Bohême, de Saxe et du Tyrol étaient déjà presque épuisés.

L'Espagne vivait le temps de la Reconquête. 1492 fut l'année de la découverte de l'Amérique, du nouveau monde né de cette erreur géographique aux conséquences grandioses, mais aussi celle de la récupération de Grenade. Ferdinand d'Aragon et Isabelle de Castille, qui avaient unifié par leur mariage leurs domaines rivaux, réduisirent au début de 1492 le dernier bastion de la religion musulmane en territoire espagnol. Il avait fallu presque huit siècles pour reprendre ce qui avait été perdu en sept années (1) et la guerre de reconquête avait vidé les coffres du trésor royal. Mais c'était une guerre sainte, la guerre chrétienne contre l'Islam, et ce

(1) J.H. Elliot, *La España impérial*, Barcelone, 1965.

n'est pas par hasard qu'en cette même année cent cinquante mille Juifs furent expulsés. L'Espagne acquérait une réalité comme nation en brandissant des épées aux pommeaux en forme de croix. La reine Isabelle patronna la Sainte Inquisition. L'exploit de la découverte de l'Amérique ne pourrait s'expliquer sans la tradition guerrière des croisades qui régissait la Castille médiévale, et l'Église ne se fit pas prier pour donner un caractère sacré à la conquête des terres inconnues qui s'étendaient de l'autre côté de l'Océan. Le pape Alexandre VI, qui était espagnol, consacra la reine Isabelle première dame du Nouveau Monde. Avec l'expansion du royaume de Castille, c'était le royaume de Dieu qui s'accroissait sur la terre.

Trois ans après la découverte, Christophe Colomb dirigea en personne la campagne militaire contre les indigènes de l'Ile Espagnole. Une poignée de cavaliers, deux cents hommes à pied et quelques chiens spécialement dressés pour l'attaque décimèrent les Indiens. Plus de cinq cents d'entre eux, envoyés en Espagne, furent vendus comme esclaves à Séville et moururent misérablement (1). Mais quelques théologiens protestèrent et l'esclavage des Indiens fut formellement interdit au début du XVIe siècle. En fait, il ne fut pas prohibé mais béni : avant chaque entrée militaire, les capitaines conquérants devaient lire aux Indiens, sans interprète mais devant greffier, un long *requerimiento* (2) empli de rhétorique qui les exhortait à se convertir à la sainte foi catholique : « Si vous refusez, ou temporisez par malice, je vous certifie qu'avec l'aide de Dieu nous vous assaillirons de toutes nos forces, vous ferons une guerre sans merci, vous soumettrons au joug et à l'obéissance de l'Église et de Sa Majesté, nous emparerons de vous, de vos femmes et de vos enfants, et vous réduirons en esclavage, vous vendant et disposant de vos personnes comme l'ordonnera Sa Majesté, vous prendrons vos biens et vous ferons tout le mal que nous pourrons vous faire... (3) »

L'Amérique était le vaste empire du diable, à la rédemption

---

(1) L. Capitan et Henry Lorin, *Le travail en Amérique avant et après Colomb*, Paris, 1914.
(2) Mise en demeure. *(N. du T.)*
(3) Daniel Vidart, *Ideología y realidad de América*, Montevideo, 1968.

impossible ou douteuse, mais la mission fanatique contre l'hérésie des indigènes se confondait avec la fièvre que faisait monter chez les troupes conquérantes l'éclat des trésors du Nouveau Monde. Bernal Díaz del Castillo, fidèle compagnon d'Hernán Cortés pendant la conquête du Mexique, écrit qu'ils sont venus en Amérique « pour servir Dieu et Sa Majesté et aussi parce qu'il y a des richesses ».

Lorsqu'il atteignit l'île de San Salvador, Colomb fut émerveillé par la transparence colorée des Caraïbes, les verts multiples du paysage, la douceur et la pureté de l'air, les oiseaux merveilleux et les jeunes gens « de taille assez élevée, une race d'hommes vraiment très belle » et « de bon caractère » qui habitaient là-bas. Il offrit aux indigènes « des bonnets de couleur rouge et des perles de verre qu'ils mettaient à leur cou, et beaucoup d'autres objets de peu de valeur, qui leur firent grand plaisir, et nous concilièrent tellement leur amitié que c'était merveille ». Il leur montra les épées. Ils n'en avaient jamais vu, les prenaient par le tranchant et se coupaient. Pendant ce temps, raconte l'amiral dans son journal de bord, « je les examinais attentivement, et je tâchais de savoir s'il y avait de l'or. Je vis que quelques-uns en portaient un petit morceau suspendu à un trou qu'ils se font au nez, et je parvins, par signes, à apprendre d'eux qu'en tournant leur île et en naviguant au sud je trouverais un pays dont le roi avait de grands vases d'or et une grande quantité de ce métal ». Car « l'or fait le trésor, et celui qui le possède fait ce qu'il veut ici-bas et même envoie les âmes au Paradis ». A son troisième voyage, Colomb continuait à croire qu'il naviguait dans la mer de Chine alors qu'il touchait les rivages du Venezuela ; ce qui ne l'empêcha pas de déclarer que, de là, s'étendait à perte de vue une terre qui était le Paradis terrestre. De même, Amerigo Vespucci, explorateur des côtes du Brésil au début du XVIe siècle, relatera à Laurent de Médicis : « Les arbres sont d'une telle beauté et d'une telle douceur que nous pensions être au Paradis terrestre... (1) »

---

(1) Luis Nicolau D'Olwer, *Cronistas de las culturas precolombinas*, Mexico, 1963. L'avocat Antonio de León Pinelo consacra deux volumes à démontrer que l'Eden était situé en Amérique. Dans *El Paraíso en el Nuevo Mundo* (« Le Paradis au Nouveau Monde », Madrid, 1656), il reproduisit une carte de l'Amérique du sud, au centre de laquelle on peut voir le jardin

En 1503, de la Jamaïque, Colomb écrivait aux rois, avec dépit : « Lorsque je découvris les Indes, j'ai dit que c'était le royaume le plus grand et le plus riche qu'il y eût au monde. J'ai déjà parlé de l'or, des perles, des pierres précieuses, des épices… »

Un seul sac de poivre valait au Moyen Age plus que la vie d'un homme, mais l'or et l'argent étaient les clefs employées par la Renaissance pour ouvrir les portes du paradis au ciel et celles du mercantilisme sur la terre. L'épopée des Espagnols et des Portugais en Amérique combina la propagation de la foi chrétienne avec l'usurpation et le pillage des richesses naturelles. Le pouvoir européen s'étendait avec l'intention de dominer le monde entier. Les terres vierges, riches en forêts et en périls, enflammaient la convoitise des capitaines, des seigneurs et des soldats en haillons lancés à la conquête des spectaculaires butins de guerre : on croyait à la gloire, « le soleil des morts », et Cortés, pour l'atteindre, tendait la clef dans une formule : « La fortune sourit aux audacieux. » Lui-même avait hypothéqué tous ses biens pour préparer l'expédition du Mexique. Sauf de rares exceptions — Colomb, Dávila, Magellan — les expéditions de conquêtes n'étaient pas prises en charge par l'État, mais par les conquérants ou par des armateurs qui finançaient l'aventure (1).

Le mythe de l'Eldorado, le monarque d'or, vit le jour : les rues et les maisons des villes de son royaume étaient en or. Un siècle après Colomb, Sir Walter Raleigh remontera l'Orénoque à la recherche de l'Eldorado, mais il devra capituler devant les chutes du fleuve. Le mirage de la « colline ruisselant d'argent » devint réalité en 1545 avec la découverte de Potosí, mais auparavant bien des membres des expéditions qui avaient essayé, sans succès, d'atteindre la source de l'argent en remontant le Paraná étaient morts, vaincus par la faim et la maladie, ou traversés par les flèches des indigènes.

Il y avait, oui, de l'or et de l'argent en grandes quantités, accumulés dans les entrailles du plateau de Mexico et de l'altiplano andin. En 1519, Hernán Cortés révéla à l'Espagne

d'Eden, arrosé par l'Amazone, le río de la Plata, l'Orénoque et le Magdalena. Le fruit défendu était la banane. La carte indiquait l'endroit exact d'où était partie l'arche de Noé au moment du Déluge universel.

(1) J.M. Ots Capdequí, *El Estado español en las Indias*, Mexico, 1941.

la fabuleuse importance du trésor aztèque de Moctezuma, et quinze ans plus tard arriva à Séville l'impressionnante rançon — une pièce remplie d'or et deux autres d'argent — que Francisco Pizarre avait fait verser à Atahualpa avant de l'étrangler. Quelques lustres plus tôt, la Couronne avait payé avec l'or arraché aux Antilles les services des marins qui avaient accompagné Colomb dans son premier voyage (1). Finalement, les populations des îles caraïbes cessèrent de fournir leur tribut car elles disparurent : les indigènes furent complètement décimés dans les laveries des mines, tués par la terrible besogne de remuer les sables aurifères, le corps à demi submergé, ou succombant, exténués, en défrichant les champs, le dos courbé sous les lourds instruments de labour apportés d'Espagne. De nombreux indigènes de l'île Espagnole devançaient le destin imposé par leurs nouveaux oppresseurs blancs : ils tuaient leurs enfants et se suicidaient en masse. L'historien Fernández de Oviedo interprétait ainsi, au milieu du XVIe siècle, l'holocauste des Antillais : « Beaucoup, comme passe-temps, s'empoisonnèrent pour ne pas travailler, et d'autres se pendirent de leurs propres mains (2). »

Les dieux revenaient avec des armes secrètes

A son passage à Ténériffe, lors de son premier voyage, Colomb avait assisté à une formidable éruption volcanique. Ce fut comme un présage de tout ce qui allait arriver sur ces

(1) Earl J. Hamilton, *American Treasure and the Price Revolution in Spain (1501-1650)*, Massachusetts, 1934.
(2) Gonzalo Fernández de Oviedo, *Historia general y natural de las Indias*, Madrid, 1959. L'interprétation a fait école. Je suis surpris de lire dans le livre de René Dumont *Cuba est-il socialiste ?*, Paris, 1970 : « Les Indiens n'ont pas été tous exterminés, il subsiste de leurs gènes dans les chromosomes cubains. Ils avaient un tel dégoût de la tension qu'exige le travail continu que certains se suicidèrent plutôt que d'accepter le travail forcé... »

immenses terres nouvelles qui viendraient barrer, ô surprise ! la route occidentale vers l'Asie. L'Amérique se devinait derrière ses côtes infinies : la conquête s'étendit comme une marée furieuse, en vagues successives. Les *adelantados* (1) succédaient aux amiraux et les équipages se transformaient en armées d'envahisseurs. Les bulles du pape avaient concédé l'Afrique à la Couronne du Portugal, octroyant à la Couronne de Castille les terres « inconnues comme celles découvertes jusqu'ici par vos envoyés et celles à découvrir... » : l'Amérique avait été donnée à la reine Isabelle. En 1508, une nouvelle bulle attribua à la Couronne espagnole, à perpétuité, toutes les dîmes perçues en Amérique : le patronage universel, si convoité, sur l'Église du Nouveau Monde, incluait le droit pour les souverains de recouvrer tous les bénéfices ecclésiastiques (2).

Le traité de Tordesillas, en 1494, permit au Portugal d'occuper des territoires américains au-delà de la ligne de séparation tracée par le pape, et en 1530 Martim Alfonso de Sousa fondait les premiers centres de peuplement portugais au Brésil, après avoir expulsé les intrus français. A cette époque déjà, les Espagnols, traversant des forêts redoutables et d'immenses déserts hostiles, avaient sensiblement progressé dans l'exploration et la conquête. En 1513, le Pacifique Sud étalait ses eaux scintillantes sous les yeux de Vasco Núñez de Balboa : à l'automne 1522, les dix-huit survivants de l'expédition de Fernand de Magellan, qui avaient relié pour la première fois deux océans et prouvé que la terre était ronde en en faisant le tour complet, rentraient en Espagne ; trois ans auparavant, les dix bateaux d'Hernán Cortés avaient quitté Cuba en direction du Mexique et, en 1523, Pedro de Alvarado se lançait à la conquête de l'Amérique centrale ; Francisco Pizarre, un éleveur de porcs, analphabète, entrait triomphalement au Cuzco en 1533 et s'emparait ainsi du cœur de l'Empire inca ; en 1540, Pedro de Valdivia traversait le désert d'Atacama

---

(1) *Adelantado* : haut fonctionnaire espagnol représentant le roi à l'époque de la conquête et durant la période coloniale espagnole ; il vient dans la hiérarchie après le gouverneur. *(N. du T.)*.
(2) Guillermo Vázquez Franco, *La conquista justificada*, Montevideo, 1968, et J.H. Elliot, *op. cit.*

et fondait Santiago du Chili. Les conquérants s'enfonçaient dans le Chaco et révélaient le Nouveau Monde, du Pérou à l'embouchure du fleuve le plus puissant de la planète.

Il y avait de tout parmi les indigènes : des astronomes et des cannibales, des ingénieurs et des sauvages de l'âge de pierre. Mais aucune des cultures aborigènes ne connaissait le fer ou la charrue, le verre ou la poudre, et la roue n'apparaissait que dans la représentation des chars votifs. La civilisation qui, venue de l'autre côté de la mer, s'abattit sur ces terres vivait l'explosion créatrice de la Renaissance : l'Amérique représentait une invention de plus, qui participait avec la poudre, l'imprimerie, le papier et la boussole à la naissance bouillonnante des Temps modernes. L'inégalité du développement entre les deux mondes explique la facilité relative avec laquelle les civilisations autochtones succombèrent. Hernán Cortés débarqua à Veracruz accompagné seulement de cent marins et de cinq cent huit soldats ; il disposait de seize chevaux, trente-deux arbalètes, dix canons de bronze et de quelques arquebuses, mousquets et gros pistolets. Il ne lui en fallut pas davantage. Et pourtant la capitale des Aztèques, Tenochtitlán, était alors cinq fois plus grande que Madrid, et deux fois plus peuplée que Séville, la plus importante ville d'Espagne. Francisco Pizarre, de son côté, entra dans Cajamarca avec cent quatre-vingts soldats, trente-sept chevaux, et rencontra une armée de cent mille Indiens.

L'étonnement constitua un autre facteur dans la défaite des indigènes. L'empereur Moctezuma reçut dans son palais les premières nouvelles : une grande colline mouvante s'avançait sur la mer. Bientôt, d'autres messagers le renseignèrent : « ... il fut effrayé d'entendre raconter comment le canon explose, comment gronde et roule son fracas et comment on s'évanouit, assourdi. Et lorsque le coup part une sorte de boule de pierre sort de ses entrailles et fait pleuvoir du feu... ». Les étrangers arrivaient montés sur des « cerfs » qui les portaient « hauts comme les toits ». Leurs corps étaient entièrement enveloppés, « seules leurs figures sont visibles. Elles sont blanches comme de la chaux. Ils ont les cheveux jaunes, sauf certains qui les ont noirs. Leur barbe est longue... (1) ». Moctezuma crut que c'était le dieu Quetzalcóatl qui revenait sur terre. Huit présages avaient annoncé, peu avant, son retour. Les chasseurs lui avaient remis un oiseau qui portait sur la tête un diadème en forme de miroir rond dans lequel le ciel, où brillait le soleil couchant, se reflétait. Dans ce miroir Moctezuma vit les escadrons de guerriers marcher sur le Mexique. Le dieu Quetzalcóatl était venu par l'est et par l'est s'en était allé : il était blanc et barbu. Viracocha, le dieu bissexué des Incas, était également blanc et barbu. Et l'Est était le berceau des ancêtres héroïques des Mayas (2).

Les dieux vindicatifs qui revenaient régler des comptes avec leurs peuples portaient des armures et des cottes de mailles, des carapaces brillantes qui renvoyaient les flèches et les pierres ; leurs armes répandaient des rayons mortels et obscurcissaient l'atmosphère avec des fumées irrespirables. Les conquistadores pratiquaient aussi, avec science et raffinement, les techniques de la trahison et de l'intrigue. Ils surent s'allier aux Tlaxcaltèques contre Moctezuma et exploiter à leur avantage la division de l'Empire inca entre Huascar et Atahualpa, les frères ennemis. Ils se firent des complices parmi les castes dominantes intermédiaires, prêtres, fonctionnaires, militaires, une fois que le crime eut renversé les dignitaires indigènes. En outre, ils utilisèrent d'autres armes, ou plutôt d'autres facteurs travaillèrent objectivement pour la victoire des envahisseurs. Les chevaux et les virus, par exemple.

Les chevaux avaient été, comme les chameaux, originaires d'Amérique (3), mais leurs races s'y étaient éteintes. Introduits en Europe par les cavaliers arabes, ils avaient rendu dans ces régions d'immenses services, militaires et économiques. Lorsqu'ils réapparurent, au moment de la conquête, ils

(1) Selon les informateurs indigènes de fray Bernardino de Sahagún, dans le Codex florentin, in Miguel León-Portilla, *Visión de los vencidos*, Mexico, 1967.
(2) Ces coïncidences étonnantes ont favorisé l'hypothèse selon laquelle les dieux des religions indigènes avaient été en réalité des Européens arrivés sur ces terres bien avant Colomb. (Rafael Pineda Yáñez, *La isla y Colón*, Buenos Aires, 1955.)
(3) Jacquetta Hawkes, *Prehistoria*, in *Historia de la Humanidad*, publication de l'UNESCO, Buenos Aires, 1966.

contribuèrent à prêter des forces magiques aux envahisseurs, sous les yeux stupéfaits des indigènes. Atahualpa vit arriver les premiers soldats espagnols montés sur des chevaux fougueux ornés de grelots et de plumets qui couraient en déchainant des tonnerres et de grands nuages de poussière sous leurs sabots rapides. Pris de panique, l'Inca tomba à la renverse (1). Le cacique Tecum, à la tête des héritiers des Mayas, attaqua avec sa lance le cheval de Pedro de Alvarado, convaincu qu'il était une partie du corps du conquérant : Alvarado se redressa et le tua (2). Quelques chevaux, couverts de harnais guerriers, dispersaient les masses indigènes et semaient la terreur et la mort. Dans leur processus colonisateur, « curés et missionnaires présentèrent à l'imagination des autochtones les chevaux comme des animaux d'origine sacrée et affirmèrent que déjà saint Jacques, le patron de l'Espagne, montait un poulain blanc qui avait gagné de vaillantes batailles contre les Maures et les Juifs, avec l'aide de la Divine Providence (3) ».

Les bactéries et les virus se montrèrent les alliés les plus efficaces. Les Européens apportaient, comme des fléaux bibliques, la variole et le tétanos, et un certain nombre de maladies pulmonaires, intestinales et vénériennes, le trachome, le typhus, la lèpre, la fièvre jaune, les caries qui pourrissaient leurs bouches. La petite vérole fut la première à apparaître. Cette épidémie inconnue et répugnante qui vous brûlait de son feu et décomposait les chairs n'était-elle pas un châtiment surnaturel ? « Ils allèrent s'installer à Tlaxcala. Alors l'épidémie se répandit : toux, démangeaisons, boutons qui brûlent », rapporte un témoin indigène ; et un autre : « Beaucoup moururent de la contagieuse, gluante et envahissante maladie des pustules (4). » Les Indiens mouraient comme des mouches ; leurs organismes n'offraient aucune résistance aux maladies nouvelles. Les survivants restaient

(1) Huamán Poma, *El primer nueva crónica y buen gobierno*, in Miguel León-Portilla, *El reverso de la conquista. Relaciones aztecas, mayas e incas*, Mexico, 1964.
(2) *Títulos de la Casa Izquín Nehaib. Señora del Territorio de Otziyá*, in Miguel León-Portilla, *op. cit.*
(3) Gustavo Adolfo Otero, *Vida social en el coloniaje*, La Paz, 1958.
(4) Auteurs anonymes de Tlatelolco et informateurs de Sahagún, in Miguel León-Portilla, *op. cit.*

amoindris et inutiles. L'anthropologue brésilien Darcy Ribeiro (1) estime que plus de la moitié de la population aborigène de l'Amérique, de l'Australie et des îles de l'Océanie mourut, contaminée, dès le premier contact avec les Blancs.

« ILS CONVOITENT L'OR COMME DES PORCS AFFAMÉS »

A coups d'arquebuse, d'épée et de souffles de peste s'avançaient les implacables et peu nombreux conquérants de l'Amérique. C'est ce que raconte la voix des vaincus. Après la tuerie de Cholula, Moctezuma envoya de nouveaux émissaires au-devant de Cortés, qui faisait route vers la vallée de Mexico. Les messagers offrirent aux Espagnols des colliers d'or et des drapeaux de plumes de quetzal. Les Espagnols sont « dans le ravissement. Comme le feraient des singes, ils soulèvent l'or, ils s'assoient avec des gestes qui manifestent leur jubilation, on dirait que leurs cœurs sont rajeunis et illuminés. Il est évident que c'est là ce qu'ils désirent avidement. Tout leur corps se dilate à cette idée, ils montrent à cet égard un appétit furieux. Ils convoitent l'or comme des porcs affamés », rapporte le texte nahuatl conservé dans le Codex florentin. Plus tard, lorsque Cortés arriva à Tenochtitlán, la splendide capitale aztèque, les Espagnols entrèrent dans la maison du trésor, « ils firent alors une grosse boule d'or et ils mirent le feu, incendièrent, enflammèrent tout ce qui restait, quelle que fût sa valeur : ainsi tout brûla. Et en ce qui concerne l'or, les Espagnols le réduisirent en barres… ».

On fit la guerre, et finalement Cortés, qui avait perdu Tenochtitlán, la reconquit en 1521. « Et déjà nous n'avions plus de boucliers, plus de massues, et comme nous n'avions plus rien à manger, nous ne mangions plus. » La ville

(1) Darcy Ribeiro, *Las Américas y la civilización*, tome 1 : *La civilización occidental y nosotros. Los pueblos testimonio*, Buenos Aires, 1969.

dévastée, incendiée et jonchée de cadavres, se rendit. « Les boucliers furent sa protection, mais les boucliers ne pouvaient pas la protéger contre sa solitude. » Hernán Cortés était resté horrifié devant les sacrifices des indigènes de Veracruz, qui brûlaient des entrailles d'enfants pour en offrir la fumée aux dieux ; pourtant sa propre cruauté ne connut pas de limites dans la ville reconquise. « Et toute la nuit se mit à pleuvoir sur nous. » Mais la potence et le supplice ne suffirent pas : les trésors arrachés ne satisfaisaient jamais les exigences de l'imagination et pendant de longues années les Espagnols creusèrent le fond du lac de Mexico à la recherche de l'or et des objets précieux que l'on y supposait cachés par les Indiens.

Pedro de Alvarado et ses hommes s'abattirent sur le Guatemala et « les Indiens tués étaient si nombreux qu'il se forma un fleuve de sang, qui est aujourd'hui l'Olimtepeque », et encore « le jour devint si rouge par la grande quantité de sang qu'il y eut alors ». Avant la bataille décisive, « et se sentant harcelés, les Indiens demandèrent aux Espagnols de ne plus les tourmenter, ils leur offraient beaucoup d'or, d'argent, de diamants et d'émeraudes que conservaient leurs capitaines Nehaib Ixquín, Nehaib fait aigle et lion. Alors ils se rendirent aux Espagnols et restèrent avec eux... (1) ».

Avant d'égorger l'Inca Atahualpa et de lui couper la tête, Francisco Pizarre lui extorqua une rançon sur « un brancard d'or et d'argent qui pesait plus de vingt mille marcs d'argent fin, un million trois cent vingt-six mille écus d'or très fin... » Après quoi, il se précipita sur Cuzco. Ses soldats croyaient qu'ils entraient dans la ville des Césars, tellement la capitale de l'Empire inca était éblouissante, mais ils n'attendirent pas pour saccager le temple du Soleil : « Se démenant et se battant entre eux, chacun voulant emporter du trésor la part du lion, les soldats en cottes de mailles piétinaient bijoux et statues, frappaient les ustensiles à coups de marteau pour les réduire à un format plus facilement maniable... Pour convertir le métal en barres, ils jetaient au creuset tout le trésor du temple : les plaques qui avaient couvert les murs, les merveilleux arbres ciselés, les oiseaux et autres objets du jardin (2). »

(1) Miguel León-Portilla, *op. cit.*
(2) Miguel León-Portilla, *op. cit.*

Aujourd'hui, sur le Zócalo, l'immense place nue du centre de la ville de Mexico, la cathédrale s'élève sur les ruines du temple le plus important de Tenochtitlán, et le palais du gouvernement est construit sur la résidence de Cuauhtémoc, le chef aztèque martyrisé et tué par Cortés. Tenochtitlán fut rasée. Cuzco, au Pérou, connut le même sort, mais les conquérants ne purent en abattre tous les murs gigantesques et on peut voir, au pied des édifices coloniaux, le témoignage de pierre de la colossale architecture inca.

Splendeurs de Potosí : le cycle de l'argent

On prétend qu'à l'époque de l'apogée de la ville de Potosí même les fers des chevaux étaient en argent (1). En argent aussi les autels des églises et les ailes des chérubins dans les processions : en 1658, pour la célébration de la Fête-Dieu, les rues de la ville furent dépavées, du centre jusqu'à l'église des Récollets, et entièrement recouvertes de barres d'argent. A Potosí, c'est l'argent qui permit d'élever des temples et des palais, des monastères et des tripots ; il engendra la fête et la tragédie, fit couler le vin et le sang, enflamma la cupidité et multiplia le gaspillage et l'aventure. L'épée et la croix s'avançaient côte à côte dans la conquête et le pillage colonial. Pour arracher l'argent à l'Amérique, capitaines et ascètes, cavaliers en armes et apôtres, soldats et moines se donnèrent rendez-vous à Potosí. Fondus en blocs et en lingots, les viscères de la riche colline alimentèrent de façon substantielle

(1) Pour la reconstitution de l'apogée de Potosí, l'auteur a consulté les témoignages suivants : Pedro Vicente Cañete y Domínguez, *Potosí colonial ; guía histórica, geográfica, política, civil y legal del gobierno e intendencia de la provincia de Potosí*, La Paz, 1939 ; Luis Capoche, *Relación general de la Villa Imperial de Potosí*, Madrid, 1959 ; Nicolás de Martínez Arzanz y Vela, *Historia de la Villa Imperial de Potosí*, Buenos Aires, 1943. Également, les *Crónicas potosinas*, de Vicente G. Quesada, Paris, 1890, et *La ciudad única*, de Jaime Molins, Potosí, 1961.

le développement de l'Europe. « Un vrai Pérou » devint le plus grand éloge que l'on pût faire de quelqu'un ou de quelque chose, après que Pizarre se fut rendu maître du Cuzco ; mais à partir de la découverte de la colline, don Quichotte de la Manche parle différemment : « Un vrai Potosí », dit-il à Sancho. Veine jugulaire du vice-royaume, source de l'argent d'Amérique, Potosí comptait cent vingt mille habitants, selon le recensement de 1573. Vingt-huit ans seulement s'étaient écoulés depuis que la ville avait surgi au milieu des hauts déserts andins et elle avait déjà, comme par un coup de baguette magique, la même population que Londres et plus d'habitants que Séville, Madrid, Rome ou Paris. En 1650, un nouveau recensement attribua à Potosí cent soixante mille habitants. C'était une des villes les plus grandes et les plus riches du monde, dix fois plus peuplée que Boston, à l'époque où New York ne s'appelait pas encore ainsi.

L'histoire de Potosí n'était pas née avec les Espagnols. Longtemps avant la conquête, l'Inca Huayna Capac avait entendu ses vassaux parler du Sumac Orcko, la belle colline, et il avait pu la voir enfin lorsque, malade, il s'était fait transporter aux thermes de Tarapaya. Du seuil des paillotes du village de Cantumarca, les yeux de l'Inca avaient contemplé pour la première fois ce cône parfait qui s'élevait orgueilleusement entre les hauts sommets des chaînes de montagnes. Il en resta coi. Les tons rougeoyants à l'infini, la forme élancée et la taille gigantesque de la colline furent désormais un sujet d'admiration et d'émerveillement. Mais l'Inca avait soupçonné que dans ses entrailles elle devait receler des pierres et des métaux précieux, et il souhaitait ajouter de nouveaux ornements au temple du Soleil à Cuzco. L'or et l'argent que les Incas extrayaient jusque-là des mines de Colque Porco et d'Andacaba ne sortaient pas des frontières du royaume : on ne les employait pas pour le commerce, seulement pour l'adoration des dieux.

L'exploitation fut décidée, mais les mineurs avaient à peine planté leurs silex dans les filons de « la belle colline » qu'une voix caverneuse sortant des profondeurs de ces broussailles les renversa. La voix grondait comme le tonnerre et disait en quechua : « Ce n'est pas pour vous ; Dieu réserve ces richesses à ceux qui viennent de très loin. » Les Indiens s'enfuirent épouvantés et l'Inca abandonna la colline, après lui avoir donné un autre nom : Potojsi, ce qui signifie « tonne, éclate, explose ».

« Ceux qui viennent de très loin » ne tardèrent pas à apparaître. Les capitaines de la conquête se frayaient un chemin. Huayna Capac était mort lorsqu'ils arrivèrent. En 1545, l'Indien Huallpa, qui suivait les traces d'un lama échappé, se vit contraint de passer la nuit sur la colline. Afin de ne pas mourir de froid, il alluma du feu. La flambée éclaira une veine blanche et brillante. C'était de l'argent pur. L'avalanche espagnole déferla.

La richesse coulait à flots. L'empereur Charles Quint donna bientôt des marques de gratitude en accordant à Potosí le titre de ville impériale et un blason portant cette inscription : « Je suis la riche Potosí, le trésor du monde, la reine des montagnes et la convoitise des rois. » Onze ans à peine après la découverte de Huallpa, la toute jeune ville impériale célébrait le couronnement de Philippe II par des festivités qui durèrent vingt-quatre jours et coûtèrent huit millions de pesos or. Les chercheurs de trésors pleuvaient sur l'endroit inhospitalier. La colline, à près de cinq mille mètres d'altitude, était le plus puissant des aimants, mais à ses pieds la vie était dure, le climat rigoureux : on payait le froid comme s'il avait été un impôt. Une société riche et déréglée jaillit à Potosí en même temps que l'argent. Essor et bouillonnement du métal : Potosí devint « le nerf principal du royaume », selon la formule du vice-roi Hurtado de Mendoza. Au début du XVIIe siècle, la ville comptait déjà trente-six églises magnifiquement décorées, trente-six maisons de jeu et quatorze écoles de danse. Les salons, les théâtres et les estrades pour les fêtes exhibaient de très riches tapisseries et de somptueux rideaux, blasons et œuvres d'orfèvrerie ; aux balcons des maisons pendaient des damas de couleurs et des lamés d'or et d'argent. Les soies et les tissus venaient de Grenade, des Flandres et de Calabre ; les chapeaux, de Paris et de Londres ; les diamants, de Ceylan ; les pierres précieuses, de l'Inde ; les perles, de Panama ; les bas, de Naples ; les cristaux, de Venise ; les tapis, de Perse ; les parfums, d'Arabie, et la porcelaine, de Chine. Les dames scintillaient sous les pierreries, les diamants et rubis, les perles ; les hommes se pavanaient dans le meilleur drap brodé de Hollande. Les jeux de l'anneau succédaient aux courses de taureaux et on s'affrontait comme au Moyen Age en joutes de l'amour et de l'orgueil, avec des casques sertis d'émeraudes et ornés de plumets multicolores, des selles et des étriers d'or ciselé, des épées de Tolède, des poulains du Chili luxueusement harnachés.

En 1579, l'auditeur Matienzo déplorait : « On n'en finit plus avec les nouveautés, les audaces et le dévergondage. » Il y avait déjà alors à Potosí huit cents professionnels du tripot et cent vingt prostituées célèbres, dans les salons fastueux desquelles se pressaient les mineurs fortunés. En 1608, on célébra les fêtes du Saint-Sacrement par six journées de comédies et six nuits de bals masqués, huit jours de corridas et trois de *saraos* (1), deux de tournois et autres réjouissances.

L'ESPAGNE POSSÉDAIT LA VACHE, MAIS D'AUTRES BUVAIENT SON LAIT

Entre 1545 et 1558, on découvrit les riches filons argentifères de Potosí, situés dans l'actuelle Bolivie, et ceux de Zacatecas et de Guanajuato, au Mexique ; l'alliage avec le mercure, qui rendit possible l'exploitation de l'argent moins titré, commença à être pratiqué. Le « rush » de l'argent éclipsa rapidement le règne de l'or. Aux environs de 1650, l'argent représentait plus de 99 % des exportations minières de l'Amérique espagnole (2).

L'Amérique était alors une vaste mine dont l'entrée principale se trouvait à Potosí. Quelques écrivains boliviens, saisis par un enthousiasme excessif, affirment que l'Espagne, avec le métal reçu du Potosí pendant trois siècles, aurait pu construire un pont d'argent allant du sommet de la colline à la porte du palais royal, de l'autre côté de l'Océan. L'image est

(1) Soirées mondaines, avec danses et orchestres. *(N. du T.)*
(2) Earl J. Hamilton, *op. cit.*

sans doute le fruit de l'imagination mais elle fait allusion à une réalité — bien qu'elle semble inventée : le flux de l'argent atteignit des proportions gigantesques. L'importante exportation clandestine d'argent américain qui partait en contrebande vers les Philippines, la Chine et même l'Espagne ne figure pas dans les calculs de Earl J. Hamilton, qui nous donne malgré tout dans son œuvre bien connue sur le sujet, d'après les renseignements obtenus à la *Casa de Contratación* (1) de Séville, des chiffres étonnants. Entre 1503 et 1660, cent quatre-vingt-cinq mille kilogrammes d'or et seize millions de kilogrammes d'argent arrivèrent dans la métropole andalouse. L'argent transporté en Espagne en un peu plus d'un siècle et demi représentait le triple des réserves européennes. Et il ne faut pas oublier que ces chiffres officiels sont sous-évalués.

Les métaux arrachés aux nouveaux territoires coloniaux stimulèrent le développement économique européen et même, peut-on dire, le rendirent possible. Les effets de la conquête des trésors perses qu'Alexandre le Grand déversa sur le monde hellénique ne peuvent être comparés à l'ampleur de cette formidable contribution de l'Amérique au progrès étranger. Non à celui de l'Espagne, certes, bien qu'elle possédât les mines d'argent de l'Amérique. Au XVIIe siècle, on disait : « L'Espagne est comme la bouche qui reçoit les aliments, elle les mâche, elle les triture, pour les envoyer ensuite aux autres organes, et n'en retient pour sa part qu'un goût fugitif et les particules qui par hasard restent dans ses dents (2). » Les Espagnols possédaient la vache, mais d'autres buvaient son lait. Les créanciers du royaume, en majorité étrangers, vidaient systématiquement les coffres de la *Casa de Contratación* de Séville, destinée à garder enfermé à double tour et sous double surveillance le trésor provenant d'Amérique.

La Couronne était hypothéquée. Elle cédait à titre d'avance presque toutes les cargaisons d'argent aux banquiers allemands, génois, flamands et espagnols (3). Les impôts perçus en Espagne connaissaient en grande partie le même sort : en

---

(1) A l'époque coloniale, Office centralisateur du commerce et de la navigation entre les Indes et la métropole. *(N. du T.)*
(2) Cité par Gustavo Adolfo Otero, *op. cit.*
(3) J.H. Elliott, *op. cit.*, et Earl J. Hamilton, *op. cit.*

1543, 65 % du montant des rentes royales étaient destinés au paiement des annuités. Seule une infime quantité de l'argent américain entrait dans l'économie espagnole ; bien qu'il fût formellement enregistré à Séville, l'argent passait dans les mains des Fugger, puissants banquiers qui avaient avancé au pape les fonds nécessaires pour terminer la basilique Saint-Pierre, et dans celles des autres grands prêteurs de l'époque, les Welser, les Shetz ou les Grimaldi. Il servait aussi au règlement des exportations de marchandises non espagnoles à destination du Nouveau Monde.

Ce riche empire avait une métropole pauvre, bien que l'illusion de la prospérité y soulevât des bulles de plus en plus gonflées de vide : la Couronne en guerre ouvrait des fronts de tous côtés pendant que l'aristocratie se consacrait au gaspillage et que, sur le sol espagnol, les curés et les soldats, les nobles et les mendiants se multipliaient au même rythme frénétique que le prix des choses et les taux d'intérêt de l'argent. L'industrie mourait à peine née dans ce royaume de grandes propriétés incultes, et l'économie espagnole malade ne pouvait résister à la poussée brutale de l'augmentation de la demande en aliments et en marchandises qui était l'inévitable conséquence de l'expansion coloniale. L'énorme accroissement des dépenses publiques et l'asphyxiante pression des besoins de consommation dans les territoires d'outre-mer augmentaient le déficit commercial et favorisaient une inflation galopante. Colbert écrivait : « Plus un État fait de commerce avec l'Espagne, plus il possède d'argent. » Les pays d'Europe se livraient une âpre lutte pour la conquête du marché espagnol, qui rapportait, par surcroît, le marché et l'argent américains. Un rapport français de la fin du XVIIe siècle nous permet de savoir que l'Espagne ne contrôlait alors que 5 % du commerce avec « ses » possessions coloniales d'outre-océan, en dépit du mirage juridique du monopole : près d'un tiers du total était entre les mains des Hollandais et des Flamands, un quart entre celles des Français ; les Génois en détenaient plus de 20 %, les Anglais, 10 % et les Allemands un peu moins [1]. L'Amérique était un négoce européen.

[1] Roland Mousnier, *Les XVIe et XVIIe siècles*, tome IV de L'*Histoire générale des civilisations* de Maurice Crouzet.

Charles Quint, héritier des Césars dans le Saint Empire après une élection achetée, n'avait passé en Espagne que seize années sur les quarante de son règne. Ce monarque au menton proéminent et au regard stupide, qui avait accédé au trône sans connaître un seul mot d'espagnol, gouvernait entouré d'une cour de Flamands rapaces qu'il gratifiait de sauf-conduits pour faire sortir d'Espagne des mules et des chevaux chargés d'or et de bijoux ; il les récompensait en leur octroyant des évêchés et des archevêchés, des titres bureaucratiques et même la première autorisation d'emmener des esclaves noirs dans les colonies américaines. Lancé à la poursuite du démon dans toute l'Europe, Charles Quint anéantit le trésor de l'Amérique dans ses guerres religieuses. La dynastie des Habsbourg ne s'éteignit pas avec lui ; l'Espagne devait la supporter encore pendant près de deux siècles. Le grand champion de la Contre-Réforme fut son fils Philippe II. De son gigantesque palais-monastère de l'Escurial, au flanc du massif de Guadarrama, Philippe II mit en marche, à l'échelle universelle, la terrible machinerie de l'Inquisition, et envoya ses armées sur les lieux principaux de l'hérésie. Le calvinisme avait étendu son emprise à la Hollande, à l'Angleterre et à la France, et les Turcs incarnaient le danger du retour de la religion d'Allah. L'opération de salut coûta fort cher : les quelques objets d'or et d'argent, merveilles de l'art américain, qui n'arrivaient pas déjà fondus du Mexique et du Pérou étaient vite retirés de la *Casa de Contratación* de Séville et jetés dans les fours des fonderies.

On brûlait aussi les hérétiques et ceux qui étaient soupçonnés d'hérésie ; ils grillaient dans les flammes purificatrices de l'Inquisition ; Torquemada brûlait les livres et la queue du diable traînait partout : la guerre contre le protestantisme était en outre la guerre contre le capitalisme grandissant en Europe. « La pérennisation de la croisade, dit Elliott dans son ouvrage déjà cité, impliquait la pérennisation de l'organisation sociale archaïque d'une nation de croisés. » Les métaux d'Amérique, délire et ruine de l'Espagne, fournissaient les moyens de combattre les forces naissantes de l'économie moderne. Déjà Charles Quint avait anéanti la bourgeoisie castillane dans la guerre des *comuneros*, qui s'était transformée en révolution sociale contre la noblesse, ses biens et ses privilèges. Le soulèvement fut écrasé à partir de la trahison de la ville de Burgos, qui deviendrait quatre siècles plus tard la capitale du général Francisco Franco ; après avoir éteint les derniers foyers rebelles, Charles Quint rentra en Espagne accompagné de quatre mille soldats allemands. Dans le même temps fut également étouffée dans le sang la très radicale insurrection des tisserands, fileurs et artisans qui avaient pris le pouvoir à Valence et dans toute la région.

La défense de la foi catholique devenait un masque pour lutter contre l'histoire. Au temps des Rois Catholiques, l'expulsion des juifs — Espagnols de religion judaïque — avait privé l'Espagne d'un grand nombre d'artisans habiles et de capitaux indispensables. On attache moins d'importance à l'expulsion des Arabes, ou plus exactement des Espagnols de religion musulmane, en 1609 ; pourtant, au moins deux cent soixante-quinze mille d'entre eux furent reconduits à la frontière, ce qui eut des effets désastreux sur l'économie valencienne, et les plaines fertiles du sud de l'Èbre, en Aragon, furent perdues. Auparavant, Philippe II avait expulsé, pour des raisons religieuses, des milliers d'artisans flamands convaincus ou suspects de protestantisme : l'Angleterre les accueillit sur son sol, où ils donnèrent une énorme impulsion aux manufactures britanniques.

Comme on le voit, les grandes distances et les communications difficiles n'étaient pas les obstacles principaux au progrès industriel de l'Espagne. Les capitalistes espagnols se transformaient en rentiers, ils possédaient des titres sur la dette de la Couronne et n'investissaient pas leurs capitaux dans le développement industriel. L'excédent économique dérivait vers des voies improductives : les riches de vieille date, seigneurs hauts justiciers, propriétaires de la terre et des titres de noblesse, érigeaient des palais et entassaient des bijoux ; les nouveaux riches, spéculateurs et marchands, achetaient des terres et des titres. Ni les uns ni les autres ne payaient pratiquement d'impôts ; ils ne pouvaient être incarcérés pour dettes. Se consacrer à une activité industrielle faisait automatiquement perdre le titre de noblesse (1).

Des traités commerciaux successifs, signés à la suite des défaites militaires des Espagnols en Europe, accordèrent des concessions qui stimulèrent le trafic maritime entre le port de Cadix, où se déversaient désormais (2) les métaux d'Amérique, et les ports français, anglais, hollandais et hanséatiques. Chaque année, de huit cents à mille navires déchargeaient en Espagne les produits industrialisés par d'autres pays. On emportait l'argent d'Amérique, et aussi la laine espagnole qui partait en direction des ateliers étrangers et était retournée, tissée, par l'industrie européenne en expansion. Les monopoles de Cadix se contentaient de mettre leur griffe sur les produits industriels étrangers qu'ils expédiaient au Nouveau Monde : si les manufactures espagnoles se révélaient incapables d'alimenter le marché intérieur, comment auraient-elles pu satisfaire les besoins des colonies ?

Les dentelles de Lille et d'Arras, les toiles de Hollande, les tapisseries de Bruxelles et les brocarts de Florence, les cristaux de Venise, les armes de Milan et les vins et tissus de France (3) inondaient le marché espagnol, au détriment de la production locale, pour satisfaire le désir de faste et les exigences de consommation des riches parasites, de plus en plus nombreux et puissants dans un pays de plus en plus pauvre. L'industrie mourait dans l'œuf, et les Habsbourg firent tout pour accélérer son extinction. Au milieu du XVIe siècle, le comble fut atteint quand on autorisa l'importation de tissus étrangers en même temps que l'on interdisait l'exportation de draps espagnols ailleurs qu'en Amérique (4). Selon l'historien J. A. Ramos, les orientations de Henri VIII ou d'Élisabeth Ire d'Angleterre étaient bien différentes : ils interdirent dans cette nation montante la sortie de l'or et de l'argent, monopolisèrent les lettres de change, empêchèrent la vente extérieure de la laine et chassèrent des ports britanni-

---

(1) J. Vicens Vives, *Historia social y económica de España y América*, Barcelone, 1957.
(2) Cadix avait supplanté Séville.
(3) Jorge Abelardo Ramos, *Historia de la nación latinoamericana*, Buenos Aires, 1968.
(4) J.H. Elliott, *op. cit.*

ques les marchands de la Ligue hanséatique. Pendant ce temps, les Républiques italiennes protégeaient leur commerce extérieur et leur industrie par des droits de douane, des privilèges et des interdictions rigoureuses : les artisans ne pouvaient s'expatrier sous peine de mort.

La ruine espagnole s'étendait à toutes les activités. Séville comptait encore en 1558, à la mort de Charles Quint, seize mille métiers à tisser ; il n'en restait plus que quatre cents lorsque, quarante ans plus tard, mourut Philippe II. Les sept millions de brebis du troupeau andalou se réduisirent à deux millions. Cervantes, dans le *Don Quichotte* — interdit pendant longtemps en Amérique —, brossa le portrait de la société de l'époque. Un décret du milieu du XVIe siècle rendait impossible l'importation de livres étrangers et interdisait aux étudiants de suivre des cours hors d'Espagne ; le nombre des étudiants de Salamanque diminua de moitié en quelques décennies ; il y avait neuf mille couvents et le clergé se multipliait presque aussi vite que la noblesse de cape et d'épée ; cent soixante mille étrangers accaparaient le commerce extérieur, et le gaspillage de l'aristocratie condamnait l'Espagne à l'impuissance économique. En 1630, un peu plus de cent cinquante ducs, marquis, comtes et vicomtes recevaient cinq millions de ducats de rente annuelle, qui alimentaient largement l'éclat de leurs titres ronflants. Le duc de Medinaceli avait sept cents domestiques et le grand-duc d'Osuna trois cents serviteurs, qu'il habillait de manteaux de fourrure pour se moquer du tsar de Russie (1). Le XVIIe siècle fut l'époque des *pícaros* (2), de la faim et des épidémies. La quantité de mendiants espagnols était infinie, ce qui n'empêchait pas les mendiants étrangers d'affluer de toute l'Europe. En 1700, l'Espagne comptait six cent vingt-cinq mille hidalgos,

---

(1) L'espèce ne s'est pas éteinte. J'ouvre une revue de Madrid de la fin 1969 et je lis : « Nous apprenons le décès de doña Teresa Beltrán de Lis y Pidal Gorouski y Chico de Guzmán, duchesse d'Albuquerque et marquise de los Alcañices y de los Balbases, la regrettée épouse du duc d'Albuquerque, don Beltrán Alonso Osorio y Díez de Rivera Martos y Figueroa, marquis de los Alcañices, de los Balbases, de Cadreita, de Cuéllar, de Cullera, de Montaos, comte de Fuensaldaña, de Grajal, de Huelma, de Ledesma, de la Torre, de Villanueva de Cañedo, de Villahumbrosa, trois fois grand d'Espagne. »
(2) Filous et protagonistes de la littérature du Siècle d'Or. *(N. du T.)*

seigneurs de la guerre, alors que le pays se vidait : sa population avait baissé de moitié en un peu plus de deux siècles ; son chiffre était celui de l'Angleterre, qui pendant la même période avait doublé. 1700 marquait la fin du règne des Habsbourg. La banqueroute était totale. Un chômage chronique, de grandes propriétés en friche, une monnaie chaotique, une industrie ruinée, des guerres perdues et un trésor vide, l'autorité centrale méconnue dans les provinces : l'Espagne qu'affronta Philippe V était « à peine moins défunte que son chef décédé (1) ».

Les Bourbons donnèrent à la nation une apparence plus moderne, mais à la fin du XVIIIe siècle le clergé espagnol ne comptait pas moins de deux cent mille membres, alors que la population improductive continuait d'augmenter considérablement, accentuant le sous-développement du pays. A l'époque, il y avait encore en Espagne plus de dix mille bourgs et villes assujettis à la juridiction seigneuriale de la noblesse et, par conséquent, échappant au contrôle de la Couronne. Les latifondi et l'institution du droit d'aînesse demeuraient intacts. Obscurantisme et fatalisme dominaient. On n'avait pas dépassé l'époque de Philippe IV, sous le règne duquel une assemblée de théologiens s'était réunie pour examiner le projet de construction d'un canal entre le Manzanares et le Tage et avait conclu en déclarant que si Dieu avait voulu que les fleuves fussent navigables, il les aurait créés ainsi de son propre chef.

Distribution des rôles entre le cheval et le cavalier

Dans le premier tome du *Capital*, Karl Marx écrit : « La découverte des gisements d'or et d'argent en Amérique, la croisade d'extermination, d'esclavagisme et d'ensevelissement

(1) John Lynch, *Administración colonial española*, Buenos Aires, 1962.

dans les mines de la population aborigène, le commencement de la conquête et le pillage des Indes orientales, la transformation du continent africain en terrain de chasse d'esclaves noirs sont autant de faits qui annoncent l'ère de production capitaliste. Ces processus idylliques représentent autant de facteurs fondamentaux dans le mouvement de l'accumulation originaire. »

Le pillage, interne et externe, fut le moyen le plus important pour l'accumulation première de capitaux qui, depuis le Moyen Age, rendit possible l'apparition d'une nouvelle étape historique dans l'évolution économique mondiale. A mesure que s'étendait l'économie monétaire, l'inégalité des échanges concernait de plus en plus de couches sociales et de pays de la planète. Ernest Mandel a totalisé la valeur de l'or et de l'argent arrachés à l'Amérique jusqu'en 1660, le butin enlevé à l'Indonésie par la Compagnie hollandaise des Indes orientales de 1650 à 1780, les profits du capital français sur la traite des Noirs pendant le XVIIIe siècle, les gains obtenus grâce au travail des esclaves dans les Antilles britanniques et le pillage anglais en Inde durant un demi-siècle : le résultat dépasse en quantité l'ensemble du capital investi dans toutes les industries européennes aux environs de 1800 (1). Mandel fait remarquer que cette masse gigantesque de capitaux créa un climat favorable aux investissements en Europe, stimula « l'esprit d'entreprise » et finança directement la création de manufactures qui donnèrent une grande impulsion à la révolution industrielle. Mais, en même temps, la formidable concentration internationale de la richesse au bénéfice de l'Europe empêcha les pays soumis au pillage d'accéder à l'accumulation d'un capital industriel. « La double tragédie des pays en voie de développement consiste en ce qu'ils furent victimes non seulement de ce mécanisme de concentration internationale mais aussi que, par la suite, ils durent essayer de compenser leur retard industriel, c'est-à-dire réaliser l'accumulation de base d'un capital industriel, dans un monde inondé d'articles manufacturés par l'industrie occidentale pleinement développée (2). »

(1) Ernest Mandel, *Tratado de economía marxista*, Mexico, 1969.
(2) Ernest Mandel, *La teoría marxista de la acumulación primitiva y la industrialización del Tercer Mundo*, revue *Amaru*, n° 6, Lima, avril-juin 1968.

Les dépendances américaines avaient été découvertes, conquises et colonisées dans le système de l'expansion du capital commercial. L'Europe tendait les bras pour étreindre le monde entier. Ni l'Espagne ni le Portugal ne touchèrent les bénéfices de l'avance irrésistible du mercantilisme capitaliste, bien que leurs colonies fussent les fournisseurs substantiels de l'or et de l'argent qui alimentèrent l'expansion. Nous l'avons vu : si les métaux précieux d'Amérique firent flamboyer la fortune trompeuse d'une noblesse espagnole qui vivait tardivement son Moyen Age à contre-courant de l'histoire, ils scellèrent aussi la ruine de l'Espagne pour les siècles à venir. Ce furent les autres pays d'Europe qui purent engendrer le capitalisme moderne en profitant en grande partie de la dépossession des peuples indigènes d'Amérique. Au vol des trésors accumulés succéda l'exploitation systématique, dans les mines et les gisements, du travail forcé des indigènes et des esclaves noirs arrachés à l'Afrique par les trafiquants.

L'Europe avait besoin d'or et d'argent. Les moyens de paiement en circulation se multipliaient sans cesse et il fallait alimenter les mouvements du capitalisme naissant : les bourgeois s'emparaient des villes et fondaient des banques, ils produisaient et échangeaient des marchandises, ils conquéraient de nouveaux marchés. L'or, l'argent, le sucre : l'économie coloniale, plus pourvoyeuse que consommatrice, se structura en fonction des demandes du marché européen et se mit à son service. Le montant des exportations latino-américaines de métaux précieux fut, durant de longues périodes du XVIe siècle, quatre fois supérieur à celui des importations, surtout composées d'esclaves, de sel, de vins et d'huile, d'armes, de drap et d'articles de luxe. Les ressources affluaient pour que les jeunes nations européennes, de l'autre côté de la mer, les accumulent. C'était la mission fondamentale des pionniers, chargés également de brandir l'Évangile, presque autant que le fouet, sur les Indiens agonisants. La structure économique des colonies ibériques se constitua dans la dépendance du marché extérieur et, par conséquent, fut essentiellement liée au secteur d'exportation, qui concentrait l'argent et la puissance.

Tout au long du processus — de l'étape des métaux à la fourniture plus tardive d'aliments — chaque région s'identifia avec ce qu'elle produisait, et elle produisait ce qu'en attendait l'Europe : chaque produit, entreposé dans les cales des galions qui sillonnaient l'Océan, se transforma en vocation et en destin. « La division internationale du travail, telle qu'elle surgit en même temps que le capitalisme, ressemblait beaucoup à la distribution des rôles entre un cavalier et son cheval », a écrit Paul Baran (1). Les marchés du monde colonial grandirent comme de simples appendices du marché intérieur du capitalisme surgissant.

Celso Furtado souligne (2) que les seigneurs européens obtenaient un excédent économique de la population qu'ils dominaient et l'utilisaient, d'une façon ou d'une autre, dans leurs propres régions, alors que l'objectif principal des Espagnols qui avaient reçu du roi des mines, des terres, des indigènes en Amérique consistait à soustraire un excédent pour le transférer à l'Europe. Cette observation contribue à éclairer l'orientation que prit, dès le départ, l'économie coloniale américaine ; bien qu'elle montrât dans ses aspects quelques signes féodaux, elle était au service du capitalisme naissant dans d'autres pays. Finalement, même de nos jours, l'existence des centres riches du capitalisme ne peut s'expliquer sans l'existence de périphéries pauvres et assujetties, ceux-là et celles-ci faisant partie du même système.

Cependant, tout l'excédent ne s'évadait pas vers l'Europe. L'économie coloniale était régie par les marchands, les patrons des mines et les grands propriétaires fonciers qui se répartissaient l'usufruit du travail de la main-d'œuvre indigène et noire sous l'œil envieux et tout-puissant de la Couronne et de sa principale alliée, l'Église. Le pouvoir était concentré entre les mains de quelques privilégiés qui envoyaient à l'Europe des métaux et des vivres et recevaient d'Europe les articles de luxe à la jouissance desquels ils dépensaient leur fortune en expansion. Les classes dominantes n'avaient pas le moindre intérêt à diversifier les économies internes ni à élever les niveaux techniques et culturels de la population : leur fonction, à l'intérieur de l'engrenage

(1) Paul Baran, *Économie politique de la croissance*, trad. Liane Mozère, Paris, 1967.
(2) Celso Furtado, *La economía latinoamericana desde la Conquista ibérica hasta la Revolución cubana*, Santiago du Chili, 1969, Mexico, 1969.

international, était tout autre, et l'immense misère du peuple, si lucrative du point de vue des intérêts du pouvoir, empêchait le développement d'un marché intérieur de la consommation.

L'économiste français J. Beaujeu-Garnier (1) affirme que le pire héritage colonial de l'Amérique latine, celui qui explique son retard considérable, est le manque de capitaux. Pourtant, toute l'information historique montre que l'économie coloniale donna une richesse considérable aux classes associées au système colonialiste dirigeant. L'énorme quantité de main-d'œuvre disponible, qui était gratuite ou presque, et la forte demande européenne concernant les produits américains rendirent possible, dit Sergio Bagú (2), « une rapide et importante accumulation de capitaux dans les colonies ibériques. Le noyau des bénéficiaires, loin de s'accroître, se réduisit par rapport à la masse de la population, comme il se dégage du fait vérifié que le nombre d'Européens et de natifs sans travail ne cessait d'augmenter ». Le capital qui demeurait en Amérique, une fois déduite la part du lion, qui venait grossir le processus d'accumulation primitive du capitalisme européen, n'engendrait pas, dans ces régions, un processus analogue à celui de l'Europe, qui jetait les bases du développement industriel ; il était détourné pour la construction de palais et de temples somptueux, pour l'achat de bijoux, de vêtements et de meubles de luxe, pour le maintien d'une domesticité nombreuse et les folles dépenses des fêtes. Dans une mesure également non négligeable, cet excédent restait immobilisé dans l'achat de nouvelles terres ou continuait à tourner dans des activités spéculatives et commerciales.

Au crépuscule de l'ère coloniale, Humboldt rencontrera au Mexique « une masse impressionnante de capitaux entassés entre les mains des propriétaires de mines ou des négociants retirés des affaires » ; la moitié au moins de la propriété foncière et du capital du Mexique appartenait, selon son témoignage, à l'Église, qui contrôlait en outre une bonne partie des terres restantes par des hypo-

(1) J. Beaujeu-Garnier, *L'économie de l'Amérique latine*, Paris, 1949.
(2) Sergio Bagú, *Economía de la sociedad colonial. Ensayo de historia comparada de América Latina*, Buenos Aires, 1949.

thèques (1). Les Mexicains possesseurs de mines investissaient leurs excédents dans l'achat de grandes propriétés et dans les prêts hypothécaires, tout comme les exportateurs puissants de Veracruz et d'Acapulco ; la hiérarchie ecclésiastique étendait ses biens dans le même sens. Les résidences capables de transformer en prince un plébéien et les temples fastueux jaillissaient dans la capitale comme des champignons après la pluie.

Au Pérou, au milieu du XVIIe siècle, d'importants capitaux provenant des *encomenderos* (2), des propriétaires miniers, des inquisiteurs et des fonctionnaires de l'administration impériale se déversaient dans le commerce. Les fortunes nées au Venezuela de la culture du cacao, commencée à la fin du XVIe siècle en utilisant comme main-d'œuvre des légions d'esclaves noirs, étaient investies « dans de nouvelles plantations et autres cultures commerciales, quand on n'achetait pas des mines, des biens fonciers urbains, des esclaves et des troupeaux (3) ».

Ruines de Potosí : le cycle de l'argent

Analysant la nature des relations « métropole-satellite » au long de l'histoire de l'Amérique latine comme une chaîne de servitudes successives, André Gunder Frank a fait ressortir dans ses travaux (4) que les régions les plus marquées aujourd'hui par le sous-développement et la pauvreté sont celles qui, dans le passé, eurent les liens les plus étroits avec la métropole et connurent des périodes de prospérité. Elles furent les principales productrices de biens exportés vers

(1) Alexandre de Humboldt, *Essai politique sur le royaume de la Nouvelle-Espagne*, Paris, 1811.
(2) Colons qui possédaient des Indiens par concession de la Couronne. (*N. du T.*)
(3) Sergio Bagú, *op. cit.*
(4) André Gunder Frank, *Capitalisme et sous-développement en Amérique latine*, trad. Guillaume Carle et Christos Passadéos, Paris, 1968.

l'Europe ou, plus tard, vers les États-Unis, et des sources intarissables pour le capital. La métropole les abandonna quand, pour une raison ou pour une autre, les affaires déclinèrent. Potosí offre l'exemple le plus évident de cette chute jusqu'au néant.

Les mines d'argent de Guanajuato et de Zacatecas, au Mexique, eurent leur essor beaucoup plus tard. Aux XVIe et XVIIe siècles, la riche colline de Potosí fut le centre de la vie coloniale américaine ; autour d'elle gravitaient, chacun à sa façon : l'économie chilienne, qui lui fournissait le blé, la viande séchée, les cuirs et les vins ; les troupeaux et les ateliers artisanaux de Córdoba et de Tucumán, qui l'approvisionnaient en animaux de trait et en tissus ; les mines de mercure de Huancavélica et la région d'Arica, d'où s'embarquait l'argent pour Lima, principal centre administratif en ces années. Le XVIIIe siècle annonce l'agonie de l'économie de l'argent qui eut son siège à Potosí ; néanmoins, à l'époque de l'Indépendance, la population du territoire qui constitue l'actuelle Bolivie était supérieure à celle qui habitait ce qui allait devenir l'Argentine contemporaine. Un siècle et demi plus tard, la Bolivie est presque six fois moins peuplée que l'Argentine.

Cette société de Potosí, malade d'apparat et de gaspillage, ne laissa que le vague souvenir de ses splendeurs, les ruines de ses temples et de ses palais, et huit millions de cadavres d'Indiens. N'importe quel diamant incrusté dans le blason d'un riche seigneur valait à lui seul plus que ce qu'un Indien pouvait gagner dans toute sa vie de *mitayo* (1), mais le seigneur fila, lui, avec les diamants. La Bolivie, aujourd'hui l'un des pays les plus pauvres du monde, pourrait se vanter — si cela n'était pathétiquement inutile — d'avoir alimenté la fortune des nations les plus riches. De nos jours, Potosí est une ville pauvre de la pauvre Bolivie : « Celle qui a donné le plus au monde et qui possède le moins », m'a dit une vieille dame de l'endroit, enveloppée dans un interminable châle d'alpaga, alors que nous bavardions devant le patio andalou de sa maison biséculaire. Cette ville condamnée à la nostalgie, tourmentée par la misère et le froid, reste une plaie

(1) Indien astreint à des travaux forcés rémunérés. *(N. du T.)*

ouverte dans le système colonial américain : une accusation toujours vivante.

On vit du peu qui reste. En 1640, le père Álvaro Alonso-Barba publiait à Madrid, à l'Imprimerie Royale, son excellent traité sur l'art des métaux. L'étain, écrivait-il, « c'est du poison (1) ». Il mentionnait des collines où « il y a beaucoup d'étain, bien que peu le connaissent ; comme on ne trouve pas l'argent que tout le monde cherche, on l'abandonne là ». A Potosí, on exploite maintenant l'étain que les Espagnols jetèrent au rebut. On vend les murs des vieilles maisons comme de l'étain pur. Par les ouvertures des cinq mille galeries que les Espagnols pratiquèrent dans la colline, la richesse a jailli au long des siècles. La colline a changé de couleur à mesure que les cartouches de dynamite l'ont vidée et ont abaissé la hauteur de son sommet. Les roches, accumulées autour des nombreux trous, sont de toutes les couleurs : roses, lilas, pourpres, ocre, grises, dorées, brunes. Une courtepointe faite de morceaux. Les *llamperos* ouvrent le roc et les *palliris* indiennes, d'une main experte pour peser et séparer, becquettent comme des oiseaux les résidus, à la recherche de l'étain. Dans les anciennes galeries qui n'ont pas été inondées, les mineurs entrent encore, une lampe à carbure à la main, l'échine ployée, pour arracher ce qu'ils peuvent. Il n'y a plus une parcelle d'argent : les Espagnols allaient jusqu'à nettoyer les filons à la balayette. Les *pallacos* creusent à la pioche et à la pelle de petits tunnels pour extraire les résidus au milieu des décombres. « La colline est restée riche, me disait sans étonnement un chômeur qui grattait la terre avec ses mains. Croyez-moi, Dieu existe : le minerai pousse comme une plante. Exactement ! » En face de la riche colline de Potosí s'élève le témoin de la dévastation. C'est un mont nommé Huakajchi, ce qui en quechua signifie : « La colline qui a pleuré. » L'eau pure coule de ses versants en de nombreuses sources, ce sont les « yeux de l'eau » qui abreuvent les mineurs.

A l'époque de son essor, au milieu du XVIIe siècle, la ville avait attiré beaucoup de peintres et d'artisans espagnols ou indigènes, grands maîtres européens et autochtones ou

(1) Álvaro Alonso-Barba, *Arte de los metales*, Potosí, 1967.

imagiers locaux qui donnèrent un cachet spécial à l'art colonial américain. Melchor Pérez de Holguín, le Greco d'Amérique, a laissé une œuvre importante qui montre à la fois le talent de son créateur et le souffle païen de ces régions : on oublie difficilement, par exemple, sa splendide Vierge Marie qui, les bras ouverts, donne un sein à l'enfant Jésus et l'autre sein à Joseph. Les orfèvres, les ciseleurs sur argent, les spécialistes du repoussé et les ébénistes, artisans du métal, du bois précieux, du stuc et des marbres nobles, remplirent les multiples églises et monastères de Potosí de sculptures d'inspiration coloniale et d'autels aux filigranes infinis, resplendissants d'argent, ainsi que de chaires et de retables de très grande valeur. Les façades baroques des églises, sculptées dans la pierre, ont résisté aux assauts des siècles. Il n'en fut pas de même pour les peintures, très souvent détériorées et même irrémédiablement détruites par l'humidité, ni pour les statues et objets de peu de poids. Touristes et curés ont vidé les églises de tout ce qu'ils ont pu emporter : des calices et des cloches jusqu'aux effigies de saint François et du Christ en hêtre ou en frêne.

Ces églises à l'abandon, fermées en grande partie, s'écroulent au fur et à mesure, ruinées par les années. Ce qui est regrettable, car elles constituent encore, malgré les pillages, de formidables trésors d'un art colonial où fusionnent et flambent tous les styles. Dans cet art splendide qui mêle le génie et l'hérésie, le « signe échelonné » de Tiahuanacu se substitue à la croix du Christ et la croix voisine avec le soleil et la lune sacrés ; les vierges et les saints exhibent de vrais cheveux ; les raisins et les épis s'enroulent autour des colonnes jusqu'aux chapiteaux, à côté de la *kantuta*, la fleur impériale des Incas ; les sirènes, Bacchus et la fête de la vie alternent avec l'ascétisme roman, les visages bruns de certaines divinités et les cariatides aux traits indigènes. Quelques églises ont été transformées pour d'autres fonctions que celles de la foi. L'église Saint-Ambroise est devenue un cinéma et, en février 1970, sur les bas-reliefs baroques de la façade on annonçait le prochain spectacle : *Un monde fou, fou, fou*. Le temple de la Compagnie de Jésus, aménagé aussi en cinéma, a servi quelque temps d'entrepôt à la société Grace avant d'abriter la réserve de vivres de l'hospice. Cependant, quelques rares églises sont encore, tant bien que mal, en activité : depuis au moins un siècle et demi les habitants de Potosí, faute d'argent, brûlent des cierges. Dans l'église Saint-François, affirme-t-on, le crucifix grandit de quelques centimètres chaque année, ainsi que la barbe du Seigneur de la Vraie-Croix, un imposant Christ d'argent et de soie qui apparut à Potosí, sans l'aide d'aucun chrétien, voilà quatre siècles. Les curés reconnaissent qu'ils le rasent de temps en temps et ils n'hésitent pas à lui attribuer — même par écrit — tous les miracles : conjurations successives de sécheresses et de pestes, guerres défensives de la ville assiégée.

Hélas ! le Seigneur de la Vraie-Croix n'a rien pu faire contre la décadence de Potosí. L'épuisement des filons d'argent avait été interprété comme un châtiment de Dieu sanctionnant les atrocités et les péchés des propriétaires miniers. On abandonna les messes spectaculaires ; en fin de compte, les cérémonies religieuses pleines de faste comme les banquets et les corridas, les bals et les feux d'artifice, avaient été un sous-produit du travail d'esclave des Indiens. Les exploitants faisaient, à l'époque de la prospérité, des dons fabuleux aux églises et aux monastères et on célébrait de somptueuses funérailles. On ouvrait les portes du ciel avec des clefs de pur argent : en 1559, le marchand Álvaro Bejarano ordonnait dans son testament que « tous les curés et prêtres de Potosí » accompagnent sa dépouille. Les pratiques de guérisseurs et la sorcellerie se mêlaient à la religion autorisée, dans le délire de la ferveur et des paniques de la société coloniale. L'extrême-onction, avec clochette et dais, ainsi que la communion, pouvaient guérir l'agonisant, mais un testament substantiel en faveur de la construction d'une église ou d'un autel en argent était beaucoup plus efficace. On traitait la fièvre par les Évangiles : dans certains couvents, les prières rafraîchissaient le corps, dans d'autres, elles le réchauffaient. « Le credo était frais comme le tamarin ou le nitre doux, et le salve était chaud comme la fleur d'oranger ou les barbes de maïs tendre... (1). »

Dans la rue de Chuquisaca on peut admirer la façade, rongée par les siècles, du palais des comtes de Carma y

(1) Gustavo Adolfo Otero, *op. cit.*

Cayara, mais l'édifice est maintenant le cabinet d'un chirurgien-dentiste ; les armoiries du mestre de camp don Antonio López de Quiroga ornent une petite école, rue Lanza ; le blason du marquis de Otavi, avec ses lions rampants, surmonte le portique de la Banque nationale. « Où vivent-ils aujourd'hui ? Ils ont dû s'en aller bien loin... » La vieille dame de Potosí, attachée à sa ville, me raconte que les riches en partirent les premiers, et les pauvres ensuite : Potosí a de nos jours trois fois moins d'habitants qu'il y a quatre siècles. Je contemple la colline d'une terrasse de la rue Uyuni, une très étroite et sinueuse ruelle coloniale dont les maisons ont de grands balcons de bois si rapprochés d'un trottoir à l'autre que les voisins peuvent s'embrasser et se battre sans avoir à descendre dans la rue. Ici, comme dans toute la ville, survivent les vieux quinquets à la lumière moribonde, sous lesquels, selon Jaime Molins, « se réglèrent des querelles d'amour et se faufilèrent comme des démons des messieurs drapés dans leurs capes, des élégantes et des coureurs de tripots ». L'électricité est présente mais peu efficace. Le soir, à la lueur des vieux lampadaires, des tombolas fonctionnent : j'ai vu tirer au sort un morceau de galette devant la foule rassemblée.

En même temps que Potosí, Sucre tomba en décadence. Cette ville de vallée, d'un climat agréable, qui s'était appelée tour à tour Charcas, La Plata et Chuquisaca, profita d'une bonne partie de la richesse des mines de Potosí. Gonzalo Pizarre, frère de Francisco, y avait installé sa cour, fastueuse comme celle d'un roi ; des églises, des palais, des squares et des maisons de plaisance y jaillissaient continuellement en même temps que les juristes, les mystiques et les poètes rhétoriciens qui donnèrent, siècle après siècle, son cachet à la ville. « Sucre, c'est le silence. Le silence et rien d'autre. Mais avant... » Avant, c'était la capitale culturelle de deux vice-royautés, le siège du principal archevêché de l'Amérique et du plus puissant tribunal de la colonie, la ville la plus riche et la plus cultivée de l'Amérique du Sud. Doña Cecilia Contreras de Torres et doña María de las Mercedes Torralba de Gramajo, dames de Ubina et de Colquechaca, y donnaient des frairies princières : elles jouissaient pour leurs gaspillages des revenus fabuleux de leurs mines de Potosí ; et, leurs fêtes somptueuses une fois terminées, elles jetaient par les balcons la vaisselle d'argent et même les ustensiles en or que les passants chanceux ramassaient.

Sucre possède toujours une tour Eiffel et ses Arcs de Triomphe, et on dit qu'avec les bijoux de sa Vierge on pourrait payer l'énorme dette extérieure de la Bolivie. Mais les célèbres cloches des églises qui, en 1809, carillonnèrent avec allégresse l'émancipation de l'Amérique ont aujourd'hui un son funèbre. Le bourdon de Saint-François, qui avait annoncé, à tant de reprises, émeutes et soulèvements, sonne aujourd'hui le glas pour la mortelle immobilité de Sucre. Certes, Sucre demeure la capitale constitutionnelle de la Bolivie et la Cour suprême de justice y a toujours son siège, mais cela a peu d'importance. Dans les rues, où passaient les docteurs portant lorgnons au bout d'un cordonnet noir, vont et viennent d'innombrables et chétifs avocaillons au teint cireux, survivants témoignages de la décadence. Du fond de leurs grands palais vides, les illustres patriarches de Sucre envoient leurs serviteurs vendre des pâtés en croûte aux portières des trains. A l'époque fortunée, l'un d'eux avait pu acheter un titre de prince.

Seuls demeurent vivants à Potosí et à Sucre les fantômes de la richesse passée. A Huanchaca, autre centre de la tragédie bolivienne, les capitaux anglo-chiliens ont épuisé, au siècle dernier, des filons d'argent de plus de deux mètres de large ; il ne reste maintenant que des ruines fumantes de poussière. Huanchaca figure toujours sur les cartes, comme si elle existait encore, présentée comme un centre minier en activité, avec son pic et sa pelle croisés. Les mines mexicaines de Guanajuato et de Zacatecas ont-elles eu plus de chance ? En se basant sur les faits rapportés par Alexandre de Humboldt dans son *Essai politique sur le royaume de la Nouvelle-Espagne*, on a estimé à quelque cinq milliards de dollars actuels le montant de l'excédent économique sorti du Mexique entre 1760 et 1809 — moins d'un demi-siècle — dans les exportations d'argent et d'or (1). Il n'y avait pas alors de mines plus importantes en Amérique. Le savant allemand

---

(1) Fernando Carmona, prologue à *Historia y pensamiento económico de México* de Diego López Rosado, Mexico, 1968.

compare la mine Valenciana, à Guanajuato, avec la Himmels Furst en Saxe, qui était la plus riche d'Europe : la Valenciana produisait trente-six fois plus d'argent, au long du siècle, et laissait à ses actionnaires des bénéfices trente-trois fois plus élevés. Le comte Santiago de la Lagūna vibrait d'émotion en découvrant, en 1732, la région minière de Zacatecas et « les précieux trésors que cachaient ses seins profonds », dans les coteaux, « si fiers d'avoir plus de quatre mille bouches, pour mieux servir du fruit de leurs entrailles les deux Majestés », Dieu et le Roi, et « pour que tous accourent boire et participer à ce qui est grand, riche, savant, noble et policé » car c'était là « une source de science, d'urbanité, d'armes et de noblesse... (1) ». L'abbé Marmolejo décrira plus tard la ville de Guanajuato, traversée par des ponts, avec des jardins qui ressemblaient beaucoup à ceux de Sémiramis à Babylone, et des temples fastueux, un théâtre, des arènes, des gallodromes, des tours et des coupoles se découpant sur les pentes vertes des montagnes. Mais c'était « le pays de l'inégalité », et Humboldt put écrire au sujet du Mexique : « L'inégalité n'est peut-être nulle part plus effrayante... L'architecture des édifices publics et privés, la finesse du linge des femmes, l'air de la société, tout annonce un raffinement qui contraste extraordinairement avec la pauvreté, l'ignorance et la rusticité de la rue. » Les nouveaux filons d'argent engloutissaient hommes et mules dans les flancs des cordillères ; les Indiens, « qui vivaient seulement pour sortir du jour », souffraient d'une faim endémique et la peste les tuait comme des mouches. En une seule année, 1784, une vague de maladies provoquées par le manque de vivres après des gelées dévastatrices fit plus de huit mille morts à Guanajuato.

(1) D. Joseph Ribera Bernárdez, comte Santiago de la Lagūna, *Descripción breve de la muy noble y leal ciudad de Zacatecas*, in Gabriel Salinas de la Torre, *Testimonios de Zacatecas*, Mexico, 1946. Outre cette œuvre et l'essai de Humboldt, l'auteur a consulté : Luis Chávez Orozco, *Revolución industrial-Revolución política*, Biblioteca del Obrero y Campesino, Mexico, s.d. ; Lucio Marmolejo, *Efemérides guanajuatenses, o datos para formar la historia de la ciudad de Guanajuato*, Guanajuato, 1883 ; José María Luis Mora, *México y sus revoluciones*, Mexico, 1965 ; et pour les documents d'actualité, *La economía del Estado de Zacatecas* et *La economía del Estado de Guanajuato*, de la série des recherches du Sistema Bancos de Comercio, Mexico, 1968.

Les capitaux ne s'accumulaient pas, on les gaspillait. On disait : « Un père marchand ; le fils, seigneur ; le petit-fils, mendiant. » Dans un rapport au gouvernement, en 1843, Lucas Alamán formula un sombre avertissement, insistant également sur la nécessité de défendre l'industrie nationale, par un système de prohibitions et de fortes impositions, contre la concurrence étrangère : « Il faut recourir au développement industriel comme unique source d'une prospérité universelle, affirmait-il. La richesse de Zacatecas ne profite à Puebla que par le travail qu'elle fournit à ses manufactures, et si celles-ci périclitaient à nouveau, comme ce fut le cas dans le passé, ce serait la ruine de cette région aujourd'hui florissante et que la richesse minière ne pourrait pas sauver de la misère. » La prophétie s'avéra exacte. De nos jours, Zacatecas et Guanajuato ne sont plus les villes les plus importantes de leur province. Toutes deux végètent entourées de squelettes, laissés par les campements de la prospérité minière. Zacatecas, élevée et aride, vit de l'agriculture et exporte de la main-d'œuvre vers d'autres États ; la qualité actuelle de ses minerais d'or et d'argent a beaucoup baissé, comparée à celle de l'heureuse époque. Il reste à peine deux mines sur les cinquante que le district de Guanajuato exploitait. La population de cette très belle ville ne s'accroît pas, mais les touristes affluent pour contempler la splendeur exubérante des temps anciens, se promener dans les ruelles aux noms romantiques, riches en légendes, et frémir d'horreur devant les cent momies que les sels de la terre ont conservées intactes. La moitié des familles de l'État de Guanajuato, constituées en moyenne de plus de cinq membres, vit actuellement dans des masures d'une seule pièce.

On verse sang et pleurs, et pourtant le pape avait reconnu que les Indiens avaient une âme

En 1581, Philippe II avait affirmé devant l'*Audiencia* (1) de Guadalajara qu'un tiers des indigènes d'Amérique avaient été décimés et que les survivants se voyaient contraints de payer tribut pour les morts. Le monarque avait ajouté que les Indiens étaient achetés et vendus. Qu'ils dormaient à la belle étoile. Que les mères tuaient leurs enfants pour leur épargner le supplice des mines (2). Mais l'hypocrisie de la Couronne était plus vaste que l'empire : la Couronne recevait un cinquième de la valeur des métaux qu'extrayaient ses sujets dans toute l'étendue du Nouveau Monde hispanique, en plus d'autres impôts ; et il en fut de même au XVIIIe siècle pour la Couronne du Portugal dans sa domination sur le Brésil. Selon Engels, l'argent et l'or de l'Amérique pénétrèrent comme un acide corrosif par tous les pores de la société féodale européenne moribonde et les exploitants miniers, au service du mercantilisme capitaliste naissant, transformèrent les aborigènes et les esclaves noirs en un très important « prolétariat externe » de l'économie européenne. L'esclavage gréco-romain renaissait dans les faits, dans un monde différent ; et à l'infortune des indigènes des empires anéantis de l'Amérique hispanique, il faut ajouter le terrible destin des Noirs arrachés à leurs villages africains pour travailler au Brésil et aux Antilles. L'économie coloniale latino-américaine disposa de la plus grande concentration de force de travail connue jusqu'alors, pour rendre possible la plus grande

---

(1) Organisme judiciaire et administratif au moyen duquel les rois d'Espagne exerçaient une partie du gouvernement dans les territoires américains. Les *Audiencias* dépendaient du Conseil des Indes et étaient au nombre de quatorze. (*N. du T.*)
(2) John Collier, *The Indians of America*, New York, 1947.

concentration de richesses dont ait jamais pu disposer une civilisation dans l'histoire mondiale.

Cette violente marée de convoitise, d'horreur et de courage ne s'abattit sur ces régions qu'au prix du génocide des indigènes : les investigations récentes les mieux fondées estiment que la population du Mexique précolombien atteignait entre vingt-cinq et trente millions d'habitants et on évalue à un chiffre identique la quantité d'Indiens de la zone andine ; l'Amérique centrale et les Antilles comptaient entre dix et treize millions d'âmes. Les Indiens de l'Amérique totalisaient pas moins de soixante-dix millions de personnes lorsque les conquistadores firent leur apparition ; un siècle et demi plus tard, ils n'étaient plus que trois millions et demi (1). Selon le marquis de Barinas, entre Lima et Paita, où avaient vécu plus de deux millions d'Indiens, il ne restait que quatre mille familles indigènes en 1685. L'archevêque Liñán y Cisneros niait l'anéantissement des Indiens : « Ils se cachent, disait-il, pour ne pas payer d'impôts, abusant de la liberté dont ils jouissent et qu'ils n'avaient pas à l'époque des Incas (2). »

Le métal jaillissait sans discontinuer des filons américains et sans discontinuer arrivaient aussi de la cour d'Espagne des ordonnances qui octroyaient aux indigènes une protection sur le papier et une dignité figée dans l'encre, alors que leur labeur harassant entretenait le royaume. Une légalité fictive protégeait l'Indien ; une exploitation de fait le saignait à blanc. De l'esclavage à l'*encomienda* (3) de travail et de celle-ci à l'*encomienda* fiscale et au régime des salaires, les variantes dans la condition juridique de la main-d'œuvre indigène ne modifièrent que superficiellement sa situation. La Couronne considérait tellement indispensable l'exploitation inhumaine de la force de travail aborigène qu'en 1601 Philippe III édicta des mesures interdisant le travail forcé dans les mines mais envoya en même temps d'autres instructions secrètes ordonnant de le maintenir « au cas où cette décision ferait baisser la production (4) ». Entre 1616 et 1619, le

---

(1) Selon Darcy Ribeiro, *op. cit.*, avec des documents de Henry F. Dobyns, Paul Thompson et autres.
(2) Emilio Romero, *Historia económica del Perú*, Buenos Aires, 1949.
(3) Voir note 2, page 48. *(N. du T.).*
(4) Enrique Finot, *Nueva Historia de Bolivia*, Buenos Aires, 1946.

gouverneur, chargé de mission, Juan de Solórzano fit une enquête sur les conditions de travail dans les mines de mercure de Huancavélica : « ... le poison pénètre dans la moelle épinière, affaiblissant tous les membres et provoquant un tremblement chronique, ce qui fait mourir les ouvriers dans un délai de quatre ans, en général », rapporta-t-il au Conseil des Indes et au monarque. Pourtant, en 1631, Philippe IV ordonna de ne rien changer et son successeur, Charles II, reconduisit le décret. Ces mines de mercure étaient exploitées directement par la Couronne, à la différence des mines d'argent, qui appartenaient à des exploitants privés.

En trois siècles, la riche Potosí anéantit, selon Josiah Conder, huit millions de vies humaines. Les Indiens étaient arrachés aux communautés agricoles et acheminés, avec leurs femmes et leurs enfants, vers la colline. Sept sur dix de ceux qui partaient vers les hauts déserts glacés n'en revenaient jamais. Luis Capoche, propriétaire de mines et de fonderies, écrivait que « les chemins étaient si encombrés qu'on aurait dit que le pays déménageait ». Dans les villages communautaires, les indigènes avaient vu « revenir beaucoup de femmes affligées, sans leurs maris, et beaucoup d'enfants sans leurs parents ». Ils savaient que dans la mine « mille morts et désastres » les attendaient. Les Espagnols exploraient des centaines de milles à la ronde, à la recherche de main-d'œuvre. Beaucoup d'Indiens moururent en chemin avant d'atteindre Potosí. Mais c'étaient les terribles conditions de travail qui tuaient le plus. Le dominicain Domingo de Santo Tomás dénonçait au Conseil des Indes, en 1550, peu après l'ouverture de la mine, Potosí comme étant une « gueule de l'enfer » qui avalait chaque année des milliers et des milliers d'Indiens et il ajoutait que les exploitants rapaces les traitaient « comme des animaux sans maîtres ». Et frère Rodrigo de Loaysa dira plus tard : « Ces pauvres Indiens sont comme des sardines dans la mer. De même que les autres poissons poursuivent les sardines pour s'en emparer et les dévorer, tous sur ces terres poursuivent les misérables Indiens... (1). » Les caciques des *comunidades* (2) devaient remplacer les

(1) Œuvres citées.
(2) Communautés rurales indiennes. *(N. du T.)*

mitayos (1) qui mouraient par d'autres hommes de dix-huit à cinquante ans. Le camp de répartition, où l'on adjugeait les Indiens aux possesseurs de mines et de raffineries, un gigantesque enclos aux murs de pierre, sert maintenant de terrain de football ; on peut voir encore, à l'entrée de Potosí, un informe tas de ruines : c'était la prison des *mitayos*.

Dans le recueil de lois des Indes occidentales, il ne manque pas de décrets établissant l'égalité des droits entre les Indiens et les Espagnols quant à l'exploitation des mines, et interdisant expressément que soient lésés les indigènes. L'histoire formelle — lettre morte qui de nos jours recueille la lettre morte du passé — n'aura pas à se plaindre ; pourtant, tandis que des projets de code du travail en Amérique remplissaient des montagnes de dossiers et que scintillait dans l'encre le talent des juristes espagnols, sur place la loi « existait mais n'était pas appliquée ». Dans les faits, selon Luis Capoche, « le pauvre Indien est une monnaie avec laquelle on se procure tout ce dont on a besoin, comme avec l'or et l'argent, mais mieux encore ». De nombreux individus revendiquaient devant les tribunaux leur condition de métis pour ne pas être envoyés dans les mines, ni vendus et revendus sur les marchés.

A la fin du XVIIIe siècle, Concolorcorvo, dans les veines duquel coulait du sang indigène, reniait ainsi les siens : « Nous ne contestons pas le fait que les mines consument un nombre considérable d'Indiens, mais ce n'est pas le travail dans les mines d'argent et de mercure qu'il faut accuser sinon le libertinage dans lequel ils vivent. » Le témoignage de Capoche, qui avait beaucoup d'Indiens à son service, est significatif. Les températures glaciales à l'extérieur alternaient avec des chaleurs infernales dans les puits. Les Indiens entrent dans les profondeurs « et on les en sort généralement morts ou avec les jambes et la tête fracturées, et dans les fonderies il y a tous les jours des blessés ». Les *mitayos* faisaient sauter le minerai à coups de pic et ensuite le transportaient sur leur dos, par des échelles, à la lueur d'une bougie. D'autres actionnaient les grands axes de bois dans les fonderies où coulait l'argent, après l'avoir concassé et lavé.

---

(1) Voir note page 49. *(N. du T.)*

La *mita* (1) était une machine à broyer les Indiens. L'emploi du mercure pour l'extraction de l'argent par amalgame empoisonnait autant ou plus que les gaz toxiques dans le ventre de la terre. Il faisait tomber les cheveux et les dents et provoquait des tremblements incontrôlables. Les victimes de l'hydrargyrisme se traînaient dans les rues pour demander l'aumône. Six mille cinq cents brasiers brûlaient la nuit sur les flancs de la riche colline et on y travaillait l'argent en profitant du vent qu'envoyait du ciel le « glorieux saint Augustin ». A cause de la fumée des fours, il n'y avait ni pâturages ni récoltes dans un rayon de six lieues à la ronde, et les émanations n'étaient pas moins implacables pour les corps des hommes.

Les justifications idéologiques ne manquaient pas. La saignée du Nouveau Monde devenait un acte de charité ou une profession de foi. En même temps que la culpabilité, tout un système d'alibis se développa pour les consciences coupables. On transformait les Indiens en bêtes de somme car ils portaient un poids supérieur à celui que pouvait supporter la faible échine du lama et on conclut tout naturellement que les Indiens étaient des bêtes de somme. Le vice-roi du Mexique considérait qu'il n'y avait pas de meilleur remède que le travail dans les mines pour soigner la « méchanceté naturelle » des indigènes. L'humaniste Juan Ginés de Sepúlveda déclarait que les Indiens méritaient d'être ainsi traités car leurs péchés et idolâtries offensaient Dieu. Buffon affirmait que l'on ne percevait chez les Indiens, animaux frigides et débiles, « aucune activité de l'âme ». L'abbé de Paw imaginait une Amérique où les Indiens dégénérés côtoyaient des chiens qui ne savaient pas aboyer, des vaches dont la chair ne pouvait être consommée, et des chameaux inutilisables. L'Amérique de Voltaire, habitée par des Indiens paresseux et stupides, avait des porcs avec un nombril sur le dos et des lions chauves — et peureux. Bacon, de Maistre, Montesquieu, Hume et Bodin refusèrent de reconnaître comme leurs semblables les

---

(1) Institution en vertu de laquelle, par tirage au sort, les Indiens étaient astreints à des travaux forcés faiblement rémunérés. *(N. du T.)*

« hommes avilis » du Nouveau Monde. Hegel a parlé de l'impuissance physique et spirituelle de l'Amérique et dit que les indigènes avaient péri sous le souffle de l'Europe (1).

Au XVIIe siècle, le père Gregorio García soutenait que les Indiens étaient d'origine juive car, de même que les Juifs, « ils sont paresseux, ne croient pas aux miracles de Jésus-Christ et ne sont pas reconnaissants aux Espagnols pour tout le bien qu'ils leur ont fait ». Au moins, ce prêtre ne niait pas qu'ils descendissent d'Adam et Eve, comme tant de théologiens et penseurs qui n'avaient pas été convaincus par la bulle du pape Paul III, laquelle avait déclaré en 1537 que les Indiens étaient de « vrais humains ». Le père Bartolomé de Las Casas perturbait la cour d'Espagne en dénonçant avec feu la cruauté des conquérants de l'Amérique : en 1557, un membre du Conseil royal lui répondit que les Indiens occupaient une place trop basse dans l'échelle humaine pour être capables de recevoir la foi (2). Las Casas consacra sa vie fervente à la défense des Indiens face aux abus des exploitants miniers et des *encomenderos*. Il disait que les Indiens préféraient aller en Enfer plutôt que de retrouver les chrétiens au Paradis.

Par l'*encomienda* on « confiait » des indigènes aux conquistadores et aux colonisateurs pour qu'ils les catéchisent. Mais comme les Indiens devaient à l'*encomendero* des services personnels et des tributs, il ne leur restait pas beaucoup de temps pour être initiés au christianisme, le chemin du salut. En récompense de ses services, Hernán Cortés avait reçu vingt-trois mille vassaux ; on répartissait les Indiens en même temps que les terres, soit par décision royale, soit par annexion directe. En 1536, les Indiens furent concédés, avec leur descendance, aux *encomenderos* pour une durée de deux générations ; à partir de 1629, le régime s'étendit à trois générations, puis à quatre en 1704 (3). Au XVIIIe siècle, les survivants allaient assurer désormais la vie facile à de nombreuses générations à venir. Comme les dieux vaincus hantaient encore leurs mémoires, les vainqueurs ne manquè-

---

(1) Antonello Gerbi, *La disputa del Nuevo Mundo*, Mexico, 1960, et Daniel Vidart, *op. cit.*
(2) Lewis Hanke, *Colonisation et Conscience chrétienne au XVIe siècle*, Paris, 1957.
(3) J.M. Ots Capdequí, *op. cit.*

rent pas de saints alibis pour justifier l'usufruit de leur main-d'œuvre : les Indiens étaient des païens, ils ne méritaient pas une autre vie. Temps révolus ? En septembre 1957, un peu plus de quatre siècles après la bulle de Paul III, la Cour suprême de justice du Paraguay rédigeait une circulaire rappelant à tous les juges du pays que « les Indiens sont des êtres humains comme les autres habitants de la République... ». Et le Centre d'études anthropologiques de l'Université catholique d'Asunción n'allait pas tarder à mener une enquête révélatrice dans la capitale et à l'intérieur du pays : d'après celle-ci, sur dix Paraguayens, huit croient que « les Indiens sont comme des animaux ». A Caaguazú, dans le Haut Paraná et dans le Chaco, les Indiens sont chassés comme des bêtes sauvages, vendus à bas prix et exploités comme des esclaves. Pourtant, presque tous les Paraguayens ont du sang indigène dans les veines, et le Paraguay ne se lasse pas de composer des chansons, des poèmes et des discours en hommage à « l'âme guaraní ».

La nostalgie combative de Túpac Amaru

Lorsque les Espagnols débarquèrent en Amérique, l'empire théocratique des Incas était à son apogée ; son pouvoir s'étendait sur les territoires actuels du Pérou, de la Bolivie et de l'Équateur, embrassait une partie de la Colombie et du Chili et atteignait le nord de l'Argentine et la forêt brésilienne. La confédération des Aztèques était arrivée à un haut niveau d'efficacité dans la vallée de Mexico, et au Yucatán et en Amérique centrale la superbe civilisation maya persistait chez les peuples héritiers, organisés pour le travail et pour la guerre.

Malgré la longue période de dévastation, ces sociétés ont laissé de nombreux témoignages de leur grandeur : monuments religieux élevés avec plus de science que les pyramides d'Égypte, créations techniques efficaces pour lutter contre la nature, objets d'art qui révèlent un talent supérieur. Au musée de Lima, on peut voir des centaines de crânes qui furent trépanés et refermés avec des plaques d'or et d'argent par les chirurgiens incas. Les Mayas avaient été de grands astronomes, ils avaient mesuré le temps et l'espace avec une précision étonnante et avaient découvert la valeur du zéro avant tout autre peuple dans l'histoire de l'humanité. Les canaux d'irrigation et les îles artificielles créés par les Aztèques émerveillèrent Hernán Cortés, bien qu'ils ne fussent pas en or.

La conquête sapa les bases de ces civilisations. L'implantation d'une économie minière eut des conséquences pires que le sang et le feu de la guerre. Les mines exigeaient de grands déplacements de population et démembraient les communautés agricoles ; non seulement elles exterminaient quantité de vies par le travail forcé mais, indirectement, elles ruinaient le système collectif de cultures. Les Indiens étaient conduits dans les fosses d'extraction, soumis au service des *encomenderos* et obligés de livrer pour rien les terres qu'obligatoirement ils abandonnaient ou n'entretenaient pas. Sur la côte du Pacifique les Espagnols détruisirent ou laissèrent s'éteindre les immenses cultures de maïs, de manioc, de haricots noirs et blancs, d'arachides, de patates douces ; le désert dévora rapidement de grandes étendues que les Incas avaient rendues fertiles par l'irrigation. Quatre siècles et demi après la conquête, rocs et buissons recouvrent la plupart des chemins qui unissaient l'empire. Bien que les gigantesques travaux publics aient été en grande partie effacés par le temps ou par la main des usurpateurs, la cordillère des Andes conserve ici et là les interminables terrasses qui permettaient et permettent encore les cultures à flanc de montagne. Un technicien nord-américain (1) estimait, en 1936, que si cette même année on avait construit avec des méthodes modernes les terrasses incas, elles auraient coûté quelque trente mille dollars l'acre. Dans cet empire qui ne connaissait ni la roue, ni le cheval, ni le fer, terrasses et aqueducs d'irrigation purent être érigés grâce à une organisation

(1) Un membre du Service nord-américain de conservation des sols, selon John Collier, *op. cit.*

prodigieuse et à la perfection technique obtenue par une savante répartition du travail, mais aussi grâce à la force religieuse qui régissait les rapports de l'homme avec la terre — laquelle était sacrée et demeurait, en conséquence, toujours vivante.

Les inventions aztèques en réponse au défi de la nature avaient été, elles aussi, étonnantes. Les touristes actuels connaissent sous le nom de « jardins flottants » les quelques îles survivantes du lac asséché où s'élève à présent, sur les ruines indigènes, la capitale de Mexico. Ces îles avaient été créées par les Aztèques pour résoudre le problème du manque de terre sur les lieux choisis pour fonder Tenochtitlán. Les Indiens avaient apporté d'énormes quantités de limon des rives du lac et avaient enserré les îles ainsi formées entre d'étroits murs de roseaux, jusqu'à ce que les arbres y prennent racines et leur donnent assise et stabilité. Entre les nouveaux espaces de terre serpentaient les canaux. Sur ces îles incroyablement fertiles grandit la puissante capitale des Aztèques, avec ses larges artères, ses palais d'une austère beauté et ses pyramides en gradins : jaillie magiquement de la lagune, elle était condamnée à disparaître sous les assauts de la conquête étrangère. Il faudra quatre siècles à Mexico pour retrouver la population gigantesque qu'elle avait alors.

Les indigènes, pour Darcy Ribeiro, étaient le combustible du système productif colonial. « Il est presque certain, écrit Sergio Bagú, que des centaines de sculpteurs, d'architectes, d'ingénieurs et d'astronomes indiens furent jetés dans les mines, confondus avec la multitude des esclaves, pour réaliser un travail d'extraction grossier et épuisant. L'habileté technique de ces hommes n'avait pas d'intérêt pour l'économie coloniale. Ils comptaient seulement comme travailleurs non qualifiés. » Pourtant, les esquilles de ces cultures écrasées ne furent pas toutes perdues. L'espoir de retrouver la dignité allait fomenter de nombreux soulèvements indigènes. En 1781, Túpac Amaru assiégeait Cuzco.

Ce cacique métis, descendant direct des empereurs incas, prit la tête d'un mouvement messianique et révolutionnaire de grande envergure. La révolte éclata dans la province de Tinta. Monté sur son cheval blanc, Túpac Amaru entra dans la place de Tungasuca et, au son des tambours et des *pututos* (1), il annonça qu'il avait condamné à la potence le corregidor Antonio Juan de Arriaga et interdit la pratique de la *mita* à Potosí. La province de Tinta était dépeuplée à cause du service obligatoire dans les mines d'argent de la riche colline. Quelques jours plus tard, Túpac Amaru promulgua un nouvel édit qui rendait aux esclaves la liberté. Il abolit tous les impôts et la « répartition » de la main-d'œuvre indigène sous toutes ses formes. Par milliers, les autochtones venaient grossir les rangs du « père de tous les pauvres, de tous les misérables et déshérités ». Avec ses guérilleros, le caudillo marcha sur Cuzco. Il proclamait dans ses harangues que tous ceux qui mourraient sous ses ordres dans cette guerre ressusciteraient pour jouir des plaisirs et des richesses dont ils avaient été dépossédés par les envahisseurs. Victoires et défaites se succédèrent ; finalement, trahi et capturé par un de ses officiers, Túpac Amaru fut livré, chargé de chaînes, aux Espagnols. Le visiteur Areche vint dans son cachot pour exiger de lui, contre des promesses, les noms des complices de la rébellion. Túpac Amaru lui répondit avec mépris : « Ici, il n'y a que deux complices : toi et moi ; toi, comme oppresseur, et moi, comme libérateur, nous méritons la mort (2). »

Túpac fut supplicié, avec sa femme, ses enfants et ses principaux partisans, sur la grand-place Wacaypata, à Cuzco. On lui coupa la langue. On lui attacha bras et jambes à quatre chevaux pour l'écarteler, mais le corps ne se déchira pas. On le décapita au pied du gibet. On envoya sa tête à Tinta, l'un de ses bras à Tungasuca et l'autre à Carabaya, une de ses jambes à Santa Rosa et l'autre à Livitaca. On brûla ce qui restait de lui et on jeta ses cendres dans l'Huatanay. Il fut ordonné que toute sa descendance, jusqu'au quatrième degré, serait exterminée.

En 1802, un autre cacique descendant des Incas, Astorpilco, reçut la visite d'Alexandre de Humboldt. C'était à Cajamarca, à l'endroit même où son aïeul Atahualpa avait vu Pizarre pour la première fois. Le fils du cacique accompagna le savant allemand à travers les ruines du village et les décombres de l'ancien palais inca ; tout en marchant il lui parlait des

(1) Cornes creusées servant de trompe chez les Indiens. *(N. du T.)*
(2) Daniel Valcárcel, *La rebelión de Túpac Amaru*, Mexico, 1947.

fabuleux trésors cachés sous la poussière et les cendres. « N'éprouvez-vous pas quelquefois l'envie de creuser, à la recherche des trésors, pour satisfaire vos besoins ? », lui demanda Humboldt. Le jeune homme lui répondit : « Nous n'y pensons pas. Mon père dit que ce serait une calamité. Si nous trouvions les branches dorées avec tous leurs fruits d'or, nos voisins blancs nous haïraient et nous feraient du mal (1). » Le cacique cultivait un petit champ de blé. Mais cela ne le mettait pas à l'abri de la convoitise d'autrui. Car les usurpateurs, avides d'or et d'argent et aussi de bras esclaves pour travailler dans les mines, ne tardaient jamais à fondre sur les terres lorsque les cultures offraient des rapports tentateurs. La dépossession continua sans interruption ; et en 1969, lorsqu'on annonça au Pérou la réforme agraire, les journaux rapportèrent souvent que les Indiens des communautés mutilées de la sierra envahissaient de temps en temps, avec leurs bannières déployées, les terres qu'on leur avait volées à eux ou à leurs ancêtres, mais l'armée les chassait en tirant sur eux. Il fallut attendre presque deux siècles après Túpac Amaru pour que le général nationaliste Juan Velasco Alvarado reprenne et applique cette phrase du cacique, aux résonances immortelles : « Paysan ! Le patron ne mangera plus ta pauvreté ! »

D'autres héros que l'histoire a arrachés à leur défaite furent les Mexicains Hidalgo et Morelos. Miguel Hidalgo, qui avait été jusqu'à cinquante ans un paisible curé de campagne, fit un beau jour sonner à toute volée les cloches de l'église de Dolores ; il appelait les Indiens à lutter pour leur libération : « Avez-vous le courage de reprendre aux Espagnols détestés les terres volées à vos ancêtres voilà trois cents ans ? » Il leva la bannière de la vierge indienne de Guadalupe et en moins de six semaines quatre-vingt mille hommes le suivaient, armés de machettes, de piques, de frondes, d'arcs et de flèches. Le curé révolutionnaire supprima l'impôt, répartit les terres de Guadalajara, décréta la liberté des esclaves. Il lança ses forces sur la ville de Mexico, mais finalement vaincu, il fut exécuté ; il laissa, dit-on, en mourant, un témoignage de repentir

---

(1) Humboldt, *Ansichten der Natur*, tome II. Cité in Adolf Meyer-Abich et autres auteurs, *Alejandro de Humboldt (1769-1969)*, Bad Godesberg, 1969.

passionné (1). La révolution ne tarda pas à découvrir un nouveau chef, le père José María Morelos, qui affirmait : « Doivent être tenus pour ennemis tous les riches, nobles et employés ayant des responsabilités... » Le mouvement — insurrection indigène et révolution sociale — finit par gagner une grande partie du territoire mexicain, jusqu'au jour où Morelos fut à son tour mis en échec et fusillé. L'indépendance du Mexique, six ans plus tard, « fut en fait une affaire parfaitement espagnole, entre les Européens et ceux qui étaient nés en Amérique... une lutte politique au sein de la même classe dirigeante (2) ». L'*encomendado* se transforma en péon et l'*encomendero* en grand propriétaire (3).

LA SEMAINE SAINTE DES INDIENS S'ACHÈVE SANS RÉSURRECTION

Au début de notre siècle, les maîtres des *pongos* — Indiens affectés aux travaux domestiques — proposaient encore la location de leurs services dans les colonnes des journaux de La Paz. Jusqu'à la révolution de 1952, qui rendit aux Indiens de Bolivie leur droit — jusqu'alors si oublié — à la dignité, les *pongos* mangeaient les restes des repas des chiens près desquels ils dormaient et s'agenouillaient pour adresser la parole aux Blancs. Les indigènes avaient été des bêtes de somme pour porter sur leur dos l'équipement des conquistadores, qui disposaient de peu de montures. Mais de nos jours on peut voir sur tout le haut plateau andin des portefaix aymaras et quechuas portant des fardeaux même avec leurs dents en échange d'un morceau de pain dur. La pneumoconiose avait été la première maladie des travailleurs en

(1) Tulio Halperin Donghi, *Historia contemporánea de América Latina*, Madrid, 1969.
(2) Ernest Gruening, *Mexico and its heritage*, New York, 1928.
(3) Alonso Aguilar Monteverde, *Dialéctica de la economía mexicana*, Mexico, 1968.

Amérique ; actuellement, quand les mineurs boliviens atteignent trente-cinq ans, leurs poumons se refusent à fonctionner normalement. L'implacable poussière de silice imprègne la peau du mineur, lui fendille le visage et les mains, détruit son goût et son odorat et part à la conquête de ses poumons, les durcit et les tue.

Les touristes adorent photographier les indigènes de l'altiplano avec leurs costumes typiques, mais ils ignorent que ces derniers leur furent imposés par Charles III à la fin du XVIIIe siècle. Les vêtements féminins que les Espagnols obligèrent les Indiennes à porter étaient calqués sur les costumes régionaux des paysannes d'Estrémadure, d'Andalousie et du Pays basque, de même que la coiffure divisant les cheveux par une raie centrale fut ordonnée par le vice-roi Toledo. En revanche, l'usage de la coca ne vient pas des Espagnols puisqu'il existait déjà au temps des Incas. Il est vrai qu'on la distribuait avec mesure ; le gouvernement inca en avait le monopole et ne permettait son emploi qu'à des fins rituelles ou pour les durs travaux des mines. Les Espagnols stimulèrent vivement son développement. C'était un commerce florissant. Au XVIe siècle, on dépensait autant à Potosí en vêtements européens pour les oppresseurs qu'en coca pour les Indiens opprimés. Quatre cents marchands espagnols vivaient à Cuzco de son trafic ; il entrait annuellement dans les mines d'argent de Potosí cent mille paniers, soit un million de kilogrammes de feuilles. L'Église percevait des impôts sur la drogue. L'Inca Garcilaso de la Vega nous dit dans ses *Commentaires royaux* que la majeure partie des rentes de l'évêque, des chanoines et autres ministres du culte à Cuzco provenait des dîmes sur la coca, et que le transport et la vente de ce produit enrichissaient beaucoup d'Espagnols. Avec les quelques pièces de monnaie qu'ils recevaient en échange de leur travail, les Indiens achetaient des feuilles de coca au lieu de nourriture : en les mâchant, et en abrégeant ainsi leur propre vie, ils pouvaient mieux supporter les travaux inhumains qu'on leur imposait. Les indigènes consommaient aussi de l'eau-de-vie, et leurs maîtres se plaignaient de la propagation des « vices maléfiques ». A notre époque, les indigènes de Potosí continuent de mâcher la coca pour tuer la faim et se tuer eux-mêmes, et ils se grillent encore les entrailles avec de l'alcool pur. Ce sont les revanches stériles des condamnés. Et dans les mines boliviennes, les ouvriers n'ont pas aboli le nom de *mita* pour désigner leur salaire.

Exilés dans leur propre pays, condamnés à l'exode éternel, les indigènes de l'Amérique latine furent repoussés vers les zones les plus pauvres, les montagnes arides ou le fond des déserts, à mesure que s'avançait la frontière de la civilisation dominante. Les Indiens ont subi et subissent — synthèse du drame de toute l'Amérique latine — la malédiction de leur propre richesse. Lorsque les gisements d'or du río Bluefields, au Nicaragua, furent découverts, les Carcas furent rapidement expulsés loin de leurs terres des bords du fleuve, et l'on pourrait en dire autant des populations de toutes les vallées fertiles et des sous-sols riches au sud du río Bravo. Les massacres d'indigènes, qui commencèrent avec Colomb, n'ont jamais cessé. Au siècle dernier, en Uruguay et dans la Patagonie argentine, les Indiens furent exterminés par des expéditions militaires qui les traquèrent dans les forêts ou dans le désert afin de les empêcher de perturber le plan de progression des grandes propriétés d'élevage (1). Au Mexique, les Yaquis de l'État de Sonora furent noyés dans un bain de sang afin que leurs terres, fertiles ou riches en minerais,

---

(1) Les derniers Charrúas, qui avaient survécu jusqu'en 1832 en pillant les bouvillons dans les étendues sauvages du nord de l'Uruguay, furent trahis par le président Fructuoso Rivera. Écartés des fourrés qui les protégeaient, ayant abandonné leurs montures et leurs armes à la suite de fallacieuses promesses d'amitié, ils furent abattus dans un endroit appelé la Boca del Tigre : « Les clairons sonnèrent la charge, raconte l'écrivain Eduardo Acevedo Díaz (journal *La Epoca*, 19 août 1890). La horde s'agita désespérément, ses farouches garçons tombant l'un après l'autre, comme des taureaux blessés à la nuque. » Plusieurs caciques moururent. Les quelques Indiens qui purent franchir le cercle de feu se vengèrent peu de temps après. Poursuivis par le frère de Rivera, ils lui tendirent une embuscade et le criblèrent de coups de lance, lui et ses soldats. Le cacique Sepe « fit recouvrir l'extrémité du fer de sa lance avec quelques nerfs du cadavre ».

A la fin du siècle dernier, en Patagonie argentine, les soldats touchaient une prime pour chaque paire de testicules d'Indien qu'ils présentaient. Le roman de David Viñas *les Maîtres de la terre* (Buenos Aires, 1959) débute par une chasse aux Indiens : « Car tuer, c'était comme violer quelqu'un. Une bonne chose. Et même une chose plaisante : il fallait courir, on pouvait crier, on transpirait et après ça on avait faim... Les coups de feu allaient en s'espaçant. Il était certainement resté quelque corps enfourché dans un de ces nids. Un corps d'Indien renversé en arrière, avec une tache noirâtre entre les cuisses... »

puissent être vendues sans problème à quelques capitalistes nord-américains. Les survivants étaient déportés dans les plantations du Yucatán. Ainsi cette péninsule, cimetière des Mayas, ses anciens seigneurs, devint aussi celui des Yaquis, venus de très loin : au début du siècle, les cinquante rois du sisal disposaient de plus de cent mille indigènes sur leurs plantations. Malgré la force physique exceptionnelle de cette race de géants magnifiques, les deux tiers des Yaquis moururent pendant la première année de leur travail d'esclaves (1). De nos jours, seule la fibre de sisal peut rivaliser avec les produits synthétiques de remplacement, à cause du niveau de vie extrêmement bas de ceux qui la travaillent. Les choses ont changé, c'est certain, mais pas autant que l'on croit, au moins pour les indigènes du Yucatán : « Les conditions de vie de ces travailleurs, écrit le professeur Arturo Bonilla Sánchez, ressemblent à celles des esclaves (2). » Sur les versants andins proches de Bogota, le péon est obligé de fournir des journées gratuites de travail pour que le latifondiste lui permette de cultiver, les nuits de clair de lune, son propre lopin de terre : « Les ancêtres de cet Indien cultivaient librement, sans contracter de dettes, le sol fertile de la plaine, qui n'appartenait à personne. Et lui travaille gratuitement pour obtenir le droit de cultiver la montagne aride (3). »

Les indigènes qui vivent isolés au fond des forêts n'ont guère plus de ressources. Au début du siècle, deux cent trente tribus subsistaient encore au Brésil ; quatre-vingt-dix ont disparu depuis, effacées de la planète par les armes à feu et les microbes. La violence et la maladie sont les avancées de la civilisation : le contact avec le Blanc continue à être pour l'indigène le contact avec la mort. Les dispositions légales qui, depuis 1537, protègent les Indiens du Brésil se sont retournées contre eux. En accord avec le texte de toutes les constitutions brésiliennes, ils sont « les premiers et naturels propriétaires » des terres qu'ils occupent. Or il se trouve que plus ces

(1) John Kenneth Turner, *México bárbaro*, Mexico, 1967.
(2) Arturo Bonilla Sánchez, *Un problema que se agrava : la subocupación rural*, in Neolatifundismo y explotación, *De Emiliano Zapata a Anderson Clayton and Co.*, divers auteurs, Mexico, 1968.
(3) René Dumont, *Terres vivantes*, Paris, Plon, « Terre Humaine », 1961.

terres vierges deviennent riches, plus la menace suspendue au-dessus de leurs vies devient grave ; la générosité de la nature les condamne à être dépossédés et tués. La chasse aux Indiens s'est déchaînée, ces dernières années, avec cruauté et férocité ; la forêt la plus vaste de la planète — un gigantesque espace tropical ouvert à la légende et à l'aventure — est devenue le cadre d'un nouveau *rêve américain*. A un rythme effréné de conquête, hommes et entreprises des États-Unis se sont précipités sur l'Amazonie, comme sur un nouveau Far West. Cette invasion nord-américaine a enflammé comme jamais la cupidité des aventuriers brésiliens. Les Indiens meurent sans laisser de traces et les terres se vendent en dollars aux intéressés. L'or et les autres minerais importants, le bois et le caoutchouc, richesses dont les natifs ignorent la valeur commerciale, paraissent liés aux résultats de chacune des rares investigations qui ont été entreprises. On sait que les indigènes ont été mitraillés par des hélicoptères et des avionnettes, qu'on leur a inoculé le virus de la variole, qu'on a jeté de la dynamite sur leurs villages et qu'on leur a offert du sucre mélangé de strychnine et du sel avec de l'arsenic. Le directeur du Service de protection des Indiens lui-même, désigné par la dictature de Castelo Branco pour assainir l'administration, fut accusé, avec preuves à l'appui, de commettre quarante-deux sortes de crimes contre les Indiens. Le scandale éclata en 1968.

La société indigène n'existe plus en liberté dans la nature, elle n'échappe plus au cadre général de l'économie latino-américaine. Il y a encore, c'est vrai, des tribus brésiliennes enfermées dans la forêt, des communautés isolées complètement du monde sur les hauts plateaux, des réduits de la barbarie à la frontière du Venezuela, mais en général les indigènes sont incorporés, sous une forme indirecte, au système de production et au marché de consommation. Ils participent, comme victimes, à un ordre économique et social où ils jouent le rôle difficile des plus exploités parmi les exploités. Ils achètent une grande partie du peu qu'ils consomment et vendent une non moins grande partie de ce qu'ils produisent à travers des intermédiaires puissants et voraces qui demandent beaucoup et donnent peu ; ils sont journaliers dans les plantations — la main-d'œuvre la moins chère — et soldats dans les montagnes ; ils passent leurs journées à travailler pour le marché mondial ou à se battre pour leurs vainqueurs. Dans des pays comme le Guatemala, par exemple, ils sont l'axe de la vie économique nationale ; chaque année, à certaines périodes, ils abandonnent leurs terres sacrées, terres hautes, petites surfaces de la taille d'un cadavre, pour fournir deux cent mille bras aux récoltes du café, du coton, du sucre, sur les terres basses. Les contractants les transportent en camion, comme du bétail, et le besoin n'est pas toujours ce qui commande : parfois c'est l'alcool qui décide. Les contractants engagent un orchestre de marimbas et font circuler l'alcool, une eau-de-vie forte et de basse qualité ; quand l'Indien se réveille de sa soûlographie, les dettes l'accompagnent. Il les paiera en travaillant sur des terres brûlantes qu'il ne connaît pas et d'où il reviendra au bout de quelques mois, peut-être avec quelques centavos en poche, mais aussi peut-être avec la tuberculose ou le paludisme. L'armée collabore efficacement à convaincre les réticents (1). L'expropriation des indigènes — usurpation de leurs terres et de leur force de travail — s'est effectuée et s'effectue en accord avec le mépris racial, qui à son tour s'alimente de la dégradation sensible des civilisations détruites par la conquête. Les effets de cette dernière et la longue période d'humiliation qui la prolongea ont réduit en miettes l'identité culturelle et sociale que les indigènes avaient conquise. Néanmoins, cette identité morcelée est la seule qui persiste au Guatemala (2). Elle persiste dans la tragédie. Pendant la Semaine Sainte, les processions des héritiers des Mayas sont l'occasion de terribles exhibitions de masochisme collectif. On traîne les lourdes croix, on flagelle Jésus, pas à

(1) Eduardo Galeano, *Guatemala, pays occupé*, Paris, 1968.
(2) Les Mayas quichés croyaient en un seul Dieu, ils pratiquaient le jeûne, la pénitence, l'abstinence et la confession ; ils croyaient au déluge et à la fin du monde : le christianisme ne leur apporta pas de grandes innovations. La désagrégation religieuse commença avec la colonie. Le catholicisme assimila seulement quelques aspects magiques et totémiques de la religion maya, dans sa vaine tentative de soumettre la foi indigène à l'idéologie des conquistadores. L'écrasement de la culture originelle ouvrit la voie au syncrétisme, et c'est ainsi qu'on recueille de nos jours des témoignages d'involution dans le processus : « Don Volcan demande de la chair humaine bien grillée. » (Carlos Guzmán Böckler et Jean-Loup Herbert, *Guatemala : una interpretación histórico-social*, Mexico, 1970.)

pas, durant l'interminable ascension du Golgotha ; avec des hurlements de douleur, on transforme Sa mort et Son enterrement en culte de la mort et de l'inhumation véritables, en anéantissement de la vie heureuse du lointain passé. La Semaine Sainte des Indiens guatémaltèques s'achève sans Résurrection.

Vila Rica de Ouro Preto : la Potosi de l'or

La fièvre de l'or, qui continue à imposer la mort ou l'esclavage aux indigènes de l'Amazonie, n'est pas nouvelle au Brésil ; pas plus que ses ravages.

Durant les deux siècles qui suivirent sa découverte, le sol brésilien refusa tenacement ses métaux à ses propriétaires portugais. L'exploitation du bois, « l'arbre du Brésil », couvrit la première période de colonisation des côtes, et de grandes plantations de canne à sucre s'étendirent bientôt dans le Nord-Est. A la différence de l'Amérique espagnole, le Brésil semblait ne pas receler d'or ni d'argent. Les Portugais n'y avaient pas rencontré de civilisations indigènes hautement développées et organisées, mais des tribus sauvages et dispersées. Les aborigènes ignoraient les métaux ; ce furent les Portugais qui durent découvrir, pour leur propre compte, les endroits où s'étaient déposées les alluvions aurifères sur le vaste territoire que la défaite et l'extermination des indigènes ouvraient devant leur avance conquérante.

Les *bandeirantes* (1) de la région de São Paulo avaient traversé la vaste zone située entre la Serra de Mantiqueira et la source du río São Francisco, et ils avaient révélé que les lits et les sables de divers fleuves et rivières contenaient des traces d'or alluvial en petites quantités visibles. L'action millénaire

(1) Les *bandeiras* étaient des bandes errantes, des organisations paramilitaires aux effectifs variables. Leurs expéditions dans la forêt jouèrent un rôle important dans la colonisation intérieure du Brésil.

des pluies avait rongé les filons d'or des roches et les avait déposés dans les fleuves, au fond des vallées et dans les creux des montagnes. Sous les couches de sable, de terre ou d'argile, le sous-sol cailloute ux renfermait des pépites qu'il était facile d'extraire du *cascalho* de quartz ; les méthodes d'extraction se firent plus compliquées à mesure que les dépôts qui affleuraient s'épuisaient. La région de Minas Gerais entra ainsi impétueusement dans l'histoire : la plus grande quantité d'or découverte jusqu'alors dans le monde fut extraite dans le plus court laps de temps.

« L'or ici était forêt, me dit un mendiant, dont le regard s'attarde sur les tours des églises. Il y avait de l'or plein les trottoirs, il poussait comme l'herbe des prairies. » L'homme a soixante-quinze ans et il se considère comme une survivance de Mariana (Ribeirão do Carmo), la petite ville minière proche d'Ouro Preto, qui se maintient, comme cette dernière, figée dans le temps. « La mort est certaine, l'heure incertaine. Elle est écrite pour chacun », poursuit le mendiant. Il crache sur le petit escalier de pierre et secoue la tête : « Ils avaient trop d'argent, raconte-t-il, comme s'il les avait connus. Ils ne savaient pas comment le dépenser, alors ils construisaient les églises les unes sur les autres. »

Autrefois, cette province était la plus importante du Brésil. « Mais plus maintenant, me dit le vieux. Maintenant, il n'y a plus aucune vie. Il n'y a plus de jeunesse ici. Les jeunes s'en vont. » Il marche pieds nus, à mon côté, à pas lents sous le soleil chaud de l'après-midi : « Vous voyez ? Sur la façade de cette église, vous avez le soleil et la lune. Cela signifie que les esclaves travaillaient jour et nuit. Ce temple a été bâti par les nègres ; cet autre par les Blancs. Là, c'est la maison de monseigneur Alipio, qui mourut le jour de ses quatre-vingt-dix-neuf ans. »

Tout au long du XVIIIe siècle, la production brésilienne du minerai convoité dépassa le volume total de l'or que l'Espagne avait extrait de ses colonies pendant les deux siècles précédents (1). Les aventuriers et chasseurs de fortunes pleuvaient. Le Brésil comptait trois cent mille habitants en 1700 ; un siècle plus tard, à la fin des années de l'or, la

---

(1) Celso Furtado, *op. cit.*

population était onze fois supérieure. Trois cent mille Portugais au moins émigrèrent au Brésil pendant le XVIIIe siècle, « un contingent humain plus important... que celui que l'Espagne avait envoyé dans toutes ses colonies d'Amérique (1) ». On estime à quelque dix millions le total des esclaves importés d'Afrique, depuis la conquête du Brésil jusqu'à l'abolition de l'esclavage : si l'on ne dispose pas de chiffres exacts en ce qui concerne le XVIIIe siècle, on sait que le cycle de l'or absorba une énorme quantité de main-d'œuvre noire.

Salvador de Bahia fut la capitale brésilienne de l'ère florissante du sucre, au nord-est, mais « l'âge d'or » de Minas Gerais transféra au sud l'axe économique et politique du pays et fit du port de Rio de Janeiro la nouvelle capitale du Brésil, à partir de 1763. Au centre dynamique de la flambante économie minière les villes surgirent, campements nés du *boom* qui se dilataient brusquement dans le vertige de la richesse facile, « sanctuaires pour criminels, vagabonds et malfaiteurs », selon les paroles courtoises d'une autorité coloniale de l'époque. Vila Rica de Ouro Preto avait conquis la catégorie de ville en 1711 ; née de la ruée des mineurs, elle était la quintessence de la civilisation de l'or. Simão Ferreira Machado la décrivant, vingt-trois ans plus tard, disait que la puissance des commerçants de Ouro Preto dépassait mille fois celle des marchands les plus prospères de Lisbonne : « Vers cette cité, comme vers un port, sont dirigées et entreposées dans la Maison royale de la Monnaie les fabuleuses quantités d'or de toutes les mines. Elle abrite les hommes les mieux éduqués, qu'ils soient laïques ou ecclésiastiques. Elle constitue le siège de la noblesse et la place forte des militaires. Par sa situation naturelle, elle est la tête du corps entier de l'Amérique et ses richesses exceptionnelles en font la perle précieuse du Brésil. » Un autre écrivain, Francisco Tavares de Brito, appelait en 1732 Ouro Preto « la Potosí de l'or (2) ».

Plaintes et protestations arrivaient fréquemment à Lisbonne au sujet de la vie de débauche que l'on menait à Ouro Preto, Sabará, São João d'El Rei, Ribeirão do Carmo et dans tout le

(1) Celso Furtado, *La formation économique du Brésil*, trad. Janine Peffau, Paris, La Haye, 1972.
(2) C.R. Boxer, *The Golden Age of Brazil (1695-1750)*, Californie, 1969.

turbulent district minier. Les fortunes s'y faisaient et s'y défaisaient en un tournemain. Le père Antonil dénonçait les très nombreux propriétaires prêts à payer une fortune pour un nègre trompettiste et plus encore pour une prostituée de couleur, « afin de se livrer avec elle à de continuels et scandaleux péchés », mais le clergé n'était guère plus reluisant : on peut extraire de la correspondance officielle de l'époque une quantité de témoignages contre les « curés truqueurs » qui infestaient la région. On les accusait de profiter de leur immunité pour passer de l'or en contrebande, caché dans de petites statues de saints en bois. En 1705, on affirmait qu'il n'y avait pas à Minas Gerais un seul prêtre disposé à s'intéresser à la foi chrétienne du peuple. Six ans plus tard, la Couronne en arriva à interdire l'installation de quelque ordre religieux que ce fût dans le district minier.

Néanmoins, les églises somptueuses construites et décorées dans le style baroque caractéristique de la région proliféraient. Minas Gerais attirait les meilleurs artisans. Extérieurement, les temples paraissaient sobres, dépouillés ; mais à l'intérieur resplendissait l'or pur des autels, des retables, des piliers et des bas-reliefs ; on ne lésinait pas sur les métaux précieux, pour que les églises puissent atteindre « aussi les richesses du Ciel », comme le conseillait le frère Miguel de São Francisco en 1710. Les services religieux atteignaient des prix exorbitants, mais tout était incroyablement cher dans les mines. Comme avant elle à Potosí, Ouro Preto se lançait dans le gaspillage de sa richesse soudaine. Les processions et les spectacles étaient prétextes à exhiber des toilettes et des ornements de luxe asiatiques. En 1733, une festivité religieuse dura plus d'une semaine. Il y avait non seulement des processions à pied, à cheval, en chars de nacre, de soie et d'or, avec des costumes de fantaisie et de voyantes allégories, mais aussi des tournois, des corridas et des danses dans les rues, au son des flûtes, des *gaitas* et des guitares (1).

Les exploitants miniers méprisaient la culture de la terre et la région, en pleine prospérité économique, connut la faim, dans les années 1700 et 1713 : les millionnaires durent manger du chat, du chien, du rat, des fourmis, des éperviers. Les

(1) Augusto de Lima Júnior, *Vila Rica de Ouro Preto. Sintese histórica e descritiva*, Belo Horizonte, 1957.

esclaves épuisaient leurs forces et leurs jours dans les laveries. Luis Gomes Ferreira écrivait : « Ils y travaillent, y mangent et souvent doivent y dormir ; et comme, durant leur travail, ils baignent dans leur sueur, les pieds toujours sur la terre froide, les pierres ou dans l'eau, lorsqu'ils se reposent ou mangent, leurs pores se referment et se glacent, si bien qu'ils deviennent vulnérables à nombre de maladies dangereuses, telles que les pleurésies, l'apoplexie, les convulsions, la paralysie, les pneumonies et beaucoup d'autres (1). » La maladie était une bénédiction du ciel qui rapprochait l'heure de la mort. Les *capitães do mato* de Minas Gerais touchaient des récompenses en or contre les têtes coupées des esclaves qui s'enfuyaient.

Les esclaves s'appelaient « pièces des Indes » lorsqu'ils étaient mesurés, pesés et embarqués à Luanda ; ceux qui survivaient à la traversée de l'Océan devenaient, au Brésil, « les mains et les pieds » du maître blanc. L'Angola exportait des esclaves bantous et des défenses d'éléphants en échange de tissus, de boissons et d'armes à feu ; mais les propriétaires de Ouro Preto préféraient les Noirs qui venaient de la petite plage de Whydah, sur la côte de Guinée, car ils étaient plus vigoureux, un peu plus résistants, et avaient des dons magiques pour découvrir l'or. Chaque exploitant minier avait en outre besoin d'au moins une maîtresse noire de Whydah pour que la chance l'accompagne dans ses explorations (2). L'extraction intensive de l'or non seulement accrut l'importation d'esclaves, mais elle vida d'une bonne partie de la main-d'œuvre noire les plantations de canne à sucre et de tabac des autres régions du Brésil. Un décret royal de 1711 interdit la vente des esclaves occupés aux travaux agricoles, à l'exception de ceux qui montraient de la « perversité de caractère ». La soif d'esclaves de Ouro Preto était insatiable. Les Noirs mouraient rapidement ; rares étaient ceux qui supportaient sept années continues de travail. Bien entendu,

(1) C.R. Boxer, *op. cit.*
(2) C.R. Boxer, *op. cit.* A Cuba, on attribuait des propriétés curatives aux femmes esclaves. Selon le témoignage d'Esteban Montejo, « il y avait aussi une sorte de maladie qui s'acharnait sur les Blancs. C'était une maladie des veines et des testicules. Les Blancs guérissaient en couchant avec une négresse. Celle-ci l'attrapait et ils en étaient débarrassés ». (Miguel Barnet, *Esclave à Cuba, biographie d'un « cimarrón »*, traduction de Claude Couffon, Paris, 1967.)

les Portugais les baptisaient tous avant qu'ils traversent l'Océan. Et au Brésil ils devaient assister à la messe, bien qu'il leur fût interdit d'entrer dans le chœur des églises ou de s'asseoir sur les bancs.

Dans les années 1750, nombre de mineurs avaient déjà émigré dans la Serra do Frio en quête de diamants. Les pierres cristallines que les chercheurs d'or avaient jetées au rebut tandis qu'ils exploraient les lits des fleuves étaient en fait, on le sut plus tard, des diamants. Minas Gerais offrait de l'or et des diamants avec la même générosité. Le florissant campement de Tijuco devint le centre d'extraction des pierres précieuses et, comme à Ouro Preto, les riches s'habillaient à la dernière mode européenne et commandaient outre-océan les vêtements, les armes et les meubles les plus luxueux : ce furent des jours de délire et de gaspillage. Une esclave mulâtresse, Francisca da Silva, conquit sa liberté en devenant la maîtresse du richissime João Fernandes de Oliveira, véritable souverain de Tijuco ; elle était laide et déjà mère de deux enfants : elle devint pourtant la *Xica que manda* (1). Comme elle n'avait jamais vu la mer et voulait l'avoir près d'elle, son seigneur et maître lui fit construire un grand lac artificiel sur lequel un bateau navigua avec son équipage. Sur les pentes de la sierra de São Francisco il éleva pour elle un château avec un jardin exotique et des cascades ; il donna en son honneur des banquets somptueux arrosés des meilleurs vins, d'interminables bals de nuit, des représentations théâtrales et des concerts. En 1818 encore, Tijuco fêta en grande pompe le mariage du prince de la Cour portugaise. Dix ans plus tôt, John Mawe, un Anglais qui visitait Ouro Preto, s'étonna de sa pauvreté ; il avait trouvé des maisons vides et sans valeur, placardées d'inutiles avis de mise en vente, et il avait mangé des choses immondes et peu copieuses (2). La rébellion de 1789 avait coïncidé avec la crise dans cette région de l'or. Joaquim José da Silva Xavier, « Tiradentes » (3),

---

(1) Joaquim Felício dos Santos, *Memórias do Distrito Diamantino*, Rio de Janeiro, 1956.
(2) Augusto de Lima Júnior, *op. cit.*
(3) « Arrache-crocs », surnom donné au patriote Joaquim José da Silva Xavier (1748-1792) car il était dentiste. Chef de la conspiration, il fut exécuté à Ouro Preto. *(N. du T.)*

avait été pendu et écartelé, et les autres combattants pour l'indépendance avaient quitté Ouro Preto pour la prison ou pour l'exil.

Contribution de l'or du Brésil au progrès de l'Angleterre

L'or avait pris son essor au moment même où le Portugal signait le traité Méthuen avec l'Angleterre, en 1703. Ce fut le couronnement d'une longue série de privilèges obtenus par les commerçants anglais au Portugal. En échange de quelques avantages pour ses vins sur le marché anglais, le Portugal ouvrait son marché intérieur et celui de ses colonies aux manufactures britanniques. Étant donné le bas niveau de développement industriel existant à cette époque, cette mesure impliquait une condamnation à la ruine des manufactures locales. Ce n'était pas avec le vin qu'on paierait les tissus anglais mais avec de l'or, l'or du Brésil, et dans l'affaire les métiers à tisser portugais resteraient inactifs. Le Portugal ne se contenta pas de tuer dans l'œuf sa propre industrie, il détruisit également les germes de tout développement des manufactures au Brésil. Le royaume interdit le fonctionnement des raffineries de sucre en 1715 ; en 1729, il déclara « criminelle » l'ouverture de nouvelles voies de communication dans la région minière ; en 1785, il ordonna de brûler les tissages et filatures brésiliens.

L'Angleterre et la Hollande, championnes de la contrebande de l'or et des esclaves, qui avaient amassé d'immenses fortunes dans le trafic illégal de la *chair d'ébène*, s'appropriaient par des moyens illicites plus de la moitié du métal qui correspondait à l'impôt du « cinquième royal » que devait recevoir du Brésil la Couronne portugaise. Mais l'Angleterre n'avait pas uniquement recours au commerce prohibé pour canaliser l'or brésilien en direction de Londres. Les voies légales lui appartenaient aussi. L'impact de l'or, qui impliquait l'afflux de population portugaise vers Minas Gerais, stimula vivement la demande coloniale en produits industriels et fournit en même temps les moyens de les payer. De même que l'argent de Potosí rebondissait sur le sol d'Espagne avant de repartir ailleurs, l'or de Minas Gerais ne faisait qu'une escale au Portugal. La métropole se transforma en simple intermédiaire. En 1755, le marquis de Pombal, Premier ministre portugais, tenta de rétablir une politique protectionniste, mais il était déjà trop tard : il dénonça le fait que les Anglais avaient conquis le Portugal sans les inconvénients d'une conquête, qu'ils y puisaient les deux tiers de leurs besoins et que les agents britanniques étaient les maîtres de la totalité du commerce portugais. Le Portugal ne produisait pratiquement rien et sa richesse en or était si illusoire que même les esclaves africains qui travaillaient dans les mines de la colonie étaient habillés par les Anglais (1).

Celso Furtado constate (2) que l'Angleterre, qui menait une politique lucide en matière de développement industriel, utilisa l'or du Brésil pour payer ses importations principales et put concentrer ses investissements dans les manufactures. Des innovations technologiques rapides et efficaces purent être mises en application grâce à cette gentillesse historique du Portugal. Le siège financier de l'Europe se déplaça d'Amsterdam à Londres. Selon les sources britanniques, les entrées en or brésilien à Londres atteignaient cinquante mille livres par semaine à certaines périodes. Sans cette extraordinaire accumulation de réserves, l'Angleterre n'aurait pas été en mesure, par la suite, d'affronter Napoléon.

A part les temples et les œuvres d'art, il ne resta rien sur le sol brésilien de l'impulsion dynamique donnée par l'or. A la fin du XVIIIe siècle, et bien que les mines de diamants ne fussent pas encore épuisées, le pays stagnait. Le revenu annuel *per capita* de trois millions et plus de Brésiliens ne dépassait pas, selon les calculs de Furtado, les cinquante dollars de l'actuel pouvoir d'achat ; ce fut le niveau le plus bas de toute la période coloniale. Minas Gerais coula à pic dans une onde profonde de décadence et de ruine. Incroyablement,

(1) Allan K. Manchester, *British Preeminence in Brazil : its Rise and Fall*, Chapel Hill, Caroline du Nord, 1933.
(2) Celso Furtado, *op. cit.*

un Brésilien remercie et prétend que le capital anglais sorti de Minas Gerais « servit à l'immense réseau bancaire qui favorisa le commerce entre les nations et rendit possible l'élévation du niveau de vie des peuples capables de progrès (1) ». Condamnés irrémédiablement à la pauvreté en fonction du progrès étranger, les peuples miniers « incapables » restèrent isolés et durent se résigner à arracher leur nourriture des pauvres terres désormais privées de leurs métaux et de leurs pierres précieuses. L'agriculture de subsistance remplaça l'économie minière (2). De nos jours, les champs de Minas Gerais sont, comme ceux du Nord-Est, le royaume des latifondi et des « colonels d'hacienda », impassibles bastions de la stagnation. La vente de travailleurs *mineiros* aux haciendas d'autres États est presque aussi fréquente que le trafic d'esclaves dont souffrent les populations du Nord-Est. Franklin de Oliveira a parcouru Minas Gerais il y a peu de temps. Il y a vu des maisons de bois qui s'effondraient, des villages sans eau ni lumière, des prostituées d'environ treize ans sur la route de la vallée de Jequitinhonha, des fous et des affamés au bord des chemins. Il le raconte dans son livre *A tragédia da renovação brasileira*. Henri Gorceix avait dit avec raison que Minas Gerais avait un cœur d'or dans une poitrine de fer (3), mais son fabuleux quadrilatère ferrifère est exploité de nos jours par l'Hanna Mining Co. et la Bethlehem Steel, associées pour la circonstance : les gisements leur ont été livrés en 1964, au terme d'une sinistre histoire. Le fer, entre les mains étrangères, ne laissera rien, comme l'or n'avait rien laissé.

En dehors des trous des excavations et des petites villes abandonnées, il n'est resté que l'éclatante floraison de l'art comme souvenir du vertige de l'or. Le Portugal ne put sauver d'autre force créatrice que la révolution esthétique. Le couvent de Mafra, orgueil de dom João V, sortit le Portugal de la décadence artistique : l'or de Minas Gerais scintille

(1) Augusto de Lima Júnior, *op. cit.* L'auteur se réjouit de « l'expansion de l'impérialisme colonisateur, que les ignorants d'aujourd'hui, manipulés par leurs maîtres moscovites, qualifient de crime ».
(2) Roberto C. Simonsen, *História econômica do Brasil (1500-1820)*, São Paulo, 1962.
(3) Eponina Ruas, *Ouro Preto. Sua história, seus templos e monumentos*, Rio de Janeiro, 1950.

encore dans les carillons de ses trente-sept cloches, dans ses vases et ses candélabres d'or massif. Les églises de Minas Gerais ont été pillées et les objets sacrés transportables ont presque tous disparu ; pourtant, au-dessus des ruines coloniales, les œuvres baroques monumentales, les bas-reliefs et les chaires, les retables, les tribunes, les figures humaines que dessina, tailla ou sculpta Antônio Francisco Lisboa, *l'Aleijadinho*, « l'Estropié », le fils génial d'une esclave noire et d'un artisan célèbre, resteront pour toujours. Le XVIIIe siècle touchait à sa fin lorsque *l'Aleijadinho* entreprit de tailler dans la pierre un groupe de grandes figures sacrées, au pied du sanctuaire du *Bom Jesus de Matosinhos*, à Congonhas do Campo. L'euphorie de l'or n'était plus qu'un souvenir : l'œuvre se nommait *les Prophètes*, mais aucune gloire ne restait à prophétiser. Le faste et la liesse s'étaient évanouis sans espoir de retour. Le dramatique témoignage final, grandiose comme des funérailles mettant au tombeau cette fugace civilisation de l'or, née pour mourir, fut laissé à la postérité par l'artiste le plus talentueux du Brésil. *L'Aleijadinho*, défiguré et mutilé par la lèpre, réalisa son chef-d'œuvre en amarrant ciseau et marteau à des mains sans doigts et en se traînant sur les genoux, chaque matin à l'aube, jusqu'à son atelier.

La légende assure que dans l'église Nossa Senhora das Mercês e Misericordia de Minas Gerais les mineurs défunts célèbrent encore la messe pendant les froides nuits de pluie. Lorsque, sur le maître-autel, le prêtre se retourne et lève les bras, on voit son visage : c'est une tête de mort.

Chapitre 2

LE ROI SUCRE ET AUTRES MONARQUES AGRICOLES

LES PLANTATIONS, LES LATIFONDI ET LE DESTIN

La recherche de l'or et de l'argent fut à n'en pas douter le moteur de la conquête. Mais à son second voyage, Christophe Colomb apporta des îles Canaries les premiers rhizomes de canne à sucre et les planta sur les terres occupées aujourd'hui par la République Dominicaine. Ils donnèrent rapidement des pousses, à la grande satisfaction de l'amiral (1). La canne à sucre était cultivée en petites quantités en Sicile, aux îles Madère et au Cap-Vert, et le sucre s'achetait à prix d'or en Orient ; c'était un article si envié par les Européens qu'il en arriva à figurer comme partie de la dot dans les trousseaux des reines. On le vendait au gramme en pharmacie (2). Pendant presque trois siècles après la découverte de l'Amérique, il n'y eut pas, pour le commerce européen, de produit agricole plus important que la canne à sucre cultivée sur ces terres. Les plantations couvrirent le littoral humide et chaud du nord-est du Brésil ; plus tard, les îles Caraïbes Barbade, Jamaïque, Haïti, Guadeloupe, Cuba, Saint-Domingue, Porto Rico, ainsi que Veracruz et la côte péruvienne, devinrent des endroits propices à l'exploitation sur une grande échelle de l' « or blanc ». D'innombrables légions d'esclaves vinrent

---

(1) Fernando Ortiz, *Contrapunteo cubano del tabaco y el azúcar*, La Havane, 1963.

(2) Caio Prado Júnior, *Historia económica del Brasil*, Buenos Aires, 1960.

d'Afrique pour fournir au roi Sucre la main-d'œuvre, l'énergie gratuite, le combustible humain qu'il exigeait. Les terres furent dévastées par cette plante égoïste qui envahit le Nouveau Monde, rasant les forêts, gaspillant la fertilité naturelle et épuisant l'humus accumulé par les sols. Le long cycle du sucre donna naissance en Amérique latine à des périodes de prospérité aussi précaires que celles qu'engendrèrent les fureurs de l'or et de l'argent à Potosí, à Ouro Preto, à Zacatecas et à Guanajuato ; il donna en même temps, directement ou indirectement, une impulsion décisive au développement industriel de la Hollande, de la France, de l'Angleterre et des États-Unis.

Née de la demande européenne, la plantation était une entreprise animée par l'appât du gain de son propriétaire et fonctionnait au service du marché que l'Europe dirigeait dans le monde. Pourtant, si l'on tient compte qu'elle se suffisait en grande partie à elle-même, on peut affirmer qu'elle présentait dans sa structure interne quelques-uns des traits dominants du régime féodal. D'autre part, ses travailleurs étaient des esclaves. Trois âges historiques différents — mercantilisme, féodalisme, esclavage — se combinaient donc en une seule unité économique et sociale, mais au centre de la constellation du pouvoir, à laquelle le système de plantation s'intégra vite, se tenait le marché international.

Le latifondo actuel descend en ligne directe de la plantation coloniale, subordonnée aux demandes étrangères et financée, dans la plupart des cas, de l'extérieur. C'est là un des goulets d'étranglement du progrès économique de l'Amérique latine et l'un des facteurs essentiels de la marginalité et de la pauvreté des masses latino-américaines. Le latifondo, suffisamment mécanisé pour multiplier les excédents de main-d'œuvre, dispose d'abondantes réserves de bras à bon marché. Il ne dépend plus de l'importation d'esclaves africains ni de l'*encomienda*. Le latifondo se contente de payer des salaires dérisoires, de rétribuer les services en espèces ou de faire travailler gratuitement contre l'usufruit d'une petite parcelle de terre ; il se nourrit de la prolifération des minifondi, nés de sa propre expansion et de l'incessante migration intérieure de légions de travailleurs qui se déplacent, poussés par la faim, au rythme des récoltes successives.

La structure combinée de la plantation fonctionnait comme fonctionne aujourd'hui le latifondo — à la manière d'un crible qui laisserait fuir les richesses naturelles. En s'intégrant au marché mondial, chaque secteur connut un cycle dynamique ; puis, à cause de la concurrence d'autres produits de remplacement ou suite à l'épuisement de la terre ou à l'apparition d'autres zones présentant de meilleures conditions, survint la décadence. La culture de la pauvreté, l'économie de subsistance et la léthargie sont ce qui succède, avec le temps, à l'élan originel de production. Le Nord-Est était la région la plus riche du Brésil et il est aujourd'hui la plus pauvre ; à la Barbade et en Haïti habitent des fourmilières humaines condamnées à la misère ; le sucre devint la clef de la domination de Cuba par les États-Unis, avec pour résultats la monoculture et l'appauvrissement implacable du sol.

A l'histoire du sucre, il faudrait ajouter celle du cacao, qui remplit les coffres de l'oligarchie de Caracas ; du coton de Maranhão, qui brilla brusquement et déclina tout aussi vite ; des plantations de caoutchouc en Amazonie, devenues des cimetières pour les ouvriers du Nord-Est recrutés contre quelques pièces de monnaie ; des forêts de quebracho du nord de l'Argentine et du Paraguay, aujourd'hui rasées ; des exploitations de sisal du Yucatán, où les Yaquis furent envoyés à l'extermination. C'est également l'histoire du café, qui progresse en laissant derrière lui des déserts ; et celle des cultures de fruits au Brésil, en Colombie, en Équateur et dans les malheureux pays de l'Amérique centrale. Avec plus ou moins d'importance, chaque produit s'est transformé en un destin, la plupart du temps fugace pour les pays, les régions et les hommes. Les zones de richesses minières ont connu les mêmes vicissitudes. Plus un produit est recherché par le marché mondial, plus le poids de malheur qu'il apporte est lourd pour le peuple latino-américain qui le crée, avec son sacrifice. Moins touché par cette loi d'acier, le Río de la Plata, qui déversait sur les marchés internationaux des cuirs, et plus tard de la viande et de la laine, n'a pu malgré tout échapper à la cage du sous-développement.

L'ASSASSINAT DE LA TERRE AU NORD-EST DU BRÉSIL

Les colonies espagnoles produisaient avant tout des métaux. On y avait très vite découvert les trésors et les filons. Le sucre, relégué au second plan, fut cultivé à Saint-Domingue, puis à Veracruz et, plus tard, sur la côte péruvienne et à Cuba. En revanche, jusqu'au milieu du XVIIe siècle, le Brésil en fut le principal producteur. La colonie portugaise d'Amérique était de ce fait le principal marché d'esclaves ; la très rare main-d'œuvre indigène s'éteignait rapidement, décimée par ces travaux forcés, et le sucre exigeait de grands contingents de travailleurs pour nettoyer et préparer les terrains, planter, récolter et transporter la canne et enfin la moudre et la raffiner. La société coloniale brésilienne, sous-produit du sucre, fut florissante à Bahia et à Pernambouc, jusqu'au jour où la découverte de l'or fit de Minas Gerais son centre d'intérêt.

Les terres furent cédées en usufruit par la Couronne portugaise aux premiers grands propriétaires terriens du Brésil. L'exploit de la conquête devait être accompagné de l'organisation de la production. Douze « capitaines » seulement reçurent en donation l'immense territoire inexploré (1) pour l'exploiter au service du monarque. Mais les capitaux nécessaires étant en grande partie fournis par la Hollande, l'affaire profita beaucoup plus aux Flamands qu'aux Portugais. Les entreprises hollandaises ne participèrent pas seulement à l'installation des raffineries et à l'importation des esclaves ; c'étaient elles qui recevaient le sucre brut à Lisbonne, le raffinaient (avec un bénéfice représentant le tiers de la valeur du produit) et le vendaient en Europe (2). En

(1) Sergio Bagú, *Economía de la sociedad colonial. Ensayo de historia comparada de América Latina*, Buenos Aires, 1949.
(2) Celso Furtado, *La Formation économique du Brésil*, Paris-La Haye, 1972.

1630, la Dutch West India Company envahit et conquit la côte nord-est du Brésil, pour contrôler directement la production. Il fallait multiplier les sources du sucre si l'on voulait multiplier les gains, et la même compagnie offrit aux Anglais de la Barbade toutes les facilités pour en commencer la culture intensive aux Antilles. Elle envoya au Brésil des colons des Caraïbes afin qu'ils acquièrent dans ses nouvelles possessions les connaissances techniques et la science de l'organisation. Lorsque les Hollandais furent enfin chassés du nord-est du Brésil, en 1654, ils avaient déjà établi à la Barbade les bases qui allaient permettre à l'île de se lancer dans une concurrence furieuse et fatale. Ils avaient fait venir des Noirs et des rhizomes de canne à sucre, construit et équipé des raffineries. Les exportations brésiliennes tombèrent brusquement de moitié, et de moitié aussi les cours du sucre, à la fin du XVIIe siècle. La population noire de la Barbade décupla en vingt ans. Les Antilles étaient plus près du marché européen, la Barbade offrait encore des terres vierges et un meilleur niveau technique, alors que le sol brésilien s'épuisait. L'ampleur des révoltes d'esclaves au Brésil et l'apparition de l'or, qui enlevait de la main-d'œuvre aux plantations, précipitèrent aussi la crise du Nord-Est sucrier. Ce fut une crise sans solution. Elle persiste de nos jours, après s'être traînée péniblement de siècle en siècle.

Le sucre avait dévasté le Nord-Est. La frange pluvieuse du littoral avait un sol d'une grande fertilité, riche en humus et en sels minéraux, et couvert de forêts, de Bahia au Ceará. Cette région forestière tropicale se transforma, selon Josué de Castro, en une région de savanes (1). Naturellement destinée à la production alimentaire, elle devint une zone de famine. Là où tout poussait avec une vigueur exubérante, le latifondo sucrier au joug destructeur ne laissa que rocs stériles, sols nus et terres érodées. Les plantations antérieures, d'orangers et de manguiers, « furent abandonnées à leur sort et se réduisirent à de petits vergers entourant la maison du patron de la raffinerie, et exclusivement réservés à la famille du planteur blanc (2) ». Les brûlis, qui ouvraient les terres aux plantations de canne, dévastèrent la vie végétale et animale ; cerfs,

(1) Josué de Castro, *Géographie de la faim*, Paris, 1949.
(2) *Ibid.*

sangliers, tapirs, lapins, pacas et tatous disparurent. Le tapis végétal, la flore et la faune furent sacrifiés, sur les autels de la monoculture, à la canne à sucre. La culture extensive épuisa rapidement les sols.

A la fin du XVIᵉ siècle, il n'y avait pas moins de cent vingt raffineries au Brésil ; elles représentaient un capital de près de deux millions de livres mais leurs propriétaires, qui possédaient les meilleures terres, ne cultivaient pas de produits alimentaires. Ils les importaient, ainsi qu'une vaste gamme d'articles de luxe qui arrivaient d'outre-mer, comme les esclaves et les sacs de sel. L'abondance et la prospérité allaient de pair, une fois encore, avec le dénuement de la plus grande partie de la population, qui vivait en état de malnutrition permanente. L'élevage fut relégué dans les déserts de l'intérieur, loin de la frange humide du littoral : dans le *sertão*, qui, avec deux bovins au kilomètre carré, fournissait (et fournit) une viande dure et insipide, peu abondante.

De cette époque coloniale est née la coutume, toujours existante, de manger de la terre. Le manque de fer entraîne l'anémie, et l'instinct pousse les enfants du Nord-Est à compenser avec de la terre les sels minéraux qu'ils ne trouvent pas dans leur nourriture normale, réduite à de la farine de manioc, des haricots noirs et, les jours de chance, du *tasajo* (viande séchée). Autrefois, on punissait ce « vice africain » des enfants en les bâillonnant ou en les suspendant dans des paniers d'osier à bonne distance du sol (1).

Le nord-est du Brésil est actuellement la région la plus sous-développée de l'hémisphère occidental (2). Gigantesque camp de concentration pour trente millions d'individus, il supporte aujourd'hui l'héritage de la monoculture du sucre. Ses terres étaient à l'origine du négoce le plus lucratif de

(1) *Ibid.* Un voyageur anglais, Henry Koster, attribuait l'habitude de manger de la terre au contact des enfants blancs avec les petits Noirs qui « leur communiquent ce vice africain ».
(2) Le Nord-Est subit, par des voies diverses, une sorte de colonialisme intérieur au bénéfice du Sud industrialisé. En même temps, la région du *sertão* dépend de la zone sucrière qu'elle ravitaille, et les grands domaines de la canne à sucre sont tributaires de ses industries de transformation. La vieille institution du *senhor de engenho* connaît une crise, les moulins centraux ont dévoré les plantations.

l'économie agricole coloniale en Amérique latine. De nos jours, un peu moins du cinquième de la zone humide de Pernambouc est consacré à la culture de la canne à sucre, et le reste n'est pas exploité (1) : les propriétaires des grandes raffineries centrales, qui sont les plus importants planteurs de canne, s'offrent le luxe de laisser improductifs leurs vastes latifondi. Ce n'est pas dans les zones arides ou semi-arides de l'intérieur du Nord-Est que les gens mangent le plus mal, comme on le croit à tort. Le *sertão*, désert de pierres et d'arbustes sans feuilles, à la végétation maigre, souffre de famines périodiques : le soleil craqueleur de la sécheresse s'abat sur la terre et la réduit à un paysage lunaire ; il force les gens à l'exode et sème les croix sur les bords des chemins. Mais c'est sur le littoral fertile que sévit une faim endémique. Là où l'opulence s'étale avec le plus d'ostentation, la misère est la plus aiguë ; la région choisie par la nature pour produire tous les aliments les refuse en bloc : cette frange côtière, connue encore maintenant, ô ironie du langage ! comme *zona da mata*, « la zone des forêts », en hommage au lointain passé et aux misérables vestiges du domaine forestier survivant à l'époque du sucre, est improductive. Le latifondo sucrier, structure du gaspillage, reste dans l'obligation de faire venir ses produits alimentaires d'autres régions, notamment du centre sud du pays, à des prix chaque jour plus élevés. Le coût de la vie à Recife est le plus haut de tout le Brésil ; il dépasse, et de loin, celui de Rio de Janeiro. Les haricots noirs coûtent plus cher dans le Nord-Est que sur la luxueuse plage d'Ipanema. Une livre de farine de manioc équivaut au salaire journalier d'un homme adulte travaillant du lever au coucher du soleil dans une plantation de canne à sucre : si l'ouvrier proteste, le contremaître envoie chercher le menuisier pour qu'il vienne prendre les mesures du corps, la longueur et la largeur du bois de son cercueil. La pratique du « droit de cuissage » subsiste en beaucoup d'endroits pour les propriétaires ou leurs administrateurs. Le tiers de la population de Recife survit, marginale, dans les cahutes des bas-fonds ;

(1) Selon les recherches de l'Institut Joaquim Nabuco de Pesquisas Sociais, de Pernambouc, mentionnées par Kit Sims Taylor dans « El Nordeste brasileño : azúcar y plusvalía », *Monthly Review*, n° 63, Santiago du Chili, juin 1969.

dans le quartier de Casa Amarela, plus de la moitié des enfants meurent avant leur premier anniversaire (1). La prostitution infantile — fillettes de dix à douze ans vendues par leurs parents — est fréquente dans les villes du Nord-Est. Certaines plantations paient leurs travailleurs moins cher que le plus mal payé des ouvriers en Inde. Un document de la F.A.O. assurait en 1957 que dans la localité de Victoria, près de Recife, le manque de protéines provoquait « chez les enfants une perte de poids de 40 % plus importante que ce que l'on observe en Afrique ». Les prisons privées existent encore dans nombre de plantations, « mais les responsables des assassinats par sous-alimentation n'y sont pas enfermés, dit René Dumont, car ce sont eux qui en ont les clefs (2) ».

La production du sucre à Pernambouc représente moins de la moitié de celle de l'État de São Paulo, et avec des rendements très inférieurs à l'hectare ; néanmoins, Pernambouc vit du sucre, de même que ses habitants fortement concentrés dans la zone humide, alors que l'État de São Paulo possède le centre industriel le plus puissant de l'Amérique latine. Dans le Nord-Est le progrès lui-même n'est pas progressiste, car il est aussi entre les mains de quelques propriétaires. L'aliment des minorités affame les majorités. A partir de 1870, l'industrie du sucre se modernisa considérablement grâce à la création de grands moulins centraux, et alors « l'absorption des sols par les latifondi s'accrut de façon alarmante, accentuant la misère alimentaire de cette région (3) ». Pendant la décennie de 1950-1960, l'essor de l'industrialisation augmenta la consommation de sucre au Brésil. La production du Nord-Est connut une grande impulsion, sans toutefois améliorer le rendement à l'hectare. On incorpora de nouvelles terres, de qualité inférieure, aux plantations de canne, et le sucre dévora à nouveau les quelques espaces consacrés aux cultures alimentaires.

Devenu un salarié, le paysan qui cultivait sa parcelle de terre a vu en fait son niveau de vie baisser puisqu'il ne gagne pas suffisamment pour acheter la nourriture qu'il produisait

(1) Franklin de Oliveira, *Revolución y contrarrevolución en el Brasil*, Buenos Aires, 1965.
(2) René Dumont, *Terres vivantes*, Plon, « Terre Humaine », Paris, 1961.
(3) Josué de Castro, *op. cit.*

auparavant (1). Comme d'habitude, l'expansion élargit la faim.

Les îles Caraïbes, au pas de charge

Les Antilles étaient les *Sugar Islands*, les îles du sucre : successivement intégrées au marché mondial comme productrices de sucre, elles sont restées condamnées à ce rôle, jusqu'à nos jours ; elles ont pour nom : la Barbade, les îles Sous-le-Vent, Trinité, Tobago, la Guadeloupe, Porto Rico et la République Dominicaine. Prisonnières de la monoculture de la canne dans les latifondi aux vastes terres épuisées, elles connaissent le chômage et la pauvreté : le sucre y est cultivé sur une grande échelle, et sur une grande échelle il irradie sa malédiction. Cuba reste aussi dépendant de ses ventes de sucre, mais depuis la réforme agraire de 1959 un intense processus de diversification de l'économie de l'île a mis un point final au chômage : aujourd'hui, les Cubains ne travaillent plus seulement cinq mois par an à la récolte du sucre, mais toute l'année à la construction ininterrompue et certes difficile d'une société nouvelle.

« Vous penserez peut-être, messieurs, disait Karl Marx en 1848, que la production du café et du sucre est le destin naturel des Indes occidentales. Voilà deux siècles, la nature, qui a bien peu à voir avec le commerce, n'avait planté ici ni le caféier ni la canne à sucre (2). » La division internationale du travail ne se structura pas par la grâce du Saint-Esprit ; elle fut l'œuvre des hommes ou, plus précisément, du développement mondial du capitalisme.

La Barbade fut la première île des Caraïbes à cultiver le

(1) Celso Furtado, *Dialética do desenvolvimento*, Rio de Janeiro, 1964.
(2) Karl Marx, « Discours sur le libre-échange, » dans *Misère de la philosophie*, Moscou, s.d.

sucre pour l'exportation massive, à partir de 1641, bien que les Espagnols eussent planté la canne dans l'Ile Espagnole et à Cuba avant cette date. Ce furent les Hollandais, comme nous l'avons vu, qui introduisirent les plantations sur cette minuscule colonie britannique ; en 1666, il y avait déjà à la Barbade huit cents plantations de sucre et plus de quatre-vingt mille esclaves. Occupée par le latifondo naissant, la Barbade n'eut pas plus de chance que le nord-est du Brésil. Avant, on y pratiquait la polyculture ; les petites exploitations produisaient du coton, du tabac, des oranges, elles élevaient des vaches et des porcs. Les plantations de canne à sucre dévorèrent les cultures agricoles et dévastèrent les forêts, au nom d'un essor qui s'avéra éphémère. L'île découvrit rapidement qu'elle avait épuisé ses sols, qu'elle n'avait plus de quoi nourrir sa population et qu'elle produisait du sucre à des prix non compétitifs (1).

Le sucre s'était propagé aux autres îles, atteignant l'archipel Sous-le-Vent, la Jamaïque et les terres continentales des Guyanes. Au début du XVIIIe siècle, les esclaves étaient dix fois plus nombreux que les colons blancs, à la Jamaïque. Ses terres s'appauvrirent également très vite. Pendant la seconde moitié du siècle, le meilleur sucre du monde sortait du sol spongieux de la côte d'Haïti, une possession française qui s'appelait alors Saint-Domingue. Le nord et l'ouest d'Haïti devinrent des déversoirs d'esclaves : le sucre demandait de plus en plus de bras. En 1786, vingt-sept mille esclaves arrivèrent à la colonie, et quarante mille l'année suivante.

A l'automne 1791, la révolution éclatait. Pendant le seul mois de septembre, deux cents plantations de canne furent la proie des flammes ; incendies et combats se succédèrent sans interruption tandis que les esclaves insurgés repoussaient les troupes françaises vers l'Océan. Les bateaux s'éloignaient avec à leur bord de plus en plus de Français et de moins en moins de sucre. La guerre fit couler des fleuves de sang et dévasta des plantations. Elle dura longtemps. Le pays en ruine resta paralysé ; à la fin du siècle, la production s'était complètement effondrée. « En novembre 1803, presque toute la colonie, jadis florissante, n'était plus qu'un vaste cimetière

---

(1) Vincent T. Harlow, *A History of Barbados*, Oxford, 1926.

de cendres et de décombres », écrit Lepkowski (1). La révolution haïtienne avait coïncidé — et non seulement dans le temps — avec la Révolution française, et Haïti avait eu aussi à souffrir du blocus de la coalition internationale contre la France : l'Angleterre dominait les mers. Après quoi, alors que le processus de son indépendance devenait inévitable, elle eut à subir le blocus de la France. Cédant à la pression française, le Congrès des États-Unis interdit le commerce avec l'île, en 1806. En 1825, la France reconnut l'indépendance de son ancienne colonie, mais en exigeant une énorme indemnisation. En 1802, peu après que le général Toussaint-Louverture, chef des milices d'esclaves, eut été fait prisonnier, le général Leclerc écrivit de l'île à Napoléon, son beau-frère : « Voilà mon opinion sur ce pays : il faut supprimer tous les nègres des montagnes, hommes et femmes, et ne garder que les enfants de moins de douze ans, exterminer la moitié des Noirs des plaines et ne laisser dans la colonie aucun mulâtre portant des galons (2). » Le tropique se vengea de Leclerc car il mourut « atteint du *vomito negro* », en dépit des conjurations magiques de Pauline Bonaparte (3), sans pouvoir réaliser son plan ; mais la dette fut une pierre écrasante sur les épaules des Haïtiens indépendants qui avaient survécu aux bains de sang des expéditions militaires envoyées contre eux. Le pays naquit en ruine et ne se releva pas : aujourd'hui c'est le plus pauvre de l'Amérique latine.

La crise haïtienne favorisa l'essor sucrier de Cuba, qui devint rapidement le premier fournisseur du monde. La production cubaine de café, autre article très demandé outre-mer, reçut également son impulsion de la chute de la production haïtienne, mais le sucre gagna la course de la monoculture : en 1682, Cuba se trouva contraint d'importer du café. Un membre distingué de l'industrie sucrière cubaine put parler des « avantages certains que l'on peut tirer du malheur des

---

(1) Tadeusz Lepkowski, *Haití*, tome I, La Havane, 1968.
(2) *Ibid.*
(3) Sur cette hallucinante période de la vie haïtienne, on lira le magnifique roman d'Alejo Carpentier, *Le Royaume de ce monde*, traduction René L.F. Durand, Paris, 1954. Le romancier cubain y retrace parfaitement les aventures de Pauline et de son mari dans les Caraïbes.

autres (1) ». A la suite de la rébellion haïtienne, on connut les prix les plus fabuleux de l'histoire du sucre sur le marché européen et, en 1806, Cuba avait déjà décuplé le nombre de ses raffineries et le chiffre de sa productivité.

DES CHÂTEAUX DE SUCRE SUR LES TERRES BRÛLÉES DE CUBA

Les Anglais s'étaient emparés de La Havane en 1762. Les petites plantations de tabac et l'élevage étaient alors les bases de l'économie rurale de l'île ; La Havane, place forte stratégique, jouissait d'un développement considérable de l'artisanat, elle possédait une fonderie importante qui fabriquait des canons, et ses chantiers navals, les premiers de l'Amérique latine, lui permettaient de construire sur une grande échelle navires marchands et vaisseaux de guerre. Onze mois suffirent aux occupants britanniques pour introduire une quantité d'esclaves égale à celle que Cuba aurait normalement importée en quinze ans ; et à partir de cette date l'économie cubaine s'accorda aux besoins étrangers en sucre : les esclaves allaient produire la marchandise recherchée, destinée au marché mondial, et leur substantielle plus-value profiterait désormais à l'oligarchie locale et aux intérêts impérialistes.

Moreno Fraginals décrit, à l'aide de documents éloquents, l'essor violent du sucre pendant les années qui suivirent l'occupation britannique. Le monopole commercial espagnol avait en fait volé en éclats ; en outre, les freins contrôlant l'entrée des esclaves avaient cessé de fonctionner. Les raffineries absorbaient tout, hommes et terres. Les ouvriers des chantiers navals, de la fonderie, et les innombrables artisans, dont l'apport aurait été fondamental pour le développement des industries, s'engageaient dans les *ingenios* (2) ;

(1) Manuel Moreno Fraginals, *El ingenio*, La Havane, 1964.
(2) Raffineries, moulins à sucre. *(N. du T.)*

les petits paysans qui cultivaient le tabac dans les plaines ou les fruits dans les vergers, victimes de l'annexion brutale des sols par la canne à sucre, se plaçaient également au service de la production sucrière. La plantation extensive réduisait la fertilité du sol ; dans la campagne, les cheminées des raffineries se multipliaient et chaque *ingenio* demandait de plus en plus d'espace. Le feu dévorait les plants de tabac, les bois et les pâturages. En 1792, le *tasajo*, la viande séchée, qui, quelques années plus tôt, était un article cubain d'exportation, arrivait de l'étranger en grandes quantités, et Cuba ne cessera plus de l'importer (1). Les chantiers et la fonderie dépérissaient, la production du tabac s'effondrait ; les esclaves sucriers travaillaient vingt heures d'affilée. Sur les terres encore fumantes se consolidait le pouvoir de la « saccharocratie ». A la fin du XVIIIe siècle, dans l'euphorie des cours boursiers internationaux, la spéculation faisait rage : les prix de la terre étaient multipliés par vingt à Güines ; à La Havane, l'intérêt réel de l'argent était huit fois plus élevé que l'intérêt légal ; dans tout Cuba, les rétributions demandées pour les baptêmes, les enterrements et les messes s'accordaient aux sommes fabuleuses offertes pour l'achat des Noirs et des bœufs.

Les chroniqueurs du passé affirmaient que l'on pouvait traverser Cuba, sur toute sa longueur, à l'ombre des palmes géantes et des forêts luxuriantes où abondaient les cèdres et les acajous, les ébéniers et les *dagames* (2). On peut encore

(1) Les *saladeros* (abattoirs et fabriques de salaisons) s'étaient déjà implantés dans le Río de la Plata. L'Argentine et l'Uruguay, qui n'existaient pas alors en tant que pays séparés et qui ne s'appelaient pas ainsi, avaient adapté leur économie à l'exportation massive de la viande séchée et salée, des cuirs, des graisses et des suifs. Le Brésil et Cuba, les deux grands centres esclavagistes du XIXe siècle, furent d'excellents marchés pour le *tasajo*, un aliment de très bas prix, facile à transporter et à conserver car il ne se décomposait pas sous la chaleur du tropique. Les Cubains continuent d'appeler « Montevideo » le *tasajo*, bien que l'Uruguay en ait cessé la vente en 1965, se soumettant au blocus mis en place par l'O.E.A. (l'Organisation des États américains) contre Cuba. Ce pays a ainsi perdu stupidement le dernier marché qui lui restait pour ce produit. Cuba avait été, à la fin du XVIIIe siècle, le premier marché ouvert à la viande uruguayenne, présentée en fines tranches séchées. José Pedro Barrán et Benjamín Nahum, *Historia rural del Uruguay moderno (1851-1885)*, Montevideo, 1967.

(2) Arbres aux troncs nus, sans branches, hauts et durs, de Cuba. *(N. du T.)*

admirer les bois précieux de Cuba : ce sont ceux des tables et des fenêtres de l'Escorial ou des portes du palais royal de Madrid. Mais l'invasion sucrière détruisit par des brûlis successifs les plus belles forêts qui couvraient le sol de l'île ; en même temps qu'il saccageait ses futaies, Cuba devenait le principal acheteur de bois des États-Unis. La culture extensive de la canne, culture dévoreuse, impliqua non seulement la disparition de la forêt mais aussi, à long terme, « la mort de la prodigieuse fertilité de l'île (1) ». Les forêts étaient livrées aux flammes et l'érosion ne tardait pas à attaquer le sol sans défense ; des milliers de ruisseaux s'asséchèrent. Le rendement par hectare des plantations sucrières de Cuba est actuellement trois fois plus faible que celui du Pérou et quatre fois et demie inférieur à celui de Hawaii (2). L'irrigation et la fertilisation des sols constituent des tâches prioritaires pour la révolution cubaine. On multiplie les barrages de toutes dimensions, on irrigue les champs et on répartit les engrais sur les terres appauvries.

La « saccharocratie » exhibait sa fallacieuse fortune en même temps qu'elle aliénait l'indépendance de Cuba dans une industrie distinguée dont l'économie resta malade du diabète. Parmi les dévastateurs des terres les plus fertiles se trouvaient des personnages épris de la noble culture européenne qui savaient reconnaître un Bruegel authentique et pouvaient l'acheter ; de leurs fréquents voyages à Paris, ils rapportaient des poteries étrusques et des amphores grecques, des tapisseries des Gobelins et des paravents ming, des paysages et des portraits des artistes britanniques les plus cotés. J'eus la surprise de découvrir dans la cuisine d'une résidence de La Havane un gigantesque coffre-fort à combinaison secrète qu'une comtesse utilisait pour garder sa vaisselle. Jusqu'en 1959 on ne construisait pas des usines, mais des châteaux de sucre : le sucre faisait et défaisait les dictatures, donnait ou

(1) Manuel Moreno Fraginals, *op. cit.* Il y a peu de temps circulaient encore sur le río Sagua les *palanqueros*. « Ils sont munis d'une longue perche à pointe de fer. Ils explorent avec elle le lit de la rivière jusqu'à ce qu'ils rencontrent un morceau de bois... Ils extraient ainsi du fond de l'eau, jour après jour, les restes des arbres que le sucre avait abattus. Ils vivent des cadavres de la forêt. »

(2) Celso Furtado, *La economía latinoamericana desde la Conquista ibérica hasta la revolución cubana*, Santiago du Chili, 1969, Mexico, 1969.

refusait du travail aux ouvriers, décidait du rythme de la valse des millions et des crises aiguës. La ville de Trinidad est aujourd'hui un cadavre resplendissant. En 1850, elle possédait plus de quarante raffineries qui produisaient sept cent mille arrobes (1) de sucre. Les paysans pauvres qui cultivaient le tabac avaient été expropriés par la violence et cette région, qui avait aussi pratiqué l'élevage et exporté ses produits, mangeait de la viande d'importation. Des palais coloniaux avaient jailli, avec leurs arcades à l'ombre complice, leurs appartements à hauts plafonds, leurs lustres ruisselant de cristal, leurs tapis persans, un silence ouaté seulement troublé par les notes d'un menuet, et des salons dont les miroirs renvoyaient l'image de messieurs à perruques et chaussés de souliers à boucles. Il ne reste de tout cela que le témoignage des grands squelettes de marbre et de pierre, l'orgueil des clochers muets, les calèches envahies par l'herbe. On appelle Trinidad « la ville des *qui eut* », car ses survivants blancs parlent toujours d'un ancêtre qui *y eut* là, autrefois, puissance et gloire. Mais la crise de 1857 fit tomber les prix du sucre et la ville les suivit dans cette chute, pour ne plus jamais se relever (2).

Un siècle plus tard, lorsque les guérilleros de la Sierra Maestra conquirent le pouvoir, le destin de Cuba restait lié aux cours du sucre. « Le peuple qui confie sa subsistance à un seul produit se suicide », avait prophétisé son héros national, José Martí. En 1920, avec le sucre à vingt-deux centavos la livre, Cuba battit le record mondial des exportations par habitant, dépassant même l'Angleterre, et connut le plus fort revenu *per capita* de l'Amérique latine. Mais, en décembre de la même année, le prix du sucre tomba à quatre centavos et, en 1921, se déchaîna l'ouragan de la crise : de nombreuses centrales sucrières firent faillite et furent rachetées par des trusts nord-américains tandis que le krach frappait les banques

---

(1) Unité de mesure, restée en vigueur à Cuba. Elle équivaut à 11,502 kg. *(N. du T.)*

(2) Moreno Fraginals a justement observé que les noms des raffineries élevées au XIXe siècle reflétaient les hauts et les bas de la courbe sucrière : *Esperanza* (Espérance), *Nueva Esperanza* (Nouvelle Espérance), *Atrevido* (l'Audacieux), *Casualidad* (Par hasard) ; *Aspirante* (l'Aspirant), *Conquista* (Conquête), *Confianza* (Confiance), *El Buen Suceso* (l'Heureux Événement) ; *Apuro* (Embarras), *Angustia* (Angoisse), *Desengaño* (Désillusion). Il y avait quatre raffineries nommées, prémonitoirement, *Desengaño*.

cubaines ou espagnoles, y compris la Banque nationale. Seules survécurent les succursales des banques des États-Unis (1). Une économie aussi dépendante et aussi vulnérable ne put échapper à l'impact féroce de la crise de 1929 aux États-Unis : le prix du sucre baissa bien au-dessous d'un centavo en 1932 et, en trois ans, le montant des exportations se réduisit au quart de sa valeur. L'indice du chômage à Cuba « aurait pu être difficilement égalé dans quelque autre pays (2) ». Le désastre de 1921 avait été provoqué par la chute du prix du sucre sur le marché des États-Unis et, de ces derniers, ne tarda pas à arriver un crédit de cinquante millions de dollars. Mais avec le crédit arriva aussi le général Crowder, qui, sous prétexte de contrôler l'utilisation des fonds, allait gouverner en fait le pays. Grâce à ses bons offices, la dictature de Machado s'installa au pouvoir en 1924 ; pourtant, c'est la grande dépression des années 30 qui conduisit Cuba, paralysé par la grève générale, à ce régime de feu et de sang.

Ce qui se produisait avec les prix se répétait avec le volume des exportations. A partir de 1948, Cuba retrouva les conditions nécessaires pour couvrir en sucre le tiers du marché des États-Unis, à des prix inférieurs à ceux que touchaient les producteurs nord-américains, mais supérieurs et plus stables que ceux du marché international. Déjà, par le passé, les États-Unis avaient dégrevé les importations de sucre cubain en échange de privilèges similaires accordés à l'entrée d'articles nord-américains à Cuba. Toutes ces *faveurs* consolidèrent la dépendance. « Le pays qui achète commande, le pays qui vend est à son service ; il faut équilibrer le commerce pour assurer la liberté ; le pays qui veut mourir vend à une seule nation, celui qui veut vivre vend à plusieurs nations », avait dit Martí, et le *Che* Guevara le répéta à la conférence de l'O.E.A., réunie à Punta del Este en 1961. La production était limitée arbitrairement par les besoins de Washington. Les quelque cinq millions de tonnes récoltés en 1925 restèrent le chiffre moyen des années 50 : le dictateur Fulgencio Batista prit le pouvoir en 1952, au moment de la meilleure *zafra* (3) réalisée jusqu'alors, plus de sept millions de tonnes,

(1) René Dumont, *Cuba, socialisme et développement*, Paris, 1964.
(2) Celso Furtado, *La economía latinoamericana...*, *op. cit.*
(3) Récolte de la canne à sucre. *(N. du T.)*

avec la mission d'en bloquer l'ascension. L'année suivante, la production, obéissant à la demande du Nord, tomba à quatre millions de tonnes (1).

La révolution devant la structure de l'impuissance

La proximité géographique et l'apparition du sucre de betterave, survenue sur les terres de France et d'Allemagne pendant les guerres napoléoniennes, firent des États-Unis le client principal pour le sucre des Antilles. Déjà en 1850 ceux-ci dominaient le tiers du commerce de Cuba, ils lui vendaient et lui achetaient plus que l'Espagne, bien que l'île fût une colonie espagnole, et le drapeau rayé et étoilé flottait aux mâts de plus de la moitié des bateaux qui y accostaient. Un voyageur espagnol aperçut, en 1859, en pleine campagne, dans de petits villages perdus, des machines à coudre fabriquées aux États-Unis (2). Les principales rues de La Havane furent pavées avec du granit de Boston.

Au début du xxe siècle, on pouvait lire dans le *Louisiana Planter* : « Toute l'île de Cuba passe peu à peu aux mains de citoyens américains ; c'est le moyen le plus simple et le plus sûr de réussir l'annexion aux États-Unis. » Au Sénat nord-américain on parlait déjà d'une nouvelle étoile au drapeau ; l'Espagne vaincue, le général Leonard Wood gouvernait l'île. Au même moment les Philippines et Porto Rico tombaient sous la domination des États-Unis (3). « Ils nous ont été

(1) Le directeur du programme sucrier au ministère de l'Agriculture des États-Unis déclara après la révolution cubaine : « Depuis que Cuba a quitté la scène, nous ne comptons plus sur la garantie de ce pays, le plus grand exportateur mondial puisqu'il disposait toujours de réserves pour alimenter notre marché, lorsque c'était nécessaire. » (Enrique Ruiz García, *América latina : anatomía de una revolución*, Madrid, 1966.)
(2) Leland H. Jenks, *Nuestra colonia de Cuba*, Buenos Aires, 1960.
(3) Porto Rico, autre usine sucrière, resta prisonnière. Du point de vue américain, les Portoricains ne sont pas assez mûrs pour avoir une patrie

octroyés par la guerre, disait le président McKinley, en incluant Cuba. Et avec l'aide de Dieu et au nom du progrès de l'humanité et de la civilisation, c'est notre devoir de répondre à cette grande confiance. » En 1902, Tomás Estrada Palma dut renoncer à la citoyenneté nord-américaine qu'il avait adoptée en exil : les armées nord-américaines d'occupation en firent le premier président de Cuba. En 1960, l'ex-ambassadeur américain à Cuba, Earl Smith, déclara devant une sous-commission du Sénat : « Jusqu'à l'arrivée de Castro au pouvoir, les États-Unis avaient à Cuba une telle influence que leur ambassadeur était le second personnage du pays ; peut-être était-il même plus important que le président cubain. »

Au moment de la chute de Batista, Cuba vendait presque toute sa production de sucre aux États-Unis. Cinq ans plus tôt, un jeune avocat révolutionnaire avait justement prophétisé, devant ceux qui le jugeaient pour avoir attaqué la caserne Moncada, que l'Histoire l'absoudrait ; dans sa vibrante plaidoirie, il avait déclaré : « Cuba continue d'être une usine productrice de matière première. Il exporte du sucre pour importer des bonbons... (2) ». Cuba achetait aux États-Unis non seulement ses automobiles et ses machines, ses produits

propre ; ils l'étaient en revanche pour mourir sur le front du Viêt-nam au nom d'une patrie qui n'était pas la leur. Proportionnellement à leurs populations, « l'État libre associé » de Porto Rico comptait plus de combattants dans le Sud-Est asiatique que le reste des États-Unis. On envoyait pour cinq ans dans les prisons d'Atlanta les Portoricains hostiles au service militaire obligatoire au Viêt-nam. Au fait de servir dans l'armée nord-américaine s'ajoutent d'autres humiliations héritées de l'invasion de 1898 et encouragées par la loi (la loi du Congrès des États-Unis, où Porto Rico a une représentation symbolique, sans droit de vote, et pratiquement sans voix). Son statut est colonial : Porto Rico avait, jusqu'à l'occupation nord-américaine, une monnaie propre et entretenait un commerce prospère avec les principaux marchés. Aujourd'hui, sa monnaie est le dollar et ses tarifs douaniers sont établis à Washington où est décidé tout ce qui concerne le commerce extérieur ou intérieur de l'île. Il en va de même pour les affaires étrangères, les transports, les communications, les salaires et les conditions de travail. C'est la Cour fédérale des États-Unis qui juge les Portoricains ; l'armée locale fait partie de l'armée du Nord. L'industrie et le commerce sont aux mains d'intérêts privés nord-américains. La dénationalisation a voulu devenir totale par la voie de l'émigration : la misère a poussé plus d'un million de Portoricains à aller tenter leur chance à New York, au risque d'y perdre leur identité nationale. Ils y forment un sous-prolétariat qui s'agglomère dans les quartiers les plus sordides.

(2) Fidel Castro, *L'histoire m'absoudra*, La Havane, 1954.

chimiques, son papier et ses vêtements, mais aussi riz et haricots noirs, ail et oignons, graisses, viande et coton. Les glaces venaient de Miami, le pain d'Atlanta et certains repas de luxe de Paris. Le pays du sucre importait près de la moitié des fruits et des légumes qu'il consommait, alors que le tiers de sa population seulement travaillait de façon permanente et que la moitié des terres des centrales sucrières étaient en friche (1). Trois raffineries nord-américaines possédaient plus de 47 % des plantations et gagnaient quelque cent quatre-vingts millions de dollars à chaque récolte. La richesse du sous-sol — nickel, fer, cuivre, manganèse, chrome, tungstène — faisait partie des réserves stratégiques des États-Unis dont les entreprises n'exploitaient les mines qu'en accord avec les demandes variables de l'armée et de l'industrie du Nord. En 1958, il y avait à Cuba plus de prostituées recensées que d'ouvriers mineurs (2). Un million et demi de Cubains étaient en chômage total ou partiel, d'après les études de Seuret et Pino citées par Núñez Jiménez.

L'économie du pays obéissait au rythme des récoltes de sucre. Le pouvoir d'achat des exportations cubaines entre 1952 et 1956 ne dépassait pas le niveau qu'il avait trente ans plus tôt (3), bien que les besoins en devises fussent beaucoup plus grands. Dans les années 30, lorsque la crise renforça la dépendance de l'économie cubaine au lieu de contribuer à la libérer, on en était arrivé à démonter les usines récemment installées pour les vendre à d'autres pays. Lorsque la révolution triompha, le 1ᵉʳ janvier 1959, le développement industriel de Cuba était bas et lent ; plus de la moitié de la production était concentrée à La Havane et les quelques usines modernes étaient dirigées des États-Unis. Un économiste cubain, Regino Boti, coauteur des thèses économiques des guérilleros de la sierra, cite l'exemple d'une filiale de Nestlé qui produisait du lait concentré à Bayamo : « En cas de panne le technicien téléphonait dans le Connecticut et signalait que dans son secteur telle ou telle chose ne marchait pas. Il recevait aussitôt des instructions sur les mesures à

---

(1) A. Núñez Jiménez, *Geografía de Cuba*, La Havane, 1959.
(2) René Dumont, *op. cit.*
(3) Dudley Seers, Andrés Bianchi, Richard Jolly et Max Nolff, *Cuba, the Economic and Social Revolution*, Chapel Hill, Caroline du Nord, 1964.

prendre et il les exécutait mécaniquement sans se préoccuper de " théorie ". Si l'opération ne réussissait pas, quatre heures plus tard arrivait un avion transportant une équipe de spécialistes hautement qualifiés qui arrangeaient tout. Après la nationalisation, on ne pouvait plus téléphoner pour demander du secours et les rares techniciens qui auraient pu réparer les pannes secondaires étaient partis (1). » Ce témoignage illustre parfaitement les difficultés que la Révolution rencontra dès qu'elle entreprit l'aventure de transformer la colonie en patrie.

Cuba avait eu les jambes coupées par le statut de dépendance et il ne lui fut pas facile de se remettre à marcher par ses propres moyens. En 1958, la moitié des enfants cubains n'allaient pas à l'école, mais l'ignorance était, ainsi que l'a souvent dénoncé Fidel Castro, beaucoup plus grande et plus grave que l'analphabétisme. La campagne d'alphabétisation de 1961 mobilisa une armée de jeunes volontaires pour apprendre à lire et à écrire à tous les Cubains, et les résultats étonnèrent le monde : selon le Bureau international de l'éducation de l'UNESCO, Cuba compte actuellement le plus faible pourcentage d'analphabètes en même temps que le plus haut chiffre de population scolarisée, pour les études primaires et secondaires, de toute l'Amérique latine. Certes, l'héritage maudit de l'ignorance ne se surmonte pas en vingt-quatre heures — ni en quelques années. Le manque de cadres techniques efficaces, l'incompétence de l'administration et la désorganisation du système de production, la peur bureaucratique de l'imagination créatrice et de la liberté de décision continuent de dresser des obstacles au développement du socialisme. Pourtant, malgré le réseau d'impuissance forgé par quatre siècles et demi d'histoire répressive, Cuba renaît avec un enthousiasme qui ne faiblit pas : il mesure ses forces, avec joie et exaltation, face aux obstacles.

---

(1) K.S. Karol, *Les guérilleros au pouvoir. L'itinéraire politique de la révolution cubaine*. Paris, 1970.

Le sucre était le couteau et l'empire l'assassin

« Construire sur le sucre vaut-il mieux que construire sur le sable ? », se demandait Jean-Paul Sartre, à Cuba, en 1960.

Sur le quai du port de Guayabal, qui exporte du sucre en vrac, les pélicans volent au-dessus d'un hangar gigantesque. J'entre et contemple, stupéfait, une pyramide dorée de sucre. Au fur et à mesure que les battants inférieurs s'ouvrent pour que les trémies acheminent le chargement vers les bateaux, de nouveaux jets d'or, ceux du sucre arrivant des moulins de la raffinerie, tombent de l'orifice de la toiture. La clarté solaire s'infiltre et leur arrache des éclairs. Cette montagne tiède que je palpe et que mon regard ne parvient pas à embrasser vaut quelque quatre millions de dollars. Je pense que ce spectacle résume l'euphorie et le drame de cette récolte record de 1970 qui a voulu atteindre, sans y parvenir, malgré un effort surhumain, les dix millions de tonnes. Avec le sucre une histoire beaucoup plus longue revit sous mes yeux. Je revois le royaume de la Francisco Sugar Co., l'entreprise d'Allen Dulles, où j'ai passé une semaine à écouter les récits du passé en assistant à la naissance de l'avenir : Josefina, fille de Caridad Rodríguez, étudie dans une classe qui était la prison de la caserne, à l'endroit même où son père a été incarcéré et torturé avant de mourir ; Antonio Bastidas, le vieux Noir de soixante-dix ans, un petit matin de cette année, s'est accroché à deux mains à la poignée de la sirène — la raffinerie ayant dépassé les prévisions — et a crié : « Nom de Dieu, ça y est ! Nom de Dieu, nous avons réussi ! », sans que personne arrive à détacher ses poings crispés sur le signal : la sirène qui avait réveillé le village était en train de réveiller tout Cuba. On me parle des anciennes affaires d'expulsions, de pots-de-vin, d'assassinats ; de la faim et des étranges métiers que le chômage forcé durant plus de la moitié de l'année engendrait :

celui de chasseur de grillons dans les semis, par exemple. Le malheur avait le gros ventre. On le sait, à présent, les morts ne sont pas morts en vain : ainsi, Amancio Rodríguez, criblé de balles par les briseurs de grève lors d'une assemblée ; il avait refusé, furieux, un chèque en blanc de l'entreprise ; lorsque ses compagnons vinrent pour le mettre en bière, ils découvrirent qu'il n'avait ni caleçon ni chaussettes pour son dernier voyage. Ainsi encore, Pedro Plaza, vingt ans, qui fut arrêté et conduisit le camion de soldats jusqu'aux mines qu'il avait lui-même posées et qui sauta avec eux. Et tant d'autres, dans cette localité et ailleurs : « Ici, les familles aiment beaucoup les martyrs, m'a dit un vieil ouvrier des plantations. Mais après leur mort. Avant ce n'étaient que de simples lamentations. » Si Fidel Castro recruta les trois quarts de ses guérilleros parmi les paysans et les hommes du sucre et si la province d'Oriente fut à la fois la meilleure productrice de sucre et de soulèvements de toute l'histoire de Cuba, ce n'est pas par hasard. Je m'explique la rancœur accumulée : après la fameuse récolte de 1961, la révolution a choisi de se venger du sucre. Le sucre était la mémoire vivante de l'humiliation. Était-il aussi un destin ? Devint-il par la suite un châtiment ? Peut-il être maintenant un tremplin, la catapulte du développement économique ? Dans un élan justifié d'impatience, la révolution détruisit de nombreuses plantations et voulut diversifier du jour au lendemain la production agricole : elle ne tomba pas dans l'erreur traditionnelle de diviser les latifondi en petites propriétés improductives, mais chaque domaine, socialisé, se consacra à des cultures excessivement variées. Il fallait importer sur une grande échelle pour industrialiser le pays, augmenter la productivité agricole et satisfaire les nombreuses demandes de consommation que la révolution avait énormément accrues avec la redistribution des richesses. Et, sans les grandes récoltes de canne à sucre, comment se procurer les devises nécessaires à ces importations ? Le développement des exploitations minières, surtout celles du nickel, exige d'énormes investissements, qui sont en voie de réalisation ; la pêche est devenue huit fois plus importante grâce à l'accroissement, au prix d'un gigantesque effort, de la flotte ; des plans ambitieux de production d'agrumes sont amorcés, mais les années qui séparent l'ensemencement de la récolte obligent à être patient. La révolution découvrit alors qu'elle avait confondu le couteau avec l'assassin. Le sucre, ancien facteur du sous-développement, allait se transformer en instrument du développement. Il n'y eut pas d'autre remède que d'utiliser les fruits de la monoculture et de la dépendance, nés de l'intégration de Cuba au marché mondial, pour casser les reins de la monoculture et de la dépendance.

Car les revenus fournis par le sucre ne servent plus à consolider les structures de la soumission (1). L'excédent économique qu'il engendre permet le développement des industries de base, la mise en valeur de toutes les terres jusqu'alors en friche et l'emploi de tous les travailleurs. Les importations de machines et d'installations industrielles ont augmenté de 40 % à partir de 1958. Lorsque la dictature de Batista fut renversée, il y avait à Cuba cinq mille tracteurs et il y en a aujourd'hui cinquante mille, dont on peut regretter, il est vrai, qu'ils subissent trop souvent les conséquences de graves défauts d'organisation. Des trois cent mille automobiles de l'époque, en grande partie des modèles de luxe, il ne reste plus que quelques exemplaires dignes de figurer au musée de la ferraille. L'industrie du ciment et les centrales électriques ont pris un essor étonnant ; les fabriques de produits chimiques créées par la révolution ont permis l'utilisation de cinq fois plus d'engrais qu'en 1958. Les barrages, construits sur tout le territoire, retiennent une quantité d'eau soixante-treize fois supérieure à celle de la même année 1958 (2) et les surfaces irriguées avancent avec

---

(1) Le prix stable du sucre, garanti par les pays socialistes, a joué un rôle décisif. Également, la fin du blocus décrété par les États-Unis : l'intensité des échanges commerciaux avec les pays d'Europe occidentale l'a complètement démantelé. Un tiers des exportations cubaines fournit des dollars, c'est-à-dire des devises convertibles ; le reste sert aux échanges avec l'Union soviétique et la zone du rouble. Ce dernier système comporte certaines difficultés : les turbines soviétiques pour les centrales thermo-électriques sont d'excellente qualité, comme tous les équipements lourds produits par l'U.R.S.S., mais on ne peut en dire autant des articles de consommation de l'industrie légère ou moyenne.

(2) Communication de Cuba à la XIe Conférence régionale de la F.A.O. (Food and Agriculture Organization, Rome. Organisation pour l'alimentation et l'agriculture O.A.A.). Version donnée par *Presse latine* le 13 octobre 1970.

des bottes de sept lieues. De nouvelles routes ont rompu l'isolement auquel semblaient définitivement condamnées de nombreuses régions. Pour accroître la maigre production de lait du cheptel de zébus, on a importé des taureaux Holstein ; grâce à eux, et grâce à l'insémination artificielle, huit cent mille vaches sont nées dans l'île.

Des inventions, en majeure partie cubaines, ont permis de réaliser d'importants progrès dans la mécanisation de la coupe de la canne à sucre et dans sa culture, mais c'est encore insuffisant. Une nouvelle organisation du travail s'élabore, non sans difficultés, pour remplacer l'ancien système perturbé par les changements que la révolution a apportés. Les *macheteros* professionnels, les bagnards du sucre, sont à Cuba une espèce disparue : la révolution leur a donné la liberté de choisir d'autres métiers moins épuisants et leurs enfants ont désormais la possibilité d'obtenir des bourses pour étudier dans les villes. La libération des forçats de la canne a eu comme conséquence inévitable de bousculer sérieusement l'économie de l'île. En 1970, Cuba a dû employer pour la *zafra* le triple de la main-d'œuvre habituelle, en majorité des volontaires, des soldats, des travailleurs d'autres secteurs, ce qui a privé de bras les autres activités agricoles et ralenti le rythme de la production dans les usines. Il faut également tenir compte du fait que dans une société socialiste, à la différence de la société capitaliste, les travailleurs ne sont pas mus par la crainte du chômage ou par la jalousie. D'autres moteurs — la solidarité, la responsabilité collective, la prise de conscience des devoirs et des droits qui entraînent l'homme au-delà de l'égoïsme — doivent agir. Et la conscience de tout un peuple ne se modifie pas en un tournemain. Selon Fidel Castro, lorsque la révolution prit le pouvoir, la plupart des Cubains n'étaient même pas anti-impérialistes.

Les Cubains se sont affirmés avec leur révolution, à mesure que se succédaient les provocations et les ripostes, les coups et les contrecoups entre Washington et La Havane, et tandis que les promesses de justice sociale de la révolution devenaient des réalisations concrètes. On a construit cent soixante-dix hôpitaux et autant de polycliniques, l'État assumant la gratuité de l'assistance médicale ; le nombre des étudiants inscrits dans toutes les disciplines a triplé et l'éducation aussi est devenue gratuite ; plus de trois cent mille enfants et jeunes gens bénéficient de bourses et les internats et les crèches se sont multipliés. Une grande partie de la population ne paie pas de loyer et les services de l'eau, de l'électricité, du téléphone, des pompes funèbres sont gratuits, comme les réunions sportives. En quelques années, les dépenses pour les services sociaux ont quintuplé. Mais à présent que tout le monde va à l'école et porte des chaussures, les besoins se multiplient géométriquement alors que la production ne peut croître qu'arithmétiquement. La pression de la consommation, qui est désormais le fait de tous et non plus de quelques-uns, oblige aussi Cuba à augmenter ses exportations, et le sucre reste la meilleure source de revenus.

En vérité, la révolution est en train de vivre des moments difficiles, de transition et de sacrifices. Les Cubains eux-mêmes ont confirmé que le socialisme se construisait les dents serrées et que la révolution n'était pas une promenade. L'avenir n'existerait pas s'il arrivait comme un cadeau. Certains produits manquent, c'est certain : en 1970 (1), il y a pénurie de vêtements, de fruits et de réfrigérateurs ; les queues, très fréquentes, ne sont pas seulement le résultat de la désorganisation de la distribution. La cause principale de la rareté des produits est le nombre accru des consommateurs : maintenant le pays appartient à tous. Il s'agit d'une pénurie provoquée par des circonstances exactement opposées à celles qui affament les autres pays latino-américains.

La défense nationale présente le même problème. La révolution est contrainte de dormir les yeux ouverts, ce qui, économiquement parlant, lui revient très cher. Cette révolution traquée, qui a dû supporter des invasions et des sabotages sans fin, ne succombe pas : dictature originale, elle est défendue par son peuple en armes. Les expropriateurs expropriés ne se résignent pas à leur échec. En avril 1961, la brigade qui débarqua à Playa Girón n'était pas uniquement formée de vieux militaires ou de policiers de Batista mais aussi d'anciens propriétaires de plus de trois cent soixante-dix mille hectares de terre, de presque dix mille immeubles, soixante-dix usines, dix centrales sucrières, trois banques, cinq mines et

---

(1) Date à laquelle ces pages furent écrites. *(N. du T.)*

douze cabarets. Le dictateur du Guatemala, Miguel Ydígoras, mit des terrains d'entraînement à la disposition des expéditionnaires contre certaines promesses que lui firent les Nord-Américains, ainsi qu'il l'avoua plus tard : des fonds qui ne lui furent jamais versés et une augmentation du volume de sucre guatémaltèque sur le marché des États-Unis.

En 1965, une autre nation sucrière, la République Dominicaine, fut envahie par quelque quarante mille *marines*, disposés à « s'installer indéfiniment dans le pays en raison de la confusion régnante », comme le déclara leur commandant, le général Bruce Palmer. L'indignation devant la chute verticale des cours du sucre avait été l'une des sources de l'explosion populaire ; le peuple s'était soulevé contre la dictature militaire. Les troupes américaines ne tardèrent pas à rétablir l'ordre. Il y eut quatre mille morts dans les combats que les patriotes livrèrent au corps à corps dans un quartier assiégé de la ville de Saint-Domingue, enclos entre l'Ozama et la mer (1). L'Organisation des États américains — qui a une mémoire de baudet car elle n'oublie jamais où elle paît — bénit l'invasion et la stimula avec de nouvelles forces. Il fallait tuer le germe d'un second Cuba.

---

(1) Ellsworth Bunker, président de la National Sugar Refining Co., fut l'envoyé spécial de Lyndon Johnson en République Dominicaine après l'intervention. Les intérêts de la National Sugar dans ce petit pays furent sauvegardés sous le regard attentif de Bunker : les troupes d'occupation se retirèrent en laissant au pouvoir, après de très démocratiques élections, Joaquín Balaguer, qui avait été le bras droit de Trujillo tout au long de sa féroce dictature. La population de Saint-Domingue avait combattu dans les rues et sur les terrasses avec des bâtons, des machettes et des fusils contre les tanks, les bazookas et les hélicoptères des forces étrangères, revendiquant le retour au pouvoir du président constitutionnellement élu, Juan Bosch, qui avait été renversé par un coup d'État militaire. L'histoire moqueuse joue avec les prophéties. Le jour où Juan Bosch inaugurait sa courte présidence, après trente ans de tyrannie de Trujillo, Lyndon Johnson, alors vice-président des États-Unis, remit à Saint-Domingue le cadeau officiel de son gouvernement : c'était une ambulance.

LE SACRIFICE DES ESCLAVES AUX ANTILLES A PERMIS À LA MACHINE DE JAMES WATT ET AUX CANONS DE WASHINGTON DE VOIR LE JOUR

Le sous-développement, disait le *Che* Guevara, est un nain à la tête énorme et à la panse rebondie : ses jambes grêles et ses bras courts ne s'harmonisent pas avec le reste de son corps. La Havane resplendissait, les cadillacs vrombissaient dans ses avenues de luxe et dans le cabaret le plus grand du monde les vedettes les plus belles ondulaient au rythme des chansons de Lecuona ; pendant ce temps, dans la campagne cubaine, un seul ouvrier agricole sur dix pouvait boire du lait, à peine 4 % de la population mangeait de la viande et, selon le Conseil national de l'Économie, les trois cinquièmes des travailleurs gagnaient des salaires trois ou quatre fois inférieurs au coût de la vie.

Le sucre ne produisit pas que des nains. Il engendra aussi des géants ou, du moins, contribua grandement à leur croissance. Le sucre du tropique latino-américain contribua grandement à l'accumulation des capitaux qui permit le développement industriel de l'Angleterre, de la France, de la Hollande et aussi des États-Unis ; il mutila en revanche l'économie du nord-est du Brésil et des Antilles et détermina la ruine historique de l'Afrique. Le commerce triangulaire entre l'Europe, l'Afrique et l'Amérique eut pour moteur le trafic des esclaves destinés aux plantations sucrières. « L'histoire de quelques cristaux de sucre est toute une leçon d'économie politique, de politique et aussi de morale », disait Auguste Cochin.

Les tribus d'Afrique occidentale passaient leur temps à se battre entre elles pour augmenter, avec les prisonniers de guerre, leurs réserves d'esclaves. Elles appartenaient aux territoires coloniaux du Portugal, mais les Portugais ne possédaient ni navires ni articles industriels à offrir à l'époque de l'essor de la traite des Noirs et ils se transformèrent en simples intermédiaires entre les capitaines négriers d'autres puissances et les roitelets africains. Tant qu'elle en eut besoin, l'Angleterre fut la grande championne de l'achat et de la vente de chair humaine. Les Hollandais avaient, certes, une tradition plus longue dans ce commerce car Charles Quint leur avait accordé le monopole du transport des Noirs vers l'Amérique avant que l'Angleterre n'eût obtenu le droit d'introduire des esclaves dans les colonies étrangères. En France, Louis XIV, le Roi-Soleil, partageait avec le roi d'Espagne la moitié des revenus de la Compagnie de Guinée, fondée en 1701 pour acheminer les esclaves vers l'Amérique ; et son ministre Colbert, artisan de l'industrialisation nationale, avait des raisons d'affirmer que la traite des nègres était « à recommander pour l'essor de la marine marchande nationale (1) ».

Adam Smith disait que la découverte de l'Amérique avait « élevé le système mercantile à un degré de splendeur et de gloire qu'il n'aurait jamais atteint autrement ».

D'après Sergio Bagú, la plus formidable machine d'accumulation du capital mercantile européen fut l'esclavage américain ; à son tour, ce capital devint « la pierre fondamentale sur laquelle fut bâti le gigantesque capital industriel des temps contemporains (2) ». La résurrection de l'esclavage gréco-romain dans le Nouveau Monde eut des résultats miraculeux : il multiplia les navires, les usines, les chemins de fer et les banques de pays étrangers à l'origine et au destin des esclaves qui traversaient l'Atlantique. Entre le commencement du XVIe siècle et la fin du XIXe siècle, plusieurs millions d'Africains — on ne sait exactement combien — passèrent l'Océan ; ce que l'on sait c'est qu'ils furent beaucoup plus nombreux que les immigrants blancs européens, encore que, bien entendu, beaucoup moins aient survécu. Du Potomac au Río de la Plata, les esclaves construisirent les maisons de leurs maîtres, déboisèrent, coupèrent et moulurent la canne à sucre, plantèrent du coton, cultivèrent du cacao, récoltèrent le café et le tabac, et explorèrent les lits des rivières à la recherche de l'or. Combien d'Hiroshimas représentent ces

(1) L. Capitan et Henry Lorin, *op. cit.*
(2) Sergio Bagú, *op. cit.*

exterminations successives ? Un planteur anglais de la Jamaïque affirmait : « Il est plus facile d'acheter des Noirs que de les élever. » Caio Prado calcule que, jusqu'au début du XIXe siècle, entre cinq et six millions d'Africains étaient arrivés au Brésil. Cuba était alors un marché d'esclaves aussi important que l'avait été auparavant tout l'hémisphère occidental (1).

En 1562, le capitaine John Hawkins avait soustrait trois cents Noirs de contrebande à la Guinée portugaise. La reine Elisabeth s'emporta : « Cette aventure réclame vengeance du Ciel ! », s'écria-t-elle. Mais Hawkins lui dit qu'en échange des esclaves il avait obtenu aux Antilles une cargaison de sucre et de peaux, de perles et de gingembre. La reine pardonna au pirate et devint son associée commerciale. Un siècle plus tard, le duc d'York marquait au fer rouge ses initiales DY sur la fesse gauche ou la poitrine des trois mille Noirs que son entreprise transportait chaque année aux « îles du sucre ». La Real Compañía Africana, qui comptait Charles II parmi ses actionnaires, offrait 300 % de dividendes ; pourtant, sur les soixante-dix mille esclaves qu'elle embarqua entre 1680 et 1688, quarante-six mille seulement survécurent à la traversée. De nombreux Africains mouraient pendant le voyage, victimes d'épidémies ou de malnutrition ; certains se suicidaient en refusant de manger, en se pendant avec leurs chaînes ou en se jetant par-dessus bord dans l'Océan, où les requins foisonnaient. Lentement mais sûrement, l'Angleterre brisait l'hégémonie hollandaise de la traite des Noirs. La South Sea Company fut la principale usufruitière du « droit d'approvisionnement » concédé par l'Espagne aux Anglais, et les personnages les plus en vue de la politique et des finances britanniques étaient concernés ; ce commerce, plus prospère qu'aucun autre, affola la bourse des valeurs de Londres et déchaîna une spéculation légendaire.

Le transport des esclaves éleva Bristol, centre de chantiers de construction navale, au rang de deuxième ville d'Angleterre et fit de Liverpool le plus grand port du monde. Les navires partaient les cales remplies d'armes, de tissus, de genièvre et de rhum très baptisés, de colifichets et de perles de couleurs, avec lesquels on paierait la marchandise humaine

(1) Daniel P. Mannix et M. Cowley, *Historia de la trata de los negros*, Madrid, 1962.

d'Afrique et aussi le sucre, le coton, le café et le cacao des plantations coloniales d'Amérique. Les Anglais imposaient leur empire sur les mers. A la fin du XVIIIe siècle, l'Afrique et les Antilles donnaient du travail à cent quatre-vingt mille ouvriers du textile de Manchester ; les couteaux venaient de Sheffield, et de Birmingham, cent cinquante mille mousquets par an (1). Les caciques africains recevaient les marchandises de l'industrie britannique et procuraient les cargaisons d'esclaves aux capitaines négriers. Ils disposaient ainsi de nouvelles armes et d'une bonne quantité d'eau-de-vie pour organiser de nouvelles chasses à l'homme dans les villages. Ils fournissaient également de l'ivoire, des cires et de l'huile de palme. Beaucoup d'esclaves venaient de la forêt et n'avaient jamais vu la mer ; ils confondaient les rugissements de l'océan avec ceux de quelque bête immergée qui les attendait pour les dévorer ou, selon le témoignage d'un trafiquant de l'époque, ils croyaient, et en un certain sens ne se trompaient pas, qu'ils allaient être transportés comme des moutons à l'abattoir, leur chair étant très appréciée des Européens (2). Les « chats à neuf queues » ne pouvaient pas grand-chose pour contenir le désespoir suicidaire des Africains.

Ce bétail humain qui survivait à la faim, aux maladies et à l'entassement de la traversée était exhibé — haillons, peau et os — sur la place publique, après avoir défilé dans les rues coloniales au son des cornemuses. Ceux qui arrivaient aux Caraïbes trop épuisés pouvaient être requinqués dans les dépôts d'esclaves avant d'affronter les regards de leurs acheteurs ; on laissait mourir les malades sur les quais. Les esclaves étaient vendus argent comptant ou contre des traites échelonnées sur trois ans. Les bateaux revenaient à Liverpool chargés de produits tropicaux : au début du XVIIIe siècle, les trois quarts du coton filé par l'industrie textile anglaise provenaient des Antilles ; ce ne fut que plus tard que la Georgie et la Louisiane devinrent ses principales sources d'approvisionnement. Au milieu du siècle, il y avait cent vingt raffineries de sucre en Angleterre.

Un Anglais pouvait alors vivre avec six livres environ par

(1) Eric Williams, *Capitalism and Slavery*, Chapel Hill, Caroline du Nord, 1944.
(2) Daniel P. Mannix et M. Cowley, *op. cit.*

an ; les gains annuels des marchands d'esclaves de Liverpool dépassaient un million cent mille livres, en comptant seulement l'argent provenant des Caraïbes, sans inclure les bénéfices du commerce annexe. Dix grandes sociétés contrôlaient les deux tiers du trafic. Liverpool inaugura un nouveau système de quais ; on construisait des bateaux de plus en plus longs et de plus grand tonnage. Les orfèvres proposaient « des cadenas et des colliers d'argent pour les nègres et les chiens », les élégantes se pavanaient accompagnées d'un singe habillé d'un jupon brodé et d'un jeune esclave portant turban et culottes bouffantes de soie. Un économiste décrivait la traite des Noirs comme « le principe de base, le fondement même de tout le reste ; le ressort de la machine qui actionne chaque élément de l'engrenage ». Les banques se multipliaient à Liverpool, Manchester, Bristol, Londres et Glasgow ; la Lloyd's accumulait les bénéfices en assurant esclaves, bateaux et plantations. Bientôt les communiqués de la *London Gazette* annoncèrent que les esclaves fugitifs devaient être remis à la Lloyd's. Avec les fonds tirés du négoce négrier on construisit le chemin de fer de l'Ouest et des industries naquirent, comme les ardoisières du Pays de Galles. Le capital amassé grâce au commerce triangulaire — manufactures, esclaves, sucre — rendit possible l'invention de la machine à vapeur : James Watt fut subventionné par des marchands qui avaient ainsi fait leur fortune, nous apprend Eric Williams dans son œuvre très documentée sur le sujet.

Au début du XIXe siècle, la Grande-Bretagne devint la principale instigatrice de la campagne anti-esclavagiste. L'industrie anglaise avait désormais besoin de marchés internationaux présentant une demande accrue, ce qui obligeait à développer le régime des salaires. En outre, en introduisant cet usage dans les colonies anglaises des Caraïbes, le sucre brésilien, produit par la main-d'œuvre esclave, retrouvait certains avantages par son prix de revient comparativement bas (1). La flotte britannique se lança à la poursuite des bateaux négriers, sans pour autant réduire, bien au

(1) La première loi qui interdit l'esclavage au Brésil ne fut pas brésilienne mais — et ce n'est pas par hasard — anglaise. Le Parlement britannique la vota le 8 août 1845. (Osny Duarte Pereira, *Quem faz as leis no Brasil ?*, Rio de Janeiro, 1963.)

contraire, le trafic en direction de Cuba et du Brésil. Quand les navires anglais rejoignaient les vaisseaux pirates, les esclaves avaient déjà été jetés par-dessus bord : ils ne trouvaient plus que leur odeur, les chaudières en marche et, sur le pont, un capitaine hilare. La répression fit monter les prix et augmenta considérablement les bénéfices. Au milieu du siècle, les trafiquants offraient un vieux fusil contre tout Africain vigoureux, qu'ils vendaient ensuite à Cuba plus de six cents dollars.

Les petites îles des Caraïbes avaient été infiniment plus importantes pour l'Angleterre que ses colonies du Nord. A la Barbade, à la Jamaïque et à Monserrat il était interdit de fabriquer une aiguille ou un fer à cheval pour son propre compte. La situation était bien différente en Nouvelle-Angleterre, ce qui facilita son développement économique et aussi son indépendance politique.

Il est certain que la traite des Noirs en Nouvelle-Angleterre fut à l'origine d'une grande partie du capital qui facilita la révolution industrielle aux États-Unis d'Amérique. Au milieu du XVIIIe siècle, les bateaux négriers du Nord emportaient de Boston, de Newport ou de Providence des barils de rhum à destination de l'Afrique ; là, on les échangeait contre des esclaves ; ceux-ci étaient vendus aux Antilles, d'où l'on tirait la mélasse que l'on envoyait dans le Massachusetts, où elle était distillée et, finalement, transformée en rhum. Le meilleur rhum des Antilles, le West Indian Rum, n'était pas fabriqué sur place. Avec les capitaux obtenus par ce trafic d'esclaves, les frères Brown, de Providence, créèrent les fonderies qui fournirent au général George Washington les canons de la guerre d'Indépendance (1). Les plantations des Caraïbes, condamnées à la monoculture de la canne à sucre, peuvent être considérées non seulement comme le centre dynamique du développement des « treize colonies » pour le soutien que la traite des Noirs apporta à l'industrie navale et aux distilleries de la Nouvelle-Angleterre. Elles constituèrent également le marché idéal pour le développement des exportations de vivres, de bois et d'équipement à destination des raffineries. Ce marché insuffla sa prospérité à l'économie

---

(1) Daniel P. Mannix et M. Cowley, *op. cit.*

rurale et précocement manufacturière de l'Atlantique Nord. Les navires fabriqués dans les chantiers des colons du Nord apportaient en grandes quantités aux Caraïbes du poisson frais et fumé, de l'avoine et du grain, des haricots noirs, de la farine, du beurre, des fromages, des oignons, des chevaux et des bovins, des bougies et du savon, des tissus, des planches de pin, de chêne et de cèdre pour l'emballage du sucre (Cuba eut la première scie à vapeur importée en Amérique latine, mais il n'avait pas de bois à couper), et des douelles, des cerceaux, des cercles, des anneaux et des clous.

Ainsi donc le sang se transvasait. Les pays développés se développaient ; et les sous-développés se sous-développaient.

L'ARC-EN-CIEL EST LE CHEMIN DU RETOUR EN GUINÉE

En 1518, le *licenciado* Alonso Zuazo écrivait à Charles Quint, de l'Ile Espagnole : « La crainte d'un soulèvement des nègres est vaine ; il y a dans les îles du Portugal des veuves très rassurées avec huit cents esclaves ; tout dépend de la manière dont ils sont menés. J'ai trouvé en arrivant quelques nègres sournois et des fuyards qui s'étaient réfugiés dans les bois ; j'en ai fouetté un petit nombre, j'ai coupé les oreilles à d'autres, et les plaintes ont cessé. » Quatre ans plus tard éclatait le premier soulèvement d'esclaves en Amérique : ceux de Diego Colomb, le fils du découvreur, qui finirent pendus dans les sentiers de la raffinerie [1]. D'autres révoltes suivirent à Saint-Domingue, puis dans toutes les îles sucrières des Caraïbes. Deux siècles après la rébellion des hommes de Diego Colomb, à l'autre extrémité de l'île, les nègres marrons fuyaient vers les régions hautes de Haïti et reconstituaient dans la montagne la vie africaine : culture des denrées alimentaires, adoration des dieux, coutumes ancestrales. De

---

[1] Fernando Ortiz, *op. cit.*

nos jours, pour les Haïtiens, l'arc-en-ciel indique encore le chemin du retour en Guinée. Sur un voilier blanc... En Guyane hollandaise, sur les rives du Courantyne, survivent depuis trois siècles les communautés *djukas*, les descendants des esclaves qui avaient fui dans les forêts du Suriname. Dans ces villages subsistent « des sanctuaires semblables à ceux de la Guinée, avec des danses et des cérémonies qui pourraient être célébrées au Ghana. On utilise le langage des tambours, qui rappellent ceux de l'Ashanti (1) ». La première grande révolte d'esclaves de la Guyane survint cent ans après la fuite des *djukas* : les Hollandais récupérèrent les plantations et brûlèrent à petit feu les leaders du mouvement. Mais avant l'exode des *djukas*, les esclaves marrons du Brésil avaient organisé le royaume noir de los Palmares, au nord-est du pays ; ils résistèrent pendant tout le XVIIe siècle au harcèlement de dizaines d'expéditions militaires que lancèrent les Hollandais et les Portugais pour les réduire. Les attaques de milliers de soldats échouaient devant la tactique de guérilla, qui, jusqu'en 1693, rendit invincible le vaste refuge. Le royaume indépendant de los Palmares — instigateur de la rébellion, drapeau de la liberté — s'était organisé en État « identique à ceux qui existaient en Afrique au XVIIe siècle (2) ». Il s'étendait des alentours du cap Santo Agostinho, dans la province de Pernambouc, à la zone nord du río San Francisco, dans celle d'Alagoas : son territoire correspondait au tiers de celui du Portugal et il était entouré d'une épaisse bordure de forêts vierges. Son chef suprême était élu parmi les plus habiles et les plus sagaces : c'était « le plus prestigieux et le plus chanceux à la guerre ou dans le commandement (3) ». A l'époque des toutes-puissantes plantations sucrières, los Palmares était le seul endroit du Brésil à pratiquer la polyculture. Guidés par leur propre expérience ou par celle de leurs aïeux dans les savanes et les forêts tropicales africaines, les Noirs cultivaient le maïs, la patate, les haricots, le manioc, les bananes et autres aliments. C'est pourquoi la destruction

---

(1) Philip Reno, « El drama de la Guayana británica. Un pueblo desde la esclavitud a la lucha por el socialismo », *Monthly Review*, n° 17/18, Buenos Aires, janvier-février 1965.
(2) Edison Carneiro, *O quilombo dos Palmares*, Rio de Janeiro, 1966.
(3) Nina Rodrigues, *Os Africanos no Brasil*, Rio de Janeiro, 1932.

des cultures apparaissait comme l'objectif numéro un des troupes coloniales chargées de récupérer les hommes qui, après avoir traversé l'Océan avec des chaînes aux pieds, avaient déserté les plantations.

L'abondante variété alimentaire de los Palmares contrastait avec la pénurie dont souffraient les zones sucrières du littoral, en pleine période de prospérité. Les esclaves qui avaient retrouvé la liberté la défendaient avec habileté et courage, car ils partageaient ses fruits : la propriété de la terre était communautaire et l'argent n'existait pas dans l'État noir. « Il n'y a, dans l'histoire universelle, aucun soulèvement d'esclaves qui ait duré aussi longtemps que celui de los Palmares. La révolte de Spartacus, qui secoua le système esclavagiste le plus important de l'Antiquité, dura dix-huit mois (1). » Pour la bataille finale, la Couronne portugaise mobilisa la plus imposante armée jamais vue, jusqu'à la très postérieure indépendance du Brésil. Dix mille hommes au moins défendirent la dernière forteresse de los Palmares ; les survivants furent égorgés, jetés dans les précipices ou vendus aux marchands de Buenos Aires et de Rio de Janeiro. Deux ans plus tard, le chef Zumbi, que les esclaves considéraient comme immortel, ne put échapper à une trahison. Il fut traqué dans la forêt et décapité. Mais les rébellions continuèrent. Peu après, le capitaine Bartolomeu Bueno Do Prado revenait du Río das Mortes avec ses trophées de victoire sur un nouveau soulèvement d'esclaves. Il rapportait trois mille neuf cents paires d'oreilles dans les fontes des selles des chevaux.

Cuba voyait également les révoltes se succéder. Certains esclaves se suicidaient collectivement ; ils se moquaient du maître « avec leur grève pour l'éternité et leur désertion définitive de nègres marrons dans l'au-delà », écrit Fernando Ortiz. Ils croyaient qu'ainsi ils ressuscitaient corps et âme, en Afrique. Les maîtres mutilaient les cadavres, pour qu'ils ressuscitent châtrés, manchots ou sans tête, et de cette façon ils réussirent à ce que beaucoup renoncent à l'idée de se tuer. Aux environs de 1870, selon la version récente d'un esclave qui avait fui étant jeune homme dans les forêts de Las Villas, les Africains ne se suicidaient plus à Cuba. Grâce à un

---

(1) Décio de Freitas, *A guerra dos escravos*, inédit.

ceinturon magique « ils s'envolaient, ils fuyaient en plein ciel et arrivaient dans leur pays », ou bien ils se perdaient dans la sierra parce que « on était vite lassé de vivre. Ceux qui s'y habituaient avaient le cerveau ramolli. La vie dans les bois était plus saine (1) ».

Les dieux africains continuaient à vivre parmi les esclaves d'Amérique tout comme les légendes et les mythes des patries perdues, alimentés par la nostalgie. Il semble évident que les Noirs exprimaient ainsi, dans leurs cérémonies, leurs danses, leurs conjurations, le besoin d'affirmer une identité culturelle que niait le christianisme. Et le fait que l'Église était matériellement associée au système d'exploitation dont ils avaient à souffrir devait également les avoir influencés. Au début du XVIIIe siècle, tandis que dans les îles anglaises les esclaves accusés de crimes mouraient écrasés par les batteurs des moulins à sucre, et que dans les colonies françaises on les brûlait vifs ou on les soumettait au supplice de la roue, le jésuite Antonil formulait des recommandations modérées aux propriétaires des raffineries du Brésil, afin qu'ils évitent de tels excès : « Il ne faut accepter en aucune manière que les administrateurs donnent des coups de pied principalement dans le ventre des femmes enceintes ou qu'ils bâtonnent les esclaves, car sous l'effet de la colère on ne mesure pas le châtiment, et ils peuvent atteindre à la tête un esclave travailleur qui vaut beaucoup d'argent et le rendre infirme (2). » A Cuba, les contremaîtres abattaient leurs fouets de cuir ou de chanvre sur le dos des esclaves enceintes prises en faute, mais après les avoir fait s'allonger face contre terre, le ventre dans un trou, pour ne pas blesser le « fruit » qu'il portait ; les prêtres, qui recevaient pour dîme 5 % de la production sucrière, donnaient leur absolution : le contremaître châtiait le Noir comme Jésus-Christ châtiait les pécheurs. Le missionnaire apostolique Juan Perpiña y Pibernat publiait ses sermons aux Noirs : « Malheureux ! N'ayez pas peur d'avoir tant de peines à supporter en tant qu'esclaves. Votre corps est peut-être esclave, mais votre âme

---

(1) Esteban Montejo avait cent quatre ans lorsqu'il raconta son histoire à Miguel Barnet, *Esclave à Cuba*, op. cit.
(2) Roberto C. Simonsen, *História econômica do Brasil (1500-1820)*, São Paulo, 1962.

est libre et le jour viendra où elle s'envolera vers la demeure bienheureuse des élus (1). »

Le dieu des parias n'est pas toujours celui du système qui a fait d'eux des parias. Si, officiellement, la religion catholique groupe 94 % de la population du Brésil, les Noirs conservent en réalité très vivantes les traditions africaines et perpétuent leur foi religieuse, camouflée souvent derrière les figures sacrées du christianisme (2). Les cultes de racine africaine ont la faveur des opprimés, quelle que soit la couleur de leur peau. Il en est de même aux Antilles. Les divinités du vaudou haïtien, du *Bembé* de Cuba, de l'*Umbanda* et de la *Quimbanda* du Brésil sont plus ou moins semblables en dépit des transformations plus ou moins importantes qu'ont subi les rites et les dieux originels en étant implantés en terre d'Amérique. Aux Antilles et à Bahia, on entonne les cantiques en nagô, yoruba, congo et autres langues africaines ; en revanche, dans les faubourgs des grandes agglomérations du Sud brésilien la langue portugaise prédomine. Mais partout les divinités du bien et du mal, jaillies de la côte occidentale de l'Afrique, ont traversé les siècles pour se transformer en fantômes vengeurs des marginaux, des pauvres humiliés qui clament dans les *favelas* de Rio de Janeiro :

> *Force de Bahia,*
> *force de l'Afrique,*
> *ô force divine,*
> *viens !*
> *Viens nous secourir.*

---

(1) Manuel Moreno Fraginals, *op. cit.* Un Jeudi Saint, le comte de Casa Bayona décida de s'humilier devant ses esclaves. Brûlant de ferveur chrétienne, il lava les pieds de douze Noirs et les fit asseoir près de lui à sa table. Ce fut la dernière cène proprement dite. Le lendemain, les esclaves se soulevèrent et incendièrent la raffinerie. Leurs têtes furent plantées sur douze lances au centre de la sucrerie.
(2) Eduardo Galeano, « Los dioses y los diablos en las favelas de Río », revue *Amaru*, n° 10, Lima, juin 1969.

La vente de paysans

L'esclavage fut aboli au Brésil en 1888, mais le latifondo ne le fut pas et, cette même année, un témoin écrivait de Ceará : « Le marché du bétail humain demeura ouvert tant que la faim dura car les acheteurs ne manquèrent à aucun moment. Rare était le bateau qui ne transportait pas un grand nombre d'originaires de Ceará (1). » Un demi-million d'hommes et de femmes du Nord-Est émigrèrent en Amazonie, attirés par les mirages du caoutchouc, jusqu'à l'aube de notre siècle ; depuis, l'exode s'est poursuivi, lié aux sécheresses périodiques qui ont désolé le *sertão* et aux vagues successives d'expansion des latifondi sucriers de la *zona da mata*. En 1900, quarante mille victimes de la sécheresse abandonnaient Ceará. Elles empruntèrent l'itinéraire alors habituel : la route du nord, en direction de la forêt. De nos jours, les populations du Nord-Est émigrent vers le centre et le sud. La sécheresse de 1970 a déversé des multitudes affamées sur les villes du Nord-Est. On a pillé les trains et les commerces ; à grands cris on demandait la pluie, en implorant saint Joseph. Les « flagellés » se sont lancés sur les chemins. Un câble d'avril 1970 annonçait : « La police de l'État de Pernambouc a arrêté, dimanche dernier, dans la commune de Belém do São Francisco, deux cent dix paysans qui allaient être vendus à des propriétaires ruraux de l'État de Minas Gerais à dix-huit dollars par tête (2). » Les paysans provenaient de Paraiba et

---

(1) Rodolfo Teófilo, *Historia da Sêca do Ceará (1877-1888)*, Rio de Janeiro, 1922.
(2) *France Presse*, 21 avril 1970. En 1938, la randonnée d'un vacher dans les chemins calcinés du *sertão* avait donné naissance à l'un des meilleurs romans brésiliens contemporains : *Sécheresse*, de Graciliano Ramos (traduction Marie-Claude Roussel, Paris, 1964). Le fouet de la sécheresse sur les latifondi d'élevage de l'intérieur, assujettis aux raffineries du littoral, n'a pas cessé et ses conséquences n'ont pas changé. Le monde

du Río Grande do Norte, les deux territoires les plus touchés par la sécheresse. En juin, les téléscripteurs transmettaient les déclarations du chef de la police fédérale : ses services ne disposaient pas encore de moyens efficaces pour mettre fin au trafic d'esclaves, et, malgré la dizaine d'enquêtes entreprises en quelques mois, la vente des travailleurs du Nord-Est aux riches propriétaires des autres régions du pays continuait.

Le *boom* du caoutchouc et l'essor du café entraînèrent de vastes migrations de travailleurs du Nord-Est. Mais le gouvernement lui-même utilise ce flot de main-d'œuvre à bon marché, formidable armée de réserve, pour les grands travaux. Du Nord-Est, entassés comme du bétail, venaient les hommes nus qui, en un jour et une nuit, ont élevé Brasilia au centre du désert. Cette ville, la plus moderne du monde, est aujourd'hui entourée d'une large ceinture de misère : leur tâche terminée, les *candangos* furent rejetés dans les villes satellites. Là, trois cent mille personnes, toujours prêtes à n'importe quel labeur, vivent des déchets de la resplendissante capitale.

Ces mêmes esclaves du travail sont en train d'ouvrir la route transamazonienne qui coupera le Brésil en deux, pénétrant la forêt jusqu'à la frontière bolivienne. Le Plan comporte également un projet de colonisation agraire pour étendre « les frontières de la civilisation » : chaque paysan recevra dix hectares, s'il survit aux fièvres tropicales. Dans le Nord-Est, il y a six millions de paysans sans terres, alors que quinze mille personnes sont propriétaires de la moitié de la superficie totale. La réforme agraire ne concerne pas les régions déjà occupées, où le droit des grands propriétaires reste sacré, mais la pleine forêt. Ce qui signifie que les « flagellés » du Nord-Est construiront une route pour l'expansion des latifondi sur de nouvelles étendues. Sans capital, sans moyens de travail, que signifient dix hectares à deux ou trois mille kilomètres des centres commerciaux ? Les projets réels du gouvernement, on s'en doute, sont très différents : il s'agit de procurer de la main-d'œuvre aux latifondistes nord-américains

---

de *Sécheresse* demeure : le perroquet imitait l'aboiement du chien car ses maîtres n'employaient presque plus la parole humaine.

qui ont acheté ou usurpé la moitié des terres au nord du Río Negro et aussi à la United States Steel Co., qui a reçu des mains du général Garrastazú Médici les énormes gisements de fer et de manganèse de l'Amazonie (1).

LE CYCLE DU CAOUTCHOUC : CARUSO INAUGURE UN THÉÂTRE MONUMENTAL EN PLEINE FORÊT

Certains auteurs estiment qu'à l'époque de l'essor du caoutchouc un demi-million au moins de ces ouvriers succombèrent aux épidémies, au paludisme, à la tuberculose, au béribéri. « Ce sinistre ossuaire fut le prix de l'industrie du caoutchouc (2). » Sans aucune réserve de vitamines, les paysans des terres sèches faisaient le long voyage de la forêt humide. La fièvre les y attendait dans les marécages. Entassés dans les cales des bateaux, beaucoup mouraient avant d'arriver, anticipant ainsi leur destin. D'autres ne parvenaient même pas à s'embarquer. En 1878, sur les huit cent mille habitants de Ceará, cent vingt mille partirent en direction de l'Amazone, mais moins de la moitié arrivèrent ; les autres furent terrassés par la faim ou la maladie sur les chemins du *sertão* ou dans les faubourgs de Fortaleza (3). L'année précédente avait commencé l'une des sept grandes sécheresses parmi celles, si nombreuses, qui frappèrent le Nord-Est au siècle dernier.

Dans la forêt la fièvre les guettait, mais aussi un régime de travail assez semblable à l'esclavage. Le labeur était payé en nature — viande séchée, farine de manioc, pains de sucre,

(1) Paulo Schilling, « Un nuevo genocidio », revue *Marcha*, n° 1501, Montevideo, 10 juillet 1970. En octobre 1970, les évêques de Pará dénoncèrent au président du Brésil l'exploitation brutale des travailleurs du Nord-Est par les entreprises qui construisent la route transamazonienne, que le gouvernement appelle « l'œuvre du siècle ».
(2) Aurélio Pinheiro, *A margen do Amazonas*, São Paulo, 1937.
(3) Rodolfo Teófilo, *op. cit.*

eau-de-vie — jusqu'à ce que le *seringueiro* eût soldé ses dettes, miracle qui se produisait très rarement. Les exploitants s'entendaient pour ne pas donner de travail aux ouvriers endettés ; les gardes ruraux, postés aux abords des fleuves, tiraient sur les fugitifs. Les dettes se multipliaient. A la dette originelle, contractée pour le voyage, s'ajoutait l'emprunt pour les instruments de travail, machette, couteau, godets, et comme on mangeait, et surtout buvait, car l'eau-de-vie ne manquait pas dans les *seringales*, plus l'ouvrier était ancien dans l'entreprise, plus sa dette était importante. Analphabètes, ces hommes supportaient sans moyens de défense les tours de passe-passe de la comptabilité des administrateurs.

Priestley avait observé, vers 1770, que la gomme servait à effacer les traits de crayon sur le papier. Soixante-dix ans plus tard, Charles Goodyear découvrit, en même temps que l'Anglais Hancock, le procédé de vulcanisation du caoutchouc, qui le rendait souple et inaltérable aux variations de température. Dès 1850, on revêtait ainsi les roues des véhicules. A la fin du siècle, l'industrie automobile surgit aux États-Unis et en Europe et, avec elle, le besoin de pneumatiques s'accrut considérablement. En 1890, l'arbre à caoutchouc rapportait au Brésil un dixième des revenus fournis par l'exportation ; vingt ans plus tard, la proportion était de 40 %, les ventes atteignant presque le niveau de celles du café, qui était vers 1910 au zénith de sa prospérité. La plus grande partie de la production du caoutchouc provenait alors du territoire d'Acre, que le Brésil avait arraché à la Bolivie au terme d'une campagne fulgurante (1).

La région d'Acre conquise, le Brésil disposait de la totalité ou presque des réserves mondiales de caoutchouc ; les prix sur les marchés internationaux étaient à leur plus haut niveau et l'ère de prospérité paraissait ne devoir jamais finir. Les *seringueiros* n'en profitaient pas, assurément ; c'étaient pourtant eux qui, chaque matin, sortaient à l'aube de leurs cabanes avec plusieurs récipients attachés sur le dos par des courroies et qui grimpaient aux arbres, les *Hevea brasiliensis*

(1) La Bolivie fut amputée de presque deux cent mille kilomètres carrés. En 1902, elle reçut une indemnisation de deux millions de livres sterling et une voie ferrée qui devait lui ouvrir l'accès au Madeira et à l'Amazone.

gigantesques, pour les saigner. Ils incisaient en plusieurs endroits les troncs et les grosses branches voisines des cimes, et de ces blessures jaillissait le latex, un jus blanchâtre et gluant qui en deux heures remplissait les récipients. Le soir, on cuisait les disques plats de caoutchouc qui s'amoncelaient ensuite au siège de l'administration. L'odeur acide et répugnante du caoutchouc imprégnait la ville de Manaus, capitale mondiale du commerce auquel il donnait lieu. En 1849, Manaus comptait cinq mille habitants ; un peu plus d'un demi-siècle plus tard, ils étaient soixante-dix mille. Les magnats du caoutchouc y construisirent leurs demeures à l'architecture extravagante et à la décoration somptueuse avec des bois précieux venus d'Orient, des majoliques du Portugal, des colonnes de marbre de Carrare et du mobilier français. Les nouveaux riches de la forêt se faisaient livrer les aliments les plus chers, de Rio de Janeiro ; les meilleurs tailleurs d'Europe leur fournissaient costumes et vêtements ; ils envoyaient leurs enfants étudier dans des collèges anglais. Le théâtre *Amazone*, monument baroque d'assez mauvais goût, est le symbole par excellence du vertige de ces fortunes du début du siècle ; le soir de l'inauguration, le ténor Caruso chanta pour les habitants de Manaus, après avoir remonté le fleuve à travers la forêt et reçu un fabuleux cachet. La Pavlova, qui devait danser, ne put aller plus loin que la ville de Belém, mais envoya des excuses.

En 1913, le désastre s'abattit soudain sur le caoutchouc brésilien. La cote mondiale, qui avait atteint douze shillings trois ans auparavant, tomba à trois shillings. En 1900, les pays d'Orient n'exportaient encore que quatre tonnes de caoutchouc ; en 1914, les plantations de Ceylan et de la Malaisie déversèrent plus de soixante-dix mille tonnes sur le marché mondial et, cinq ans plus tard, leurs exportations avoisinaient les quatre cent mille tonnes. En 1919 le Brésil, qui avait joui du monopole presque exclusif du caoutchouc, ne fournissait plus que le huitième de la consommation mondiale. Actuellement, il achète à l'étranger plus de la moitié du caoutchouc dont il a besoin.

Que s'est-il passé ? Aux environs de 1873, Henry Wickham, un Anglais qui possédait des forêts d'hévéas au bord du Tapajós et qui était connu pour ses manies de botaniste, avait envoyé des croquis et des feuilles au directeur du jardin de Kew, à Londres. Il reçut l'ordre de récolter une bonne quantité de graines, les pépins que l'*Hevea brasiliensis* abrite dans ses fruits jaunes. Il fallait les apporter en contrebande, car le Brésil punissait sévèrement les sorties de semences : les autorités inspectaient les bateaux de fond en comble. C'est alors que, comme par enchantement, un bateau de l'Inman Line s'enfonça à l'intérieur du Brésil, à deux mille kilomètres de l'escale habituelle. Au retour, Henry Wickham se trouvait parmi l'équipage. Il avait choisi les meilleures graines et, après les avoir fait sécher dans un village indigène, il les emportait dans une cabine fermée, enveloppées dans des feuilles de bananier et suspendues à des cordes qui les isolaient de l'atteinte des rats. Le reste du bateau était vide. A Belém do Pará, face à l'embouchure du fleuve, Wickham invita les autorités à un grand banquet. On tenait l'Anglais pour un esprit un peu dérangé et toute l'Amazonie savait qu'il collectionnait les orchidées. Il raconta qu'il emportait, à la demande du roi d'Angleterre, une série de bulbes d'orchidées rares destinés au jardin de Kew. Comme c'étaient des plantes délicates, expliqua-t-il, il les gardait dans un cabinet hermétiquement clos, maintenu à une température spéciale : si on l'ouvrait, les fleurs seraient perdues. Ainsi les graines arrivèrent-elles intactes sur les quais de Liverpool. Quarante ans plus tard, le caoutchouc de la Malaisie anglaise envahissait le marché mondial. Les plantations asiatiques, rationnellement organisées à partir des pousses vertes de Kew, supplantèrent facilement la production du Brésil.

La prospérité amazonienne s'évanouit en fumée. La forêt se referma sur elle-même. Les chercheurs de fortune émigrèrent vers d'autres régions, la luxueuse colonie se désintégra. Demeurèrent, bien sûr, survivant à la grâce de Dieu, les travailleurs qui avaient été amenés de très loin et livrés au service de l'aventure étrangère. En fait, le Brésil, qui n'avait fait que répondre aux chants de sirène de la demande mondiale en matière première, n'avait pas participé au vrai commerce du caoutchouc, à savoir son financement, sa commercialisation, son industrialisation, sa distribution. Et la sirène se tut. Avec la Seconde Guerre mondiale, le caoutchouc de l'Amazonie brésilienne connut un renouveau passager. Les Japonais occupaient la Malaisie et les Alliés avaient un besoin urgent de s'approvisionner où que ce fût. La forêt péruvienne fut elle aussi secouée par la demande (1). Au Brésil, la « bataille du caoutchouc » mobilisa à nouveau les paysans du Nord-Est. Selon des révélations faites au Congrès, lorsque la « bataille » prit fin, cinquante mille morts, vaincus par les maladies et la faim, pourrissaient dans les plantations.

Les planteurs de cacao allumaient leurs cigares avec des billets de cinq cent mille reis

Durant longtemps, le Venezuela s'identifia au cacao, plante originaire d'Amérique. « Nous avions été faits, nous, les Vénézuéliens, pour vendre le cacao et distribuer sur notre sol les babioles de l'extérieur », écrit Rangel (2). Les oligarques du cacao formaient avec les usuriers et les commerçants « une Sainte-Trinité du retard ». Le pays avait comme autres ressources l'élevage dans les *llanos*, l'indigotier, le sucre, le tabac, et quelques mines ; pourtant, c'est du nom de *Grand Cacao* que le peuple baptisa l'oligarchie esclavagiste de Caracas. La sueur des Noirs permit à cette dernière de s'enrichir en ravitaillant l'oligarchie minière mexicaine et la

---

(1) Au début du siècle, les montagnes couvertes de forêts d'hévéas avaient également laissé entrevoir au Pérou les promesses d'un nouvel Eldorado. Francisco García Calderón écrivait dans *El Perú contemporáneo*, en 1908, que le caoutchouc était la grande richesse de l'avenir. Dans son roman *La maison verte* (trad. Bernard Lesfargues, Paris, 1969), Mario Vargas Llosa reconstitue l'ambiance fiévreuse d'Iquitos et de la forêt, où les aventuriers dépouillaient les Indiens et se volaient entre eux. La nature se vengeait ; elle disposait de la lèpre et autres armes.
(2) Domingo Alberto Rangel, *El proceso del capitalismo contemporáneo en Venezuela*, Caracas, 1968.

métropole espagnole. A partir de 1873, le Venezuela inaugura une ère du café ; le café, comme le cacao, exigeait des terres en pentes ou des vallées chaudes. Le cacao poursuivit néanmoins son expansion et envahit les régions humides de Carúpano. Le Venezuela resta un pays agricole, condamné au calvaire des chutes périodiques de cours ; café et cacao fournissaient les capitaux qui facilitaient la vie parasitaire, le gaspillage de leurs propriétaires, de leurs marchands et bailleurs de fonds. En 1922, le pétrole surgit à grands flots et domina la vie du pays. La profusion de la nouvelle fortune venait donner raison, avec plus de quatre siècles de retard, aux espérances des découvreurs espagnols : en cherchant sans succès le prince qui se baignait dans de l'or, ils en étaient arrivés à cette folie de confondre un hameau de Maracaïbo avec Venise — mirage auquel le Venezuela doit son nom — et Colomb avait cru que dans le golfe de Paria commençait le Paradis terrestre (1).

Au cours des dernières décennies du XIXe siècle, la gourmandise des Européens et des Nord-Américains pour le chocolat se déchaîna. Le progrès de l'industrie donna une grande impulsion aux plantations de cacao du Brésil et stimula la production des vieilles plantations du Venezuela et de l'Équateur. Au Brésil, le cacao fit son impétueuse entrée sur la scène économique en même temps que le caoutchouc et, comme lui, il procura du travail aux paysans du Nord-Est. La ville de Salvador, la Bahia-de-tous-les-Saints, qui avait été l'une des plus importantes d'Amérique en tant que capitale du Brésil et du sucre, ressuscita alors comme capitale du cacao. Au sud de Bahia, depuis le Recôncavo jusqu'à l'État d'Espirito Santo, les latifondi situés entre les terres basses du littoral et la chaîne montagneuse de la côte continuent à fournir de nos jours la matière première d'une grande partie du chocolat consommé dans le monde. Comme la canne à sucre, le cacao apporta avec lui la monoculture et la destruction des forêts par le feu, la dictature des cours internationaux et la pénurie incessante des travailleurs. Les propriétaires des plantations, qui vivent sur les plages de Rio de Janeiro et sont plus commerçants qu'agriculteurs, interdi-

(1) Domingo Alberto Rangel, *Capital y desarrollo*, tome 1 : *La Venezuela agraria*, Caracas, 1969.

sent qu'un seul pouce de terre soit consacré à d'autres cultures. Leurs administrateurs ont coutume de payer les salaires en nature : viande séchée, farine, haricots noirs ; lorsqu'il est payé en espèces, le paysan reçoit pour une pleine journée de travail un salaire équivalant au prix d'un litre de bière ; il doit travailler un jour et demi pour pouvoir acheter une boîte de lait en poudre.

Le Brésil a longtemps joui des faveurs du marché international. Cependant il a rencontré en Afrique de sérieux concurrents. Dès les années 20, le Ghana prenait déjà la première place : les Anglais avaient développé la plantation de cacao sur une grande échelle et avec des méthodes modernes, dans ce pays qui était alors une colonie et s'appelait la Côte-de-l'Or. Le Brésil rétrograda à la deuxième place, et plus tard à la troisième, comme fournisseur du marché mondial du cacao. Mais personne n'aurait pu croire qu'un destin médiocre attendait les terres fertiles du sud de Bahia. Vierges durant toute l'époque coloniale, les sols dispensaient leurs fruits à profusion : les péons ouvraient les cabosses au coutelas, rassemblaient les graines, les chargeaient sur des chariots que les ânes conduisaient aux moulins ; il fallait déboiser de plus en plus, ouvrir de nouvelles clairières, conquérir de nouvelles terres au fil de la machette et à coups de fusil. Les péons ignoraient tout des prix et des marchés. Ils ne savaient même pas qui gouvernait le Brésil : on rencontrait il n'y a pas si longtemps des travailleurs des *fazendas* convaincus que l'empereur don Pedro II (1) régnait encore. Les patrons se frottaient les mains : eux savaient ou croyaient savoir. La consommation de cacao augmentait et, avec elle, les cours et les gains. Le port d'Ilhéus, où l'on embarquait presque tout le cacao, s'appelait « la Reine du Sud » et, bien qu'il somnole aujourd'hui, il a conservé les robustes petits palais que les *fazendeiros* meublèrent avec autant de faste que de mauvais goût. Jorge Amado a écrit plusieurs romans sur le sujet. Il recrée ainsi une étape de la prospérité : « Ilhéus et la zone du cacao nagèrent dans l'or, se baignèrent dans le champagne, dormirent avec des Françaises arrivées de Rio de Janeiro. Au *Trianon*, le plus chic des cabarets de la ville, le

(1) Né en 1825, il fut empereur du Brésil de 1831 jusqu'à la proclamation de la République en 1889. *(N. du T.)*.

colonel Maneca Dantas allumait des cigares avec des billets de cinq cent mille reis, répétant le geste de tous les riches *fazendeiros* pendant les hausses antérieures du café, du caoutchouc, du coton et du sucre (1). » Avec la hausse des prix, la production augmentait ; puis les prix baissaient. L'instabilité se fit de plus en plus catastrophique et les terres changèrent de propriétaires. Le temps des « millionnaires mendiants » commença : les pionniers des plantations cédaient la place aux exportateurs, qui soldaient les dettes en s'appropriant les terres.

En trois ans à peine, entre 1959 et 1961 par exemple, le prix du cacao en grains du Brésil a baissé d'un tiers sur le marché mondial. La tendance à la hausse qui a suivi n'a pu ouvrir, assurément, les portes de l'espoir ; la CEPAL prédit une courte vie à la courbe de croissance (2). Les grands pays consommateurs de cacao — États-Unis, Angleterre, Allemagne fédérale, Hollande, France — encouragent la concurrence entre le cacao africain et celui du Brésil et de l'Équateur, afin de déguster le chocolat à bon marché. Maîtres des prix, ils provoquent ainsi des périodes de dépression qui jettent à la dérive les travailleurs renvoyés par le cacao. Les chômeurs cherchent des arbres sous lesquels dormir et des bananes vertes pour tromper leur faim : ils ne mangent pas, on s'en doute, les fins chocolats d'Europe que le Brésil, troisième producteur du monde, importe incroyablement de

(1) Le titre de *colonel* est octroyé au Brésil, avec une extrême facilité, aux grands propriétaires traditionnels et par extension à toutes les personnes importantes. Nous empruntons notre citation au roman de Jorge Amado, *La terre aux fruits d'or* (traduction Violante do Canto, Paris, 1951). Pendant ce temps « les enfants eux-mêmes ne touchaient pas aux fruits du cacao. Ils avaient peur de ces boules jaunes aux douces cabosses qui les tenaient prisonniers de cette vie de jaques et de viande séchée ». Car, au fond, « le cacao était le grand seigneur que même le colonel craignait » (Jorge Amado, *Cacao*, traduction Jean Orecchioni, Paris, 1955). Dans un autre roman, *Gabriela, girofle et cannelle* (traduction Georges Boisvert, Paris, 1971), un personnage parle d'Ilhéus en 1925, en levant un doigt catégorique : « Il n'existe pas actuellement, dans le nord du pays, une ville au progrès plus rapide. » Maintenant, Ilhéus n'est plus que son ombre.
(2) Se référant à la hausse des prix du cacao et du café, la Commission économique pour l'Amérique latine (CEPAL) des Nations Unies déclare qu'elle « a un caractère relativement transitoire » et qu'elle obéit « en grande partie à des contretemps occasionnels dans les récoltes ». (CEPAL, *Estudio económico de América Latina, 1969*, tome 2 : *La economía de América Latina en 1969*, Santiago du Chili, 1970.)

France et de Suisse. Les chocolats sont de plus en plus chers ; le cacao, lui, en comparaison, de plus en plus bas. Entre 1950 et 1960, les ventes de cacao de l'Équateur ont augmenté en quantité de plus de 30 %, mais de 15 % seulement en valeur. Les 15 % restants ont été un cadeau fait par l'Équateur aux pays riches, qui, pendant ce temps, lui ont envoyé leurs produits industrialisés à des prix en hausse. L'économie équatorienne dépend des ventes de bananes, de café et de cacao, trois produits étroitement soumis à la fluctuation des prix. Selon les rapports officiels, sept Équatoriens sur dix souffrent de sous-alimentation et le pays connaît un des indices de mortalité les plus élevés du monde.

Des bras à bon marché pour le coton

Le Brésil occupe la quatrième place dans le monde pour la production du coton ; le Mexique, la cinquième. Dans l'ensemble, plus de 20 % du coton utilisé par l'industrie textile sur toute la planète proviennent de l'Amérique latine. A la fin du XVIIIe siècle, le coton était devenu la matière première la plus importante pour les tissages industriels européens ; en trente ans, l'Angleterre multiplia par cinq ses achats. Le fuseau, inventé par Arkwright en même temps que Watt faisait breveter sa machine à vapeur, puis la création du métier à tisser mécanique de Cartwright donnèrent une impulsion décisive à la fabrication des tissus et procurèrent au coton, plante originaire d'Amérique, des marchés actifs outre-mer. Le port de São Luiz de Maranhão, qui s'était assoupi dans une longue sieste tropicale à peine interrompue par l'arrivée de deux bateaux annuels, fut brusquement réveillé par l'euphorie du coton : les esclaves noirs affluèrent vers les plantations du Nord et entre cent cinquante et deux cents bateaux quittaient chaque année São Luiz chargés d'un million de livres de matière première. Au début du XIXe siècle, la crise économique minière céda au coton une abondante main-d'œuvre d'esclaves ; les mines d'or et de diamants du Sud épuisées, le Brésil parut ressusciter dans le Nord. Le port devint florissant ; il produisit assez de poètes pour être baptisé l'Athènes du Brésil (1) ; mais, en même temps que la prospérité, la faim arriva dans la région de Maranhão où personne ne s'occupait plus de cultiver des produits alimentaires. Il y eut des périodes où le riz constituait l'unique nourriture (2). Cette histoire finit comme elle avait commencé : l'effondrement survint tout d'un coup. La production intensive du coton dans les plantations du sud des États-Unis, sur des terres de meilleure qualité et avec des moyens mécaniques pour égrener et mettre en balles le produit, le fit baisser d'un tiers, et le Brésil ne put résister à la concurrence. Une nouvelle étape de prospérité s'ouvrit aussitôt après la guerre de Sécession, qui interrompit les livraisons nord-américaines, mais cela dura peu. Au cours du XXe siècle, entre 1934 et 1939, la production brésilienne s'accrut à un rythme impressionnant : elle passa de cent vingt-six mille tonnes à trois cent vingt mille tonnes. Mais un nouveau désastre survint : les États-Unis déversèrent leurs excédents sur le marché mondial et les prix s'effondrèrent.

Les excédents agricoles nord-américains sont, comme on le sait, le résultat des énormes subventions que l'État accorde aux producteurs ; liés aux programmes d'aide extérieure, ils se répandent dans le monde à des prix de *dumping*. Ainsi le coton constitua-t-il le principal produit d'exportation du Paraguay jusqu'au moment où la concurrence ruineuse du coton nord-américain l'écarta des marchés ; à partir de 1952, la production paraguayenne fut réduite de moitié. De la même façon, l'Uruguay perdit le marché canadien pour son riz. Et pour la même raison, le blé argentin — l'Argentine avait été le grenier du monde — perdit son poids décisif sur les marchés internationaux. Le *dumping* nord-américain du coton n'a pas empêché qu'une entreprise nord-américaine, l'Anderson Clayton and Co., n'en détienne l'empire en Amérique latine, ni que par son intermédiaire les États-Unis achètent le coton mexicain pour le revendre à d'autres pays.

(1) Roberto C. Simonsen, *op. cit.*
(2) Caio Prado Júnior, *Formação do Brasil contemporâneo*, São Paulo, 1942.

Le coton latino-américain se maintient tant bien que mal dans le commerce mondial grâce à ses prix de revient excessivement bas. Les chiffres officiels eux-mêmes, qui masquent pourtant si souvent la réalité, révèlent le misérable niveau de rétribution du travail. Dans les plantations du Brésil un salaire de famine rétribue un travail servile ; au Guatemala, les propriétaires se vantent de verser des salaires mensuels de dix-neufs quetzales (un quetzal équivaut à un dollar) et précisent que la majeure partie est remise en nature à un prix fixé par eux (1) ; au Mexique, les journaliers qui errent de *zafra* en *zafra* reçoivent un dollar et demi par jour, le sous-emploi est leur lot avec, comme conséquence, la sous-nutrition, mais la situation des ouvriers du coton au Nicaragua est encore plus désastreuse ; les habitants du Salvador qui fournissent le coton aux industries textiles du Japon consomment moins de calories et de protéines que les Indiens affamés de l'Inde. Pour l'économie péruvienne, le coton est la deuxième source agricole de devises. José Carlos Mariátegui avait observé que le capitalisme étranger, dans sa perpétuelle recherche de terres, de bras et de marchés, tendait à s'emparer des cultures d'exportation du Pérou par un système de liquidation à laquelle les propriétaires endettés, incapables de purger les hypothèques, étaient contraints (2). Lorsque le gouvernement nationaliste du général Velasco Alvarado arriva au pouvoir en 1968, moins du sixième des terres bonnes pour l'exploitation intensive étaient cultivées, le revenu *per capita* de la population était quinze fois moins élevé qu'aux États-Unis et la consommation en calories était l'une des plus faibles du monde ; pourtant la production cotonnière restait dirigée, comme celle du sucre, par les critères étrangers que Mariátegui avait dénoncés. Les meilleures terres, celles des étendues côtières, appartenaient à des entreprises nord-américaines ou à des propriétaires qui n'étaient nationaux qu'au sens géographique du terme, comme la bourgeoisie de Lima. Cinq grandes firmes dont

---

(1) Comité interaméricain de développement agricole, *Guatemala. Tenencia de la tierra y desarrollo socioeconómico del sector agrícola*, Washington, 1965.
(2) José Carlos Mariátegui, *Sept essais d'interprétation de la réalité péruvienne*, traduction Roland Mignot, Paris, 1968.

deux avaient leur siège aux États-Unis — l'Anderson Clayton et la Grace — monopolisaient l'exportation de coton et de sucre et possédaient leurs propres « complexes agro-industriels » de production. Les plantations de sucre et de coton de la côte, centres présumés de prospérité et de progrès, par opposition aux latifondi de la sierra, rétribuaient leurs péons avec des salaires de misère, jusqu'au jour où la réforme agraire de 1969 les expropria et remit les exploitations aux travailleurs, sous forme de coopératives. Selon le Comité interaméricain de développement agricole, le revenu de chaque membre des familles salariées de la côte n'était alors que de cinq dollars mensuels (1).

L'Anderson Clayton and Co. conserve trente filiales en Amérique latine et s'occupe non seulement de vendre le coton, mais encore — monopole horizontal — dispose d'un réseau qui régit le financement et l'industrialisation de la fibre et de ses dérivés et qui produit aussi des aliments à un rythme intensif. Au Mexique, par exemple, bien qu'elle ne possède pas de terres, elle exerce de toute façon son emprise sur la production du coton ; les huit cent mille Mexicains qui le cultivent sont, en fait, entre ses mains. L'entreprise achète à un prix très bas l'excellente fibre de coton, car elle a accordé auparavant des prêts aux producteurs, avec l'obligation de lui vendre les récoltes au cours d'ouverture du marché qu'elle a fixé. Aux avances d'argent s'ajoute la fourniture d'engrais, de semences, d'insecticides, et la société se réserve le droit de superviser les travaux de fertilisation, d'ensemencement et de récolte. Elle fixe les tarifs de la cueillette et de l'égrenage. Elle emploie les graines dans ses huileries et ses fabriques de graisses et de margarine. Ces dernières années, la Clayton, « non contente de dominer le commerce du coton, a fait irruption dans la production des bonbons et chocolats, achetant récemment la société bien connue Luxus (2) ».

Aujourd'hui, Anderson Clayton est le principal exportateur de café du Brésil. La firme s'est intéressée à son commerce en 1950. Trois ans plus tard, elle avait déjà détrôné l'American

(1) *Perú. Tenencia de la tierra y desarrollo socioeconómico del sector agrícola*, Washington, 1966.
(2) Alonso Aguilar M. et Fernando Carmona, *México : riqueza y miseria*, Mexico, 1968.

Coffee Corporation. En outre, elle est au Brésil le premier producteur d'aliments et figure parmi les trente-cinq entreprises les plus puissantes du pays.

Des bras à bon marché pour le café

Certains affirment que le café est aussi important que le pétrole sur la scène du marché international. Au début des années 50, l'Amérique latine fournissait les quatre cinquièmes du café consommé dans le monde ; la concurrence africaine, offrant un produit de moins bonne qualité mais d'un coût plus bas, a réduit cette prépondérance. Néanmoins, pour un sixième, les devises entrant sur ce continent proviennent actuellement du café. Les fluctuations des cours affectent quinze pays, au sud du Río Bravo. Le Brésil est le plus important producteur du monde et tire de cette ressource près de la moitié de ses revenus d'exportations. Le Salvador, le Guatemala, Costa Rica et Haïti dépendent aussi, pour une grande part, du café, qui fournit également les deux tiers de ses devises à la Colombie.

Le café apporta l'inflation au Brésil ; entre 1824 et 1854, le prix d'un esclave doubla. Ni le coton du Nord ni le sucre du Nord-Est, passé le temps de la prospérité, ne pouvaient payer la main-d'œuvre à ce prix. Le Brésil se déplaça vers le sud. Outre les esclaves le café utilisa les émigrants européens, qui livraient aux propriétaires la moitié de leurs récoltes, selon un régime de métayage qui prédomine encore aujourd'hui à l'intérieur du pays. Les touristes qui traversent les forêts de Tijuco pour aller se baigner dans les eaux de la barre ignorent que sur les montagnes entourant Rio de Janeiro il y avait, voilà plus de cent ans, de grandes plantations de café. Au long de leurs flancs, en direction de São Paulo, les caféières continuèrent leur chasse effrénée à l'humus de nouvelles terres vierges. Le siècle finissait lorsque les latifondistes du café, devenus la nouvelle élite sociale du Brésil, taillèrent leurs crayons et firent leurs comptes : les salaires de subsistance revenaient désormais moins cher que l'achat et l'entretien des rares esclaves. L'esclavage fut aboli en 1888 et remplacé par un système qui mêlait le servage féodal et le travail rétribué et qui s'est maintenu jusqu'à nos jours. Des légions de péons « libres » ont ainsi accompagné et accompagnent l'équipée du café. La vallée du Paraïba devint la zone la plus riche du pays, mais elle fut rapidement anéantie par cette plante périssable qui, cultivée d'une manière destructive, laissait derrière elle de grands espaces forestiers déboisés, des réserves naturelles épuisées et la décadence générale. L'érosion ruinait sans pitié les terres autrefois intactes et, de saccage en saccage, faisait baisser leur rendement, affaiblissait les plantes et les rendait fragiles. La grande propriété caféière envahit le vaste plateau pourpré à l'ouest de São Paulo : suivant des méthodes d'exploitation moins sauvages, elle en fit une « mer de café » et continua son avance. Elle atteignit les rives du Paraná ; arrivée devant les savanes de Mato Grosso, elle obliqua vers le sud pour revenir, ces dernières années, de nouveau vers l'ouest, franchissant les frontières du Paraguay.

Actuellement, São Paulo est l'État le plus développé du Brésil car il en est le centre industriel ; mais dans ses plantations de café les « habitants vassaux », qui paient de leur travail et de celui de leurs enfants la location de la terre, sont encore très nombreux. Pendant les années prospères qui suivirent la Première Guerre mondiale, la voracité des planteurs entraîna l'abolition du système qui permettait aux travailleurs des plantations de cultiver des aliments pour leur propre compte. Ils ne peuvent le faire maintenant qu'en échange d'un travail non payé. Le propriétaire emploie également des colons sous contrat auxquels il permet de réaliser des cultures temporaires, mais sous réserve de planter de nouveaux caféiers pour son profit. Au bout de quatre ans, lorsque les grains jaunes colorent les arbustes, la valeur du sol s'est multipliée et l'heure de partir arrive pour le fermier.

Au Guatemala, le café paie encore moins que le coton. Les propriétaires du versant sud donnent quinze dollars par mois aux milliers d'indigènes qui descendent chaque année du haut plateau pour louer leurs bras au moment de la récolte.

Les *fincas* ont une police privée ; on dit couramment ici : « Un homme coûte moins cher qu'une mule », et la répression se charge de ne pas modifier la situation. Dans la province de Alta Verapaz, la situation est pire. Il n'y a ni camions ni charrettes, car les grands planteurs n'en ont pas besoin : transporter le café à dos d'Indien revient moins cher.

Le café est d'une importance fondamentale pour l'économie du Salvador, petit pays aux mains d'une mini-oligarchie : la monoculture oblige à acheter au-dehors les haricots noirs — unique source de protéines pour l'alimentation populaire —, le maïs, les légumes verts et autres aliments que le pays produisait traditionnellement. Le quart des habitants meurt victime d'avitaminose. Haïti, quant à lui, a le taux de mortalité le plus élevé de l'Amérique latine ; plus de la moitié des enfants souffrent d'anémie. Le salaire légal y relève de la science-fiction ; dans les plantations de café, il varie entre sept et quinze cents par jour.

En Colombie, pays de sources, le café exerce son hégémonie. Selon un rapport publié par la revue *Time* en 1962, les travailleurs ne reçoivent que 5 % du prix total que le café prend dans son voyage depuis sa branche jusqu'aux lèvres du consommateur nord-américain (1). A la différence du Brésil, en Colombie le café est cultivé essentiellement dans de petites exploitations qui tendent à se morceler de plus en plus. Entre 1955 et 1960, cent mille plantations nouvelles ont vu le jour dans des étendues infimes, de moins d'un hectare pour la plupart. Les trois quarts du café exporté par la Colombie sont produits par de petits, de très petits agriculteurs ; 96 % des plantations sont des minifondi (2). Juan Valdés sourit sur les affiches, mais l'atomisation de la terre réduit le niveau de vie des cultivateurs, aux revenus de plus en plus faibles, et facilite les manœuvres de la Fédération nationale des planteurs de café, qui représente les intérêts des grands propriétaires et qui monopolise pratiquement la commerciali-

(1) Mario Arrubla, *Estudios sobre el subdesarrollo colombiano*, Medellín, 1969. Le prix se décompose ainsi : 40 % pour les intermédiaires, exportateurs et importateurs ; 10 % pour les impôts des deux gouvernements ; 10 % pour les transporteurs ; 5 % pour la propagande de l'Office panaméricain du café, à Washington ; 30 % pour les propriétaires des plantations et 5 % pour les ouvriers salariés.
(2) Banco Cafetero, *La industria cafetera en Colombia*, Bogota, 1962.

sation du produit. Les parcelles de moins d'un hectare rapportent un revenu de misère : cent trente dollars *par an*, en moyenne (1).

La cote du café jette les récoltes au feu et règle le rythme des mariages

De quoi s'agit-il ? Est-ce l'électro-encéphalogramme d'un fou ? En 1889, le café valait deux centavos et, six ans plus tard, il en valait neuf ; trois ans passèrent et il redescendit à quatre centavos avant de retomber en cinq ans à deux centavos. Ce fut une époque significative (2). Les graphiques des prix du café, comme ceux de tous les produits tropicaux, ressemblent aux schémas cliniques de l'épilepsie, mais la courbe tombe toujours en flèche lorsque l'on compare la valeur d'échange du café avec les prix des machines et des produits industrialisés. En 1967, Carlos Lleras Restrepo, président de la République de Colombie, se plaignait que son pays devait offrir cinquante-sept sacs de café pour obtenir une jeep, alors qu'en 1950 dix-sept sacs suffisaient. A la même époque, le ministre de l'Agriculture de l'État de São Paulo, Herbert Levi, se livrait à des calculs plus dramatiques : pour acheter un tracteur en 1967, le Brésil devait fournir trois cent cinquante sacs de café, contre soixante-dix sacs quatorze ans plus tôt. Quand, en 1954, le président Getulio Vargas se tira une balle dans le cœur, le cours du café ne fut pas étranger à cette tragédie : « Avec la crise dans la production du café, écrivit-il dans son magnifique testament, notre principal produit prit de la valeur. Nous pensions défendre son prix et la réponse a été une violente pression sur notre économie, à tel point que nous avons été obligés de céder. » Vargas voulut

(1) *Panorama Económico Latinoamericano*, n° 87, La Havane, septembre 1963.
(2) Pierre Monbeig, *Pionniers et planteurs de São Paulo*, Paris, 1952.

que son sang fût le prix de la rançon du peuple brésilien.

S'il avait pu vendre sur le marché nord-américain sa récolte de 1964 au prix de 1955, le Brésil aurait reçu deux cents millions de dollars supplémentaires. La baisse d'un seul centavo sur le cours du café implique une perte de soixante-cinq millions de dollars pour l'ensemble des pays producteurs. De 1964 à 1968, les prix continuèrent à baisser et les sommes ainsi extorquées par les États-Unis au pays producteur, le Brésil, devinrent de plus en plus importantes. Mais au bénéfice de qui ? Du citoyen nord-américain qui boit le café ? En juillet 1968, le prix du café brésilien avait baissé aux États-Unis de 30 % par rapport à janvier 1964. Or le consommateur ne payait pas son café moins cher, mais au contraire 13 % de plus. Les intermédiaires gagnaient donc sur les deux tableaux. Pendant le même temps, les producteurs brésiliens recevaient moitié moins d'argent pour chaque sac de café (1). Ces intermédiaires, qui sont-ils ? Six entreprises nord-américaines disposent de plus du tiers du café sortant du Brésil et six autres commercialisent plus du tiers de celui qui entre aux États-Unis : elles dirigent pratiquement les opérations aux deux extrémités du circuit (2). De même que la United Fruit — devenue la United Brands au moment où j'écris ces lignes — exerce le monopole de la vente des bananes produites en Amérique centrale, en Colombie et en Équateur, et en même temps monopolise leur importation et leur distribution aux États-Unis, ce sont des firmes nord-américaines qui régissent le commerce du café. Le Brésil, lui, ne participe que comme fournisseur et comme victime. D'autre part, c'est lui qui conserve les stocks lorsque la surproduction oblige à accumuler des réserves.

N'existe-t-il pas une Convention internationale pour équilibrer les prix du marché ? Le Centre mondial d'information du café a publié à Washington, en 1970, un long document destiné à convaincre les législateurs de voter aux États-Unis, en septembre, l'application de la loi complémentaire correspondant à la convention. Le rapport affirme que cette

(1) Documents de la Banque centrale, de l'Institut brésilien du café et de la F.A.O., revue *Fator*, nº 2, Rio de Janeiro, novembre-décembre 1968.
(2) Selon une enquête de la Federal Trade Commission. Cid Silveira, *Café : um drama na economia nacional*, Rio de Janeiro, 1962.

convention a bénéficié en premier lieu aux États-Unis, consommateurs de plus de la moitié du café vendu dans le monde. Son achat reste une bonne affaire. Son augmentation dérisoire sur le marché nord-américain (au bénéfice, nous l'avons vu, des intermédiaires) est en fait bien inférieure à la hausse générale du coût de la vie et du niveau interne des salaires ; le total des exportations des États-Unis s'est accru, entre 1960 et 1969, d'un sixième, et, pendant le même temps, le montant des importations de café diminuait. Et puis, n'oublions pas que les pays latino-américains emploient les maigres devises ainsi perçues à l'achat de produits nord-américains en hausse.

Le café profite beaucoup plus à ceux qui le consomment qu'à ceux qui le produisent. Aux États-Unis et en Europe, il fournit des revenus et des emplois et mobilise de grands capitaux ; en Amérique latine, il impose des salaires de famine et accentue le déséquilibre économique des pays à son service. Aux États-Unis, le café donne du travail à plus de six cent mille personnes : les Nord-Américains qui distribuent et vendent le café latino-américain touchent des salaires infiniment plus élevés que les Brésiliens, les Colombiens, les Guatémaltèques, les habitants du Salvador ou de Haïti qui sèment et récoltent les grains. D'autre part, la CEPAL rapporte que, pour incroyable que cela paraisse, le café déverse plus de richesse dans les caisses de l'État des pays européens qu'il n'en laisse entre les mains des pays producteurs. « En 1960 et 1961, les charges fiscales imposées au café latino-américain par les pays de la Communauté européenne se sont élevées à près de sept cents millions de dollars, tandis que les gains des pays fournisseurs (en termes de valeur fob des mêmes exportations) n'atteignaient que six cents millions de dollars (1). » Les pays riches, qui prêchent le libre-échange, appliquent le protectionnisme le plus rigide à l'égard des pays pauvres, ils transforment tout ce qu'ils touchent en or pour eux-mêmes et en fer-blanc pour les autres, y compris la production des pays sous-développés. Le marché international du café sous-entend si bien qu'il existe, comme on dit, « deux poids et deux mesures », que le Brésil a accepté récemment de

(1) CEPAL, *El comercio internacional y el desarrollo de América Latina*, Mexico-Buenos Aires, 1964.

taxer lourdement ses exportations de café soluble pour protéger — protectionnisme à rebours — les intérêts des fabricants nord-américains de ce même article. Celui que produit le Brésil est moins cher et de meilleure qualité que la marchandise proposée par la florissante industrie des États-Unis, mais sous le régime de la libre concurrence, on le voit, certains sont plus libres que d'autres.

Dans ce royaume de l'absurde organisé, les catastrophes naturelles se changent en bénédictions du ciel pour les pays producteurs. Les agressions de la nature font monter les prix et permettent l'écoulement des réserves accumulées. Les gelées redoutables de 1969, qui détruisirent la récolte au Brésil, ruinèrent de nombreux producteurs, surtout les petits exploitants, mais firent grimper les cours et soulagèrent le stock de soixante millions de sacs — l'équivalent des deux tiers de la dette extérieure — que l'État avait emmagasinés pour protéger les prix. Ce café, qui se détériorait au fil des jours et perdait peu à peu sa valeur, aurait pu être jeté au feu. Ce n'aurait pas été la première fois. A la suite de la crise de 1929, qui fit s'effondrer les cours et réduisit la consommation, le Brésil brûla soixante-dix-huit millions de sacs de café : ainsi l'effort de deux cent mille personnes au long de cinq récoltes s'en alla en fumée (1). Ce fut une crise caractéristique d'une économie coloniale : elle vint de l'extérieur. La chute soudaine des gains des planteurs et des exportateurs dans les années 30 provoqua, en plus de la destruction du café, la flambée de la monnaie. C'est là une méthode habituelle en Amérique latine pour « socialiser les pertes » du secteur importateur : on compense en monnaie nationale, à travers les dévaluations, ce que l'on perd en devises.

Mais la hausse des prix n'a pas de conséquences plus favorables. Elle déchaîne de grands ensemencements, un accroissement de la production, une multiplication des surfaces destinées à la culture du produit lucratif. Le stimulant agit comme une arme à double tranchant, car l'abondance fait tomber les prix et provoque le désastre. Ce fut le cas, en 1958, pour la Colombie, quand elle récolta le café semé avec tant d'enthousiasme quatre ans auparavant. Des cycles

(1) Roberto C. Simonsen, *op. cit.*

semblables se sont répétés tout au long de l'histoire de ce pays qui dépend du café et de sa cote extérieure, à tel point qu'à « Antioquia la courbe des mariages reproduit fidèlement la courbe des prix du café. C'est le propre d'une structure de dépendance : le moment favorable pour une déclaration d'amour sur un coteau d'Antioquia se décide à la Bourse de New York (1) ».

Dix ans qui ont saigné la Colombie

Dans les années 40, l'économiste colombien Luis Eduardo Nieto Arteta écrivit une apologie du café. Le café avait réussi ce que jamais, dans les cycles économiques antérieurs du pays, les mines, le tabac, l'indigo ou la quinine n'avaient obtenu : donner naissance à un ordre adulte et progressiste. Les tissages et autres industries légères avaient surgi, et non par hasard, dans les régions du café : Antioquia, Caldas, la vallée du Cauca, Cundinamarca. Une démocratie de petits producteurs de café avait transformé les Colombiens en « hommes sobres et modérés ». « L'élément qui a permis le plus efficacement de rendre normal le fonctionnement de la vie politique colombienne, affirmait Nieto Arteta, a été l'accès à une stabilité économique originale. Grâce au café nous avons obtenu cette dernière et avec elle le calme et la mesure (2). »

La violence éclata peu de temps après. En réalité, l'éloge du café n'avait pas interrompu, comme par magie, une longue histoire faite de révoltes et de répressions sanglantes. Cette fois, pendant dix ans, de 1948 à 1957, la guerre paysanne engloba les petits et les grands domaines, les sols désertiques et les terres cultivées, les vallées, les forêts et les hauts plateaux andins ; elle poussa des communautés entières à

(1) Mario Arrubla, *op. cit.*
(2) Luis Eduardo Nieto Arteta, *Ensayos sobre economía colombiana*, Medellín, 1969.

l'exode, engendra des guérillas révolutionnaires et des bandes criminelles et transforma le pays entier en cimetière : on estime qu'elle laissa derrière elle cent quatre-vingt mille morts (1). Le bain de sang coïncida avec une période d'euphorie économique pour la classe dirigeante : mais est-il permis de confondre la prospérité d'une classe avec le bien-être d'un pays ?

La violence avait commencé par un affrontement entre libéraux et conservateurs, mais la dynamique de la haine des classes accentua de plus en plus son caractère de lutte sociale. Jorge Eliécer Gaitán, le caudillo libéral que l'oligarchie de son propre parti, mi-méprisante et mi-craintive, appelait « le Loup » ou « le Vaurien », jouissait d'un formidable prestige populaire et menaçait l'ordre établi ; un ouragan se déchaîna lorsqu'on l'assassina de plusieurs balles. Ce fut d'abord une marée humaine qui déferla dans les rues de la capitale, le *bogotazo,* l'émeute spontanée de Bogota, puis la violence gagna la campagne, où, depuis déjà un certain temps, des bandes organisées par les conservateurs semaient la terreur. La haine, longuement ruminée par les paysans, explosa et tandis que le gouvernement envoyait des policiers et des soldats couper les testicules des hommes, ouvrir le ventre des femmes enceintes ou jeter les enfants en l'air pour qu'ils retombent sur les pointes de leurs baïonnettes, selon la consigne : « Éliminez jusqu'à la graine », les docteurs du parti libéral se retiraient dans leurs maisons sans abandonner leurs belles manières ni le ton généreux de leurs communiqués. Dans le pire des cas, ils s'envolaient vers quelque exil. Ce furent les paysans qui laissèrent leur peau au combat. La guerre atteignit le comble de la cruauté, mue par un désir de vengeance qui grandissait avec l'action. On découvrit de nouveaux styles dans l'art de tuer : dans le « coupe-cravate », par exemple, la langue pendait par le cou. Les viols, les incendies, les pillages se succédaient ; les hommes étaient écartelés ou brûlés vifs, écorchés ou découpés lentement en petits morceaux ; les soldats rasaient les villages et les plantations ; le sang rougissait l'eau des fleuves ; les bandits

(1) Germán Guzmán Campos, Orlando Fals Borba et Eduardo Umaña Luna, *La violencia en Colombia. Estudio de un proceso social,* Bogota, 1963-1964.

accordaient le droit de vivre contre des rançons en argent ou en chargements de café et les forces de la répression expulsaient et pourchassaient d'innombrables familles qui fuyaient dans les montagnes à la recherche d'un refuge : les femmes accouchaient dans les bois. Les premiers chefs guérilleros, animés par le besoin de revanche mais sans horizons politiques précis, se lançaient dans la destruction pour la destruction, répandant sans autre objectif le sang et le feu. Les noms des protagonistes de la violence (Capitaine Gorille, Mauvaise Ombre, le Condor, Peau-Rouge, le Vampire, l'Oiseau Noir, la Terreur du Llano) ne suggèrent pas une épopée de la révolution. Pourtant, la révolte sociale modulait ses accents jusque dans les refrains entonnés par les bandes :

> *Je suis un simple paysan,*
> *je n'ai pas ouvert le combat,*
> *mais qui noise me cherchera*
> *dansera la danse du sang* (1).

En définitive, la terreur sans discrimination était également apparue, mêlée aux revendications de justice, dans la révolution mexicaine d'Emiliano Zapata et de Pancho Villa. En Colombie, la fureur éclata chaotiquement, mais ce ne fut pas par hasard qu'à cette décennie de violence succédèrent les guérillas politiques qui, brandissant le drapeau de la révolution sociale, parvinrent à occuper et à contrôler d'immenses zones du pays. Les paysans, harcelés par la répression, émigrèrent vers les montagnes et y organisèrent le travail agricole et leur autodéfense. Les « républiques indépendantes » continuèrent à servir d'asile aux persécutés après que conservateurs et libéraux eurent signé à Madrid le pacte de paix. Les dirigeants des deux partis, dans un climat de toasts et de rameaux d'olivier, décidèrent d'alterner au pouvoir au nom de la concorde nationale et commencèrent, d'un commun accord, le travail de « nettoyage » des foyers perturbateurs. Dans une seule des opérations entreprises pour réduire les rebelles de Marquetalia, un million et demi de

(1) *Yo soy campesino puro, / y no empecé la pelea, / pero si me buscan ruido / la bailan con la más fea.*

projectiles furent tirés et vingt mille bombes lancées ; seize mille soldats furent mobilisés sur terre et dans les airs (1).

En pleine violence, un officier déclarait : « Ne me rapportez pas de blablabla, mais des oreilles ! » Le sadisme de la répression et la férocité de la guerre pourraient-ils s'expliquer par des raisons cliniques ? Furent-ils le résultat de la fureur naturelle des protagonistes ? Un homme, qui avait coupé les mains à un prêtre, avait incendié sa maison puis jeté son corps brûlé et écartelé dans un égout, criait quand la guerre fut finie : « Je ne suis pas coupable ! Je ne suis pas coupable ! Laissez-moi en paix ! » Il avait perdu la raison, mais n'avait pas tort, d'une certaine façon : l'horreur de la violence ne fit que mettre en évidence l'horreur du système. Car le café n'apporta pas le bonheur et l'harmonie prophétisés par Nieto Arteta. Certes, il est vrai que grâce à lui la navigation sur le Magdalena se développa et que des lignes de chemin de fer et des routes furent construites. Vrai aussi qu'on accumula des capitaux qui donnèrent naissance à certaines industries. Mais les structures de l'oligarchie interne et la dépendance économique devant les centres étrangers du pouvoir ne furent pas affaiblies par sa prospérité croissante ; au contraire, elles se firent infiniment plus écrasantes pour les Colombiens. Après cette décennie de violence, les Nations Unies publièrent les résultats de leur enquête sur la nutrition en Colombie. La situation, visiblement, ne s'était pas améliorée : 88 % des écoliers de Bogota souffraient d'avitaminose, 78 % de riboflavinose, et plus de la moitié avaient un poids inférieur à la normale ; l'avitaminose touchait 71 % des ouvriers et 78 % des paysans de la vallée de Tensa (2). L'enquête a mis en évidence « une nette insuffisance d'aliments de base protecteurs — le lait et ses dérivés, les œufs, la viande, le poisson et certains fruits et légumes — qui apportent réunis des protéines, des vitamines et des sels ». Ce n'est pas seulement à la lueur des balles que se révèle une tragédie sociale. Les statistiques indiquent que la Colombie présente un indice d'homicides sept fois plus élevé que les États-Unis, mais aussi

(1) Germán Guzmán, *La violencia en Colombia (parte descriptiva)*, Bogota, 1968.
(2) Nations Unies, *Analyse et projections du développement économique*, III, in *Le développement économique de la Colombie*, New York, 1957.

que le quart des Colombiens en âge de travailler n'ont pas d'emploi stable. Deux cent cinquante mille personnes arrivent chaque année sur le marché du travail ; l'industrie ne fournit pas de nouveaux emplois et la campagne, structurée en grandes et petites propriétés, n'a pas besoin d'autres bras : au contraire, elle rejette sans arrêt de nouveaux chômeurs vers les faubourgs des villes. Il y a en Colombie plus d'un million d'enfants sans écoles. Ce qui n'empêche pas le système de s'offrir le luxe d'entretenir quarante et une universités différentes, publiques ou privées, chacune avec ses facultés et départements divers, pour l'éducation des enfants de l'élite et de la classe moyenne minoritaire (1).

LA BAGUETTE MAGIQUE DU MARCHÉ MONDIAL FAIT SE RÉVEILLER L'AMÉRIQUE CENTRALE

Les pays de l'Amérique centrale arrivèrent à la moitié du siècle dernier sans avoir essuyé de graves difficultés. Outre les productions alimentaires, ils se consacraient à la cochenille et à l'indigotier, qui exigeaient peu de capitaux, une main-d'œuvre réduite et un soin limité. Le carmin, tiré de la cochenille, insecte qui naissait et se développait sans problèmes sur la surface épineuse des figuiers de Barbarie, jouissait, comme l'indigo, d'une demande soutenue de l'industrie textile européenne. Ces deux colorants naturels moururent de mort synthétique lorsque, vers 1850, les chimistes allemands inventèrent les anilines et autres teintures à meilleur marché. Trente ans après cette victoire des laboratoires sur la nature, l'Amérique centrale se transforma

---

(1) Le professeur Germán Rama a découvert que certains de ces vénérables établissements académiques ont dans leurs bibliothèques, comme principal trésor, la collection reliée de *Sélection du Reader's Digest*. (Germán W. Rama, « Educación y movilidad social en Colombia », revue *Eco*, n° 116, Bogota, décembre 1969.)

grâce au café. Un peu moins du sixième de la production mondiale de café provenait, en 1880, de ses plantations toutes récentes. Le café intégra définitivement ce secteur géographique au marché international. Les acheteurs allemands et nord-américains succédèrent aux Anglais ; avec ces consommateurs étrangers se forma une bourgeoisie caféière qui fit son entrée dans la politique au moment de la révolution libérale de Justo Rufino Barrios, au début des années 1870. La spécialisation agricole, dictée de l'extérieur, réveilla l'appétit furieux de l'appropriation des terres et des hommes ; les latifondi actuels naquirent en Amérique centrale sous la bannière de la liberté du travail.

Ainsi passèrent entre des mains privées de grandes étendues incultes et sans propriétaires ou qui appartenaient à l'Église ou à l'État, et le pillage frénétique des communautés indigènes commença. On enrôla de force dans l'armée les paysans qui refusaient de vendre leurs terres ; les plantations devinrent des pourrissoirs d'Indiens ; le régime colonial ressuscita en même temps que le recrutement forcé de la main-d'œuvre et les lois contre le vagabondage. Les travailleurs en fuite étaient poursuivis à coups de fusil ; les gouvernements libéraux modernisaient les conditions de travail en instituant le système du salaire, mais les salariés devenaient propriété des nouveaux exploitants du café. A aucun moment, tout au long de ce siècle, les périodes de prix forts n'eurent une quelconque incidence bénéfique sur le niveau des salaires qui se réduisaient à des rétributions de misère. Ce fut un des facteurs qui empêchèrent le développement d'un marché intérieur de consommation dans ces pays (1). Comme partout ailleurs, la culture du café découragea, dans son expansion démesurée, les cultures alimentaires destinées au marché national. Ces pays furent condamnés à supporter un manque chronique de riz, de haricots noirs, de maïs, de blé, de tabac et de viande. C'est à peine si une misérable agriculture de subsistance survécut sur les terres hautes et accidentées où les grands propriétaires avaient rejeté les autochtones en s'emparant des terres basses plus fertiles. Ces derniers, qui offrent leurs bras pendant les ré-

(1) Edelberto Torres-Rivas, *Procesos y estructuras de una sociedad dependiente (Centroamérica)*, Santiago du Chili, 1959.

coltes et les semailles, vivent le reste de l'année dans les montagnes, cultivant sur de minuscules parcelles le maïs et les haricots noirs indispensables à leur survivance. Ils constituent les réserves de main-d'œuvre du marché mondial. Depuis un siècle la situation n'a pas changé : latifondi et minifondi composent globalement l'unité d'un système qui s'appuie sur la cruelle exploitation de la main-d'œuvre indigène. En général, et plus spécialement au Guatemala, cette structure d'annexion de la force productive va de pair avec le mépris racial ; les Indiens subissent le colonialisme interne des Blancs et des métis avec la bénédiction idéologique de la culture dominante, tout comme les pays d'Amérique centrale subissent le colonialisme étranger (1).

Au début du siècle apparurent également, au Honduras, au Guatemala et à Costa Rica, les enclaves bananières. Afin de transporter le café vers les ports, on avait déjà construit quelques lignes de chemin de fer financées par le capital national. Les entreprises nord-américaines se les approprièrent et en créèrent d'autres, pour transporter exclusivement la production de leurs plantations. En même temps, elles implantèrent le monopole de l'électricité, des postes et télégraphes, du téléphone et, service public non moins important, le monopole de la politique : au Honduras, « une mule coûte plus cher qu'un député » et dans toute l'Amérique centrale les ambassadeurs des États-Unis gouvernent plus que les présidents. La United Fruit Co. avala ses concurrents dans la production et la vente des bananes, elle devint le principal latifondo d'Amérique centrale et ses filiales accaparèrent les transports ferroviaires et maritimes ; elle s'empara des ports et installa sa douane et sa police privées. Le dollar devint, de fait, dans ces pays, la monnaie nationale.

---

(1) Carlos Guzmán Böckler et Jean-Loup Herbert, *Guatemala : una interpretación histórico-social*, Mexico, 1970.

LES FLIBUSTIERS À L'ABORDAGE

Selon la conception géopolitique de l'impérialisme, l'Amérique centrale n'est qu'un appendice naturel des États-Unis. Abraham Lincoln lui-même, qui avait aussi songé à annexer ses territoires, ne put échapper aux préceptes du « destin manifeste » de la grande puissance sur les pays limitrophes (1).

Aux environs de 1850, le flibustier William Walker, qui agissait au nom des banquiers Morgan et Garrison, envahit l'Amérique centrale à la tête d'une bande d'assassins qui se baptisaient la « phalange américaine des immortels ». Avec la caution officieuse du gouvernement des États-Unis, Walker vola, tua, incendia et se proclama, au cours d'expéditions successives, président du Nicaragua, du Salvador et du Honduras. Il rétablit l'esclavage sur les territoires qui subirent son occupation dévastatrice, poursuivant ainsi l'œuvre « philanthropique » entreprise par son pays dans les États qui avaient été usurpés au Mexique peu auparavant.

A son retour, il fut reçu aux États-Unis en héros national. Dès lors les invasions, les interventions, les bombardements, les emprunts forcés et les traités signés au pied des canons se succédèrent. En 1912, le président William H. Taft affirmait : « Le jour n'est pas éloigné où trois drapeaux étoilés signaleront en trois points équidistants l'étendue de notre territoire : l'un au pôle Nord, l'autre sur le canal de Panama, et le troisième au pôle Sud. Tout l'hémisphère sera, de fait, le nôtre, comme il l'est déjà moralement en vertu de la supériorité de notre race (2). » Taft disait que le droit chemin

---

(1) Darcy Ribeiro, *Las Américas y la civilización*, tome III : *Los pueblos trasplantados. Civilización y desarrollo*, Buenos Aires, 1970.
(2) Gregorio Selser, *Diplomacia, garrote y dólares en América Latina*, Buenos Aires, 1962.

de la justice en ce qui concerne la politique extérieure des États-Unis n'excluait « d'aucune façon une intervention active pour assurer à nos marchandises et à nos capitalistes des facilités pour des investissements profitables ». A la même époque, l'ex-président Theodore Roosevelt rappelait bien haut l'amputation réussie faite à la Colombie : « I took the Canal », proclamait le brillant Prix Nobel de la paix, tout en racontant comment il avait inventé Panama (1). La Colombie recevait, peu après, une indemnisation de vingt-cinq millions de dollars ; c'était le prix d'un pays né pour que les États-Unis disposent d'une voie de communication entre les deux océans.

Les sociétés s'emparaient des terres, des douanes, des finances et des gouvernements ; les *marines* débarquaient partout, afin de « protéger la vie et les intérêts des citoyens américains » (l'alibi serait de nouveau utilisé en 1965 pour effacer avec la bénédiction de Dieu les traces du crime en République Dominicaine). Le drapeau cachait d'autres trafics. Le commandant Smedley D. Butler, qui dirigea bien des expéditions, résumait ainsi sa propre activité, en 1935, alors qu'il était à la retraite : « J'ai passé trente-trois ans et quatre mois comme militaire dans la force la plus efficace de ce pays : l'infanterie de marine. J'ai franchi tous les échelons de la hiérarchie, du grade de sous-lieutenant à celui de général de division. Et, durant toute cette période, j'ai passé la plupart du temps comme sicaire de première classe pour le haut négoce, pour Wall Street et les banquiers. En un mot, j'ai été un tueur à gages au service du capitalisme... Par exemple, en 1914, j'ai aidé à ce que le Mexique, et plus spécialement Tampico, soit une proie facile pour les intérêts pétroliers américains. J'ai aidé à ce que Haïti et Cuba deviennent des lieux convenables pour le recouvrement de rentes de la National City Bank... En 1909-1912, j'ai aidé à épurer le Nicaragua pour la banque internationale Brown Brothers. En 1916, j'ai apporté la lumière à la République Dominicaine au nom des intérêts sucriers nord-américains. En 1903, j'ai aidé à pacifier le Honduras, au bénéfice des compagnies fruitières nord-américaines (2). » Au début du siècle, le philosophe

(1) Claude Julien, *L'Empire américain*, Paris, 1968.
(2) Publié dans *Common Sense*, novembre 1935. V. Leo Huberman, *Man's Wordly Goods. The Story of the Wealth of Nations*, New York, 1936.

William James avait prononcé une phrase peu connue : « Le pays a vomi d'un coup et à jamais la Déclaration d'Indépendance... » Pour ne citer qu'un seul exemple, les États-Unis occupèrent Haïti pendant vingt ans, et dans ce pays noir qui avait été le théâtre de la première révolte victorieuse des esclaves ils introduisirent la ségrégation raciale et le régime des travaux forcés, tuèrent mille cinq cents ouvriers au cours d'une de leurs opérations de répression (selon une enquête du Sénat américain, en 1922) et, lorsque le gouvernement local refusa de convertir la Banque nationale en succursale de la National City Bank de New York, suspendirent le paiement des indemnités habituellement versées au président et à ses ministres pour les contraindre à réfléchir (1).

La même histoire se répétait dans les autres îles des Caraïbes et dans toute l'Amérique centrale, espace géopolitique de la Mare Nostrum de l'empire, soumis au rythme alterné du *big stick* ou de « la diplomatie du dollar ».

Le Coran mentionne le bananier parmi les arbres du paradis, mais la *bananisation* du Guatemala, du Honduras, de Costa Riva, de Panama, de la Colombie et de l'Équateur permet de supposer qu'il s'agit plutôt d'un arbre de l'enfer. En Colombie, la United Fruit Co. — aujourd'hui United Brands — s'était rendue propriétaire de la plus vaste exploitation du pays quand éclata, en 1928, une grande grève sur la côte atlantique. Les ouvriers furent liquidés à coups de fusil, devant une gare. Un décret officiel avait été promulgué : « Les représentants de la force publique sont autorisés à punir par les armes... » ; après quoi aucun autre décret ne fut nécessaire pour effacer la tuerie de la mémoire officielle du pays (2). Miguel Angel Asturias a raconté le processus de la conquête et le dépouillement de l'Amérique centrale. Le *Pape vert* était Minor Keith, roi sans couronne de toute la région, père de la United Fruit, dévoreur de contrées. « Nous avons les quais, les chemins de fer, les terrains, les bâtiments, les

(1) William Krehm, *Democracia y tiranías en el Caribe*, Buenos Aires, 1959.

(2) C'est le thème du roman d'Álvaro Cepeda Samudio, *La casa grande* (Buenos Aires, 1967) ; il inspire également un des chapitres de *Cent ans de solitude* (traduction Claude et Carmen Durand, 1968) de Gabriel García Márquez : « Vous avez sûrement rêvé, disaient les officiers avec insistance... Il ne s'est rien passé. »

sources, énumérait le président ; le dollar a cours, on parle anglais et on arbore notre drapeau... » « Chicago ne pouvait que s'enorgueillir de ce fils qui était parti avec une paire de pistolets et qui revenait pour réclamer sa place parmi les empereurs de la viande, les rois des chemins de fer, du cuivre, du chewing-gum (1). » Dans *Quarante-deuxième parallèle* (2), John Dos Passos écrivit la brillante biographie de Keith, celle de l'entreprise : « En Europe et aux Etats-Unis, les gens avaient commencé à manger des bananes, on rasa donc la forêt en Amérique centrale pour planter les bananeraies et construire des chemins de fer pour les transporter, et les bateaux à vapeur de la Great White Fleet qui allaient vers le nord remplis de bananes étaient chaque année plus nombreux ; telle est l'histoire de l'Empire nord-américain aux Caraïbes, dans le canal de Panama et dans le futur canal du Nicaragua, avec les *marines* et les cuirassés et les baïonnettes... »

Les sols étaient aussi épuisés que les hommes ; à la terre on volait l'humus et aux travailleurs les poumons, mais il y avait toujours de nouveaux espaces à exploiter et d'autres péons à exterminer. Les dictateurs, dignitaires d'opérette, veillaient au bien-être de la United Fruit, le couteau entre les dents. Par la suite la production de bananes diminua et la toute-puissance de l'entreprise connut plusieurs crises, mais l'Amérique centrale reste de nos jours un sanctuaire du lucre pour les aventuriers, encore que le café, le coton et le sucre aient renversé les bananes de leur piédestal. Les bananes demeurent la principale source de devises pour le Honduras et Panama, et en Amérique du Sud pour l'Équateur. Aux

(1) Le cycle comprend la trilogie : *L'Ouragan* (traduction de Georges Pillement, 1955), *Le Pape Vert* (traduction de Francis de Miomandre, 1956), *Les Yeux des enterrés* (traduction de Marie Castelan, 1962). Dans *L'Ouragan*, l'un des personnages, mister Pyle, dit prophétiquement : « Si, au lieu d'effectuer de nouvelles plantations, nous achetons, nous, leurs fruits aux producteurs particuliers, on gagnera beaucoup dans l'avenir. » C'est ce qui se passe actuellement au Guatemala : la United Fruit exerce son monopole bananier à travers les mécanismes de commercialisation, plus efficaces et moins risqués que la production directe. Il faut noter que la production de bananes est tombée à la verticale, durant la décennie 1960-1970, lorsque la United Fruit, menacée par les bouillonnements de l'agitation sociale, a décidé de vendre ou de louer ses plantations.
(2) Traduction de N. Guterman, 1951.

environs de 1930, l'Amérique centrale exportait annuellement trente-huit millions de régimes et la United Fruit payait au Honduras un centavo de taxe par régime. Aucun moyen de contrôler le paiement de ce mini-impôt (qui a augmenté légèrement depuis) n'existait — ni n'existe aujourd'hui — car la United Fruit exporte et importe ce qu'elle veut sans passer par les douanes officielles. La balance commerciale et la balance des paiements de ces pays sont des œuvres de fiction aux soins de techniciens à l'imagination fertile.

La crise des années 30 : « Tuer une fourmi est un crime plus grave que de tuer un homme »

Le café dépendait du marché nord-américain, de sa capacité de consommation et de ses prix ; les bananes étaient un commerce nord-américain, pour les Nord-Américains. La crise de 1929 éclata sans crier gare. Le krach de la Bourse de New York, qui ébranla les bases du capitalisme mondial, tomba sur les Caraïbes comme un gigantesque bloc de roche dans une mare. Les prix du café et des bananes s'effondrèrent et le volume des ventes connut le même sort. Les expulsions de paysans redoublèrent avec une violence fébrile, le chômage s'étendit dans les campagnes et dans les villes, une vague de grèves déferla ; les crédits, les investissements et les dépenses publiques furent réduits brutalement, et les traitements des fonctionnaires diminuèrent de moitié au Honduras, au Guatemala et au Nicaragua (1). Les bottes des dictateurs ne tardèrent pas à immobiliser les couvercles des marmites en ébullition ; l'époque de la politique de bon voisinage commençait à Washington, mais il fallait contenir dans le sang et par le feu l'agitation sociale qui bouillonnait de tous côtés. Demeurèrent au pouvoir pendant vingt années environ :

(1) Edelberto Torres-Rivas, *op. cit.*

Jorge Ubico au Guatemala, Maximiliano Hernández Martínez au Salvador, Tiburcio Carías au Honduras et Anastasio Somoza au Nicaragua.

L'épopée d'Augusto César Sandino émut le monde. La longue lutte du chef guérillero du Nicaragua évolua vers la revendication agraire et aiguillonna la colère paysanne. Pendant sept ans, sa petite armée en haillons lutta à la fois contre les douze mille envahisseurs nord-américains et contre les membres de la garde nationale. On fabriquait les grenades avec des boîtes à sardines pleines de cailloux, on se battait avec les fusils Springfield arrachés à l'ennemi et les machettes ne manquaient pas ; la hampe du drapeau était un morceau de bois brut et les paysans portaient en guise de bottes, pour se déplacer dans l'enchevêtrement des montagnes, une semelle de cuir appelée *caite*. Sur l'air d'*Adelita*, les guérilleros chantaient :

> *Messieurs, au Nicaragua,*
> *c'est la souris qui bat le chat* (1).

Ni le feu nourri de l'infanterie de marine ni les bombes qui pleuvaient des avions ne réussirent à réduire les rebelles de Las Segovias. Pas plus que les calomnies que répandaient dans le monde entier les agences d'information Associated Press et United Press, dont les correspondants au Nicaragua étaient deux Américains qui tenaient entre leurs mains la douane du pays (2). En 1932, Sandino pressentait : « Je ne vivrai pas longtemps. » L'année suivante, sous l'influence de la politique nord-américaine de bon voisinage, on célébrait la paix. Le chef guérillero fut invité par le président à une réunion décisive à Managua. En chemin, il fut tué dans une embuscade. L'assassin, Anastasio Somoza, suggéra par la suite que l'exécution avait été ordonnée par l'ambassadeur nord-américain Arthur Bliss Lane. Somoza, alors responsable militaire, ne tarda guère à s'installer au pouvoir. Il gouverna le Nicaragua pendant un quart de siècle et ses fils héritèrent de la fonction. Avant de croiser sur sa poitrine l'écharpe présiden-

---

(1) « *En Nicaragua, señores, / le pega el ratón al gato.* » (Gregorio Selser, *Sandino, general de hombres libres*, Buenos Aires, 1959.)

(2) Carleton Beals, *América ante América*, Santiago du Chili, 1940.

tielle, Somoza s'était décoré lui-même de la croix du Courage, de la médaille de la Distinction et de la médaille présidentielle du Mérite. Une fois au pouvoir, il ordonna plusieurs massacres et organisa de grandes célébrations pour lesquelles il déguisait ses soldats en Romains avec casques et sandales ; il devint le principal producteur de café du pays, avec quarante-six exploitations, et se consacra à l'élevage dans cinquante et une haciendas. Mais il trouva toujours le temps de semer la terreur. Pendant sa longue gestion gouvernementale, il ne manqua vraiment de rien, et il se rappelait avec une certaine tristesse ses années de jeunesse, où il devait falsifier des monnaies d'or pour se divertir.

Les tensions, conséquences de la crise, éclatèrent également au Salvador. La moitié ou presque des ouvriers des bananeraies du Honduras venaient du Salvador et beaucoup furent contraints de retourner dans leur pays, où il n'y avait de travail pour personne. Une grande révolte paysanne se produisit en 1932 dans la région d'Izalco et se propagea rapidement à tout l'ouest du pays. Le dictateur Martínez envoya les soldats combattre, avec des équipements modernes, « les bolcheviques ». Les Indiens se battirent à la machette contre les mitrailleuses et dix mille morts restèrent sur le terrain. Martínez, un sorcier végétarien et théosophe, affirmait que « tuer une fourmi était un crime plus grave que de tuer un homme, car l'homme après sa mort se réincarne tandis que la fourmi meurt définitivement (1) ». Il prétendait que des « légions invisibles » le protégeaient en lui annonçant toutes les conspirations et qu'il communiquait directement par la télépathie avec le président des États-Unis. Un pendule lui indiquait, au-dessus de son assiette, si la nourriture était empoisonnée et lui signalait, sur une carte, les endroits où étaient cachés les trésors des pirates ou les ennemis politiques. Il avait coutume d'envoyer ses condoléances aux parents de ses victimes et des cerfs paissaient dans le patio de son palais. Il gouverna jusqu'en 1944.

Les tueries se succédaient de tous côtés. En 1933, Jorge Ubico fit fusiller au Guatemala une centaine de dirigeants syndicalistes, universitaires et politiques, en même temps qu'il

(1) William Krehm, *op. cit.* Krehm vécut de longues années en Amérique centrale comme correspondant de la revue nord-américaine *Time*.

rétablissait les lois contre « le vagabondage » des Indiens. Chaque Indien devait posséder un carnet sur lequel on inscrivait ses journées de travail ; si on estimait qu'elles n'étaient pas assez nombreuses, on l'envoyait en prison ou on le condamnait à s'échiner gratuitement sur la terre pendant six mois. Sur la côte insalubre du Pacifique, les ouvriers qui travaillaient enfoncés jusqu'aux genoux dans la boue recevaient trente centavos par jour, et la United Fruit déclarait qu'Ubico l'avait obligée à baisser les salaires. En 1944, un peu avant la chute du dictateur, le *Reader's Digest* publia un article dithyrambique : ce prophète du Fonds monétaire international avait évité l'inflation en diminuant les salaires, qui de un dollar passaient à vingt-cinq centavos par jour pour les ouvriers affectés à la construction de la route militaire d'urgence, et d'un dollar à cinquante centavos pour les travailleurs de la base aérienne de la capitale. A la même époque, Ubico octroya aux seigneurs du café et aux entreprises bananières le droit de tuer : « Les propriétaires de *fincas* seront exempts de responsabilité criminelle... » Ce décret, qui portait le numéro 2795, fut rétabli en 1967 sous le gouvernement de Méndez Montenegro.

Comme tous les tyrans des Caraïbes, Ubico se prenait pour Napoléon. Il vivait entouré de bustes et de portraits de l'Empereur, qui avait, proclamait-il, le même profil que lui. Il croyait à la discipline militaire : il militarisa les employés des postes, les enfants des écoles et l'orchestre symphonique. Les membres de l'orchestre jouaient en uniforme, pour neuf dollars par mois, les pièces de son choix, qui devaient être interprétées selon la technique et avec les instruments que son caprice désignait également. Les hôpitaux, selon lui, étaient faits pour les pédérastes, si bien que les malades recevaient des soins sur les dalles des couloirs s'ils avaient la malchance d'être pauvres par surcroît.

Qui a déchaîné la violence au Guatemala ?

Ubico tomba de son piédestal en 1944, balayé par les vents d'une révolution de type libéral dirigée par quelques jeunes officiers et universitaires de la classe moyenne. Juan José Arévalo, élu président, appliqua un vigoureux plan d'éducation et édicta un nouveau Code du travail pour protéger les ouvriers des villes et des campagnes. Plusieurs syndicats virent le jour ; la United Fruit Co., propriétaire de vastes étendues, des chemins de fer et du port principal, virtuellement exonérée d'impôts et de contrôle, cessa d'être toute-puissante sur ses domaines. En 1951, dans son discours d'adieu, Arévalo révéla qu'il avait échappé à trente-deux conspirations financées par cette entreprise. Le gouvernement de Jacobo Arbenz poursuivit en l'améliorant le cycle des réformes. Les routes et le nouveau port de San José brisèrent le monopole de la compagnie fruitière sur les transports et l'exportation. Avec le capital national et sans mendier auprès d'aucune banque étrangère, divers projets de développement qui conduisaient à l'indépendance furent décrétés. En juin 1952, on votait la loi agraire. Elle bénéficiait à plus de cent mille familles, même si elle ne touchait que les terres improductives, après une indemnisation versée en bons d'État aux propriétaires expropriés. La United Fruit ne cultivait que 8 % de ses terres, entre les deux océans.

La réforme agraire se proposait de « développer l'économie capitaliste paysanne et l'économie capitaliste de l'agriculture en général », mais une furieuse campagne de propagande internationale se déchaîna contre le pays : « Le rideau de fer est en train de descendre sur le Guatemala », vociféraient les radios, les journaux et les notables de l'O.E.A. (1). Le

(1) Eduardo Galeano, *Guatemala, pays occupé*, Paris, 1968.

colonel Castillo Armas, diplômé à Fort Leavenworth, dans le Kansas, lança contre son propre pays les troupes entraînées et équipées aux États-Unis. Le bombardement des F 47, pilotés par les Nord-Américains, appuya l'invasion. « Nous devons nous débarrasser d'un gouvernement communiste qui avait pris le pouvoir », allait dire neuf ans plus tard Dwight Eisenhower (1). Les déclarations de l'ambassadeur américain au Honduras devant une sous-commission du Sénat des États-Unis révélèrent, le 27 juillet 1961, que l'opération libératrice de 1954 avait été réalisée par une équipe dont faisaient partie, outre lui-même, les ambassadeurs au Guatemala, à Costa Rica et au Nicaragua. Allen Dulles, qui était à cette époque le numéro un de la C.I.A., leur avait envoyé des télégrammes de félicitations pour le travail accompli. Quelque temps plus tôt, le cher Allen avait été admis à la direction de la United Fruit. Son siège fut occupé, un an après l'invasion, par un autre directeur de la C.I.A., le général Walter Bedell Smith. John Foster Dulles, frère d'Allen, s'était enflammé d'impatience à la conférence de l'O.E.A. qui avait donné le feu vert à l'expédition militaire au Guatemala. Comme par hasard, les brouillons des contrats de la United Fruit avaient été rédigés dans ses bureaux d'avocat, à l'époque du dictateur Ubico.

La chute d'Arbenz marqua au fer rouge l'histoire postérieure du pays. Les mêmes forces qui bombardèrent la ville de Guatemala, Puerto Barrios et le port de San José, le soir du 18 juin 1954, sont aujourd'hui au pouvoir. Plusieurs dictatures féroces succédèrent à l'intervention étrangère, y compris la présidence de Julio César Méndez Montenegro (1966-1970), qui offrit à la dictature le décor d'un régime démocratique. Méndez Montenegro avait promis une réforme agraire, mais il se contenta de signer le décret autorisant les propriétaires à porter des armes et à les utiliser. La réforme agraire de Jacobo Arbenz avait volé en éclats lorsque Castillo Armas remplit sa mission : rendre les terres à la United Fruit et aux autres grands propriétaires expropriés.

1967 fut la pire des années du cycle de la violence

(1) Discours à l'American Booksellers Association, Washington, 10 juin 1963. Cité par David Wise et Tomas Ross, *El gobierno invisible*, Buenos Aires, 1966.

commencé en 1954. Un prêtre catholique nord-américain expulsé du Guatemala, le père Thomas Melville, expliquait dans le *National Catholic Reporter*, en janvier 1968 : en un peu plus d'un an, les groupes terroristes de droite ont assassiné plus de deux mille huit cents intellectuels, étudiants, dirigeants syndicaux et paysans qui avaient « tenté de combattre les maladies de la société guatémaltèque ». Le calcul du père Melville se basait sur des informations de presse, mais on ignorait tout sur le nombre de cadavres : c'étaient de pauvres Indiens sans identité ni origine connues que l'armée incluait parfois, comme de simples numéros, dans les communiqués de victoire sur la subversion. La répression aveugle était un élément de la campagne militaire « d'encerclement et d'anéantissement » des mouvements guérilleros. En accord avec le nouveau code en vigueur, les membres des forces de sécurité n'avaient pas la responsabilité pénale des homicides, et les rapports des policiers et des soldats étaient tenus pour seuls valables lors des procès. Les propriétaires et leurs administrateurs furent légalement élevés au rang d'autorités locales, avec le droit de porter des armes et de constituer des corps répressifs. Les téléscripteurs de la planète ne vibrèrent pas à l'annonce du carnage systématique, les journalistes avides de nouvelles ne se rendirent pas au Guatemala, nulle voix ne s'éleva pour condamner. Le monde tournait le dos, mais le Guatemala endurait une longue nuit de la Saint-Barthélemy. Le village de Cajón del Río resta sans un homme, et les habitants de Tituque furent étripés au couteau ; ceux de Piedra Parada, écorchés vifs ; ceux d'Agua Blanca de Ipala, brûlés vivants après avoir été fauchés à coups de feu. On planta sur une pique la tête d'un paysan rebelle au centre de la place de San Jorge. Sur la colline Gordo, on perça les pupilles de Jaime Velázquez avec des épingles ; on retrouva le corps de Ricardo Miranda criblé de trente-huit balles et la tête d'Haroldo Silva — sans trace du corps — au bord de la route de San Salvador ; à Los Mixcos on coupa la langue à Ernesto Chinchilla ; à la fontaine del Ojo de Agua, les frères Oliva Aldana furent déchiquetés à coups de fusil, les mains attachées dans le dos et les yeux bandés ; le crâne de José Guzmán explosa sous les revolvers et ses morceaux furent répandus comme les pièces minuscules d'un puzzle, sur le chemin ; des cadavres apparaissaient quand on tirait de l'eau dans les puits de San Lucas Sacatepequez ; et dans la *finca* Miraflores les hommes se retrouvaient sans pieds ni mains. Aux menaces succédaient les exécutions, quand la mort ne survenait pas, à l'improviste, par-derrière ; dans les villes on signalait avec des croix noires les portes des condamnés. On les mitraillait lorsqu'ils sortaient et on jetait leurs cadavres dans les ravins.

Depuis lors, la violence n'a plus cessé. Pendant tout ce temps du mépris et de la colère inauguré en 1954, la violence a été et demeure monnaie courante au Guatemala. On a continué de découvrir, en moins grand nombre il est vrai, des cadavres dans les rivières ou au bord des chemins, des visages méconnaissables, défigurés par la torture, qui ne seront jamais identifiés. Des massacres, plus secrets, ont été également perpétrés sur une grande échelle : les génocides quotidiens de la misère. Un autre prêtre expulsé, le père Blase Bonpane, dénonçait cette société malade, dans le *Washington Post*, en 1968 : « Sur soixante-dix mille personnes qui meurent chaque année au Guatemala, trente mille sont des enfants. Le taux de mortalité infantile est quarante fois plus élevé que celui des États-Unis. »

LA PREMIÈRE RÉFORME AGRAIRE EN AMÉRIQUE LATINE : UN SIÈCLE ET DEMI D'ÉCHECS POUR JOSÉ ARTIGAS

Ce sont les expulsés qui avaient réellement combattu, à coups de lance ou de machette, le pouvoir espagnol sur le continent américain, au début du XIXe siècle. Ils ne furent pas récompensés par l'indépendance : celle-ci trahit les espérances de ceux qui avaient versé leur sang. Avec la paix recommença une époque de misères quotidiennes. Les propriétaires terriens et les riches marchands accrurent leur fortune, tandis que la pauvreté des masses populaires opprimées s'étendait. En même temps, et au rythme des intrigues des nouveaux maîtres de l'Amérique latine, les quatre vice-royautés de l'Empire espagnol éclataient et de nombreux pays naissaient comme des esquilles de l'unité nationale pulvérisée. L'idée de « nation » que l'aristocratie engendra ressemblait trop à l'image d'un port actif, habité par la clientèle mercantile et financière de l'Empire britannique, avec de grands domaines et des mines à l'arrière-plan. La légion de parasites qui avaient reçu le butin de la guerre d'Indépendance en dansant le menuet dans les salons des villes buvaient en l'honneur de la liberté du commerce dans des verres de cristal fabriqués en Angleterre. Les consignes républicaines les plus pompeuses de la bourgeoisie européenne furent au goût du jour : nos pays se mettaient au service des industriels anglais et des penseurs français. Mais pouvait-on appeler « bourgeoisie nationale » ce rassemblement de propriétaires terriens, de grands trafiquants, de commerçants et de spéculateurs, de politiciens en frac et de docteurs sans racines ? L'Amérique latine eut rapidement ses constitutions bourgeoises fortement teintées de libéralisme. Pourtant, il ne s'y forma aucune bourgeoisie créatrice qui, à la manière européenne ou nord-américaine, se serait proposé pour mission historique le développement d'un capitalisme national dynamique. Les bourgeoisies de ces pays constituaient de simples instruments du capitalisme international, pièces prospères de l'engrenage mondial qui saignait à blanc les colonies et les semi-colonies. Les bourgeois à tiroirs-caisses, usuriers et commerçants qui accaparèrent le pouvoir politique n'avaient aucun intérêt à donner de l'impulsion aux manufactures locales, mortes dans l'œuf dès que le libre-échange ouvrit la voie à l'avalanche des produits britanniques. Les maîtres de la terre, eux, n'entendaient résoudre la « question agraire » qu'en fonction de leurs convenances personnelles. Les expulsions consolidèrent les grandes propriétés tout au long du XIXe siècle. Ici, le drapeau de la réforme agraire fut brandi trop tôt.

Frustration économique, frustration sociale, frustration nationale : une histoire de trahisons succéda à l'indépendance et l'Amérique latine, morcelée par ses nouvelles frontières, resta condamnée à la monoculture et à la dépendance. En

1824, Simon Bolivar signa le décret de Trujillo pour protéger les Indiens du Pérou et réorganiser le système de la propriété agraire : ses dispositions légales ne lésèrent en rien les privilèges de l'oligarchie péruvienne, qui demeurèrent intacts en dépit des bonnes intentions du Libertador, tandis que se maintenait l'exploitation impitoyable des Indiens. Au Mexique, Hidalgo et Morelos avaient été vaincus quelque temps avant, et un siècle s'écoulera avant que les fruits de leur exhortation pour l'émancipation des humbles et la reconquête des terres usurpées ne réapparaissent.

Dans le Sud, José Artigas incarna la révolution agraire. Ce chef, calomnié avec tant d'acharnement et si défiguré par l'histoire officielle, prit la tête des masses populaires sur les territoires aujourd'hui occupés par l'Uruguay et les provinces argentines de Santa Fe, Corrientes. Entre Ríos, Misiones et Córdoba, au cours d'un cycle héroïque qui dura de 1811 à 1820, Artigas voulut jeter les bases économiques, sociales et politiques d'une grande patrie dans les limites de l'ancienne vice-royauté du Río de la Plata. Il fut le chef fédéral le plus important et le plus lucide de tous ceux qui combattirent le centralisme étouffant du port de Buenos Aires. Il lutta contre les Espagnols et les Portugais, mais finalement ses forces furent broyées par les tenailles de l'impérialisme britannique dont les deux bras étaient Rio de Janeiro et Buenos Aires, et par l'oligarchie qui, fidèle à son style, le trahit dès qu'elle se sentit à son tour trahie par le programme de réformes sociales du caudillo.

La lance à la main, les patriotes suivaient Artigas. C'étaient en grande partie des paysans pauvres, des gauchos farouches, des Indiens qui retrouvaient dans la lutte le sens de la dignité, des esclaves qui devenaient libres en s'incorporant à l'armée de l'indépendance. La révolution des cavaliers gardiens de troupeaux incendiait la prairie. La trahison de Buenos Aires, qui, en 1811, laissa aux mains du pouvoir espagnol et des troupes portugaises le territoire de l'actuel Uruguay, provoqua l'exode massif de la population vers le nord. Le peuple en armes devint le peuple en marche ; hommes et femmes, vieillards et enfants abandonnaient tout pour suivre les traces du chef, formant une caravane interminable. Artigas, avec chevaux et charrettes, établit son camp au nord, sur une rive de l'Uruguay, et toujours au nord installa peu après son gouvernement. En 1815, il contrôlait, de son campement de Purificación, dans la province de Paysandú, de vastes régions. « Que pensez-vous que j'ai vu ?, racontait un voyageur anglais. L'« Excellentissime Protecteur » de la moitié du Nouveau Monde était assis sur un crâne de bœuf, près d'un feu allumé à même le sol boueux de son rancho, en train de manger de la viande rôtie et de boire du gin dans une corne de vache ! Une douzaine d'officiers en haillons l'entouraient... (1) ». De toutes parts, des soldats, des aides de camp et des hommes de reconnaissance arrivaient au galop. Les mains derrière le dos, Artigas dictait en marchant les décrets révolutionnaires de son gouvernement populaire. Deux secrétaires — le papier carbone n'existait pas — écrivaient. Ainsi naquit la première réforme agraire d'Amérique latine, qui allait être appliquée pendant un an dans la « Province orientale » — l'Uruguay — mais qu'une nouvelle invasion portugaise réduirait en miettes lorsque l'oligarchie ouvrirait les portes de Montevideo au général Lecor, le saluant comme un libérateur, et le conduirait sous un dais devant les autels de la cathédrale, pour un *Te Deum* solennel en l'honneur de l'envahisseur. Auparavant, Artigas avait également promulgué un règlement douanier qui frappait d'un fort impôt l'importation des marchandises étrangères concurrençant les industries locales et l'artisanat alors qu'il libéralisait l'importation des biens de production nécessaires au développement économique et taxait légèrement les articles américains comme le maté et le tabac du Paraguay (2). Les fossoyeurs de la révolution enterreraient également la réglementation douanière.

Le code agraire de 1815 — terre libre, hommes libres — fut la constitution « la plus avancée et la plus glorieuse » (3) de toutes celles que connaîtraient les Uruguayens. Les idées de Campomanes et de Jovellanos dans le cycle réformateur de

---

(1) J.P. et G.P. Robertson, *La Argentina en la época de la Revolución. Cartas sobre el Paraguay*, Buenos Aires, 1920.
(2) Washington Reyes Abadie, Oscar H. Bruschera et Tabaré Melogno, *El ciclo artiguista*, tome IV, Montevideo, 1968.
(3) Nelson de la Torre, Julio C. Rodríguez et Lucía Sala de Touron, *Artigas : tierra y revolución*, Montevideo, 1967.

Charles III ne manquèrent sans doute pas d'influencer Artigas, mais celui-ci surgit, en définitive, comme une réponse révolutionnaire à la nécessité nationale de récupération économique et de justice sociale. On décrétait l'expropriation et la répartition des terres des « mauvais Européens et des Américains plus mauvais encore » qui avaient émigré à cause de la révolution. On confisquait la terre des ennemis, sans aucune indemnisation (et il faut noter que la plupart des grandes propriétés leur appartenaient). Les enfants n'avaient pas à payer la faute de leurs parents : on leur offrait les mêmes surfaces qu'aux patriotes pauvres. Les terres étaient réparties selon le principe : « Les plus malheureux doivent être les mieux servis. » Les Indiens avaient, dans la conception d'Artigas, « les droits les plus importants ». La volonté majeure de cette réforme agraire était de fixer à leur terre les pauvres des campagnes, en transformant en paysan le gaucho habitué à la vie errante en temps de guerre, aux travaux clandestins et à la contrebande en temps de paix. Les gouvernements qui par la suite administrèrent le bassin de la Plata réduisirent le gaucho par la violence et l'incorporèrent de force dans la masse des péons des grandes estancias. Mais Artigas avait voulu faire de lui un propriétaire : « Les gauchos rebelles commençaient à goûter le travail honnête, ils construisaient des ranchos et des enclos, ils organisaient leurs premiers semis (1). »

L'intervention étrangère ruina l'entreprise. L'oligarchie releva la tête et se vengea. La législation ne reconnut pas la validité des répartitions de terres réalisées par Artigas. De 1820 jusqu'à la fin du siècle, les patriotes pauvres qui avaient bénéficié de la réforme agraire furent expulsés, par la violence et dans le sang. Ils ne conservèrent en fait « d'autre terre que celle de leurs tombes ». Artigas, vaincu, se réfugia au Paraguay ; il y mourut seul, au bout d'un long exil d'austérité et de silence. Les actes de propriété établis sous son autorité n'avaient plus de valeur : le délégué du gouvernement, Bernardo Bustamante, affirmait, par exemple, qu'un seul

(1) Nelson de la Torre, Julio C. Rodríguez et Lucía Sala de Touron, *op. cit.* Des mêmes auteurs, *Evolución económica de la Banda Oriental*, Montevideo, 1967, et *Estructura económico-social de la Colonia*, Montevideo, 1968.

coup d'œil suffisait à révéler « l'aspect méprisable de tels documents ». Pendant ce temps, le même gouvernement s'apprêtait à célébrer, dans « l'ordre » restauré, la première constitution d'un Uruguay indépendant, détaché de la grande patrie, pour la consolidation de laquelle Artigas avait combattu en vain.

La réglementation de 1815 contenait des dispositions spéciales pour éviter l'accumulation des terres entre quelques mains. De nos jours, la campagne uruguayenne offre le spectacle d'un désert : cinq cents familles monopolisent la moitié du territoire national et contrôlent les trois quarts du capital investi dans l'industrie et dans la banque (1). Les projets de réforme agraire s'accumulent dans le cimetière parlementaire tandis que la campagne se dépeuple : les chômeurs s'ajoutent aux chômeurs, et il y a de moins en moins de bras occupés aux travaux agricoles, ainsi que le prouvent de dramatiques recensements successifs. Le pays vit de la laine et de la viande, mais il y a à l'heure actuelle moins de brebis et moins de vaches dans ses pâturages qu'au début du siècle. Le retard dans les méthodes de production se reflète dans les faibles rendements de l'élevage — livré au rut des taureaux et des moutons au printemps, aux pluies périodiques et à la fertilité naturelle du sol — et également des cultures. La production de viande par animal n'atteint pas la moitié des résultats obtenus en France ou en Allemagne et il en va de même pour celle du lait, comparée à la production de la Nouvelle-Zélande, du Danemark ou de la Hollande ; chaque brebis donne un kilo de moins de laine qu'en Australie. Les rendements en blé à l'hectare sont trois fois moins bons qu'en France et, en ce qui concerne le maïs, les États-Unis ont un rendement sept fois supérieur à celui de l'Uruguay (2). Les grands propriétaires, qui placent leurs revenus à l'extérieur, passent l'été à Punta del Este ; le reste du temps — c'est une tradition — ils ne vivent pas non plus sur leurs domaines, même en hiver. Ils viennent les visiter de temps en temps dans

(1) Vivian Trías, *Reforma agraria en el Uruguay*, Montevideo, 1962. Ce livre constitue tout un « gotha », famille par famille, de l'oligarchie uruguayenne.
(2) Eduardo Galeano, « Uruguay : Promise and Betrayal, » in *Latin America : Reform or Revolution ?*, éd. par J. Petras et M. Zeitlin, New York, 1968.

leur avionnette personnelle : voilà un siècle, lorsque l'Association Rurale fut fondée, les deux tiers de ses membres avaient déjà leur domicile dans la capitale. La production sur de vastes espaces, œuvre de la nature et des péons affamés, ne leur donne pas de maux de tête.

Et les gains sont évidents. Les rentes et les revenus des éleveurs capitalistes représentent aujourd'hui quelque soixante-quinze millions de dollars annuels (1). Les rendements sont faibles, mais les bénéfices élevés à cause des coûts très bas de production. Le paysage est vide : les principaux latifondi occupent, et une partie de l'année seulement, à peine deux personnes pour mille hectares. Dans les *rancheríos*, auprès des estancias, s'entassent des réserves misérables, toujours disponibles, de main-d'œuvre. Le gaucho des gravures folkloriques, des peintres et des poètes, a peu à voir avec le péon réel qui travaille sur les immenses terres d'autrui. Les espadrilles éculées remplacent les bottes de cuir ; un ceinturon ordinaire, parfois une simple ficelle, se substitue aux larges ceinturons rehaussés d'or et d'argent. Ceux qui produisent la viande ont perdu le droit de la manger : les indigènes ont bien rarement la possibilité de goûter le typique quartier juteux et tendre qui dore sur les braises. Malgré les sourires des statistiques internationales exhibant des moyen-

(1) Institut d'économie. *El proceso económico del Uruguay. Contribución al estudio de su evolución y perspectivas*, Montevideo, 1969. Pendant les périodes d'essor de l'industrie nationale, fortement subventionnée et protégée par l'État, une grande partie des revenus agricoles alla aux usines naissantes. Lorsque l'industrie entra dans son cycle de crise, les excédents de capital de l'élevage se dispersèrent dans d'autres directions. Les résidences inutiles et somptueuses de Punta del Este *naquirent du marasme national* : la spéculation déchaîna ensuite la fièvre des pêcheurs dans les eaux troubles de l'inflation. Mais surtout, les capitaux s'éclipsèrent, les capitaux et les bénéfices que le pays produit, d'une année à l'autre. Entre 1962 et 1966, selon les documents officiels, deux cent cinquante millions de dollars s'envolèrent de l'Uruguay vers les sûrs coffres-forts des banques suisses et américaines. La jeunesse également, qui, voilà vingt ans, quittait la campagne pour la ville afin d'offrir ses bras à l'industrie en plein développement, déserte aujourd'hui le pays par terre et par mer et gagne l'étranger. Mais si les capitaux sont reçus à bras ouverts, les expatriés, eux, ne trouvent qu'un destin difficile, le déracinement, l'inclémence, l'aventure incertaine. L'Uruguay, ébranlé depuis 1970 par une crise terrible, n'est plus l'oasis de paix et de progrès que l'on promettait aux immigrants européens, mais un pays turbulent qui condamne à l'exode ses habitants. Il produit de la violence et exporte des hommes aussi naturellement qu'il produit et exporte de la viande et de la laine.

nes fallacieuses, la vérité est que l'*ensopado*, plat de vermicelle et d'abats de poulet, constitue, à défaut de protéines, le régime de base des paysans uruguayens (1).

ARTEMIO CRUZ ET LA SECONDE MORT D'ÉMILIANO ZAPATA

Un siècle exactement après l'ordonnance de répartition des terres édictée par Artigas, Emiliano Zapata mit en pratique, dans la zone révolutionnaire qu'il contrôlait au sud du Mexique, une importante réforme agraire.

Cinq ans plus tôt, le dictateur Porfirio Díaz avait commémoré par de grandes fêtes le premier centenaire du « cri de Dolores » (2) : le Mexique officiel des seigneurs en redingote ignorait superbement le Mexique réel dont la misère alimentait ses fastes. Dans la République des parias, les revenus des travailleurs n'avaient pas augmenté d'un centavo depuis le soulèvement historique du curé Miguel Hidalgo. En 1910, un peu plus de huit cents grands propriétaires, dont beaucoup étaient des étrangers, possédaient presque tout le territoire national. C'étaient des messieurs de la ville, vivant dans la capitale ou en Europe et visitant de temps en temps leurs domaines, où ils dormaient barricadés derrière de hautes murailles de pierre sombre soutenues par de robustes contreforts (3). De l'autre côté des murailles, dans les *cuadrillas*, les péons s'entassaient dans des taudis de torchis. Sur une population de quinze millions de personnes, douze millions travaillaient pour les latifondistes. La paye était

(1) German Wettstein et Juan Rudolf, « La sociedad rural », *Nuestra Tierra*, n° 16, Montevideo, 1969.
(2) Appel à l'indépendance lancé le 16 septembre 1810 par Miguel Hidalgo (1753-1811), curé de Dolores (région de Guanajuato). La promesse de répartition des terres et d'abolition de l'impôt lui rallia de nombreux partisans. *(N. du T.)*
(3) Jesús Silva Herzog, *La Révolution mexicaine*, traduction Raquel Thiercelin, Paris, 1968.

presque entièrement avalée par la *tienda de raya*, la boutique de l'hacienda, où l'on achetait à des prix fabuleux haricots noirs, farine et eau-de-vie. Il revenait à la prison, à la caserne et à la sacristie de combattre les défauts naturels des Indiens, qui, au dire d'un membre d'une illustre famille de l'époque, naissaient « nonchalants, ivrognes et voleurs ». Contraint de travailler dans l'hacienda pour payer des dettes qui se transmettaient de père en fils, ou lié par un contrat légal, l'ouvrier était un véritable esclave dans les plantations de sisal du Yucatán ou de tabac de la Vallée Nationale, dans les exploitations forestières ou les vergers de Chiapas et de Tabasco, dans les plantations de caoutchouc, de café, de canne à sucre, de tabac et dans les vergers de Veracruz, d'Oaxaca et de Morelos. L'écrivain nord-américain John Kenneth Turner a dénoncé, dans un émouvant compte rendu de sa visite (1) : « Les États-Unis [qui] ont pratiquement transformé Porfirio Díaz en vassal politique et, par conséquent, ont fait du Mexique une colonie esclave. » Les capitaux nord-américains tiraient, directement ou indirectement, des revenus substantiels de leur association avec la dictature. La « nord-américanisation du Mexique dont Wall Street se vante tant, disait Turner, s'effectue comme s'il s'agissait d'une vengeance ».

En 1845, les États-Unis avaient annexé les territoires mexicains du Texas et de la Californie, où ils avaient rétabli l'esclavage au nom de la civilisation. Dans cette guerre, le Mexique perdit également plusieurs des États américains actuels : le Colorado, l'Arizona, le Nouveau-Mexique, le Nevada, l'Utah. Plus de la moitié de la nation. Le territoire usurpé équivalait à l'étendue actuelle de l'Argentine. « Pauvre Mexique !, dit-on depuis. Si loin de Dieu et si près des États-Unis ! » Ce qui restait du pays supporta ensuite l'invasion des investissements nord-américains dans le cuivre, le pétrole, le caoutchouc, le sucre, la banque et les transports. Une filiale de la Standard Oil, l'American Cordage Trust, ne fut pas étrangère à l'extermination des Indiens Mayas et Yaquis dans les plantations de sisal du Yucatán, véritables camps de concentration où les hommes et les enfants étaient

---

(1) John Kenneth Turner, *México bárbaro*, publié aux États-Unis en 1911, Mexico, 1967.

acquis et vendus comme des mulets, car l'entreprise achetait plus de la moitié de la production et il lui convenait d'obtenir la fibre à bon marché. Parfois, l'exploitation de la main-d'œuvre esclave était directe. Un administrateur nord-américain raconta à Turner qu'il payait les lots de péons racolés cinquante pesos par tête, « et nous les conservons le temps qu'ils durent... En moins de trois mois nous en avons enterré plus de la moitié (1) ».

En 1910 arriva l'heure de la revanche. Le Mexique se dressa en armes contre Porfirio Díaz. Un chef favorable à la réforme agraire prit alors la tête de l'insurrection dans le Sud : Emiliano Zapata, le plus pur des leaders de la révolution, le plus dévoué à la cause des pauvres, le plus fervent dans sa volonté de rédemption sociale.

Les dernières décennies du XIXᵉ siècle avaient été des années de spoliation féroce pour les communautés indigènes ; les villages et les bourgades de l'État de Morelos avaient subi la chasse fiévreuse aux terres, aux eaux et aux bras que les plantations de canne à sucre dévoraient dans leur expansion. Les haciendas sucrières dominaient la vie de la nation et leur prospérité avait fait naître des raffineries modernes, de grandes distilleries et des réseaux ferroviaires pour le transport du sucre. Dans la communauté d'Anenecuilco, où vivait Zapata et à laquelle il appartenait corps et âme, les paysans dépossédés revendiquaient sept siècles de travail ininterrompu sur leur sol : ils étaient là bien avant l'arrivée de Cortés. Ceux qui se plaignaient à voix haute étaient expédiés aux camps de travaux forcés du Yucatán. Comme dans l'État de Morelos, dont les bonnes terres étaient entre les mains de dix-sept propriétaires, les travailleurs vivaient beaucoup plus mal que les chevaux de polo que les seigneurs bichonnaient dans leurs écuries de luxe. Une loi de 1909 décida que de nouvelles terres seraient enlevées à leurs propriétaires légitimes, ce qui porta à l'incandescence les contradictions

(1) John Kenneth Turner, *op. cit.* Le Mexique était le pays préféré des investisseurs nord-américains : il réunissait à la fin du siècle un peu moins du tiers des capitaux des États-Unis investis à l'étranger. Dans l'État de Chihuahua et autres régions du Nord, William Randolph Hearst, le célèbre *Citizen Kane* du film de Welles, possédait plus de trois millions d'hectares. (Fernando Carmona, *El drama de América Latina. El caso de México*, Mexico, 1964.)

sociales déjà chaudes. Emiliano Zapata, le cavalier peu bavard, réputé le meilleur dresseur de tout l'État et unanimement respecté pour son honnêteté et son courage, se fit guérillero. « Collés à la queue de la monture de Zapata, leur chef », les hommes du Sud formèrent rapidement une armée libératrice (1).

Porfirio Díaz fut renversé et Francisco Madero, porté par la révolution, arriva au pouvoir. Les promesses de réforme agraire ne tardèrent pas à se dissoudre en une nébuleuse institutionnaliste. Le jour de son mariage, Zapata dut interrompre la fête : le gouvernement avait envoyé les troupes du général Victoriano Huerta pour l'écraser. Le héros était devenu un « bandit », selon les docteurs de la ville. En novembre 1911, Zapata proclama son plan d'Ayala, en même temps qu'il annonçait : « Je suis disposé à lutter contre tout et contre tous. » Le plan affirmait : « L'immense majorité des paysans et des citoyens mexicains ne sont même pas maîtres de la terre qu'ils foulent », il stipulait la nationalisation des biens des ennemis de la révolution, la restitution à leurs légitimes possesseurs des sols usurpés par l'avalanche latifondiste et l'expropriation du tiers de leurs terres des autres propriétaires. Le plan d'Ayala se révéla un aimant irrésistible qui attira des milliers et des milliers de paysans derrière le chef agrarien. Zapata dénonçait « l'infâme prétention » de tout réduire à un simple changement de personnes au gouvernement : ce n'était pas pour cela qu'on faisait la révolution.

La lutte dura près de dix ans. Contre Díaz, contre Madero, puis contre Huerta l'assassin et, plus tard, contre Venustiano Carranza. Cette longue période de guerre fut aussi marquée par de continuelles interventions nord-américaines : les *marines* eurent à leur actif deux débarquements et divers bombardements, les agents diplomatiques ourdirent plusieurs complots politiques et l'ambassadeur Henry Lane Wilson organisa avec succès l'assassinat du président Madero et de son vice-président. Les changements successifs au pouvoir n'altéraient en rien la fureur des agressions contre Zapata et ses hommes, tant ils étaient l'expression non dissimulée de la

(1) John Womack Jr., *Zapata y la Revolución mexicana*, Mexico, 1969.

lutte de classes au plus profond de la révolution nationale : le vrai danger. Gouvernements et journaux tonitruaient contre « les hordes du vandale » de Morelos. Des régiments puissants furent envoyés successivement pour réduire Zapata. Les incendies, les massacres, la dévastation des villages se révélèrent inutiles. Hommes, femmes et enfants, accusés d'être des « espions zapatistes », mouraient fusillés ou pendus et aux carnages succédaient les victorieux coups de clairon : le nettoyage avait été un succès. Mais bientôt, dans les campements nomades révolutionnaires des montagnes du Sud, les foyers recommençaient à s'allumer. A plusieurs reprises, les forces de Zapata poussèrent leurs contre-attaques jusque dans les faubourgs de la capitale. Après la chute de Huerta, Emiliano Zapata et Pancho Villa — « l'Attila du Sud » et « le Centaure du Nord » — entrèrent dans Mexico et prirent momentanément le pouvoir. A la fin de 1914, une brève période de paix permit à Zapata de mettre en pratique, à Morelos, une réforme agraire encore plus radicale que celle annoncée par le plan d'Ayala. Le fondateur du parti socialiste et quelques militants anarcho-syndicalistes intervinrent efficacement dans cette réalisation : ils accentuèrent l'idéologie du leader du mouvement, sans meurtrir ses racines traditionnelles, et lui communiquèrent une indispensable capacité d'organisation.

La réforme agraire se proposait de « détruire à la base et définitivement l'injuste monopole de la terre, en vue d'établir un État social garantissant pleinement le droit naturel de tout homme au sol qui lui est nécessaire pour assurer sa subsistance et celle de sa famille ». Les terres étaient restituées aux communautés indigènes et aux particuliers dépossédés depuis la loi de *desamortización* de 1856, les limites maximales des exploitations étaient fixées en fonction du climat et de la qualité du terrain ; les domaines des ennemis de la révolution étaient déclarés propriété nationale. Cette dernière disposition politique avait, comme la réforme agraire d'Artigas, un sens économique évident : les ennemis étaient les latifondistes. On créa des écoles techniques, des fabriques d'outillages et une banque de crédit agricole ; les raffineries et les distilleries furent nationalisées et devinrent des services publics. Un système de démocraties locales plaçait entre les mains du peuple les sources du pouvoir politique et l'évolution économique. Les écoles zapatistes naissaient et se propageaient, des juntes populaires pour la défense et la promotion des idées révolutionnaires se constituaient, une démocratie authentique prenait forme et s'affirmait. Les *municipios* (1) étaient des unités de gouvernement et la population élisait ses responsables, ses tribunaux et sa police. Les chefs militaires devaient se soumettre aux organisations des populations civiles. Ce n'était pas la volonté des bureaucrates ni des généraux qui imposait les systèmes de vie et de production. La révolution respectait la tradition et agissait « conformément aux us et coutumes de chaque village... c'est-à-dire que si tel village réclame l'organisation communale, on la lui accordera, comme on accordera à tel autre, s'il le désire, le morcellement des terres en petites propriétés (2) ».

Au printemps 1915, tous les champs de l'État de Morelos étaient déjà cultivés et le maïs y dominait parmi beaucoup d'autres plantes nourricières. A la même époque, la ville de Mexico souffrait du manque d'aliments et la famine menaçait. Venustiano Carranza avait conquis la présidence et dictait à son tour une réforme agraire, mais ses officiers ne tardèrent pas à s'en approprier les bénéfices ; en 1916, ils se jetèrent, de toutes leurs dents, sur Cuernavaca, la capitale de Morelos, et sur les autres régions contrôlées par Zapata. Les cultures qui renaissaient, les mines, les cuirs et quelques machines agricoles constituèrent un excellent butin pour ceux qui avançaient en brûlant tout sur leur passage, en même temps qu'ils proclamaient « faire œuvre de reconstruction et de progrès ».

En 1919, un stratagème et une trahison mirent fin à la vie de Zapata. Mille hommes embusqués déchargèrent sur lui leurs fusils. Il mourut au même âge que Che Guevara. La légende lui survécut : son cheval galopait seul vers le sud, dans les montagnes. Mais il n'y eut pas que la légende. Tout Morelos voulut « assumer l'œuvre du réformateur, venger le sang du martyr et suivre l'exemple du héros », et le pays se mit à

(1) Organisations politiques de base : à leur tête se trouve un président municipal, assisté du corps des édiles, élus, qui se répartissent les différentes fonctions administratives. *(N. du T.)*
(2) John Womack Jr., *op. cit.*

l'unisson. Le temps passa ; sous la présidence de Lázaro Cárdenas (1934-1940), les traditions zapatistes retrouvèrent vie et vigueur à travers l'application, dans tout le Mexique, de la réforme agraire. Sous son gouvernement, on expropria soixante-sept millions d'hectares appartenant à des entreprises étrangères ou nationales, et les paysans reçurent, avec la terre, des crédits, des moyens d'éducation et d'organisation technique. L'économie et la population avaient commencé leur ascension accélérée ; la production agricole décupla, l'ensemble du pays se modernisa et s'industrialisa. Les villes grandirent et le marché de la consommation se développa en quantité et en profondeur.

Mais le nationalisme mexicain ne s'orienta pas vers le socialisme et, par conséquent, comme ce fut le cas dans d'autres pays qui ne donnèrent pas non plus l'assaut décisif, il ne réalisa pas entièrement ses objectifs d'indépendance économique et de justice sociale. Un million de morts avaient offert leur sang, durant les longues années de révolution et de guerre, « à un Huitzilopoxtli plus cruel, plus dur et plus insatiable que celui qu'avaient adoré nos ancêtres : le développement capitaliste du Mexique, aux conditions imposées par la soumission à l'impérialisme (1) ». Plusieurs spécialistes ont étudié les signes de la détérioration des vieux idéaux. Edmundo Flores affirme, dans une publication officielle, « qu'actuellement 60 % de la population totale du Mexique a un revenu inférieur à cent vingt dollars par an et connaît la faim (2) ». Huit millions de Mexicains ne consomment pratiquement que des haricots noirs, des galettes de maïs et des poivrons (3). Le système ne révèle ses contradictions profondes que lorsque cinq cents étudiants tombent morts dans la tuerie de Tlatelolco. Reprenant les chiffres officiels, Alonso Aguilar arrive à la conclusion qu'il y a au Mexique environ deux millions de paysans sans terre, trois millions d'enfants qui ne fréquentent pas l'école, près de onze millions d'analphabètes et cinq millions de personnes qui

(1) Fernando Carmona, *op. cit.*
(2) Edmundo Flores, « Adónde va la economía de México ? », *Comercio exterior*, vol. XX, n° 1, Mexico, janvier 1970.
(3) Ana María Flores, *La magnitud del hambre en México*, Mexico, 1961.

vont pieds nus (1). La propriété collective des terrains communaux se pulvérise continuellement, et avec la multiplication des minifondi qui se morcellent eux-mêmes, un latifondisme moderne a fait son apparition ainsi qu'une nouvelle bourgeoisie agraire qui se consacre à la culture industrielle. Les grands propriétaires et les intermédiaires officiels qui ont conquis une position dominante en faussant le texte et l'esprit des lois sont à leur tour dominés, et un livre récent les considère inclus dans les termes « *and company* » de l'entreprise Anderson Clayton (2). Dans le même livre, le fils de Lázaro Cárdenas affirme que « les latifondi simulés se sont constitués de préférence sur les terres de meilleure qualité, les plus productives ».

Le romancier Carlos Fuentes a reconstitué, à l'heure où il agonise, la vie d'un capitaine de l'armée de Carranza, qui se fraie un chemin, dans la guerre et dans la paix, par le fusil et par la ruse (3). D'une très humble origine, Artemio Cruz abandonne au cours des années l'idéalisme et l'héroïsme de sa jeunesse : il usurpe des terres, fonde et multiplie les entreprises, se fait élire député et se hisse à l'apogée de la réussite sociale en accumulant fortune, pouvoir et prestige par le biais des affaires, de la corruption, de la spéculation, des coups audacieux, et par la répression à feu et à sang des Indiens. L'évolution du personnage ressemble à celle du parti qui — énorme impuissance de la révolution mexicaine — monopolise de nos jours la vie politique du pays. La déchéance a accompagné leur ascension.

---

(1) Alonso Aguilar M. et Fernando Carmona, *op. cit.* Des mêmes auteurs, avec la collaboration de Guillermo Montaño et Jorge Carrión, *El milagro mexicano*, Mexico, 1970.
(2) Rodolfo Stavenhagen, Fernando Paz Sánchez, Cuauhtémoc Cárdenas et Arturo Bonilla, *Neolatifundismo y explotación. De Emiliano Zapata a Anderson Clayton and Co.*, Mexico, 1968.
(3) Carlos Fuentes, *La mort d'Artemio Cruz*, traduit par Robert Marrast, Paris, 1966.

La grande propriété multiplie les bouches mais pas le pain

La production agricole par habitant est aujourd'hui, en Amérique latine, plus faible qu'à la veille de la Seconde Guerre mondiale. Trente longues années se sont écoulées pendant lesquelles la production alimentaire a augmenté dans le monde dans la même proportion qu'elle a diminué dans nos pays. La structure retardataire de notre agriculture agit également comme une structure de gaspillage : gaspillage de la force de la main-d'œuvre, des terres disponibles, des capitaux, du produit, et surtout gaspillage des occasions historiques de développement, pourtant fugaces. Le latifondo et son parent pauvre, le minifondo, constituent dans presque tous les pays de notre continent le goulet d'étranglement de la croissance agricole et du développement de l'économie. Le régime de propriété se répercute sur le régime de production : 1,5 % des propriétaires terriens possèdent la moitié des terres cultivables et l'Amérique latine dépense annuellement plus de cinq cents millions de dollars en achats à l'étranger d'aliments qu'elle pourrait produire sans difficulté sur ses vastes étendues fertiles. 5 % à peine de la superficie totale est cultivée : c'est la proportion la plus basse du monde et, par conséquent, le manque à gagner le plus élevé (1). Ajoutons que sur les quelques terres cultivées, les rendements sont très bas. Dans de nombreuses régions, les charrues en bois abondent plus que les tracteurs. On n'emploie que très exceptionnellement les techniques modernes, dont la diffusion impliquerait non seulement la mécanisation des travaux agricoles mais aussi l'amélioration des sols par les engrais, les désherbants, les semences adaptées, les insecticides, l'arrosage (2). Le latifondo engendre parfois, comme le Roi-

(1) F.A.O., *Annuaire de la production*, vol. 19, 1965.
(2) Alberto Baltra Cortés, *Problemas del subdesarrollo económico latinoamericano*, Buenos Aires, 1966.

Soleil, une constellation de pouvoirs qui, pour reprendre l'expression très juste de Maza Zavala (1), multiplie les affamés mais pas le pain. Au lieu d'employer de la main-d'œuvre, la grande propriété la congédie : en quarante ans, la proportion de travailleurs agricoles est tombée de 63 % à 40 %. Il ne manque pas de technocrates disposés à affirmer, en se servant machinalement des recettes toutes faites, que c'est là un indice de progrès : l'urbanisation accélérée, le transfert massif de la population des campagnes. Les chômeurs, que le système dégorge sans répit, affluent en effet vers les villes et peuplent les faubourgs, de plus en plus étendus. Mais les usines, qui sécrètent également des chômeurs à mesure qu'elles se modernisent, n'offrent aucun refuge à cette main-d'œuvre excédentaire et non spécialisée. Les rares améliorations techniques de l'agriculture aggravent le problème. Les propriétaires accroissent leurs revenus lorsqu'ils modernisent leurs exploitations, mais ils emploient alors moins de bras, et la brèche qui sépare les riches et les pauvres s'élargit. L'introduction de matériel motorisé, par exemple, supprime plus d'emplois qu'elle n'en crée. Les Latino-Américains qui, du lever au coucher du soleil, produisent les aliments souffrent régulièrement de dénutrition : leurs ressources sont misérables, les revenus nés de la terre sont dépensés dans les villes ou émigrent à l'étranger. Les meilleures techniques, qui augmentent les maigres rendements du sol mais laissent intact le régime de propriété en vigueur, contribuent sans doute au progrès général mais ne sont sûrement pas une bénédiction pour les paysans. Leurs salaires ne s'améliorent pas, ni leur participation aux récoltes. L'agriculture irradie la pauvreté pour beaucoup et la richesse pour un petit nombre. Les avionnettes privées survolent les déserts misérables, le luxe stérile se multiplie dans les grandes stations balnéaires et l'Europe grouille de touristes latino-américains richissimes qui négligent la culture de leurs terres mais qui ne négligent pas, loin s'en faut, celle de leur esprit.

Paul Bairoch attribue la faiblesse principale de l'économie du Tiers Monde au fait que sa productivité agricole moyenne

(1) D.F. Maza Zavala, *Explosión demográfica y crecimiento económico*, Caracas, 1970.

atteint seulement la moitié du niveau que connaissaient, à la veille de la révolution industrielle, les pays aujourd'hui développés (1). En effet, pour s'épanouir harmonieusement, l'industrie demanderait une augmentation beaucoup plus grande de la production alimentaire et des matières premières agricoles. De la production alimentaire, car les villes grandissent et consomment ; des matières premières, car en approvisionnant les usines on réduirait les importations agricoles et aussi parce qu'une exportation accrue grossirait le volume des devises nécessaires au développement. D'autre part, le système de latifondi et de minifondi implique le rachitisme du marché interne de la consommation, ce qui paralyse l'industrie naissante. Les salaires de famine des travailleurs ruraux et les légions de plus en plus nombreuses de sans-emploi accentuent la crise : les émigrants paysans, qui viennent frapper à la porte des villes, font régresser le niveau général des rétributions ouvrières.

Depuis que l'Alliance pour le Progrès a proclamé aux quatre vents la nécessité de la réforme agraire, l'oligarchie et la technocratie n'ont cessé d'élaborer des projets. Ceux-ci dorment par dizaines sur les étagères des parlements de tous les pays latino-américains. La réforme agraire n'est plus un thème maudit : les hommes politiques ont appris que la meilleure façon de ne pas la faire est de l'invoquer sans arrêt. Les processus simultanés de concentration et de pulvérisation de la propriété continuent leur évolution olympienne dans la plupart des pays. Néanmoins des exceptions se font jour.

Car la campagne n'est pas seulement une pépinière de pauvreté ; elle est aussi une pépinière de rébellions, même si les tensions sociales aiguës se cachent souvent derrière la résignation apparente des masses. Le nord-est du Brésil, par exemple, impressionne à première vue par ses allures de bastion du fatalisme : ici on accepte de mourir de faim aussi passivement que de voir tomber la nuit à la fin de chaque journée. Pourtant l'explosion mystique des habitants, qui combattirent auprès de leurs messies, apôtres extravagants, en brandissant la croix et les fusils contre l'armée pour transformer cette terre en royaume du ciel, n'est pas si

(1) Paul Bairoch, *Diagnostic de l'évolution économique du Tiers Monde, 1900-1966*, Paris, 1967.

lointaine ; ni si lointaines les vagues de violence des *cangaceiros :* fanatiques et bandits — utopie et vengeance — ouvrirent un chemin à la protestation sociale, encore aveugle, des paysans désespérés (1). Les ligues paysannes récupérèrent plus tard, en les approfondissant, ces traditions de lutte.

La dictature militaire qui usurpa le pouvoir au Brésil en 1964 ne tarda pas à annoncer sa réforme agraire. L'Institut brésilien de réforme agraire est, comme l'a fait remarquer Paulo Schilling, un cas unique au monde : au lieu de distribuer la terre aux paysans, il s'emploie à les expulser pour rendre aux grands propriétaires les sols spontanément envahis ou dont ils furent expropriés par les précédents gouvernements. En 1966 et 1967, avant l'application rigoureuse de la censure de presse, les journaux relataient les expulsions, les incendies, les exactions de toutes sortes auxquels la police militaire se livrait sur l'ordre de l'infatigable Institut. Une autre réforme agraire digne d'une anthologie de l'humour noir est celle qui fut promulguée en Équateur en 1964. Le gouvernement ne distribua que les terres improductives en même temps qu'il facilita la concentration des sols de meilleure qualité entre les mains des latifondistes. La moitié des terres distribuées par la réforme agraire du Venezuela, à partir de 1960, étaient propriété publique ; les grandes plantations ne furent pas touchées et les expropriés reçurent des indemnisations telles qu'ils réalisèrent des gains substantiels et achetèrent de nouveaux domaines dans d'autres régions.

Le dictateur argentin Juan Carlos Onganía fut sur le point d'avancer sa chute de deux ans lorsqu'il tenta, en 1968, d'appliquer un nouveau régime d'impôts sur la propriété rurale. Le projet se proposait de taxer les *llanuras peladas,* les étendues improductives, plus sévèrement que les terres fertiles. L'oligarchie des éleveurs poussa les hauts cris, mobilisa ses forces dans l'état-major, et Onganía dut oublier ses intentions hérétiques. L'Argentine, comme l'Uruguay, possède des prairies naturellement fertiles qui, sous un climat tempéré, lui ont permis de jouir d'une prospérité relative en Amérique latine. Mais l'érosion attaque sans pitié les immenses étendues à l'abandon, de même

---

(1) Rui Facó, *Cangaceiros e fanáticos,* Rio de Janeiro, 1965.

qu'une grande partie des millions d'hectares consacrés à l'élevage errant. Comme dans le cas de l'Uruguay, mais à un moindre degré, cette exploitation est la cause profonde de la crise qui secoua l'économie argentine dans les années 60. Les grands propriétaires n'ont guère montré d'intérêt à introduire des innovations techniques. La productivité reste basse parce que cela convient ; la loi du profit l'emporte sur toutes les autres. Le développement des domaines par l'achat de nouvelles terres est plus lucratif et moins risqué que la mise en pratique des moyens offerts par la technologie moderne pour la production intensive (1).

En 1931, la Société rurale opposait le cheval au tracteur : « Agriculteurs éleveurs, proclamaient ses dirigeants, utiliser les chevaux pour vos travaux, c'est protéger vos intérêts et ceux du pays ! » Vingt ans plus tard, elle insistait, dans ses publications : « Un militaire célèbre a dit qu'il est plus facile de faire arriver l'herbe dans le ventre d'un cheval que l'essence dans le réservoir d'un camion (2). » Selon les renseignements fournis par la CEPAL, l'Argentine possède, proportionnellement aux surfaces cultivables, seize fois moins de tracteurs que la France et dix-neuf fois moins que la Grande-Bretagne. Le pays emploie cent quarante fois moins d'engrais que l'Allemagne de l'Ouest (3). Les rendements en blé, maïs et coton sont inférieurs, et de beaucoup, à ceux des pays développés.

Juan Domingo Perón avait défié les intérêts de l'oligarchie terrienne argentine lorsqu'il imposa un statut du péon et

(1) La prairie artificielle représente aux yeux du capitaliste éleveur un transfert de capitaux vers un placement plus important, plus risqué et en même temps moins rentable que le placement traditionnel dans l'élevage extensif. Ainsi l'intérêt privé du producteur entre-t-il en contradiction avec l'intérêt de la société dans son ensemble : la qualité du bétail et son rendement ne peuvent vraiment augmenter qu'à partir de l'accroissement du pouvoir nutritif du sol. Le pays a besoin que les vaches donnent plus de viande et les brebis plus de laine, mais les propriétaires gagnent plus qu'ils n'en demandent avec l'actuel niveau de rendement. Les conclusions de l'Institut d'économie de l'université de l'Uruguay *(op. cit.)* sont, d'une certaine manière, également applicables à l'Argentine.
(2) Dardo Cúneo, *Comportamiento y crisis de la clase empresaria*, Buenos Aires, 1967.
(3) CEPAL, *Estudio económico de América Latina*, Santiago du Chili, 1964 et 1966, et *El uso de fertilizantes en América Latina*, Santiago du Chili, 1966.

l'application du salaire rural minimum. En 1944, la Société rurale affirmait : « Il est primordial, dans la fixation des salaires, de déterminer le niveau de vie du péon. Ses besoins matériels sont parfois si limités qu'un réajustement trop grand l'entraînerait à jeter l'argent par les fenêtres. » La Société rurale parle encore des péons comme s'il s'agissait d'animaux, et une réflexion profonde sur les besoins on ne peut plus réduits des travailleurs fournit, involontairement, une bonne clef pour comprendre les limites du développement industriel argentin : le marché intérieur ne croît pas et ne se généralise pas de façon suffisante. La politique de développement économique encouragée par Perón ne brisa jamais la structure du sous-développement agricole. En juin 1952, dans un discours prononcé au théâtre Colón, Perón démentit avoir l'intention de réaliser une réforme agraire ; et la Société rurale fit ce commentaire officiel : « Ce fut un magistral exposé. »

En Bolivie, grâce à la réforme agraire de 1952, l'alimentation s'est sensiblement améliorée dans les vastes étendues rurales de l'altiplano, au point de provoquer des modifications morphologiques chez les paysans. Néanmoins, l'ensemble de la population bolivienne consomme encore à peine 60 % des protéines et 20 % du calcium nécessaires à un régime alimentaire minimum, et la carence est encore plus grande dans les zones rurales. On ne peut dire que la réforme agraire ait été un échec mais la division des terres hautes n'a pas suffi à empêcher la Bolivie de dépenser actuellement le cinquième de ses devises à importer des aliments de l'étranger.

La réforme agraire mise en pratique depuis 1969 par le gouvernement militaire du Pérou se présente comme une expérience de changement en profondeur. Et il est juste de reconnaître que l'expropriation de quelques latifondistes chiliens par le gouvernement d'Eduardo Frei a ouvert la voie à la réforme agraire radicale que le nouveau président Salvador Allende annonce au moment où j'écris ces pages.

LES TREIZE COLONIES DU NORD ET L'IMPORTANCE QU'IL Y A À NE PAS NAÎTRE IMPORTANT

La propriété privée de la terre a toujours précédé en Amérique latine sa culture à des fins utiles. Les traits les plus rétrogrades du système de possession en vigueur ne proviennent pas des crises ; ils ont surgi des périodes de prospérité ; à l'inverse, les époques de dépression économique ont tempéré la voracité des latifondistes dans la conquête de nouveaux territoires. Au Brésil, par exemple, le déclin du sucre et la disparition presque totale de l'or et des diamants rendirent possible, entre 1820 et 1850, une législation qui assurait la propriété de la terre à ceux qui l'occupaient et la cultivaient. En 1850, l'ascension du café comme nouveau « produit roi » détermina la promulgation de la loi sur les terres, élaborée selon le goût des politiciens et des militaires du régime oligarchique et destinée à nier la propriété de la terre à ceux qui la cultivaient, à mesure que s'ouvraient, au sud et à l'ouest, les immenses étendues intérieures. Cette loi « fut postérieurement renforcée et ratifiée par une copieuse législation qui reconnaissait l'achat comme unique forme d'accession à la propriété et qui créait un système notarial d'enregistrement rendant presque impossible l'éventualité qu'un simple paysan puisse légaliser sa possession... (1) ».

La législation nord-américaine de la même époque se proposa l'objectif inverse, avec l'intention de promouvoir la colonisation interne des États-Unis. Au bruit grinçant de leurs charrettes, les pionniers étendaient la frontière jusqu'aux terres vierges de l'Ouest, en massacrant les indigènes : la loi Lincoln de 1862, le Homested Act, assurait à chaque famille la propriété de lots de soixante-cinq hectares que chaque bénéficiaire s'engageait à cultiver pendant une durée mini-

(1) Darcy Ribeiro, *Las Américas y la civilización*, tome 2 : *Los pueblos nuevos*, Buenos Aires, 1969.

mum de cinq années (1). Le territoire fut colonisé avec une étonnante rapidité ; la population augmentait et se répandait comme une énorme tache d'huile sur la carte. La terre accessible, fertile et presque gratuite, attirait les paysans européens comme un aimant irrésistible : ils traversaient l'Océan et les Appalaches en direction des prairies ouvertes à tous. Ainsi, ceux qui occupèrent les nouveaux territoires du Centre et de l'Ouest furent des fermiers libres. Pendant que le pays étendait ses confins et sa population, des sources de travail agricole étaient créées afin d'éviter le chômage et un marché intérieur doué d'un grand pouvoir d'achat — l'énorme masse des fermiers propriétaires — se constituait pour soutenir la vigueur du développement industriel.

Au Brésil, en revanche, les travailleurs ruraux qui, depuis plus d'un siècle, ont étendu avec énergie la frontière de pénétration n'ont pas été et ne sont pas des familles de paysans libres à la recherche d'un morceau de terre, observe Ribeiro, mais des journaliers embauchés pour servir les grands propriétaires qui ont auparavant pris possession des grands espaces vides. Les déserts intérieurs ne furent jamais accessibles à la population rurale et ne le seront pas de cette façon. Les ouvriers ont frayé un chemin, à coups de machette, à travers la forêt, et ouvert le pays au bénéfice des autres. La colonisation est en fait une simple extension des latifondi. Entre 1950 et 1960, soixante-cinq grandes propriétés brésiliennes ont absorbé le quart des nouvelles terres destinées à l'agriculture (2).

Ces deux systèmes opposés de colonisation intérieure révèlent une des différences les plus importantes entre les modes de développement des États-Unis et de l'Amérique latine. Pourquoi le Nord est-il riche alors que le Sud est pauvre ? Le río Bravo signifie beaucoup plus qu'une frontière géographique. Le profond déséquilibre actuel, qui semble confirmer la prophétie de Hegel sur la guerre inévitable entre les deux Amériques, est-il né de l'expansion impérialiste des États-Unis ou a-t-il des racines plus lointaines ? En réalité, au nord et au sud, des sociétés très dissemblables et servant des

(1) Edward C. Kirkland, *Historia económica de Estados Unidos*, Mexico, 1941.
(2) Celso Furtado, *Um projeto para o Brasil*, Rio de Janeiro, 1969.

objectifs très différents s'étaient déjà formées dans la matrice coloniale (1). Les émigrants du *Mayflower* ne traversèrent pas la mer pour s'emparer des trésors légendaires ni pour anéantir les civilisations indigènes, inexistantes dans le Nord, mais pour s'installer avec leurs familles et transplanter au Nouveau Monde les modes de vie et de travail qu'ils pratiquaient en Europe. Ce n'étaient pas des soldats de fortune mais des pionniers ; ils ne venaient pas conquérir mais coloniser : ils fondèrent des « colonies de peuplement ». Il est certain que par la suite, au sud de la baie de la Delaware, se développa une économie de plantations esclavagistes semblable à celle que connut l'Amérique latine avec, pourtant, cette différence : aux États-Unis, le centre de gravité en fut, dès le début, les exploitations rurales et les ateliers de la Nouvelle-Angleterre, d'où allaient sortir, au XIXe siècle, les armées victorieuses de la guerre de Sécession. Les colons de la Nouvelle-Angleterre, noyau originel de la civilisation nord-américaine, n'agirent jamais en agents coloniaux de l'accumulation capitaliste européenne ; dès le début, ils vécurent dans l'optique de leur propre développement et de celui de leur nouvelle terre. Les treize colonies du Nord furent le refuge de l'armée de paysans et d'artisans que le développement métropolitain rejetait hors du marché du travail. Les travailleurs libres constituèrent la base de cette nouvelle société de l'autre côté de l'Océan.

L'Espagne et le Portugal comptèrent en revanche une importante main-d'œuvre servile en Amérique latine. Après avoir réduit en esclavage les indigènes, ils importèrent massivement les esclaves africains. Au long des siècles, une énorme légion de paysans sans emploi fut toujours disponible pour la transplantation dans les centres de production : les zones florissantes ne cessèrent jamais de coexister avec les zones en décadence, au rythme des hausses ou des baisses des exportations de métaux précieux ou de sucre, et les secondes fournissaient aux premières de la main-d'œuvre. Cette structure persiste et elle entraîne aujourd'hui encore un bas

(1) Lewis Hanke et les autres auteurs de *Do the Americas have a Common History ?* (New York, 1964) font de vains efforts d'imagination afin de trouver à tout prix des identités entre les processus historiques du Nord et du Sud.

niveau de salaires, la pression des sans-emploi s'exerçant sur le marché du travail et freinant d'autre part l'augmentation du marché intérieur de la consommation. En outre, contrairement aux puritains du Nord, les classes dominantes de la société coloniale latino-américaine ne se soucièrent jamais du développement économique interne. Leurs bénéfices venaient d'ailleurs ; ils provenaient davantage du commerce avec l'étranger. Les latifondistes, les propriétaires miniers et les marchands étaient nés pour une seule fonction : ravitailler l'Europe en or, en argent et en aliments. Les produits empruntaient toujours la même direction : celle des ports et des marchés d'outre-océan. Ce qui explique également l'expansion unitaire des États-Unis et le morcellement de l'Amérique latine : nos centres de production n'étaient pas reliés entre eux, mais formaient un éventail au sommet très éloigné.

Les treize colonies du Nord connurent, si l'on peut dire, la chance de la malchance. Leur expérience historique montra la terrible importance de ne pas naître important. Car au nord de l'Amérique, sur la frange côtière que colonisèrent les émigrants anglais, il n'y avait ni or ni argent, ni civilisations indigènes offrant de denses concentrations de population déjà organisée pour le travail, ni sols tropicaux fabuleusement fertiles. La nature s'était montrée avare, ainsi que l'histoire : on ne trouvait ni métaux ni main-d'œuvre esclave pour les extraire du ventre de la terre. Ce fut un heureux hasard. Par ailleurs, du Maryland à la Nouvelle-Écosse, en passant par la Nouvelle-Angleterre, les colonies du Nord, en vertu du climat et des caractéristiques de leurs sols, produisaient exactement la même chose que l'agriculture britannique, autrement dit n'offraient à la métropole aucune production de complément, comme le fait remarquer Sergio Bagú (1). La situation des Antilles différait profondément de celle des colonies ibériques sur le continent. Des terres tropicales jaillissaient le sucre, le tabac, le coton, l'indigo, la térébenthine ; pour l'Angleterre, une petite île des Caraïbes était, du point de vue économique, plus importante que les treize colonies fondatrices des États-Unis.

(1) Sergio Bagú, *op. cit.*

Ces circonstances expliquent l'ascension et la consolidation des États-Unis, comme système économiquement autonome, qui n'expatriait pas la richesse engendrée dans son sein. Les liens qui unissaient la métropole à la colonie étaient très lâches ; en revanche, à la Barbade ou à la Jamaïque, seuls les capitaux indispensables au renouvellement des esclaves étaient réinvestis. On le voit : ce ne furent pas des facteurs raciaux qui décidèrent du développement des uns et du sous-développement des autres. Les îles britanniques des Antilles n'avaient rien de commun avec les îles espagnoles ou portugaises. Le peu d'importance économique des treize colonies permit la diversification rapide de leurs exportations et favorisa la multiplication prématurée, impétueuse, des manufactures. L'industrialisation nord-américaine bénéficia, bien avant l'indépendance, de l'encouragement et des protections officielles. L'Angleterre se montrait tolérante, en même temps qu'elle interdisait qu'on fabriquât quoi que ce fût, même une épingle, dans ses îles antillaises.

Chapitre 3

LES SOURCES SOUTERRAINES DU POUVOIR

L'ÉCONOMIE NORD-AMÉRICAINE A BESOIN DES MINERAIS DE L'AMÉRIQUE LATINE COMME LES POUMONS ONT BESOIN D'AIR

Les astronautes avaient foulé la lune pour la première fois quand, en juillet 1969, le père de l'exploit, Werner von Braun, annonça à la presse que les États-Unis se proposaient d'installer une lointaine station dans l'espace, avec un but précis : « De cette merveilleuse plate-forme d'observation, nous pourrons examiner toutes les richesses de la Terre : les puits de pétrole inconnus, les mines de cuivre et de zinc... »

Le pétrole demeure le principal combustible de notre temps et les Américains du Nord importent le septième du carburant qu'ils consomment. Pour tuer les Vietnamiens, il leur faut des balles et, pour fabriquer des balles, il leur faut du cuivre : les États-Unis achètent à l'étranger le cinquième de celui qu'ils utilisent. Le manque de zinc devient de plus en plus angoissant et on en importe près de la moitié. On ne peut fabriquer d'avions sans aluminium ; or l'aluminium est tiré de la bauxite et les États-Unis n'en possèdent pratiquement pas. Leurs grands centres sidérurgiques de Pittsburgh, Cleveland, Detroit, ne trouvent pas assez de fer dans les gisements du Minnesota, qui sont en voie d'épuisement, et le territoire national manque complètement de manganèse : l'économie nord-américaine importe le tiers du fer et la totalité du manganèse. Pour leurs moteurs à rétropropulsion, ils ne disposent ni de nickel ni de chrome dans leur sous-sol. Et ils importent le quart du tungstène nécessaire à la fabrication d'aciers spéciaux.

Cette dépendance croissante au niveau des matières premières étrangères détermine une identification également croissante des intérêts des capitalistes américains en Amérique latine avec la sécurité nationale des États-Unis. La stabilité intérieure de la première puissance mondiale paraît intimement liée aux investissements nord-américains au sud du Río Bravo. Près de la moitié de ces derniers sont consacrés à l'extraction du pétrole et à l'exploitation de richesses minières « indispensables à l'économie des États-Unis en temps de paix comme en temps de guerre (1) ». Le président du Conseil international de la Chambre de commerce du pays du Nord donne cette définition : « Historiquement, une des raisons principales des investissements des États-Unis à l'étranger est le développement des ressources naturelles, notamment des minerais et du pétrole. Il est évident que le succès de ce genre d'investissements ne peut que grandir. Nos besoins en matières premières augmentent sans cesse avec l'accroissement de la population et l'élévation du niveau de vie. Parallèlement, nos ressources nationales s'épuisent... (2) ». Les laboratoires scientifiques de l'État, des universités et des grandes sociétés humilient l'imagination par le rythme fébrile de leurs inventions et de leurs découvertes, mais la nouvelle technologie n'a pas trouvé la manière de se passer des matériaux de base que la nature seule fournit.

Dans le même temps, les réponses que le sous-sol national peut offrir au défi de la croissance industrielle des États-Unis se font de plus en plus faibles (3).

---

(1) Edwin Lieuwen, *The United States and the Challenge to Security in Latin America*. Ohio, 1966.
(2) Philip Courtney, dans un travail présenté devant le IIe Congrès international d'épargne et de placement, Bruxelles, 1959.
(3) Harry Magdoff, « La era del imperialismo », in *Monthly Review*, sélection en espagnol, Santiago du Chili, janvier-février 1969, et Claude Julien, *L'empire américain*, Paris, 1969.

Le sous-sol produit aussi des coups d'État, des révolutions, des affaires d'espionnage et des péripéties dans la forêt amazonienne

Au Brésil, les extraordinaires gisements de fer de la vallée de Paraopeba renversèrent deux présidents, Janio Quadros et João Goulart, avant que le maréchal Castelo Branco, qui s'empara du pouvoir en 1964, ne les cède en toute amabilité à la Hanna Mining Co. Un autre ami de l'ambassadeur des États-Unis, le président Eurico Dutra (1946-1951), avait cédé à la Bethlehem Steel, quelques années plus tôt, les quarante millions de tonnes de manganèse de l'État d'Amapá, l'un des plus importants gisements du monde, contre le versement à l'État de 4 % des gains produits par leur exportation ; depuis, la Bethlehem transplante aux États-Unis des montagnes de ce métal avec un tel enthousiasme que l'on craint que d'ici quinze ans le Brésil ne se trouve sans manganèse suffisant pour sa propre sidérurgie. En outre, sur cent dollars dépensés par la Bethlehem pour l'extraction des minerais, quatre-vingt-huit sont gracieusement offerts par le gouvernement brésilien, qui exonère d'impôts ces sociétés au nom du « développement de la région ». L'expérience de l'or perdu de Minas Gerais — « or blanc, or noir, or pourri », écrivit le poète Manuel Bandeira — n'a porté aucun fruit, comme on peut le voir, le Brésil continuant de se dépouiller sans bénéfice de ses ressources naturelles de développement (1). De son côté, le dictateur René Barrientos s'emparait du pouvoir en Bolivie en 1964 et, d'un massacre de mineurs à l'autre, accorda à la firme Philips Brothers la concession de la mine Matilde, qui

---

(1) Le gouvernement mexicain, en revanche, a compris à temps que le pays, un des principaux exportateurs mondiaux de soufre, était en train de s'épuiser. La Texas Gulf Sulphur Co. et la Pan American Sulfur avaient assuré que les réserves de leurs concessions étaient six fois plus importantes qu'elles ne l'étaient en réalité ; le gouvernement décréta, en 1965, de limiter la vente à l'extérieur.

renferme du plomb, de l'argent et d'importants gisements de zinc d'un titre douze fois plus élevé que celui des mines nord-américaines. L'entreprise fut autorisée à exporter du zinc brut pour qu'il soit traité dans ses usines contre le modeste versement à l'État de 1,5 % de son prix de vente (1). Au Pérou, la page 11 de l'accord que le président Belaünde Terry avait signé, sans résistance, avec une filiale de la Standard Oil disparut mystérieusement en 1968, et le général Velasco Alvarado renversa le président, prit en main les rênes du pays et nationalisa les puits et la raffinerie de l'entreprise. Au Venezuela — le grand lac de pétrole de la Standard Oil et de la Gulf — siège la plus importante mission militaire nord-américaine en Amérique latine. En Argentine, des coups d'État fréquents éclatent avant ou après chaque adjudication pétrolière. Au Chili, le cuivre n'était en aucune façon étranger à l'aide militaire disproportionnée que le pays recevait du Pentagone jusqu'au triomphe électoral des forces de gauche de Salvador Allende ; les réserves nord-américaines en cuivre avaient baissé de plus de 60 % entre 1965 et 1969. En 1964, dans son bureau de La Havane, Che Guevara m'apprit que, sous le régime de Batista, Cuba n'était pas seulement la terre du sucre : les grands gisements cubains de nickel et de manganèse expliquaient mieux, selon lui, la furie aveugle de l'Empire contre la révolution. Depuis cette conversation, les réserves de nickel des États-Unis ont baissé des deux tiers : l'entreprise nord-américaine Nicro-Nickel a été nationalisée et le président Johnson a menacé les métallurgistes français de mettre l'embargo sur leurs exportations aux États-Unis s'ils achetaient leur minerai à Cuba.

Les minerais furent pour beaucoup dans la chute du socialiste Cheddi Jagan, qui avait obtenu, fin 1964, la majorité aux élections en Guyane britannique. Le pays, rebaptisé aujourd'hui Guyana, est le quatrième producteur de bauxite et figure au troisième rang des producteurs latino-américains de manganèse. La C.I.A. joua un rôle décisif dans la défaite de Jagan. Arnold Zander, le responsable de la grève qui servit de provocation et de prétexte pour nier frauduleusement la victoire électorale de Jagan, reconnut publiquement quelque

(1) Sergio Almaraz Paz, *Réquiem para una república*, La Paz, 1969.

temps plus tard que son syndicat avait reçu une pluie de dollars d'une des fondations de la Central Intelligence Agency (1). Le nouveau régime, très occidental et très chrétien, assura que les intérêts de l'Aluminium Company of America dans le Guyana ne couraient désormais aucun risque : l'entreprise pourrait continuer à extraire sans aucune restriction la bauxite et à la vendre à ses propres usines aux prix de 1938, bien que le coût de l'aluminium eût décuplé depuis (2). L'affaire était sauve. La bauxite de l'Arkansas vaut deux fois plus que celle du Guyana. Elle n'abonde pas sur le territoire des États-Unis mais ceux-ci, en utilisant de la matière première étrangère et à bon marché, produisent en revanche presque la moitié de l'aluminium fabriqué dans le monde.

Les États-Unis dépendent de l'étranger pour la plus grande part de leur approvisionnement en minerais considérés comme indispensables à leur puissance militaire. « Le moteur à rétropropulsion, la turbine à gaz et les réacteurs nucléaires ont une énorme influence sur la demande en matières premières importées », précise Harry Magdoff (3). L'impérieuse nécessité de minerais stratégiques, essentiels pour la sauvegarde du pouvoir militaire et atomique des États-Unis, apparaît clairement liée à l'achat massif de terres en Amazonie brésilienne, et ce par des moyens généralement frauduleux. Dans les années 60, de nombreuses entreprises nord-américaines représentées par des aventuriers et des contrebandiers professionnels s'abattirent en un rush fébrile sur cette gigantesque forêt. Auparavant, en vertu de l'accord signé en 1964, des avions du Strategic Air Command avaient survolé et photographié toute la région. Ils avaient utilisé des compteurs à scintillations pour détecter les gisements

(1) Claude Julien, *op. cit.*
(2) Arthur Davis, longtemps président de l'Aluminium Co., mourut en 1962 et légua trois cents millions de dollars à des œuvres de charité, à la condition expresse qu'elles ne dépenseraient pas les fonds hors du territoire des États-Unis. Ainsi la Guyane ne put se dédommager, ne fût-ce que partiellement, de la richesse que l'entreprise lui avait dérobée. (Philip Reno, « Aluminium Profits and Caribbean People », *Monthly Review*, New York, octobre 1963, et du même auteur, « El drama de la Guayana Británica. Un pueblo desde la esclavitud a la lucha por el socialismo », *Monthly Review*, sélection en espagnol, Buenos Aires, janvier-février 1965.)
(3) Harry Magdoff, *op. cit.*

de minerais radioactifs, des électromagnétomètres pour radiographier le sous-sol riche en minerais non ferreux, et des magnétomètres pour découvrir et évaluer le fer. Les renseignements et les photographies obtenus dans l'estimation de l'étendue et de la profondeur des richesses secrètes de l'Amazonie furent communiqués à des entreprises privées intéressées grâce aux bons offices de la *Geological Survey* (1). Dans cette immense région, on confirme l'existence d'or, d'argent, de diamants, d'hématites, de magnétite, de tantale, de titane, de thorium, d'uranium, de quartz, de cuivre, de manganèse, de plomb, de sulfates, de potassium, de bauxite, de zinc, de zirconium, de chrome et de mercure. Le ciel s'étend si loin, de la jungle impénétrée du Mato Grosso aux vastes espaces du sud de Goiás, qu'il faisait délirer, dans sa dernière édition latino-américaine de 1967, la revue *Time*, laquelle affirmait que l'on pouvait voir en même temps le soleil briller ici et une demi-douzaine d'éclairs éclater là, révélant autant d'orages différents. Le gouvernement avait offert des exonérations d'impôts et promis monts et merveilles à qui coloniserait les terres vierges de cet univers magique et sauvage. Selon *Time*, les capitalistes étrangers avaient acheté, avant 1967, à sept centavos l'acre, une étendue supérieure à l'ensemble des territoires du Connecticut, du Rhode Island, du Delaware, du Massachusetts et du New Hampshire. « Nous devons laisser les portes grandes ouvertes aux investissements étrangers, déclarait le directeur de l'Agence ministérielle pour le développement de l'Amazonie, car nos besoins sont plus grands que ce que nous pouvons obtenir. » Pour justifier le relevé aérophotogrammétrique établi par l'aviation nord-américaine, le gouvernement avait déclaré qu'il manquait de moyens. En Amérique latine, c'est l'habitude : on donne toujours les moyens à l'impérialisme au nom du manque de moyens.

Le Congrès brésilien put réaliser une étude qui se concrétisa en un volumineux rapport (2). On y énumère des cas de

---

(1) Hermano Alves, « Aerofotogrametria », *Correio da Manhã,* Rio de Janeiro, 8 juin 1967.
(2) Rapport de la commission parlementaire de recherches sur la vente de terres brésiliennes à des personnes physiques ou juridiques étrangères, Brasilia, 3 juin 1968.

vente ou d'usurpation de terres couvrant vingt millions d'hectares, réparties de manière si étrange que, selon la commission de recherches, « elles forment un cordon pour isoler l'Amazonie du reste du Brésil ». « L'exploitation clandestine de minerais précieux » figure dans le mémoire comme une des principales raisons poussant impérieusement les États-Unis à ouvrir une nouvelle frontière à l'intérieur du Brésil. Le témoignage du ministère des Armées, recueilli dans le rapport, souligne « l'intérêt du gouvernement nord-américain à maintenir sous son contrôle une vaste étendue de terres destinées ultérieurement soit à l'exploitation des minerais, et en particulier des minerais radioactifs, soit à servir de base à une colonisation dirigée ». Le Conseil de sécurité nationale affirme : « Le fait que les étendues occupées ou en voie d'occupation par des éléments extérieurs coïncident avec des régions soumises à des campagnes de stérilisation des femmes brésiliennes par des étrangers éveille quelques soupçons. » En effet, selon le *Correio da Manhã*, « plus de vingt missions religieuses étrangères, principalement celles de l'Église protestante des États-Unis, sont en train d'occuper l'Amazonie, en s'installant aux endroits les plus riches en minerais radioactifs, en or et en diamants... Elles pratiquent sur une grande échelle la stérilisation par la méthode DIU (Dispositif intra-utérin) et enseignent l'anglais aux Indiens qu'elles catéchisent... Leurs zones sont gardées par des éléments armés et nul ne peut y pénétrer (1) ». Il n'est pas inutile de souligner que l'Amazonie est la plus étendue de toutes les régions désertiques de la planète habitables par l'homme. Le contrôle des naissances a été pratiqué dans cet immense espace vide afin d'éviter la concurrence démographique des très rares Brésiliens qui vivent et se reproduisent dans les recoins éloignés de la forêt ou des vastes plaines.

De son côté, le général Kruel a affirmé devant la commission d'enquête du Congrès que « le volume de matériaux de contrebande qui contiennent du thorium et de l'uranium atteint le chiffre astronomique d'un million de tonnes ». Quelque temps plus tôt, en septembre 1966, Kruel, chef de la police fédérale, avait dénoncé « l'impertinente et

---

(1) *Correio da Manhã*, Rio de Janeiro, 30 juin 1968.

systématique intervention » d'un consul des États-Unis dans le procès ouvert contre quatre citoyens nord-américains accusés de contrebande de minerais atomiques brésiliens. A son avis, qu'on les eût découverts avec quarante tonnes de minerai radioactif était suffisant pour les condamner. Peu après, trois d'entre eux quittèrent mystérieusement le Brésil. La contrebande n'était pas un phénomène nouveau, mais elle s'était considérablement intensifiée. Le Brésil perd chaque année plus de cent millions de dollars par la seule évasion clandestine de diamants bruts (1). Mais, en réalité, la contrebande est une opération presque inutile. Les concessions légales arrachent sans difficulté au Brésil ses plus fabuleuses richesses naturelles. Pour ne citer qu'un exemple, le principal gisement de niobium du monde, situé à Araxá, appartient à une filiale de la Niobium Corporation de New York. Différents métaux qui sont utilisés à cause de leur grande résistance aux hautes températures dans la construction de réacteurs nucléaires, de fusées et de vaisseaux spatiaux, de satellites ou de simples jets, proviennent du niobium. L'entreprise extrait aussi, parallèlement, d'importantes quantités de tantale, de thorium, d'uranium, de pyrochlore et de terres rares à haute teneur en minerai.

Un chimiste allemand a mis en déroute les vainqueurs de la guerre du Pacifique

L'histoire du salpêtre, de son essor et de son déclin, illustre à merveille la durée illusoire de la prospérité de tel ou tel produit latino-américain sur le marché mondial : le souffle toujours éphémère du succès et le poids toujours durable des catastrophes.

Au milieu du siècle dernier, les sombres prophéties de

(1) Paulo R. Schilling, *Brasil para extranjeros*, Montevideo, 1966.

Malthus planaient sur le Vieux Monde. La population européenne grandissait à un rythme vertigineux et il était impossible d'insuffler une nouvelle vie aux sols fatigués pour augmenter dans la même proportion la production alimentaire. Les laboratoires britanniques révélèrent les propriétés fertilisantes du *guano* péruvien et, à partir de 1840, son exportation massive commença. Pélicans et mouettes, nourris par les fabuleux bancs de poissons des courants qui lèchent les rivages, avaient accumulé sur les îles et sur les îlots, depuis des temps immémoriaux, de grandes montagnes d'excréments riches en azote, en ammoniac, en phosphates et en sels alcalins : le guano se conservait sans altération sur les côtes du Pérou où il ne pleut jamais (1). Peu après le lancement international du guano, la chimie agricole découvrit que les propriétés nutritives du salpêtre étaient supérieures et, en 1850, son emploi comme engrais était très répandu dans les campagnes européennes. Les terres du Vieux Continent consacrées à la culture du blé, appauvries par l'érosion, absorbaient les cargaisons de nitrate de soude provenant des gisements péruviens de Tarapacá et, par la suite, de la province bolivienne d'Antofagasta (2). Grâce au salpêtre et au guano des côtes du Pacifique, « presque à la portée des navires venus les chercher » (3), le spectre de la faim s'éloigna de l'Europe.

L'oligarchie de Lima, fière et présomptueuse comme nulle autre, continuait de s'enrichir à pleines mains et d'accumuler les symboles de son pouvoir dans les palais et les mausolées de marbre de Carrare que la capitale érigeait au milieu des déserts de sable. Autrefois, les grandes familles de

(1) Ernst Samhaber, *Sudamérica, biografía de un continente*, Buenos Aires, 1946.
Les oiseaux qui produisent le guano sont les plus précieux du monde « pour leur rendement en dollars à chaque digestion », écrivait Robert Cushman Murphy, longtemps après son essor. Ils sont bien supérieurs, disait-il, au rossignol de Shakespeare qui chantait sur le balcon de Juliette, à la colombe qui vola sur l'Arche de Noé et, bien entendu, aux tristes hirondelles de Bécquer. (Emilio Romero, *Historia económica del Perú*, Buenos Aires, 1949.)
(2) Oscar Bermúdez, *Historia del salitre desde sus orígenes hasta la Guerra del Pacífico*, Santiago du Chili, 1963.
(3) José Carlos Mariátegui, *Sept essais d'interprétation de la réalité péruvienne*, trad. Roland Mignot, Paris, 1968.

Lima avaient prospéré grâce à l'argent de Potosí et maintenant elles vivaient grâce à la fiente des oiseaux et aux grumeaux blancs et brillants des mines de salpêtre : des moyens très grossiers pour des fins élégantes. Le Pérou se croyait indépendant, alors que l'Angleterre avait pris la place de l'Espagne. « Le pays se sentit riche, écrivait Mariátegui. L'État utilisa son crédit sans mesure. Il vécut dans le gaspillage, hypothéquant son avenir au profit de la finance anglaise. » En 1868, selon Emilio Romero, les dépenses et les dettes de l'État dépassaient déjà, et de beaucoup, le montant des ventes à l'étranger. Les réserves de guano servaient de garantie aux emprunts britanniques et l'Europe jouait avec les prix ; la cupidité des exportateurs faisait des ravages : ce que la nature avait accumulé dans les îles au long de millénaires fut bradé en quelques années. Pendant ce temps, dans les pampas du salpêtre, raconte Bermúdez, les ouvriers survivaient dans des cabanes, composées d'une seule et unique pièce, « misérables, à peine plus hautes qu'un homme, faites de cailloux, de résidus de caliche et d'argile ».

L'exploitation du salpêtre s'étendit rapidement jusqu'à la province bolivienne d'Antofagasta, bien que le commerce ne fût pas entre les mains de la Bolivie mais du Pérou et surtout du Chili. Lorsque le gouvernement bolivien prétendit imposer les salpêtrières installées sur son territoire, l'armée chilienne envahit la région et ne l'abandonna plus. Le désert avait servi jusqu'alors de no man's land dans les conflits latents opposant le Chili, le Pérou et la Bolivie. Le salpêtre déchaîna les hostilités. La guerre du Pacifique éclata en 1879 pour s'achever en 1883. Les forces armées chiliennes, qui, en 1879, avaient déjà occupé les ports péruviens de la zone du salpêtre, Patillos, Iquique, Pisagua, Junín, entrèrent victorieuses à Lima, et la forteresse du Callao se rendit le lendemain. La défaite entraîna la mutilation et la saignée du Pérou. L'économie nationale perdit ses deux ressources principales, les forces de production furent paralysées, la monnaie s'effondra et le crédit extérieur cessa (1). Cet effondrement

(1) Le Pérou perdit la province de Tarapacá et son salpêtre, ainsi que quelques îles guanières importantes, mais il conserva les dépôts de guano de la côte nord. Le guano resta l'engrais idéal de son agriculture jusqu'à ce que,

ne provoqua pas, selon Mariátegui, la liquidation du passé : la structure de l'économie coloniale demeura inchangée, bien que les sources d'approvisionnement lui fissent défaut. La Bolivie, de son côté, ne se rendit pas compte que la guerre lui avait fait perdre la mine de cuivre la plus importante au monde, Chuquicamata, qui se trouve dans la province aujourd'hui chilienne d'Antofagasta. Mais les vainqueurs l'étaient-ils vraiment ?

En 1880, le salpêtre et l'iode représentaient 5 % des revenus de l'État chilien ; dix ans plus tard, plus de la moitié des revenus fiscaux provenaient de l'exportation des nitrates exploités sur les territoires conquis. A la même époque, les investissements anglais au Chili triplèrent : la région du salpêtre devint une exploitation britannique (1). Les Anglais s'approprièrent le salpêtre à peu de frais. Le gouvernement péruvien avait exproprié les propriétaires de salpêtrières en 1875 et les avait dédommagés avec des bons que, cinq ans plus tard, la guerre réduisit au dixième de leur valeur. Quelques aventuriers audacieux, comme John Thomas North et son associé Robert Harvey, profitèrent de la conjoncture. Pendant que les Chiliens, les Péruviens et les Boliviens s'entre-tuaient sur les champs de bataille, les Anglais s'employaient à acheter les bons, grâce au crédit que la Banque de Valparaiso et d'autres banques chiliennes leur accordaient sans aucune difficulté. Les soldats se battaient pour eux, mais ils l'ignoraient. Le gouvernement chilien récompensa immédiatement North, Harvey, Inglis, James, Bush, Robertson et autres businessmen infatigables de leur sacrifice : en 1881, il décida la restitution des salpêtrières à leurs propriétaires légitimes, alors que la moitié des bons était déjà passée aux mains des

en 1960, le succès de la farine de poisson eût anéanti mouettes et pélicans. Les pêcheries, nord-américaines pour la plupart, épuisèrent rapidement les bancs d'anchois du littoral, pour alimenter avec la farine qu'elles en tiraient les porcs et les volailles des États-Unis et d'Europe ; les oiseaux guaniers furent contraints, pour survivre, de suivre les pêcheurs de plus en plus loin, en haute mer. Épuisés, ils tombaient à l'eau au retour et se noyaient. D'autres ne quittaient plus la terre et, en 1962 et 1963, on put voir des vols de pélicans chercher leur nourriture dans l'avenue principale de Lima : lorsqu'ils ne pouvaient plus repartir, les oiseaux mouraient dans les rues.

(1) Hernán Ramírez Necochea, *Historia del imperialismo en Chile*, Santiago du Chili, 1960.

spéculateurs britanniques. Pas un penny n'était sorti d'Angleterre pour financer ce butin.

Au début des années 1890, le Chili destinait les trois quarts de ses exportations à l'Angleterre, dont il recevait près de la moitié de ses importations ; sa dépendance commerciale était plus importante que celle que subissait l'Inde. La guerre lui avait octroyé le monopole mondial des nitrates naturels, mais le roi du salpêtre était John Thomas North. Une de ses sociétés, la Liverpool Nitrate Company, payait des dividendes de 40 %. Ce personnage avait débarqué en 1866 dans le port de Valparaiso avec dix misérables livres sterling dans la poche de son vieux costume défraîchi ; trente ans plus tard, les princes et les ducs, les hommes politiques les plus en vue et les grands industriels s'asseyaient à sa table, dans sa demeure londonienne. North s'était inventé un titre de colonel et s'était affilié, comme il convenait à quelqu'un d'aussi huppé, au parti conservateur et à la Loge maçonnique de Kent. Lord Dorchester, lord Randolph Churchill et le marquis de Stockpole assistaient à ses fêtes extravagantes au cours desquelles North dansait dans la tenue du roi Henri VIII (1). Pendant ce temps, dans son lointain royaume du salpêtre, les ouvriers chiliens, qui ne connaissaient pas le repos dominical, travaillaient jusqu'à seize heures par jour et touchaient leur paye en bons qui perdaient près de la moitié de leur valeur à l'économat de l'entreprise.

Entre 1886 et 1890, sous la présidence de José Manuel Balmaceda, le Chili appliqua, selon Ramírez Necochea, « les plans de progrès les plus ambitieux de toute son histoire ». Balmaceda favorisa le développement de diverses industries, réalisa d'importants travaux publics, rénova le système d'éducation, prit des mesures pour briser le monopole de la compagnie britannique des chemins de fer de Tarapacá et contracta avec l'Allemagne le premier et unique emprunt qui ne vînt pas d'Angleterre durant tout le siècle dernier. En 1888, il annonça qu'il fallait nationaliser les districts du salpêtre et constituer des entreprises chiliennes et il refusa de vendre aux Anglais les terrains appartenant à l'État. Trois ans plus tard,

---

(1) Hernán Ramírez Necochea, *Balmaceda y la contrarrevolución de 1891*, Santiago du Chili, 1969.

la guerre civile éclatait ; North et ses acolytes financèrent largement les rebelles (1) et les navires de guerre britanniques bloquèrent la côte, tandis que, à Londres, la presse traitait Balmaceda de « boucher » et de « dictateur de la pire espèce ». Renversé, celui-ci se suicida. L'ambassadeur anglais informa le Foreign Office : « Notre communauté ne cache pas sa satisfaction en apprenant la chute de Balmaceda, dont le triomphe, croit-on, aurait causé de sérieux préjudices aux intérêts commerciaux de notre pays. » Les investissements nationaux concernant les routes, les chemins de fer, la colonisation, l'éducation et les travaux publics diminuèrent brusquement, tandis que les sociétés britanniques étendaient leurs domaines.

A la veille de la Première Guerre mondiale, les deux tiers du revenu national du Chili provenaient de l'exportation des nitrates, mais la pampa salpêtrière était plus vaste et plus exploitée que jamais par les étrangers. Loin de développer et de diversifier le pays, la prospérité n'avait fait qu'accentuer ses défauts de structure. Le Chili fonctionnait comme un appendice de l'économie britannique : toute vie propre était refusée au plus important fournisseur d'engrais du marché européen. Pour comble de malheur, un chimiste allemand, du fond de son laboratoire, mit en échec les généraux qui avaient triomphé quelques années auparavant sur les champs de bataille. Il perfectionna le procédé Haber-Bosch permettant de produire des nitrates en fixant l'azote de l'air ; le salpêtre fut définitivement supplanté, ce qui provoqua la chute retentissante de l'économie chilienne. La crise du salpêtre fut la crise du Chili, une blessure profonde, car le Chili vivait du

(1) Le Congrès menait l'opposition contre le président et personne n'ignorait l'attrait exercé par les livres sterling sur nombre de ses membres. La corruption des Chiliens était, selon les Anglais, « une coutume du pays ». C'est ce que déclara, en 1897, le compagnon de North, Robert Harvey, au cours du procès que quelques petits actionnaires lui intentèrent ainsi qu'aux autres directeurs de la Nitrate Railways Co. En expliquant le versement de cent mille livres sterling aux fins de subornation, Harvey constatait : « L'administration publique au Chili est, comme vous le savez, très corrompue... Je ne dis pas qu'il est nécessaire d'acheter les juges, mais je crois que beaucoup de membres du Sénat, qui n'ont que de maigres revenus, ont tiré quelque bénéfice d'une partie de cet argent en échange de leurs votes ; et cela a servi à empêcher le gouvernement de refuser d'entendre nos protestations et nos réclamations... » (Hernán Ramírez Necochea, *op. cit.*)

salpêtre et pour le salpêtre — et celui-ci était entre des mains étrangères.

Dans le désert torride du Tamarugal, où la réverbération du sol brûle les yeux, j'ai été témoin du démantèlement de Tarapacá. Là où l'on comptait, à l'époque de la prospérité, cent vingt entreprises salpêtrières, il n'en reste plus qu'une seule. Dans la pampa il n'y a ni humidité ni vers : tandis que les machines étaient liquidées comme de la ferraille, on vendait aussi les planches en pin d'Orégon des maisons plus coquettes, les tôles et les plaques de zinc, et même les boulons et les clous intacts. Des ouvriers spécialisés dans la démolition des villages surgirent : ils étaient les seuls à trouver du travail dans ces immensités dévastées ou abandonnées. J'ai vu les décombres et les excavations, les hameaux fantômes, les traverses mortes de la Nitrate Railways, les fils télégraphiques désormais muets, les squelettes des bureaux du salpêtre déchiquetés par l'assaut des années, les croix des cimetières que le vent glacé vient frapper la nuit, les coteaux blanchâtres que les résidus des exploitations avaient dressés à côté des mines. « L'argent coulait à flots et tout le monde croyait que ça ne finirait jamais », m'ont raconté les survivants. Ils idéalisent le passé, qui semble un paradis comparé au présent, et ils évoquent avec émerveillement les dimanches qui, en 1889, n'existaient pas encore pour les travailleurs et qui furent conquis par la suite, de haute lutte, grâce à l'action ouvrière : « Chaque dimanche, dans la pampa salpêtrière, m'a raconté un homme très vieux, était pour nous un jour de fête nationale, un nouveau 18 Septembre qui revenait chaque semaine. » Iquique, le plus grand port du salpêtre, « le port suprême », selon sa devise officielle, avait été le lieu de plus d'un massacre d'ouvriers, mais dans son théâtre municipal, dont le style évoquait la Belle Époque, les plus grands chanteurs d'opéra européens accouraient avant même de se produire à Santiago.

Des dents de cuivre sur le Chili

Le cuivre ne tarda guère à occuper la place du salpêtre comme pièce maîtresse de l'économie chilienne, en même temps que l'hégémonie britannique cédait le pas à l'empire des États-Unis. Peu avant la crise de 1929, les investissements nord-américains au Chili s'élevaient déjà à plus de quatre cents millions de dollars, destinés presque totalement à l'exploitation et au transport du cuivre. Jusqu'à la victoire électorale des forces de l'Unité Populaire en 1970, les principaux gisements de métal rouge restaient entre les mains de l'Anaconda Copper Mining Co. et de la Kennecott Copper Co., deux entreprises intimement liées puisqu'elles appartenaient au même consortium mondial. En un demi-siècle, elles avaient rapporté à leur siège respectif quatre milliards de dollars provenant du Chili, et avaient en contrepartie, et selon leurs propres chiffres, réalisé un investissement total ne dépassant pas huit cents millions de dollars, ces derniers provenant en grande partie des ressources arrachées au pays (1). L'hémorragie avait grandi au rythme de la production, pour finalement dépasser les cent millions de dollars par an dans les derniers temps. Les maîtres du cuivre étaient les maîtres du Chili. Le lundi 21 décembre 1970, Salvador Allende, alors président, s'adressa à une foule fervente, de son balcon du palais gouvernemental, pour annoncer qu'il venait de signer le projet de réforme constitutionnelle qui rendait possible la nationalisation de la grande industrie minière. En 1969, déclara-t-il, l'Anaconda avait

(1) Les mêmes entreprises transforment le minerai chilien dans leurs lointaines usines. L'Anaconda American Brass, l'Anaconda Wire and Cable et la Kennecott Wire and Cable figurent parmi les principales fonderies de bronze et tréfileries du monde. (José Cademartori, *La economía chilena*, Santiago du Chili, 1968.)

tiré du Chili des bénéfices s'élevant à soixante-dix-neuf millions de dollars, ce qui équivalait à 80 % de ses gains dans le reste du monde : et pourtant, ajouta-t-il, l'Anaconda place au Chili moins du sixième de ses investissements à l'étranger. La guerre bactériologique de la droite, une campagne de propagande planifiée et destinée à semer la terreur afin d'éviter la nationalisation du cuivre et l'application des autres réformes de structure annoncée par la gauche, avait été aussi intense que pendant les précédentes élections. Les journaux avaient étalé d'énormes tanks soviétiques en train de manœuvrer devant le Palais de la Moneda ; sur les murs de Santiago, on voyait des guérilleros barbus traînant vers la mort de jeunes innocents ; dans chaque maison, un coup de sonnette retentissait et une dame expliquait : « Vous avez quatre fils ? Deux seront envoyés en Union soviétique et les deux autres à Cuba. » Tentative inutile. Le cuivre « enfila son poncho et ses éperons » et redevint chilien.

Les États-Unis, de leur côté, les pieds empêtrés dans le piège des guerres du Sud-Est asiatique, n'ont pas caché le malaise officiel devant l'évolution des événements. Mais le Chili n'est pas à la portée d'une expédition précipitée des *marines* et, en fin de compte, Allende est président avec toutes les conditions de la démocratie représentative que prône le pays du Nord. L'impérialisme traverse les premières étapes d'un nouveau cycle critique dont les signes sont apparus clairement dans l'économie ; sa fonction de gendarme du monde se fait de plus en plus chère et de plus en plus difficile.

Et la guerre des prix ? La production chilienne est maintenant vendue en différents points de l'univers et peut ouvrir d'importants marchés nouveaux dans les pays socialistes ; les États-Unis manquent de moyens pour bloquer, à l'échelle mondiale, les ventes du cuivre que les Chiliens se disposent à récupérer. La situation du sucre cubain, douze ans plus tôt, était bien différente : entièrement destiné au marché nord-américain, il dépendait totalement des prix fixés par les États-Unis. Après la victoire d'Eduardo Frei aux élections de 1964, la cote du cuivre monta immédiatement avec un soulagement visible ; quand Allende gagna celles de 1970, les prix, déjà en baisse, fléchirent encore. Mais le cuivre, soumis habituellement à de très sensibles fluctuations, avait atteint des cours très élevés pendant les dernières années et la demande étant supérieure à l'offre, la rareté a empêché le niveau de tomber très bas. L'aluminium a en grande partie remplacé le cuivre comme conducteur d'électricité, mais il l'exige pour ses alliages, et l'on n'a pas trouvé de succédanés moins chers ou plus efficaces dans l'aciérie ou la chimie ; le métal rouge reste, d'autre part, la matière première principale des fabriques d'explosifs, de laiton et de fil électrique (1).

Tout au long des flancs de la cordillère, le Chili possède les réserves de cuivre les plus importantes du monde ; le tiers de la totalité connue à ce jour. Le cuivre chilien se présente en général associé à d'autres métaux tels que l'or, l'argent ou le molybdène, ce qui est un facteur de plus pour stimuler son exploitation. En outre, les ouvriers chiliens représentent pour les entreprises une main-d'œuvre à bon marché : avec les coûts très bas du Chili, l'Anaconda et la Kennecott compensent largement les prix élevés des États-Unis ; de la même façon, le cuivre chilien finance, par le canal des « dépenses à l'étranger », plus de dix millions de dollars par an pour l'entretien des bureaux à New York. En 1964, le salaire moyen dans les mines chiliennes atteignait à peine le huitième du salaire de base dans les raffineries de la Kennecott aux États-Unis, à niveau égal de productivité (2). En revanche, les conditions d'existence n'étaient pas, et ne sont pas, égales. En général, les mineurs chiliens vivent dans des boxes étroits et sordides, séparés de leurs familles, qui habitent des baraques misérables dans les faubourgs ; séparés également, bien sûr, du personnel étranger, qui, dans les grandes mines, occupe un secteur résidentiel réservé, minuscule État dans l'État, où l'on ne parle que l'anglais et où des journaux sont même publiés pour son usage exclusif. Le rendement au Chili s'est accru au fur et à mesure que les entreprises ont mécanisé leurs moyens d'exploitation. Depuis 1945, la production du cuivre a augmenté de 50 %, mais le nombre de travailleurs occupés dans les mines a diminué d'un tiers.

(1) R.I. Grant-Suttie, « Sucedáneos del cobre », in *Finanzas y Desarrollo*, revue du FMI et du BIRF, Washington, juin 1969.
(2) Mario Vera et Elmo Catalán, *La encrucijada del cobre*, Santiago du Chili, 1965.

La nationalisation mettra fin à une situation insupportable pour le pays et elle évitera que l'expérience du pillage et de la chute dans le vide que le Chili a subie durant le cycle du salpêtre ne se répète avec le cuivre. Les impôts que les sociétés paient à l'État ne compensent aucunement l'épuisement irrémédiable des ressources minières que la nature a données mais ne renouvelle pas. De plus, les revenus fiscaux ont diminué, proportionnellement, depuis qu'en 1955 le système de la taxation décroissante a été établi en accord avec l'augmentation de la production, et depuis la « chilinisation » du cuivre décidée par le gouvernement d'Eduardo Frei. En 1965, Frei fit de l'État un associé de la Kennecott et permit aux sociétés de tripler leurs gains grâce à une fiscalité très favorable. Dans ce nouveau régime, les charges furent basées sur un prix moyen de vingt-neuf cents la livre alors que, stimulé par une importante demande mondiale, il atteignait normalement soixante-dix cents. Le Chili perdit, en privilégiant le prix fictif et non le prix réel, une rentrée considérable en dollars, comme le reconnut Radomiro Tomic, le candidat désigné par la Démocratie Chrétienne pour succéder à Frei. En 1969, le gouvernement Frei signa un accord avec l'Anaconda en vue de lui acheter 51 % des actions en versements semestriels, à des conditions telles qu'elles firent éclater un nouveau scandale politique et donnèrent une forte impulsion à l'essor des forces de gauche. Selon la version divulguée par la presse, le président de l'Anaconda aurait préalablement déclaré au président du Chili : « Excellence, les capitalistes ne conservent pas les biens pour des raisons sentimentales, mais économiques. Une famille garde souvent une armoire parce qu'elle a appartenu à un ancêtre ; mais les entreprises n'ont pas d'ancêtres. L'Anaconda peut vendre tout ce qu'elle possède. Cela dépend uniquement des offres qu'on lui fait. »

La marée nationaliste monte de toutes parts et même la bonne humeur ne peut l'endiguer ; le moindre mal de « la nationalisation négociée » n'a pas fait long feu. La structure du marché international du cuivre se désagrège dangereusement et les quatre principaux producteurs — Chili, Zambie, Congo et Pérou — se réunissent depuis quelque temps pour appliquer une politique commune de défense des prix. Fin

1969, la filiale péruvienne de l'American Smelting and Refining Co. acceptait de signer un contrat lui permettant de conserver la très riche mine de Cuajone, qui lui avait été concédée depuis longtemps. Mais les termes de ce contrat, malgré « quelques clauses traditionnelles », reflétaient en quelque sorte la faiblesse et le désespoir du trust devant une situation internationale plus défavorable que jamais à ses intérêts. Dans des conditions normales, l'American Smelting n'aurait pas accepté la liquidation de nombreux privilèges qui faisaient de chaque mine étrangère une enclave toute-puissante, indifférente aux besoins de développement du Pérou ; dans le nouveau contexte, imposé par le nationalisme grandissant, l'entreprise s'empressa d'exprimer bien haut sa satisfaction au sujet des termes de l'accord. Malgré de profondes divergences d'interprétation du texte, le gouvernement affirme que le monopole de l'État sur la commercialisation des minerais récemment établi s'étend également au cuivre de Cuajone. En outre, l'État se réserve le droit de traiter le cuivre quand ses usines à venir seront construites ; elles auront priorité pour recevoir le métal brut ; l'entreprise est obligée d'employer des techniciens péruviens et de partager avec l'État ses innovations technologiques, en même temps qu'elle s'engage à réaliser un plan d'exploitation qui fixe des délais bien définis pour les investissements et la production. Pour ne pas avoir respecté les conditions décrétées par les nouvelles lois minières, l'Anaconda et la Smelting ont déjà perdu leurs gisements de Cerro Verde et de Michiquillay, deux vastes réserves demeurées incontrôlées pendant un demi-siècle.

LES MINEURS DE L'ÉTAIN, SOUS LA TERRE ET SUR LA TERRE

Voilà un peu moins d'un siècle, un homme à demi mort de faim se battait avec les roches dans la désolation de l'altiplano bolivien. Il fit exploser sa cartouche de dynamite. Lorsqu'il s'approcha pour ramasser les blocs de pierre arrachés par l'explosion, il resta fasciné. Il tenait dans ses mains des morceaux étincelants de la veine d'étain la plus riche du monde. Le lendemain à l'aube, il sella son cheval et se rendit à Huanuni. L'analyse des échantillons confirma la valeur de la découverte. L'étain pouvait passer directement de la mine au port d'expédition sans avoir à subir un quelconque traitement. Cet homme devint le roi de l'étain et, lorsqu'il mourut, la revue *Fortune* affirma qu'il était l'un des dix milliardaires les plus importants de la planète. Il s'appelait Simon Patiño. Pendant nombre d'années, de ses résidences en Europe, il fit et défit les présidents et les ministres de Bolivie, planifia la faim de ses ouvriers et organisa les massacres, diversifia et développa sa fortune : la Bolivie existait pour lui, elle était à son service.

Au lendemain des héroïques journées révolutionnaires d'avril 1952, la Bolivie nationalisa l'étain. Mais ces mines, autrefois de grande valeur, étaient très appauvries. Sur la colline Juan del Valle où Patiño avait découvert son fabuleux filon, la qualité de l'étain avait déjà considérablement baissé. Aujourd'hui, les cent cinquante-six mille tonnes de roc qui sortent mensuellement de la mine ne fournissent que quatre cents tonnes de métal. Les zones cavées représentent une distance deux fois supérieure à celle qui sépare la mine de la ville de La Paz : la colline est une fourmilière creusée d'une multitude de galeries, de passages, de tunnels et de cheminées. Elle est sur le point de devenir une coquille vide. Sa hauteur diminue chaque année et l'éboulement ronge lentement sa crête : de loin, elle ressemble à une dent cariée.

Antenor Patiño non seulement perçut une indemnisation considérable pour les mines que son père avait presque épuisées, mais il continua de déterminer le cours et le sort de l'étain exproprié. Dans ses palaces européens, il gardait le sourire. « Mister Patiño est l'aimable roi de l'étain bolivien », racontaient encore les chroniques mondaines longtemps après la nationalisation (1). Car celle-ci, conquête fondamentale

(1) Le *New York Times* du 13 août 1969 le définissait en ces termes en décrivant avec ravissement les vacances du duc et de la duchesse de Windsor dans le somptueux château du XVIe siècle que Patiño possède aux environs de Lisbonne. « Nous aimons donner aux domestiques un peu de calme et de

de la révolution de 1952, n'avait pas modifié le rôle de la Bolivie dans la répartition internationale du travail. La Bolivie continua d'exporter son minerai brut, presque tout l'étain étant traité dans les fours de l'entreprise Williams, Harvey et Co., de Liverpool, qui appartient à Patiño. Cette expérience malheureuse prouve que la nationalisation des sources de production de toute matière première quelle qu'elle soit n'est pas suffisante. Un pays peut rester condamné à l'impuissance, même après avoir récupéré son sous-sol. La Bolivie, tout au long de son histoire, a produit des minerais bruts et des discours raffinés. La rhétorique et la misère y abondent ; depuis toujours, des écrivains maniérés et des docteurs en redingote ont consacré leur vie à blanchir les coupables. Aujourd'hui encore, six Boliviens sur dix ne savent pas lire ; la moitié des enfants ne fréquentent pas l'école. Depuis 1971, au terme d'une longue histoire de trahisons, de sabotages, d'intrigues et de sang versé (1), la Bolivie a enfin sa fonderie

paix », avouait la maîtresse de maison, en expliquant à Charlotte Curtis le programme de sa journée.
Après quoi, c'est l'époque des vacances en Suisse : à Saint-Moritz, les photographes se précipitent sur les comtes et les artistes en vogue ; les revues les exhibent en grand tralala. Une milliardaire de cinquante ans vient de perdre son second mari, vice-président de la Ford, et sourit devant les flashes : elle annonce son remariage avec un jouvenceau qui lui prend le bras et jette des regards effrayés. Auprès d'eux, voici un autre couple du grand monde. Lui est un homme de petite taille, aux traits indiens : sourcils épais, pupilles dures, nez camus, pommettes saillantes. Antenor Patiño a gardé ses allures de Bolivien. Dans une autre revue, Antenor apparaît déguisé en prince oriental, au milieu de princes authentiques qui se sont réunis au palais du baron Alexis de Rédé : la princesse Marguerite de Danemark, le prince Henri, Maria-Pia de Savoie et son cousin le prince Michel de Bourbon-Parme, le prince Lobkowicz et autres travailleurs.
(1) Le général Alfredo Ovando, en annonçant, en juillet 1966, qu'il était parvenu à un accord avec la firme allemande Klochner pour l'installation de fours nationaux, déclara que « ces pauvres mines qui n'avaient servi jusqu'à maintenant qu'à ouvrir des cavités dans les poumons de nos frères mineurs » allaient connaître un nouveau destin. Ces hommes qui donnent leur vie pour le minerai, écrivait Sergio Almaraz, « ne le possèdent pas. Ils ne l'ont jamais possédé ; ni avant ni après 1952. Car l'étain n'a pas de valeur tant qu'il n'a pas pris l'aspect brillant d'un lingot. Le minerai, lourde poussière à l'aspect terreux, ne sert à rien avant d'avoir été englouti par la gueule d'un four » (*El poder y la caída. El estaño en la historia de Bolivia*, La Paz-Cochabamba, 1967).
Almaraz a raconté l'histoire d'un industriel, Mariano Peró, qui livra une guerre solitaire pendant plus de trente ans pour que l'étain bolivien soit fondu à Oruro et non à Liverpool. En 1946, peu après la chute du président

nationale, située à Oruro. Ce pays, qui n'avait pu jusqu'alors produire ses propres lingots, se paie le luxe, en revanche, de compter huit facultés de droit qui fabriquent des vampires suceurs d'Indiens en quantité industrielle.

On raconte qu'il y a un siècle le dictateur Mariano Melgarejo obligea l'ambassadeur d'Angleterre à boire un plein baril de chocolat pour le punir d'avoir refusé dédaigneusement un verre de *chicha*. L'ambassadeur fut promené de dos sur un âne, dans la rue principale de La Paz. Et il fut renvoyé à Londres. On dit qu'alors la reine Victoria, furieuse, demanda une carte de l'Amérique du Sud, traça à la craie une croix sur la Bolivie et déclara : « La Bolivie n'existe pas. » Pour le monde, en effet, la Bolivie n'existait pas et n'exista pas davantage par la suite : le pillage de ses mines d'argent puis de son étain n'avait été que l'exercice d'un droit naturel des pays riches. En fin de compte, la boîte en fer-blanc symbolise les États-Unis autant que l'emblème de l'aigle ou la tarte aux pommes. Mais la boîte en fer-blanc n'est pas seulement un symbole pop des États-Unis : c'est aussi le symbole ignoré de la silicose dans les mines de Siglo XX ou d'Huanuni : les mineurs boliviens meurent, les poumons pourris, pour que le monde puisse profiter d'un étain à bon marché. Le fer-blanc contient de l'étain, et l'étain n'a aucune valeur : une demi-douzaine d'hommes en fixent le cours mondial. Que signifie pour les consommateurs de conserves ou pour les manipulateurs de la Bourse la vie pénible du mineur en Bolivie ? Les Nord-Américains achètent la majeure partie de l'étain traité sur la planète : pour freiner les prix, ils menacent périodiquement de lancer sur le marché leurs énormes réserves de minerai, achetées au-dessous de leur cours au nom de la « contribution démocratique », durant les années de la Seconde Guerre mondiale. Selon les documents de la F.A.O., le citoyen moyen des États-Unis consomme cinq fois plus de

---

nationaliste Gualberto Villarroel, Peró entra au Palacio Quemado. Il venait reprendre deux lingots d'étain. C'étaient les deux premiers lingots produits dans sa fonderie d'Oruro, et il n'y avait plus aucune raison pour que ces deux symboles, incarnant la nation, continuent à orner le bureau présidentiel. Villarroel avait été pendu à un lampadaire de la Plaza Murillo et la *rosca*, l'oligarchie bolivienne, avait récupéré le pouvoir. Mariano Peró ramassa les lingots et les emporta. Ils étaient tachés de sang déjà sec.

viande et de lait et vingt fois plus d'œufs que l'habitant de Bolivie. Et les salaires des mineurs sont très en dessous du salaire moyen national, pourtant des plus bas. Au cimetière de Catavi, où les aveugles prient pour les morts contre une petite pièce de monnaie, il est triste de découvrir parmi les pierres tombales noirâtres des adultes une incroyable quantité de croix blanches sur de petites tombes. Un enfant sur deux né dans les mines meurt peu après avoir ouvert les yeux. Le survivant sera sans doute mineur lorsqu'il sera grand. Et avant d'atteindre trente-cinq ans, il n'aura déjà plus de poumons.

Le cimetière craque. On a creusé sous les tombes d'infinis tunnels, des galeries à l'entrée étroite et où les hommes qui s'introduisent comme des viscaches, à la recherche du minerai, peuvent à peine tenir. De nouveaux gisements d'étain se sont amoncelés au cours des ans dans les déblais ; des tonnes de résidus ont été déversées pour former d'énormes masses grises qui ont ainsi ajouté de l'étain à l'étain du paysage. Lorsque la pluie se précipite avec violence des nuages tout proches, on voit les chômeurs se baisser le long des chemins de terre de Llallagua, où les hommes s'enivrent par désespoir dans les *chicherías* : ils ramassent et calibrent les bribes d'étain que la pluie entraîne avec elle. Ici, l'étain est un dieu omniprésent de fer-blanc qui règne sur les hommes et les choses.

L'étain ne gît pas seulement dans le ventre de la colline du vieux Patiño. L'éclat noir de la cassitérite le révèle jusque dans les murs de torchis des gîtes des mineurs. Il y en a aussi dans la boue jaunâtre qui entraîne les scories de la mine et dans les eaux polluées qui coulent de la montagne ; il y en a dans la terre et dans la roche, à la surface et au-dessous, dans le sable et dans les pierres du lit du río Seco. Sur ces terres arides et caillouteuses, à presque quatre mille mètres d'altitude, où ne pousse aucun pâturage et où tout, même les visages, a la couleur sombre de l'étain, les hommes supportent stoïquement leur jeûne forcé et ne connaissent pas la fête du monde. Ils vivent dans des camps, entassés dans des baraques d'une seule pièce, au sol de terre battue ; le vent acéré s'infiltre par les fentes. Un rapport universitaire sur la mine de Colquiri révèle que sur dix jeunes garçons interrogés, six dorment dans le même lit que leurs sœurs, et, de plus,

« beaucoup de parents se sentent gênés lorsque leurs enfants les observent pendant l'acte sexuel ». Il n'y a pas de lieux d'aisance ; les latrines sont de petits abris publics couverts d'immondices et de mouches. On utilise de préférence les *cenizales*, des terrains vagues où, en dépit des tas d'ordures et d'excréments et des porcs qui s'ébattent, l'air circule. L'eau est également collective : il faut attendre le moment où elle arrive et se hâter, faire la queue, la recueillir à la fontaine publique dans des bidons à essence ou des jarres d'argile. L'alimentation est pauvre et mauvaise. Elle consiste en pommes de terre, vermicelle, riz, fécule, maïs moulu et parfois un peu de viande dure.

Nous étions au plus profond de la colline Juan del Valle. Le sifflet strident de la sirène, qui appelait les travailleurs de la première équipe, avait retenti dans le campement quelques heures plus tôt. De galerie en galerie, nous étions passés de la chaleur tropicale au froid polaire, puis à nouveau à la chaleur, sans sortir pendant des heures d'une atmosphère empoisonnée. En respirant cet air épais — humidité, gaz, poussière, fumée — on pouvait comprendre pourquoi les mineurs perdent en quelques années l'odorat et le goût. Tous mâchaient, en travaillant, des feuilles de coca avec de la cendre, et cela fait également partie de l'œuvre d'annihilation, car la coca, comme on le sait, en endormant la faim et en masquant la fatigue, détraque le signal d'alarme dont dispose l'organisme pour se maintenir en vie. Mais le pire, c'était la poussière. Les casques protecteurs irradiaient des ailes de lumière qui tourbillonnaient dans la grotte noire et laissaient voir au passage des rideaux d'épaisse poussière blanche : l'implacable poussière de silice. L'haleine mortelle de la terre vous enveloppe peu à peu. Les premiers symptômes apparaissent vite et, dix ans plus tard, on est dans la tombe. A l'intérieur de la mine, on utilise des perforatrices suédoises dernier modèle, mais les systèmes de ventilation et les conditions de travail ne se sont pas améliorés avec le temps. Au-dehors, les travailleurs indépendants utilisent un pieu et de lourds maillets de douze livres pour s'attaquer au roc, exactement comme il y a cent ans, et des cribles et des tamis pour épurer le minerai. Ils ne gagnent que quelques centavos et travaillent comme des galériens. Beaucoup bénéficient, malgré tout, de l'avantage du plein air. A l'intérieur de la mine, au contraire, les ouvriers sont des prisonniers condamnés sans appel à la mort par asphyxie.

Le fracas des foreuses avait cessé et les ouvriers faisaient une pause en attendant l'explosion de plus de vingt charges de dynamite. La mine offre également des morts rapides et sonores : il arrive que l'on se trompe dans le décompte des explosions ou qu'une mèche mette plus longtemps que prévu à brûler. Il arrive aussi qu'une roche tendre, un *tojo*, se détache sur votre crâne. Quand ce n'est pas l'enfer des mitrailleuses : la nuit de la Saint-Jean 1967 fut le dernier grain d'un long chapelet de massacres. Au petit jour, les soldats prirent position sur les collines, genou à terre, et lancèrent un ouragan de balles sur les campements illuminés par les brasiers de la fête (1). Pourtant la mort lente et muette constitue la spécialité de la mine. Le sang craché, les quintes de toux, une sensation de lourd fardeau sur les épaules et une oppression aiguë dans la poitrine en sont les signes annonciateurs. A l'analyse médicale succèdent les tracasseries bureaucratiques interminables. On vous donne trois mois pour quitter les lieux.

Le fracas des foreuses avait cessé et l'explosion n'allait

(1) « Quand je m'assieds, je suis comme soûl. Je vois les gens se dédoubler, tripler, quadrupler. Je ne peux pas manger seul. Oui, je suis un *huahua*, un bébé. » Saturnino Condori, un vieux maçon du campement minier de Siglo XX, est allongé depuis plus de trois ans sur un lit d'hôpital, à Catavi. Il est une des victimes du massacre de la Saint-Jean 1967. Il n'avait même pas festoyé. Pour avoir travaillé le samedi 24, on l'avait payé triple ; aussi, contrairement à tous les autres, il avait décidé de ne pas se noyer dans le délire de la *chicha*, de ne pas faire la noce. Il s'était couché tôt. Pendant la nuit, il avait rêvé qu'un homme lui couvrait le corps d'épines. « De grandes épines, qu'il me plantait. » Il s'était réveillé plusieurs fois, car la pluie de balles avait déferlé sur le campement à partir de cinq heures du matin. « Mon corps s'est défait, décomposé, je me suis mis à grelotter comme si j'avais de la fièvre et mon sang n'a fait qu'un tour tellement j'avais la frousse. Ma femme m'a dit : — File. Sauve-toi. Mais moi : — Qu'est-ce que j'ai fait ? Je ne suis allé nulle part. — Sauve-toi. File !, m'a répété ma femme. Des coups de feu claquaient dans la nuit, tac-tac-tac-tac-tac, on se demandait qu'est-ce que c'était. Et moi qui me réveillais et qui me rendormais, je ne me suis pas sauvé, et ma femme me disait : — Va-t'en vite, va-t'en vite, sauve-toi ! — Qu'est-ce que tu veux qu'ils me fassent !, que je répondais. Je ne suis qu'un pauvre maçon, qu'est-ce qu'ils pourraient bien me faire ! » Il s'était réveillé sur le coup de huit heures du matin. Il s'était dressé sur son lit. La balle avait traversé le plafond, traversé le chapeau de sa femme et l'avait touché lui, lui brisant la colonne vertébrale.

pas tarder à détacher cette veine glissante couleur café, en forme de serpent. Alors nous pûmes parler. La boule de coca enflait la joue de chaque ouvrier et des filets verdâtres coulaient aux commissures des lèvres. Un mineur passa, pressé, en barbotant dans la boue entre les rails. « C'est un nouveau, me dit-on. Tu as vu ? Avec son pantalon de soldat et son blouson jaune, il paraît si jeune. Il vient d'arriver et il travaille déjà comme un as. Il n'est pas encore touché. »

Les technocrates et les ronds-de-cuir ne meurent pas de la silicose ; au contraire, ils en vivent. L'administrateur de la COMIBOL (Corporation minière bolivienne) gagne cent fois plus qu'un ouvrier. Du ravin qui descend à pic jusqu'à la rivière, à la limite de Llallagua, on peut voir la pampa María Barzola, ainsi appelée en hommage à la militante ouvrière qui tomba, il y a trente ans, à la tête d'une manifestation, le drapeau bolivien soudé au corps par les rafales de mitrailleuse. Et au-delà de la pampa María Barzola on peut apercevoir le plus beau terrain de golf de toute la Bolivie : celui que fréquentent les ingénieurs et les principaux fonctionnaires de Catavi. En 1964, le dictateur René Barrientos avait réduit de moitié les salaires de famine des mineurs et relevé, en même temps, les appointements des techniciens et des bureaucrates importants. Les mensualités des cadres supérieurs sont secrètes et payées en dollars. Un groupe tout-puissant de conseillers, composé de spécialistes de la Banque interaméricaine de développement, de l'Alliance pour le Progrès et de la Banque étrangère de crédit, oriente l'industrie minière nationalisée de Bolivie, si bien que la COMIBOL, convertie en État dans l'État, constitue un instrument actif de propagande contre toute nationalisation. Le pouvoir de la *rosca*, la vieille oligarchie, a été remplacé par le pouvoir des innombrables membres d'une « nouvelle classe » qui a consacré le plus gros de ses efforts à saboter de l'intérieur l'industrie minière de l'État. Les ingénieurs non seulement ont fait échouer tous les projets et plans destinés à la création d'une fonderie nationale, ils ont aussi contribué à ce que les mines de l'État se limitent aux vieux gisements de Patiño, d'Aramayo et de Hochschild, qui se trouvent en voie rapide d'épuisement. Entre décembre 1964 et avril 1969, le général Barrientos a dépassé les limites imaginables de l'abandon des ressources du sous-sol bolivien au capital impérialiste, avec la complicité avouée des techniciens et des gérants. Sergio Almaraz a raconté (1) l'histoire de la concession des anciens gisements d'étain à l'International Mining Processing Co. ... Avec un capital déclaré d'à peine cinq mille dollars, l'entreprise au nom si pompeux a obtenu un contrat qui lui permettra de gagner plus de neuf cents millions de dollars.

Des dents de fer sur le Brésil

Les États-Unis paient le fer qu'ils reçoivent du Brésil et du Venezuela moins cher que celui qu'ils extraient de leur propre sous-sol. Mais cela n'est pas la clef de l'empressement désespéré qu'ils mettent à s'approprier les gisements de fer de l'étranger : la possession des mines hors des frontières constitue, plus qu'un commerce, un impératif de sécurité nationale. Comme nous l'avons vu, le sous-sol nord-américain s'épuise ; or le fer est indispensable à la fabrication de l'acier et 85 % de la production industrielle des États-Unis contiennent de l'acier, sous une forme ou sous une autre. En 1969, la réduction par le Canada de ses approvisionnements a entraîné immédiatement une augmentation des importations de fer en provenance de l'Amérique latine.

La colline Bolivar, au Venezuela, est si riche que la terre qu'en retire l'U.S. Steel Co. est directement déversée dans les cales des bateaux en direction des États-Unis. La colline exhibe au grand jour les blessures profondes infligées par les bulldozers : l'entreprise estime que le fer qu'elle contient représente près de huit milliards de dollars. Pour la seule année 1960, l'U.S. Steel et la Bethlehem Steel ont distribué des bénéfices s'élevant à plus de 30 % de leurs capitaux investis dans le fer du Venezuela. Le volume de ces gains

(1) Sergio Almaraz Paz, *op. cit.*

versés était égal à la somme de tous les impôts payés à l'État vénézuélien pendant les dix dernières années (1). Ces deux entreprises, vendant le fer à leurs usines sidérurgiques des États-Unis, n'ont aucun intérêt à défendre les prix ; au contraire, elles préfèrent que la matière première soit le meilleur marché possible. Le cours international du fer, tombé en chute libre entre 1958 et 1964, s'est relativement stabilisé par la suite et demeure fixe ; pendant ce temps, l'acier n'a cessé d'augmenter. L'acier est produit dans les régions riches du monde et le fer dans les faubourgs misérables ; l'acier rapporte des salaires « d'aristocratie ouvrière » et le fer des journées de simple survie.

Grâce aux renseignements que recueillit et divulgua, dans les années 1910, le Congrès international de géologie réuni à Stockholm, les hommes d'affaires des États-Unis purent, pour la première fois, évaluer l'importance des trésors cachés dans le sous-sol d'un ensemble de pays, dont l'un, le plus tentant peut-être, était le Brésil. Beaucoup plus tard, en 1948, l'ambassade des États-Unis créa au Brésil le poste d'attaché minier, lequel eut tout de suite autant de travail que l'attaché militaire ou l'attaché culturel : à tel point que l'on désigna rapidement deux attachés miniers au lieu d'un seul (2). Peu de temps après, la Bethlehem Steel recevait du gouvernement de Dutra les splendides gisements de manganèse d'Amapá. En 1952, l'accord militaire signé avec les États-Unis interdisait au Brésil de vendre les matières premières de valeur stratégique — comme le fer — aux pays socialistes. Ce fut une des causes de la chute tragique du président Getulio Vargas, qui n'avait pas respecté cette obligation en vendant du fer à la Pologne et à la Tchécoslovaquie, en 1953 et 1954, à des prix beaucoup plus élevés que ceux que payaient les États-Unis. En 1957, la Hanna Mining Co. acheta pour six millions de dollars la majorité des actions d'une entreprise britannique, la Saint John Mining Co., qui se consacrait à l'exploitation de l'or de Minas Gerais depuis les temps anciens de l'empire. La Saint-John exploitait la vallée de Paraopeba, où se trouve

---

(1) Salvador de la Plaza, dans le volume collectif *Perfiles de la economía venezolana*, Caracas, 1964.
(2) Osny Duarte Pereira, *Ferro e Independência. Um desafio a dignidade nacional*, Rio de Janeiro, 1967.

le plus important gisement de fer du monde, évalué à deux cents milliards de dollars. L'entreprise britannique n'était pas légalement habilitée à exploiter cette richesse fabuleuse, et la Hanna n'allait pas l'être davantage, selon les claires dispositions constitutionnelles et légales que Duarte Pereira énumère dans son œuvre. Ce fut, comme on le sut plus tard, l'affaire du siècle.

George Humphrey, président-directeur général de la Hanna, était alors un membre important du gouvernement des États-Unis en tant que secrétaire d'État aux Finances et directeur de l'Eximbank, la banque officielle pour le financement des opérations de commerce extérieur. La Saint John avait sollicité un emprunt de l'Eximbank, mais rien ne lui fut accordé avant que la Hanna ne s'empare de l'entreprise. Les pressions les plus dures se déchaînèrent alors sur les gouvernements successifs du Brésil. Les directeurs, avocats ou conseillers de la Hanna — Lucas Lopes, José Luiz Bulhões Pedreira, Roberto Campos, Mário da Silva Pinto, Otávio Gouveia de Bulhões — étaient également, et au plus haut niveau, membres du gouvernement brésilien ; ils continuèrent à occuper des charges de ministres, d'ambassadeurs ou de directeurs de services par la suite. La Hanna n'avait pas mal choisi son état-major. Les coups de main afin d'obtenir le droit pour la Hanna d'exploiter le fer qui appartenait en fait à l'État s'intensifièrent. Le 21 août 1961, le président Jânio Quadros signait une décision qui annulait les autorisations illégales accordées à la Hanna et qui restituait les gisements de fer de Minas Gerais à la réserve nationale. Quatre jours plus tard, les ministres militaires obligèrent Quadros à démissionner : « Des forces terribles se sont dressées contre moi... », disait le texte de la renonciation.

Le soulèvement populaire conduit par Leonel Brizola à Porto Alegre fit échouer le coup des militaires et porta au pouvoir le vice-président de Quadros, João Goulart. Lorsqu'en juillet 1962 un ministre voulut appliquer le décret fatal visant la Hanna — qui avait été mutilé au *Journal officiel* — l'ambassadeur des États-Unis, Lincoln Gordon, envoya à Goulart un télégramme protestant avec indignation devant l'attentat que le gouvernement s'apprêtait à commettre contre les intérêts d'une entreprise nord-américaine. Le pouvoir judiciaire ratifia la validité de la résolution de Quadros, mais Goulart hésitait. Pendant ce temps, le Brésil faisait les premières démarches pour l'établissement d'un entrepôt de minerais dans l'Adriatique, dans le but d'approvisionner en fer divers pays européens, socialistes et capitalistes : la vente directe de fer constituait un défi insupportable pour les grandes entreprises qui établissaient les prix à l'échelle mondiale. L'entrepôt ne devint jamais réalité, mais d'autres mesures nationalistes — comme le barrage opposé au drainage des gains des sociétés étrangères — furent mises en pratique et fournirent des détonateurs à la situation politique explosive. L'épée de Damoclès que représentait la décision de Quadros restait suspendue au-dessus de la tête de la Hanna. Le coup d'État éclata enfin, le dernier jour de mars 1964, à Minas Gerais, qui était, comme par hasard, le lieu des gisements de fer en litige. « Pour la Hanna, écrivit la revue *Fortune*, la révolte qui a renversé Goulart au printemps dernier est arrivée à la dernière minute comme les sauveteurs dans les westerns (1). »

Des hommes de la Hanna occupèrent alors la vice-présidence du Brésil et trois ministères. Le jour même de l'insurrection militaire, le *Washington Star* avait publié un éditorial pour le moins prophétique : « Nous sommes en présence d'une situation où un bon et vrai coup d'État à l'ancienne, dirigé par des leaders militaires conservateurs, peut très bien servir les plus hauts intérêts de toutes les Amériques (2). » Goulart n'avait ni renoncé ni abandonné le Brésil lorsque Lyndon Johnson, impatient, envoya son célèbre télégramme de félicitations au président du Congrès brésilien, qui assumait provisoirement la présidence du pays : « Le peuple américain a suivi avec inquiétude les difficultés politiques et économiques que votre grande nation a traversées et il a admiré la volonté inébranlable de la communauté brésilienne de résoudre ces difficultés dans le cadre de la démocratie constitutionnelle et sans guerre civile (3). » Un peu plus d'un mois plus tard, l'ambassadeur Lincoln Gordon,

(1) « Immovable Mountains », in *Fortune*, avril 1965.
(2) Cité par Mário Pedrosa, *A opção brasileira*, Rio de Janeiro, 1966.
(3) De Lyndon Johnson à Rainieri Mazzili, 2 avril 1964, version Associated Press.

qui visitait avec euphorie les casernes, prononça à l'École supérieure de guerre un discours dans lequel il affirmait que le triomphe de la conspiration de Castelo Branco « pourrait être considéré, de même que le Plan Marshall, le blocus de Berlin, la déroute de l'agression communiste en Corée et la solution de la crise des fusées à Cuba, comme une des plus importantes périodes de changement dans l'histoire mondiale de la moitié du XXe siècle (1) ». L'un des attachés militaires de l'ambassade des États-Unis avait offert une aide matérielle aux conspirateurs, peu avant que n'éclate le coup de force (2), et Gordon lui-même leur avait suggéré que les États-Unis reconnaîtraient un gouvernement autonome qui serait capable de se maintenir deux jours à São Paulo (3). Il n'est pas nécessaire de présenter ici une multitude de témoignages sur l'importance de l'aide économique des États-Unis dans le déroulement et le dénouement des événements — nous y reviendrons — ni sur l'assistance nord-américaine au niveau militaire ou syndical (4).

Lorsqu'elle fut fatiguée de jeter au feu ou au fond de la baie de Guanabara les livres d'auteurs russes tels que Dostoïevski, Tolstoï ou Gorki, et après qu'elle eut condamné à l'exil, à la prison ou à la tombe un nombre incalculable de Brésiliens, la flambante dictature de Castelo Branco se mit à l'œuvre : elle livra le fer et les autres richesses. La Hanna reçut l'autorisation convoitée le 24 décembre 1964. Ce cadeau de Noël ne lui accordait pas seulement toutes les garanties pour exploiter en paix les gisements de Paraopeba ; il lui permettait d'agrandir son propre port à soixante milles de Rio de Janeiro et de

(1) Selon l'information du quotidien *O Estado de São Paulo*, 4 mai 1964.
(2) José Stacchini, *Mobilização de audácia*, São Paulo, 1965.
(3) Philip Siekman, « When Executives Turned Revolutionaries », in *Fortune*, juillet 1964.
(4) Voir les déclarations du Comité des Affaires étrangères de la Chambre des représentants des États-Unis, citées par Harry Magdoff, *op. cit.*, et l'article révélateur d'Eugène Methvin dans *Selecciones de Reader's Digest*, décembre 1966 : selon Methvin, grâce aux bons offices de l'Institut américain pour le développement du syndicalisme libre, dont le siège est à Washington, les putschistes brésiliens purent coordonner par câble leurs mouvements de troupes, et le nouveau régime militaire récompensa l'IADSL en désignant quatre de ses diplômés « pour qu'ils fassent le nettoyage dans les syndicats dominés par les Rouges... ».

construire un chemin de fer destiné au transport du minerai. En octobre 1965, la Hanna forma avec la Bethlehem Steel un consortium pour l'exploitation en commun du fer concédé. Ces alliances, fréquentes au Brésil, ne peuvent se réaliser aux États-Unis, car la loi les interdit (1). Ayant terminé sa tâche, tout le monde étant heureux et l'affaire terminée, l'infatigable Lincoln Gordon partit assumer la présidence d'une université à Baltimore. En avril 1966, après plusieurs mois d'hésitation, Johnson désigna son remplaçant, John Tuthill ; il avait tardé, expliqua-t-il, dans cette nomination car le Brésil avait besoin d'un bon économiste.

L'U.S. Steel ne resta pas à la traîne. Pourquoi ne serait-elle pas invitée au repas ? Elle s'associa bientôt avec la société minière de l'État, la Companhia Vale do Rio Doce, qui devint pratiquement son pseudonyme officiel. En se résignant à ne posséder que 49 % des actions, l'U.S. Steel obtint ainsi la concession des gisements de fer de la sierra de los Carajás, en Amazonie. Son ampleur est, au dire des techniciens, comparable à la couronne de fer de la Hanna-Bethlehem à Minas Gerais. Comme toujours, le gouvernement brésilien allégua qu'il ne disposait pas de capitaux suffisants pour assurer seul l'exploitation.

Le pétrole, records et malédictions

Le pétrole est, avec le gaz naturel, le combustible actionnant le monde contemporain, une matière première d'importance croissante pour l'industrie chimique et un élément stratégique primordial pour les activités militaires. Aucun aimant n'attire autant que l' « or noir » les capitaux étrangers et il n'existe aucune autre source capable d'assurer un aussi fabuleux rapport ; le pétrole est la richesse la plus

---

(1) Osny Duarte Pereira, *op. cit.*

monopolisée dans l'ensemble du système capitaliste. On ne connaît pas de patrons jouissant du pouvoir politique qu'exercent, à l'échelle universelle, les grandes compagnies pétrolières. La Standard Oil et la Shell font et défont les rois et les présidents, elles financent les conspirations de palais et les coups d'État, disposent de quantités de généraux, de ministres et de James Bond, et décident de la guerre et de la paix dans tous les continents et dans toutes les langues. La Standard Oil Co. de New Jersey est la plus puissante société industrielle du monde capitaliste et la Royal Dutch Shell vient aussitôt après elle hors des États-Unis. Les filiales vendent le pétrole brut aux raffineries du trust, qui le revendent traité aux succursales distributrices : durant tout son circuit le sang ne sort pas de l'appareil circulatoire du cartel, qui possède en outre les pipe-lines et la majeure partie de la flotte pétrolière. Ces sociétés manipulent les prix, à l'échelle mondiale, pour réduire les impôts et accroître les revenus : le pétrole brut augmente toujours moins que le pétrole raffiné.

Il arrive avec le pétrole ce qui arrive avec le café ou la viande : les pays riches gagnent beaucoup plus à le consommer que les pays pauvres à le produire. La différence est de dix contre un : des onze dollars que coûtent les dérivés d'un baril de pétrole, les pays exportateurs reçoivent à peine un dollar, provenant de la somme d'impôts et des frais d'extraction, tandis que les pays développés, où se trouvent les maisons mères, touchent dix dollars, représentant le montant de leurs tarifs douaniers et de leurs taxes — huit fois supérieurs aux impôts des pays producteurs — et des coûts et bénéfices produits par le transport, le raffinage et la distribution que les grandes entreprises monopolisent (1).

Le pétrole des États-Unis atteint un prix élevé et les salaires de ses ouvriers sont relativement hauts, mais le cours du pétrole du Venezuela et du Moyen-Orient a baissé sans cesse depuis 1957 et tout au long des années 60. Chaque baril de pétrole vénézuélien, par exemple, valait en moyenne deux dollars soixante-cinq en 1957 ; au moment où j'écris ces lignes, en décembre 1970, le prix en est tombé à un dollar

(1) Documents publiés par l'Organisation des pays exportateurs de pétrole. Francisco Mieres, *El petróleo y la problemática estructural venezolana*, Caracas, 1969.

quatre-vingt-six. Le gouvernement de Rafael Caldera annonce qu'il va fixer unilatéralement un prix bien supérieur, mais le nouveau tarif n'atteindra pas, de toute façon — selon les chiffres avancés par les commentateurs et malgré le scandale que l'on sent couver —, le niveau de 1957. Les États-Unis sont, à la fois, le principal producteur et le principal importateur du monde. Lorsque la majeure partie du pétrole brut vendu par les sociétés provenait du sous-sol nord-américain le prix en restait élevé ; mais pendant la Seconde Guerre mondiale, les États-Unis se transformèrent en importateur et le cartel commença à appliquer une nouvelle politique des prix : les cours baissèrent systématiquement. Curieuse inversion des « lois du marché » : le prix du pétrole s'effondre alors que la demande mondiale ne cesse d'augmenter, à mesure que se multiplient les usines, les automobiles et les centrales génératrices d'énergie. Autre paradoxe : le prix du pétrole baisse mais les prix des combustibles payés par les consommateurs montent dans tous les pays. Il y a une disproportion démesurée entre le prix du brut et ceux des dérivés. Toute cette chaîne d'absurdités est parfaitement rationnelle : il n'est pas nécessaire de recourir à une explication cabalistique pour en justifier le mécanisme. Simplement, le commerce du pétrole dans le monde capitaliste est, nous l'avons vu, entre les mains d'un cartel tout-puissant. Celui-ci vit le jour en 1928, dans un château du nord de l'Écosse entouré de brume, lorsque la Standard Oil de New Jersey, la Shell et l'Anglo-Iranian, aujourd'hui rebaptisée British Petroleum, se mirent d'accord pour se partager la planète. La Standard de New York et celle de Californie, la Gulf et la Texaco s'intégrèrent par la suite au noyau dirigeant du cartel (1). La Standard Oil, fondée par Rockefeller en 1870, s'était scindée en trente-cinq groupes différents en 1911, en application de la loi Sherman contre les trusts ; la grande sœur de la nombreuse famille Standard est, actuellement, la société de New Jersey. Ses ventes, ajoutées à celles de la Standard de New York et de Californie, représentent la moitié des ventes totales du cartel. Les entreprises pétrolières du

---

(1) Rapport du Sénat américain ; *Actas secretas del cártel petrolero*, Buenos Aires, 1961, et Harvey O'Connor, *El imperio del petróleo*, La Havane, 1961.

groupe Rockefeller sont si importantes qu'elles totalisent le tiers des bénéfices que les entreprises nord-américaines de toutes sortes tirent du monde entier. La Jersey, multinationale typique, puise ses principaux bénéfices hors des frontières ; l'Amérique latine lui rapporte plus que les États-Unis et le Canada réunis : au sud du río Bravo, le taux de ses gains est quatre fois supérieur (1). Les filiales du Venezuela produisaient, en 1957, plus de la moitié des bénéfices recueillis dans tous les pays par la Standard Oil de New Jersey ; cette même année, les filiales vénézuéliennes fournirent à la Shell la moitié de ses gains dans le monde entier (2).

Ces multinationales n'appartiennent pas aux multiples nations où elles exercent leurs activités : elles sont multinationales simplement dans la mesure où, des quatre points cardinaux, elles drainent de grandes quantités de pétrole et de dollars vers les centres du pouvoir du système capitaliste. Elles n'ont pas besoin d'exporter des capitaux pour financer l'expansion de leur commerce ; les bénéfices usurpés aux pays pauvres non seulement vont tout droit aux quelques villes où résident leurs principaux actionnaires, mais ils sont en outre partiellement réinvestis pour renforcer et étendre le réseau international des opérations. La structure du cartel implique la mainmise sur de nombreux pays et l'intromission dans leurs gouvernements ; le pétrole imprègne présidents et dictateurs et accentue les déformations structurelles des sociétés qu'il met à son service. Ce sont les trusts qui décident et dessinent au crayon sur la carte du monde les zones d'exploitation et les zones de réserves ; ce sont eux qui fixent les prix que doivent demander les producteurs et payer les consommateurs. Le pétrole, la richesse naturelle du Venezuela et d'autres pays latino-américains, source d'agressions et de pillage organisés, est devenu le principal instrument de leur esclavage politique et de leur dégradation sociale. C'est une longue histoire de records et de malédictions, d'infamies et de défis.

Cuba fournissait, par des voies complémentaires, des revenus substantiels à la Standard Oil de New Jersey. Celle-ci achetait le pétrole brut à la Creole Petroleum, sa filiale

(1) Paul A. Baran et Paul M. Sweezy, *El capital monopolista*, Mexico, 1971.
(2) Francisco Mieres, *op. cit.*

vénézuélienne, et le raffinait et le distribuait dans l'île aux prix qui lui convenaient à chaque étape. En octobre 1959, en pleine effervescence révolutionnaire, le Département d'État envoya une note officielle à La Havane exprimant sa préoccupation au sujet de l'avenir des investissements nord-américains à Cuba : les bombardements des avions « pirates » venant du Nord avaient commencé et les relations étaient tendues. En janvier 1960, Eisenhower annonça la réduction des importations de sucre cubain et, en février, Fidel Castro signa avec l'Union soviétique un accord commercial prévoyant d'échanger du sucre contre du pétrole et d'autres produits à des prix intéressants pour Cuba. La Jersey, la Shell et la Texaco refusèrent de raffiner le pétrole soviétique : en juillet, le gouvernement cubain contrôla et nationalisa les sociétés sans aucune indemnisation. Incitées par la Standard Oil de New Jersey, les entreprises organisèrent le blocus. Au boycottage du personnel qualifié s'ajoutèrent le boycottage des pièces de rechange pour les machines et le boycottage des affrétements. Le conflit était une épreuve de souveraineté [1] et Cuba s'en tira avec honneur. Il cessa d'être, en même temps, une étoile dans la constellation du drapeau des États-Unis et une pièce dans l'engrenage mondial de la Standard Oil.

Le Mexique avait supporté, vingt ans plus tôt, un embargo international décrété par la Standard Oil de New Jersey et la Royal Dutch Shell. Entre 1939 et 1942, le cartel décida le blocus des exportations mexicaines de pétrole et des approvisionnements nécessaires aux puits et raffineries. Le président Lázaro Cárdenas avait nationalisé les entreprises. Nelson Rockefeller, qui, en 1930, avait reçu le titre d'économiste en écrivant une thèse sur les vertus de sa Standard Oil, se rendit à Mexico pour négocier un accord, mais Cárdenas ne fit pas machine arrière. La Standard et la Shell, qui s'étaient partagé le territoire mexicain en s'attribuant l'une le Nord et l'autre le Sud, non seulement refusaient d'accepter les décisions de la Cour suprême concernant l'application des lois mexicaines du travail mais encore, ayant tari les gisements de la fameuse Faja de Oro à une vitesse vertigineuse, elles contraignaient les

[1] Michael Tanzer, *The Political Economy of International Oil and the Underdeveloped Countries*. Boston, 1969.

Mexicains à payer pour leur propre pétrole des prix supérieurs à ceux demandés aux États-Unis et en Europe (1). En quelques mois, la fièvre exportatrice avait épuisé brutalement de nombreux gisements qui auraient pu continuer à produire pendant trente ou quarante années. « Elle avait enlevé au Mexique, écrit Harvey O'Connor, ses réserves les plus riches, ne lui laissant qu'une série de raffineries vétustes, des champs épuisés, les mendiants de la ville de Tampico et des souvenirs amers. » En moins de vingt ans, la production était tombée au cinquième. Le Mexique se retrouvait avec une industrie vieillissante, tournée vers la demande étrangère, et avec quatorze mille ouvriers ; les techniciens prirent le large et les moyens de transport eux-mêmes disparurent. Cárdenas fit de la récupération du pétrole une grande cause nationale et résolut la crise à force d'imagination et de courage. Pemex (les Pétroles Mexicains), une firme créée en 1938 pour prendre en charge toute la production et le marché, est aujourd'hui la plus importante société indépendante de toute l'Amérique latine. Grâce aux revenus de Pemex, le gouvernement mexicain versa d'énormes indemnisations aux entreprises entre 1947 et 1962, encore que, comme le souligne justement Jesús Silva Herzog, « le Mexique ne soit pas le débiteur de ces compagnies pirates, mais bien leur créancier légitime (2) ». En 1949, la Standard Oil imposa son veto à un prêt que les États-Unis se préparaient à accorder à Pemex, et longtemps après — les indemnisations généreuses ayant alors cicatrisé les plaies — Pemex vécut une expérience similaire avec la Banque interaméricaine de développement.

L'Uruguay fut le premier pays à créer une raffinerie nationale en Amérique latine. La ANCAP (Administration nationale de combustibles, alcool et ciment Portland) naquit en 1931 ; le raffinage et la vente de pétrole brut figuraient parmi ses fonctions principales. C'était une réponse à une

(1) Harvey O'Connor, *La crisis mundial del petróleo*, Buenos Aires, 1963. Ce phénomène reste courant dans plusieurs pays. En Colombie, par exemple, où le pétrole est exporté librement et sans imposition, la raffinerie nationale achète aux compagnies étrangères le pétrole colombien avec une majoration de 37 % par rapport au prix international et elle doit le payer en dollars. (Raúl Alameda Ospina, dans la revue *Esquina*, Bogota, janvier 1968.)
(2) Jesús Silva Herzog, *Historia de la expropiación de las empresas petroleras*, Mexico, 1964.

longue histoire d'abus du trust dans le Río de la Plata. Parallèlement, l'État conclut l'achat de pétrole à bon marché en Union soviétique. Aussitôt le cartel finança une furieuse campagne de discrédit contre la firme industrielle de l'État uruguayen et commença son travail d'extorsion et de menace. On affirmait que l'Uruguay ne trouverait pas de pays pour lui vendre des machines et qu'il resterait sans pétrole brut, l'État étant un très mauvais administrateur et ne pouvant se charger d'un commerce aussi complexe. Le putsch de mars 1933 avait un relent de pétrole : la dictature de Gabriel Terra retira à l'ANCAP le monopole de l'importation des combustibles ; en janvier 1938, elle signait des accords secrets avec le cartel ; ces accords abominables, qui furent ignorés du public pendant un quart de siècle, sont toujours en vigueur. Ils imposent au pays d'acheter 40 % du pétrole brut sans mise à prix, à l'endroit désigné par la Standard Oil, la Shell, l'Atlantic et la Texaco, et à des prix fixés par elles. En outre, l'État, qui conserve le monopole du raffinage, paie tous les frais des sociétés, y compris la propagande, les salaires privilégiés et l'ameublement luxueux de leurs bureaux (1). *Esso es progreso* (« Esso c'est le progrès »), chante la télévision, et le bombardement publicitaire ne coûte pas un centime à la Standard Oil. L'avocat de la Banque de la République a aussi à sa charge les relations publiques de la Standard Oil : l'État lui paie le double d'honoraires.

En 1939, la raffinerie de l'ANCAP dressait avec fierté ses tours flamboyantes ; la firme avait été gravement mutilée, comme nous l'avons vu, peu après sa naissance, mais elle constituait encore un exemple de défi victorieux face aux pressions du cartel. Le chef du Conseil national du pétrole brésilien, le général Horta Barbosa, se rendit à Montevideo et se déclara enthousiasmé par l'expérience : la raffinerie uruguayenne avait payé la presque totalité de ses frais d'équipement au cours de la première année. Grâce aux efforts du général Barbosa et à la ferveur des autres militaires nationalistes, Petrobrás, l'entreprise nationale

---

(1) Vivian Trías, *Imperialismo y petróleo en el Uruguay,* Montevideo, 1963. Voir également le discours du député Enrique Erro dans le journal des sessions de la Chambre des représentants, n° 1211, tome 577, Montevideo, 8 septembre 1966.

brésilienne, put commencer ses opérations en 1953 au cri de *O petróleo é nosso !* (« Le pétrole est à nous ! »). Actuellement, Petrobrás est la société la plus importante du Brésil (1). Elle prospecte, extrait et raffine le pétrole brésilien. Mais Petrobrás aussi a été mutilée. Le cartel lui a enlevé deux grandes sources de revenus : d'abord, la distribution de l'essence, des huiles, du kérosène et des différents fluides, un commerce formidable que Shell, Esso et Atlantic dirigent par téléphone sans aucun mal et avec un tel succès qu'après l'industrie automobile il représente le secteur privilégié des investissements nord-américains au Brésil ; puis l'industrie pétrochimique, prolifique origine de profits, qui a été dénationalisée il y a quelques années par la dictature du maréchal Castelo Branco. Récemment, le cartel a déclenché une campagne retentissante destinée à arracher à Petrobrás le monopole du raffinage. Les défenseurs de Petrobrás rappellent que l'initiative privée, qui avait le champ libre, ne s'était pas souciée du pétrole brésilien avant 1953 (2) et ils essaient de faire ressurgir dans la fragile mémoire du public un épisode significatif de la bonne volonté des monopoles. En novembre 1960, en effet, Petrobrás avait chargé deux techniciens brésiliens de dresser une révision générale de l'état des gisements sédimentaires du pays. A la suite de leur enquête, le petit État de Sergipe, au nord-est, était passé à l'avant-garde de la production pétrolière. Peu auparavant, en août, le technicien nord-américain Walter Link, ancien géologue en chef de la Standard Oil de New Jersey, avait reçu de l'État brésilien un demi-million de dollars pour une montagne de cartes et un long rapport qui qualifiait de « peu révélatrice » la couche sédimentaire de Sergipe : classée jusqu'alors dans le groupe B, Link l'avait reléguée dans le groupe C. On sut ensuite qu'elle appartenait en fait au groupe A (3). Selon O'Connor, Link avait toujours travaillé comme agent de la Standard ; il était d'avance décidé à ne pas trouver de pétrole

(1) Petrobrás figure au premier rang sur la liste des cinq cents entreprises principales publiée par *Conjuntura econômica*, vol. 24, n° 9, Rio de Janeiro, 1970.

(2) Déclarations de l'ingénieur Márcio Leite Cesarino, *Correio da Manhã*, Rio de Janeiro, 28 janvier 1967.

(3) Le *Correio da Manhã* publia un important extrait du document dans son édition du 19 février 1967.

pour que le Brésil demeure dépendant des importations de la filiale de Rockefeller au Venezuela.

En Argentine, les sociétés étrangères et leurs multiples porte-parole nationaux affirment que le sous-sol renferme peu de pétrole, contredisant en cela les recherches des techniciens de l'Y.P.F. (Yacimientos Petrolíferos Fiscales) qui ont montré avec certitude que près de la moitié du territoire recèle du pétrole et que celui-ci abonde également dans la vaste plate-forme sous-marine de la côte atlantique. Chaque fois qu'il revient à la mode de parler de la pauvreté du sous-sol argentin, le gouvernement accorde une nouvelle concession à l'un des membres du cartel. L'entreprise nationale Y.P.F. a été victime, depuis sa création, d'un sabotage continuel et systématique. L'Argentine a été jusqu'à ces dernières années l'un des derniers théâtres historiques de la lutte impérialiste opposant l'Angleterre, au désespoir de son déclin, et les États-Unis en expansion. Les accords du cartel n'ont pas empêché la Shell et la Standard de se disputer le pétrole de ce pays par des moyens parfois violents : on trouve une série de coïncidences éloquentes dans les coups d'État qui se sont succédé au long des quarante dernières années. Le 6 septembre 1930, le Congrès argentin se disposait à voter la loi de nationalisation du pétrole lorsque le caudillo nationaliste Hipólito Yrigoyen fut renversé par le putsch de José Félix Uriburu. Le gouvernement de Ramón Castillo tomba en juin 1943, alors qu'il se préparait à signer un accord confiant aux capitaux nord-américains l'extraction du pétrole. En septembre 1955, Juan Domingo Perón partit pour l'exil au moment où le Congrès allait approuver la concession à la California Oil Co. Arturo Frondizi déclencha plusieurs crises militaires graves, dans les trois armes, en annonçant une adjudication qui offrait tout le sous-sol aux entreprises intéressées par l'extraction du pétrole : en août 1959, l'adjudication fut rejetée. Le projet réapparut bientôt pour être abandonné en octobre 1960. Frondizi accorda plusieurs concessions aux entreprises nord-américaines et les intérêts britanniques — décisifs dans la marine et dans le secteur « rouge » de l'armée — ne furent pas étrangers à sa chute en mars 1962. Arturo Illia annula lesdites concessions et fut renversé en 1966 ; l'année suivante, Juan Carlos Onganía promulguait une loi sur les hydrocarbures qui favorisait les intérêts nord-américains dans cette lutte intestine.

Le pétrole n'a pas provoqué que des coups d'État en Amérique latine. Il a déclenché une guerre, celle du Chaco (1932-1935), entre les deux peuples les plus pauvres de l'Amérique du Sud : la Bolivie et le Paraguay. « La guerre des soldats nus », a dit René Zavaleta pour qualifier cette féroce tuerie (1). Le 30 mai 1934, le sénateur de la Louisiane, Huey Long, ébranla les États-Unis par un violent discours dans lequel il accusait la Standard Oil de New Jersey d'avoir provoqué le conflit et de financer l'armée bolivienne afin de s'approprier, par son intermédiaire, le Chaco paraguayen, sans lequel on ne pouvait faire passer un pipe-line de la Bolivie jusqu'au fleuve et qui, de surcroît, était probablement riche en pétrole : « Ces criminels sont allés là-bas et ont loué leurs tueurs », affirmait-il (2). De leur côté, les Paraguayens allaient à l'abattoir, poussés par la Shell : à mesure qu'ils avançaient vers le nord, les soldats découvraient les forages de la Standard sur le terrain de la discorde. Il s'agissait d'une querelle entre deux sociétés, ennemies et en même temps associées à l'intérieur du cartel, mais ce n'étaient pas elles qui versaient leur sang. Finalement, le Paraguay gagna la guerre mais perdit la paix. Spruille Braden, représentant bien connu de la Standard Oil, présida la commission d'armistice qui préserva pour la Bolivie, et pour Rockefeller, plusieurs milliers de kilomètres carrés que les Paraguayens revendiquaient.

Tout près du dernier territoire de ces batailles se trouvent les puits de pétrole et les vastes gisements de gaz naturel que la Gulf Oil Co., le trust de la famille Mellon, perdit en Bolivie en octobre 1969. « Le temps du mépris est terminé pour les Boliviens », s'écria le général Alfredo Ovando en annonçant la nationalisation, du haut du balcon du Palais Quemado. Quinze jours plus tôt, alors qu'il n'avait pas encore pris le

(1) René Zavaleta Mercado, *Bolivia. El desarrollo de la conciencia nacional*, Montevideo, 1967.
(2) Le sénateur Long n'épargna aucun adjectif à la Standard Oil : il l'appela *criminelle, malfaisante, scélérate, meurtrière domestique, égorgeuse étrangère, conspiratrice internationale, bande de brigands et d'aigrefins rapaces, ramassis de vandales et de voleurs.* (Reproduit dans la revue *Guarania*, Buenos Aires, novembre 1934.)

pouvoir, Ovando avait juré devant un groupe d'intellectuels nationalistes qu'il nationaliserait la Gulf ; il avait rédigé le décret, l'avait signé et glissé, non daté, dans une enveloppe. Et cinq mois auparavant, dans le Cañadón del Arque, l'hélicoptère du général René Barrientos avait heurté les câbles du télégraphe et était tombé à pic. L'imagination n'aurait pas été capable d'inventer une mort aussi parfaite. L'hélicoptère était un cadeau personnel de la Gulf Oil Co. et le télégraphe appartient, comme on sait, à l'État. Avec Barrientos brûlèrent deux valises bourrées de billets de banque qu'il emportait pour les distribuer un par un aux paysans, et plusieurs mitraillettes qui, au contact du feu, se mirent à cracher une pluie de balles autour de l'hélicoptère embrasé, si bien que personne ne put s'approcher pour sauver le dictateur qui brûlait vif.

En même temps qu'il décrétait la nationalisation, Ovando abrogeait le Code du pétrole, appelé *Code Davenport,* en hommage à l'avocat qui l'avait rédigé en anglais. Pour l'élaboration du Code, la Bolivie avait obtenu en 1956 un prêt des États-Unis ; en revanche, l'Eximbank, la banque privée de New York et la Banque Mondiale avaient toujours répondu par la négative aux demandes de crédit pour le développement de l'Y.P.F.B., l'entreprise pétrolière de l'État. Le gouvernement nord-américain faisait toujours sienne la cause des sociétés pétrolières privées (1). Le Code permettait alors à la Gulf de recevoir pour une durée de quarante ans la concession des gisements les plus riches du pays. Il fixait une participation ridicule de l'État aux bénéfices des entreprises : pendant de

(1) Les exemples abondent dans l'histoire récente ou lointaine. Irving Florman, ambassadeur des États-Unis en Bolivie, informait Donald Dawson, de la Maison-Blanche, le 28 décembre 1950 : « Depuis que je suis arrivé ici, j'ai travaillé activement au projet d'ouvrir amplement l'industrie pétrolière bolivienne à la pénétration de l'entreprise privée américaine et d'aider notre programme de défense nationale à se développer sur une grande échelle. » Et encore : « Je savais que vous seriez intéressé d'apprendre que l'industrie pétrolière de Bolivie et ce pays tout entier sont maintenant largement ouverts à la libre initiative nord-américaine. La Bolivie est de ce fait le premier pays du monde à avoir fait une dénationalisation, ou une nationalisation à rebours, et je me sens fier d'avoir été capable d'accomplir cette tâche pour mon pays et l'administration. » La photocopie de cette lettre, empruntée à la bibliothèque de Harry Truman, fut reproduite par *NACLA Newsletter*, New York, février 1969.

longues années, à peine 11 %. L'État participait au règlement des frais des concessionnaires mais n'avait aucun contrôle sur ces derniers ; on en arriva même à une solution extrême en matière de dons : tous les risques étaient pour l'Y.P.F.B., et aucun pour la Gulf. La *Lettre d'intentions*, signée par la Gulf, fin 1966, sous la dictature de Barrientos, établit que dans les opérations communes avec l'Y.P.F.B. la Gulf récupérerait la totalité de ses capitaux investis dans l'exploration d'un secteur si l'on n'y trouvait pas de pétrole. Dans le cas contraire, les frais seraient remboursés par l'exploitation ultérieure mais, en attendant, portés au passif de l'entreprise nationale. Et la Gulf les établirait comme elle l'entendrait (1). Dans cette même *Lettre d'intentions*, la Gulf s'attribuait aussi, en toute tranquillité, la propriété des gisements de gaz qui ne lui avaient jamais été concédés. Le sous-sol de Bolivie renferme beaucoup plus de gaz que de pétrole. Le général Barrientos eut un geste de distraction : ce fut suffisant. Une simple invitation de la main peut décider du sort de la principale réserve d'énergie de la Bolivie. Mais la pièce n'était pas terminée.

Un an avant que le général Alfredo Ovando exproprie la Gulf de Bolivie, un autre général nationaliste, Juan Velasco Alvarado, avait nationalisé au Pérou les gisements et la raffinerie de l'International Petroleum Co., une filiale de la Standard Oil de New Jersey. Velasco avait pris le pouvoir à la tête d'une junte militaire et porté par la vague d'un grand scandale politique : le gouvernement de Fernando Belaúnde Terry avait « égaré » la dernière page de l'accord de Talara, signé entre l'État et l'I.P.C. Cette page 11, mystérieusement évaporée, contenait la garantie du prix minimum que l'entreprise nord-américaine devait payer pour le pétrole brut national dans sa raffinerie. Le scandale ne s'arrêtait pas là. On révélait aussi que la filiale de la Standard avait escroqué au Pérou plus d'un milliard de dollars en un demi-siècle, en impôts non payés, en pots-de-vin et autres formes de fraude et de corruption. Le directeur de l'I.P.C. avait rencontré le président Belaúnde une soixantaine de fois avant de parvenir

(1) Marcelo Quiroga Santa Cruz, intervention des 11 et 12 octobre 1966 à la Chambre des députés, *Revista jurídica*, édition spéciale, Cochabamba, 1967.

à l'accord qui avait provoqué le soulèvement militaire ; pendant deux ans, tandis que les négociations avec l'entreprise avançaient, se rompaient puis reprenaient, le Département d'État avait suspendu toute aide au Pérou (1). Le temps manqua pour renouveler l'aide, car la faillite frappa le destin du président aux abois. Lorsque le trust Rockefeller présenta sa protestation devant la Cour de justice péruvienne, le public jeta des pièces de monnaie au visage de ses avocats.

L'Amérique latine est une boîte à surprise : la possibilité d'étonnement de cette région torturée du monde est inépuisable. Dans les Andes, le nationalisme militaire a resurgi avec violence, comme un fleuve resté longtemps souterrain. Les généraux qui mènent aujourd'hui à bien, par un processus contradictoire et ferme, une politique de réformes et d'affirmation patriotique, avaient anéanti les guérilleros peu avant de prendre le pouvoir. Nombre de drapeaux des victimes ont été ainsi récupérés par leurs vainqueurs. En 1965, les militaires avaient arrosé au napalm plusieurs zones de guérilla et c'est l'International Petroleum Co. qui leur avait fourni le pétrole et le *know how* pour la fabrication des bombes sur la base aérienne de Las Palmas, près de Lima (2). L'entreprise ne pouvait deviner ce qui l'attendait.

LE LAC MARACAÏBO DANS LE JABOT DES GRANDS VAUTOURS DE MÉTAL

Bien que sa participation se soit réduite de moitié sur le marché mondial au cours de la dernière décennie, le

(1) Lorsque le scandale éclata, l'ambassade des États-Unis ne garda pas un silence prudent. Un de ses fonctionnaires en vint à affirmer qu'il n'existait aucun original du contrat de Talara. (Richard N. Goodwin, « El conflicto con la I.P.C. : Carta de Perú », publié par *The New Yorker* et reproduit par *Comercio exterior,* Mexico, juillet 1969.)
(2) Georgie Anne Geyer, « Seized U.S. Oil Firm Made Napalm », in *New York Post,* 7 avril 1969.

Venezuela reste le plus grand exportateur de pétrole. Presque la moitié des gains que les capitaux nord-américains soustraient à l'Amérique latine en proviennent. C'est un des pays les plus riches de la planète et en même temps l'un des plus pauvres et des plus violents. Il jouit du revenu *per capita* le plus élevé en Amérique latine et possède un réseau routier complet et ultra-moderne ; proportionnellement au nombre d'habitants, aucun autre pays ne boit autant de whisky écossais. Les réserves de pétrole, de gaz et de fer de son sous-sol immédiatement exploitables pourraient décupler la richesse de chaque Vénézuélien ; les populations de l'Allemagne ou de l'Angleterre tiendraient en entier dans ses vastes étendues vierges. Les tarières ont extrait en un demi-siècle une rente pétrolière si fabuleuse qu'elle dépasse, et du double, les subsides du Plan Marshall pour la reconstruction de l'Europe ; depuis que le pétrole a jailli à torrents du premier puits, la population a triplé et le budget national s'est multiplié par cent, mais une bonne partie des habitants, qui se disputent les restes de la minorité dominante, ne se nourrissent pas mieux qu'à l'époque où le pays dépendait du cacao et du café (1). Caracas, la capitale, a étendu sa superficie de sept fois en trente ans ; la ville patriarcale aux frais patios, avec sa Plaza Mayor et sa cathédrale silencieuse, s'est hérissée de gratte-ciel au même rythme que celui des derricks surgissant sur le lac Maracaïbo. C'est aujourd'hui un cauchemar où règne l'air conditionné, une métropole supersonique et trépidante, un centre de la culture pétrolière qui préfère la consommation à la création et qui multiplie les besoins artifi-

(1) Nous avons utilisé pour la rédaction de ce chapitre, outre les ouvrages déjà cités de Harvey O'Connor et Francisco Mieres, les livres suivants : Orlando Araújo, *Operación Puerto Rico sobre Venezuela*, Caracas, 1967 ; Federico Brito, *Venezuela siglo XX*, La Havane, 1967 ; M.A. Falcon Urbano, *Desarrollo e industrialización de Venezuela*, Caracas, 1969 ; Elena Hochman, Héctor Mujica et autres, *Venezuela 1º*, Caracas, 1963 ; William Krehm, *Democracia y tiranías en el Caribe*, Buenos Aires, 1959 ; les essais de D.F. Maza Zavala, Salvador de la Plaza, Pedro Esteban Mejía et Leonardo Montiel Ortega dans le volume cité, note 27 ; Rodolfo Quintero, *La cultura del petróleo*, Caracas, 1968 ; Domingo Alberto Rangel, *El proceso del capitalismo contemporáneo en Venezuela*, Caracas, 1968 ; Arturo Uslar Pietri, « Tiene un porvenir la juventud venezolana ? », in *Cuadernos Americanos*, Mexico, mars-avril 1968 ; et Nations Unies-CEPAL, *Estudio económico de América Latina, 1969*, New York-Santiago du Chili, 1970.

ciels pour cacher ses besoins réels. Caracas aime les conserves et les produits synthétiques ; on n'y marche pas, on ne s'y déplace qu'en automobile, et les gaz des moteurs ont empoisonné l'air pur de la vallée ; Caracas a du mal à dormir car elle ne peut apaiser son désir de gagner et d'acheter, de consommer et de dépenser, de tout posséder. Sur les flancs des collines, plus d'un demi-million d'oubliés contemplent de leurs bidonvilles ce gaspillage. Les centaines de milliers d'automobiles dernier modèle resplendissent dans les avenues de la ville dorée. Dès que les fêtes approchent, les bateaux arrivent au port de La Guaira bourrés de champagne français, de whisky écossais et de forêts de sapins de Noël en provenance du Canada, tandis que la moitié des enfants et de la jeunesse du Venezuela, en 1970, ne fréquentent pas l'école.

Le Venezuela produit chaque jour trois millions et demi de barils de pétrole pour actionner la machinerie industrielle du monde capitaliste ; mais les diverses filiales de la Standard Oil, de la Shell, de la Gulf et de la Texaco n'exploitent pas les quatre cinquièmes de leurs concessions, qui restent des réserves vierges, et plus de la moitié de la valeur des exportations ne retourne jamais au pays. Les brochures de propagande de la Creole (Standard Oil) exaltent la philanthropie de la firme au Venezuela avec les mêmes termes que la Real Compañía Guipuzcoana utilisait au milieu du XVIIIe siècle pour proclamer ses vertus ; les revenus arrachés à cette grande vache laitière ne sont comparables, proportionnellement au capital investi, qu'à ceux que touchaient dans le passé les négriers et les corsaires. Aucun pays n'a rapporté autant au capitalisme mondial en si peu de temps : le Venezuela a drainé une richesse qui, selon Rangel, dépasse celle que les Espagnols usurpèrent à Potosí et les Anglais à l'Inde. La première Convention nationale d'économistes a révélé que les bénéfices réels des compagnies pétrolières au Venezuela avaient atteint en 1961 38 %, et en 1962 48 %, bien que les taux reconnus par ces entreprises dans leurs bilans ne fussent respectivement que de 15 % et de 17 %. La différence relève de la magie de la comptabilité et des virements secrets. En outre, dans le mécanisme compliqué du commerce pétrolier, avec ses systèmes de prix multiples et concomitants, il est très difficile d'estimer le volume des gains cachés derrière la baisse artificielle des cours du pétrole brut qui, du puits à la pompe à essence, circule toujours par les mêmes veines, et derrière la hausse artificielle des coûts de production dans lesquels sont inclus des salaires fabuleux et des frais très grossis de propagande. Ce qui est sûr c'est que, selon les chiffres officiels, le Venezuela n'a enregistré aucun nouvel investissement étranger au cours de la dernière décennie mais, au contraire, un retrait systématique. Le pays subit une saignée de plus de sept cents millions de dollars par an au titre avoué de « rentes du capital étranger ». Les seuls investissements nouveaux proviennent des bénéfices qu'il procure. Pendant ce temps, les coûts d'extraction du pétrole baissent en flèche car les firmes emploient de moins en moins de main-d'œuvre. Pour la seule période située entre 1959 et 1962, le nombre d'ouvriers a baissé de plus de dix mille bras, un peu plus de trente mille personnes restant en activité ; et, fin 1970, le pétrole n'occupait plus que vingt-trois mille ouvriers. La production, au contraire, a beaucoup augmenté.

Conséquence du chômage croissant, la crise des cités pétrolières du lac Maracaïbo s'est aggravée. Le lac est une forêt de tours. A l'intérieur de ces armatures de fer entrecroisé, l'implacable oscillation des balanciers engendre, depuis un demi-siècle, l'opulence et la misère du Venezuela. Et, à côté des balanciers, les torches consument impunément le gaz naturel que le pays se paie le luxe de dissiper dans l'atmosphère. On trouve des balanciers jusqu'au fond des maisons et aux coins de rues de ces villes qui ont jailli avec la même abondance que le pétrole sur les rives du lac ; le pétrole y teint en noir les rues et les vêtements, les aliments et les murs, et même les professionnelles de l'amour portent des sobriquets qui le rappellent : « La Tubulure » ou « la Quatre-Valves », « la Chevalet » ou « la Remorqueuse ». Vêtements et nourriture y sont plus chers qu'à Caracas. Ces localités modernes, de triste origine mais agitées par l'allégresse de l'argent facile, ont découvert qu'elles n'avaient pas de destin. Lorsque les puits ferment, survivre relève du miracle : seules demeurent les ossatures des maisons et les eaux huileuses empoisonnées qui tuent les poissons et lèchent les zones abandonnées. Le malheur s'attaque aussi aux villes qui vivent de l'exploitation des puits en activité en leur offrant les licenciements en masse et la mécanisation croissante. « Ici, le pétrole nous a passé au-dessus de la tête, disaient les gens de Lagunillas en 1966. Si ces machines n'étaient pas arrivées, nous aurions une vie plus agréable. » Cabimas, qui, pendant un demi-siècle, fut la principale source de pétrole et qui apporta une telle prospérité à Caracas et aux compagnies, n'a même pas le tout-à-l'égout. C'est à peine si elle compte deux avenues asphaltées.

L'euphorie remontait à loin. En 1917, au Venezuela, le pétrole coexistait déjà avec les latifondi traditionnels, les immenses étendues dépeuplées et les terres mal cultivées où les grands propriétaires surveillaient le rendement de leur main-d'œuvre en fouettant les péons ou en les enterrant vivants jusqu'à la taille. A la fin de l'année 1922, le puits de La Rosa se mit à jaillir avec une production de cent mille barils par jour et l'orgie pétrolière se déchaîna. Les derricks et les chevalements poussèrent sur le lac Maracaïbo, envahi soudain par des appareils étranges et des hommes casqués de liège : les paysans affluaient et s'installaient sur le sol bouillant, parmi des madriers et des bidons d'huile, pour offrir leurs bras au pétrole. Les accents de l'Oklahoma et du Texas résonnaient pour la première fois dans les plaines et la forêt, jusqu'aux régions les plus impraticables. Soixante-treize sociétés surgirent en un tournemain. Le roi du carnaval des concessions était le dictateur Juan Vicente Gómez, un éleveur des Andes qui occupa ses vingt-sept années de pouvoir (1908-1935) à faire des enfants et des affaires. Pendant que les torrents noirs coulaient à gros bouillons, Gómez sortait de ses poches bien garnies des actions pétrolières et les donnait en récompense à ses amis, à sa famille et à ses courtisans, au médecin qui soignait sa prostate et aux généraux qui veillaient sur sa vie, aux poètes qui chantaient sa gloire et à l'archevêque qui lui octroyait des permissions spéciales pour manger de la viande le Vendredi Saint. Les grandes puissances couvraient la poitrine de Gómez de brillantes décorations : il fallait bien approvisionner les automobiles qui envahissaient les chemins de la planète. Les favoris du dictateur vendaient les concessions à la Shell, à la Standard Oil ou à la Gulf ; le trafic d'influences et la corruption déchaînèrent la spéculation et l'appétit pour les sous-sols. Les communautés indigènes furent dépouillées de leurs terres et de nombreuses familles d'agriculteurs perdirent, bon gré mal gré, leurs propriétés. La loi pétrolière de 1922 fut rédigée par les représentants de trois firmes nord-américaines. Les champs de pétrole étaient barricadés et avaient leur propre police. L'entrée était interdite à quiconque ne possédait pas la carte d'embauche des entreprises ; passer par les routes qui conduisaient le pétrole jusqu'aux ports était interdit. Lorsque Gómez mourut, en 1935, les ouvriers coupèrent les barbelés qui entouraient les campements et se déclarèrent en grève. Les années qui suivirent furent explosives et dangereuses.

En 1948, avec la chute du gouvernement Rómulo Gallegos, se referma le cycle réformiste inauguré trois ans plus tôt et les militaires victorieux réduisirent rapidement le pourcentage de l'État sur le pétrole extrait par les filiales du cartel. En 1954, la remise d'impôts consentie augmenta de plus de trois cents millions de dollars les bénéfices de la Standard Oil. En 1953, un homme d'affaires des États-Unis avait affirmé à Caracas : « Ici, on a la liberté de faire ce qui nous plaît avec notre argent ; pour moi, cette liberté vaut plus que toutes les libertés politiques et civiles réunies (1). » Lorsque le dictateur Marcos Pérez Jiménez fut renversé en 1958, le Venezuela était un vaste puits de pétrole entouré de prisons et de chambres de torture ; on importait tout des États-Unis : les automobiles et les réfrigérateurs, le lait condensé, les œufs, les laitues, les lois et les décrets. La principale firme de Rockefeller, la Creole, avait déclaré en 1957 des sommes atteignant presque la moitié du total de ses investissements. La junte révolutionnaire éleva l'impôt sur le revenu des grandes entreprises de 25 % à 45 %. En représailles, le cartel décida la chute immédiate du prix du pétrole vénézuélien et il se mit à licencier en masse les ouvriers. Le cours était si bas que, malgré l'augmentation des impôts et le volume croissant du pétrole exporté, l'État toucha, en 1958, soixante millions de dollars de moins que l'année précédente.

Les gouvernements qui suivirent ne nationalisèrent pas l'industrie pétrolière mais n'octroyèrent pas non plus aux entreprises étrangères, jusqu'en 1970, de nouvelles conces-

---

(1) *Time*, édition pour l'Amérique latine, 11 septembre 1953.

sions pour l'extraction de l'or noir. Dans le même temps, le cartel accélérait la production de ses gisements du Proche-Orient et du Canada ; au Venezuela, il a cessé pratiquement de prospecter de nouveaux puits et l'exportation est paralysée. La politique de refus de nouvelles concessions a perdu tout son sens dans la mesure où l'organisme officiel national, la Compagnie vénézuélienne du pétrole, n'a pas assumé la responsabilité du remplacement. La compagnie s'est contentée de forer quelques puits çà et là, confirmant la seule fonction que lui avait assignée le président Rómulo Betancourt : « Ne pas atteindre la dimension d'une grande entreprise, mais servir d'intermédiaire pour les négociations dans la nouvelle formule de concessions. » Annoncée à plusieurs reprises, la nouvelle formule ne fut pas mise en pratique.

Cependant, la forte poussée industrialisatrice qui avait pris corps et force depuis deux décennies montre déjà des signes visibles de fatigue et connaît une incapacité très répandue en Amérique latine : le marché intérieur, limité par la pauvreté des masses populaires, n'est pas capable de favoriser un tel développement au-delà de certaines limites. D'autre part, la réforme agraire, inaugurée par le gouvernement d'Action démocratique, n'a atteint qu'une petite moitié du chemin qu'elle se proposait de parcourir. Le Venezuela achète à l'étranger, et surtout aux États-Unis, une bonne partie des aliments qu'il consomme. Le plat national, par exemple, constitué par les haricots noirs, arrive en grandes quantités du Nord, dans des sacs sur lesquels s'étale le mot *BEANS*.

Salvador Garmendia, le romancier qui a réinventé l'enfer préfabriqué de toute cette culture de conquête, la culture du pétrole, m'écrivait en 1969 : « As-tu vu un balancier, l'appareil qui extrait le pétrole brut ? Il a la forme d'un grand oiseau noir dont la tête pointue s'élève et s'abaisse lourdement, jour et nuit, sans s'arrêter une seconde : c'est le seul vautour qui ne mange pas de merde. Qu'adviendra-t-il lorsque nous entendrons le bruit caractéristique de sa succion alors qu'il n'y aura plus de liquide ? Les premières notes de cette ouverture grotesque commencent à retentir sur le lac Maracaïbo, où jaillirent dans l'espace d'une nuit les cités fabuleuses avec leurs cinémas, leurs supermarchés, leurs dancings, leur grouillement de putains et de tripots où l'argent n'avait pas de valeur. J'ai fait, il y a peu, un petit tour là-bas et j'ai ressenti un pincement à l'estomac. L'odeur de mort et de ferraille est plus forte que celle du pétrole. Les villages sont à demi déserts, mangés aux vers, ravagés par la ruine, les rues boueuses, les boutiques réduites à l'état de décombres. Un ancien scaphandrier des compagnies plonge chaque jour, armé d'une scie à métaux, pour découper des morceaux de tubes abandonnés, qu'il vend comme du métal de récupération. Les gens commencent à parler des compagnies comme s'ils évoquaient une légende dorée. On vit d'un passé mythique et funambulesque où un coup de dés dissipait une fortune et où les beuveries duraient une semaine. Pendant ce temps, les balanciers continuent leur va-et-vient et la pluie de dollars tombe sur Miraflores, le palais du gouvernement, pour y être transformée en autoroutes et autres monstres de béton armé. Soixante-dix pour cent du pays vit en marge de tout. Une classe moyenne écervelée, qui gagne de hauts salaires et s'encombre d'objets inutiles, en vivant étourdie par la publicité et en professant au maximum l'imbécillité et le mauvais goût, prospère dans les villes. Le gouvernement vient d'annoncer à grands cris qu'il en avait fini avec l'analphabétisme. En réalité, lors de la dernière fête électorale, le recensement des inscrits a révélé un million d'analphabètes entre dix-huit et cinquante ans. »

DEUXIÈME PARTIE

LE DÉVELOPPEMENT EST UN VOYAGE QUI COMPTE PLUS DE NAUFRAGÉS QUE DE NAVIGATEURS

Chapitre 1

HISTOIRE DE LA MORT PRÉCOCE

QUAND LES BATEAUX DE GUERRE ANGLAIS SALUAIENT L'INDÉPENDANCE SUR LES EAUX DU FLEUVE

En 1823, George Canning, cerveau de l'Empire britannique, en célébrait les triomphes universels. Le chargé d'affaires français dut supporter l'humiliation de ce toast : « A vous, la gloire du triomphe, suivi du désastre et de la ruine ; à nous, le trafic sans gloire de l'industrie et la prospérité toujours croissante... Le temps de la chevalerie appartient au passé ; celui des économistes et des calculateurs lui a succédé. » Londres vivait le début d'une longue fête ; Napoléon avait été définitivement vaincu quelques années plus tôt et l'ère de la *Pax Britannica* s'ouvrait sur le monde. En Amérique latine, l'indépendance avait ancré à perpétuité le pouvoir des seigneurs terriens et, dans les ports, celui des commerçants enrichis aux dépens de la ruine anticipée des pays naissants. Les anciennes colonies espagnoles, et aussi le Brésil, étaient des marchés prospères pour les tissus anglais et les livres sterling à tant pour cent. Canning ne se trompait pas lorsqu'il écrivait, en 1824 : « L'affaire est dans le sac ; l'Amérique hispanique est libre ; et si nous ne menons pas trop tristement nos affaires, elle est anglaise (1). »

La machine à vapeur, le métier à tisser mécanique et le

(1) William W. Kaufmann, *La política británica y la independencia de la América Latina (1804-1828)*, Caracas, 1963.

perfectionnement des filatures et tissages avaient fait mûrir la révolution industrielle en Angleterre de façon vertigineuse. Les fabriques et les banques se multipliaient ; les moteurs à combustion interne avaient modernisé la navigation et les grands bateaux naviguaient aux quatre points cardinaux, en universalisant l'expansion industrielle anglaise. L'économie britannique payait en cotonnades les cuirs du Río de la Plata, le guano et le nitrate du Pérou, le cuivre du Chili, le sucre de Cuba, le café du Brésil. Les exportations industrielles, les frets, les assurances, les intérêts des prêts et les bénéfices des investissements allaient alimenter, pendant tout le XIXe siècle, la prospérité vigoureuse de l'Angleterre. En réalité, avant les guerres d'indépendance, les Anglais contrôlaient déjà une bonne partie du commerce légal entre l'Espagne et ses colonies et avaient déversé sur les côtes de l'Amérique latine un flot abondant et suivi de marchandises de contrebande. Le trafic d'esclaves offrait un paravent efficace pour le commerce clandestin même si, au bout du compte, la précaution s'avérait inutile étant donné que les douanes constataient dans toute l'Amérique latine que la majorité des produits ne provenaient pas d'Espagne. Dans les faits, le monopole espagnol n'avait jamais existé : « ...la colonie était déjà perdue pour la métropole, bien avant 1810, et la révolution ne représenta qu'une reconnaissance politique d'une réalité (1). »

Les troupes britanniques avaient conquis Trinidad, dans les Caraïbes, en ne perdant qu'un combattant, mais le commandant de l'expédition, Sir Ralph Abercromby, était convaincu que d'autres conquêtes militaires en Amérique latine ne seraient pas faciles. Peu après, les invasions anglaises visant le Río de la Plata échouèrent. La défaite renforça l'opinion de Sir Ralph Abercromby sur l'inefficacité des expéditions armées et sur l'opportunité historique du rôle des diplomates, des marchands et des banquiers : un ordre libéral nouveau dans les colonies espagnoles allait offrir à la Grande-Bretagne l'occasion d'accaparer les neuf dixièmes du commerce de l'Amérique latine (2). La fièvre de l'indépendance bouillonnait sur les

(1) Manfred Kossok, *El virreinato del Río de la Plata. Su estructura económico-social*, Buenos Aires, 1959.
(2) H.S. Ferns, *Gran Bretaña y Argentina en el siglo XIX*, Buenos Aires, 1966.

terres hispano-américaines. A partir de 1810, Londres appliqua une politique sinueuse et double dont les fluctuations obéissaient à la nécessité de favoriser le commerce anglais, d'empêcher que l'Amérique latine ne tombât entre les mains nord-américaines ou françaises, et de prévenir une possible infection de jacobinisme dans les pays qui naissaient à la liberté.

Lorsque la junte révolutionnaire se constitua à Buenos Aires, le 25 mai 1810, une salve de coups de canon venant des bateaux de guerre britanniques la salua, des eaux du fleuve. Le capitaine du *Mutine* prononça, au nom de Sa Majesté, un discours enflammé : la joie envahissait les cœurs britanniques. Il fallut moins de trois jours à Buenos Aires pour supprimer certaines interdictions qui entravaient le commerce avec les étrangers ; douze jours plus tard, les impôts qui grevaient les ventes de cuir et de suif à l'extérieur furent réduits de 50 % à 7,5 %. Au bout de six semaines, l'interdiction d'exporter des pièces d'or et d'argent fut levée, de sorte qu'elles purent être écoulées à Londres sans encombre. En septembre 1811, un triumvirat remplaça la junte : les impôts sur l'importation et l'exportation furent à nouveau réduits et, dans certains cas, abolis. A partir de 1813, date où l'Assemblée se déclara autorité souveraine, les commerçants étrangers eurent le droit de vendre leurs marchandises sans passer par les commerçants locaux : « Le commerce était devenu vraiment libre (1). » En 1812, déjà, quelques négociants britanniques avaient communiqué au Foreign Office : « Nous avons réussi... à remplacer avec succès les tissus allemands et français. » Ils avaient remplacé également la production des tisserands argentins, étranglés par le libre-échange, et le même processus fut constaté, avec des variantes, dans d'autres régions d'Amérique latine.

Du Yorkshire et du Lancashire, des Cheviots et du Pays de Galles arrivaient continuellement des articles de coton et de laine, de fer et de cuir, de bois et de porcelaine. Les tissages de Manchester, les ferronneries de Sheffield, les poteries de Worcester et du Staffordshire inondèrent les marchés latino-américains. Le libre-échange enrichissait les ports qui vivaient

(1) *Ibid.*

de l'exportation et élevait à l'infini le niveau de gaspillage de l'oligarchie avide de jouir du luxe que le monde offrait, mais ruinait les manufactures locales naissantes et frustrait l'expansion du marché intérieur. Les industries locales, précaires et d'un très bas niveau technique, avaient surgi dans le monde colonial malgré les interdictions de la métropole ; elles avaient connu un certain essor à la veille de l'indépendance, suite au relâchement des liens oppresseurs de l'Espagne et aux difficultés d'approvisionnement engendrées par la guerre en Europe. Au début du XIXe siècle, les ateliers étaient en voie de résurrection, après les effets meurtriers de la disposition adoptée par le roi en 1778, autorisant le libre-échange entre les ports d'Espagne et d'Amérique. Une avalanche de marchandises étrangères avait écrasé les industries textiles et la production coloniale de poteries et d'objets de métal et les artisans ne disposèrent pas de longues années pour se relever : l'indépendance ouvrit en grand les portes à la libre concurrence de l'industrie déjà avancée en Europe. Les fluctuations qui suivirent dans la politique douanière des gouvernements de l'indépendance engendrèrent des morts et des réveils successifs dans les manufactures locales, sans aucune possibilité de développement suivi dans le temps.

LES DIMENSIONS DE L'INFANTICIDE INDUSTRIEL

Au début du XIXe siècle, Alexandre de Humboldt évalua à quelque sept à huit millions de pesos la production manufacturière du Mexique, dont la majeure partie était d'origine textile. Les ateliers spécialisés fabriquaient du drap, des cotonnades et des étoffes ; plus de deux cents métiers à tisser occupaient à Querétaro mille cinq cents ouvriers et mille deux cents tisserands travaillaient le coton à Puebla (1). Au

(1) Alexandre de Humboldt, *Essai politique sur le royaume de la Nouvelle-Espagne*, op. cit.

Pérou, les tissus grossiers de la colonie n'atteignirent jamais la perfection des tissus indigènes, très antérieurs à l'arrivée de Pizarre, « mais, en revanche, leur importance économique fut très grande (1) ». L'industrie reposait sur le travail forcé des Indiens, emprisonnés dans les ateliers bien avant l'aube et jusqu'au-delà de la nuit tombée. L'indépendance anéantit le développement précaire ainsi obtenu. A Ayacucho, à Cacamorsa, à Tarma, les travaux étaient considérables. Le village entier de Pacaicasa, aujourd'hui disparu, « formait un seul et vaste établissement de métiers à tisser, employant plus de mille ouvriers », dit Emilio Romero dans son étude ; Paucarcolla, qui fournissait les couvertures de laine à une région très étendue, est en train de disparaître et « il n'y a plus là-bas une seule fabrique (2) ». Au Chili, une des possessions espagnoles les plus éloignées, l'isolement favorisa le développement d'une activité industrielle naissante dès le début de la vie coloniale. Il y avait des filatures, des tissages, des tanneries ; les cordages chiliens équipaient tous les navires de la Mer du Sud ; on fabriquait des articles de métal, des alambics jusqu'aux canons, en passant par les bijoux, la vaisselle fine et l'horlogerie ; on construisait des embarcations et des véhicules (3). Au Brésil, les produits textiles et métallurgiques, qui faisaient leurs premiers pas assez modestes depuis le XVIIIe siècle, furent également évincés par les importations étrangères. Ces deux activités manufacturières avaient réussi à prospérer de façon considérable malgré les obstacles imposés par le pacte colonial avec Lisbonne, mais à partir de 1807, la monarchie portugaise, établie à Rio de Janeiro, n'était déjà plus qu'un jouet entre les mains britanniques, et le pouvoir de Londres avait une autre force. « Jusqu'à l'ouverture des ports, les déficiences du commerce portugais avaient agi comme une barrière protégeant la petite industrie locale, écrit Caio Prado Júnior ; une pauvre industrie artisanale, il est vrai, mais suffisante pour satisfaire une partie de la consommation intérieure. Cette petite industrie n'allait pas pouvoir survivre à la libre concur-

(1) Emilio Romero, *Historia económica del Perú*, Buenos Aires, 1949.
(2) *Ibid.*
(3) Hernán Ramírez Necochea, *Antecedentes económicos de la independencia de Chile*, Santiago du Chili, 1959.

rence étrangère, même pour les produits les plus insignifiants (1). »

La Bolivie était le centre textile le plus important de la vice-royauté du Río de la Plata. A Cochabamba, selon le témoignage de l'intendant Francisco de Viedma, huit cent mille personnes, au long du siècle, se consacraient à la fabrication de cotonnades, de drap et de nappes. A Oruro et à La Paz également, des manufactures s'étaient installées qui, avec celles de Cochabamba, fournissaient des couvertures, des ponchos et des flanelles très résistantes à la population, aux troupes de ligne et aux garnisons des frontières. De Mojos, de Chiquitos et de Guarayos venaient de fines toiles de lin et de coton, des chapeaux de paille, de laine de vigogne ou de mouton, et des cigares. « Toutes ces industries ont disparu devant la concurrence étrangère... », rapportait, sans trop d'amertume, un volume consacré à la Bolivie, à l'occasion du premier centenaire de son indépendance (2).

Le littoral argentin était la région la plus retardataire et la moins peuplée du pays, avant que l'indépendance ne déplace vers Buenos Aires le centre de gravité de la vie économique et politique, et ce au détriment des provinces du Sud. Au début du XIXe siècle, le dixième de la population seulement résidait à Buenos Aires, Santa Fe ou Entre Ríos (3). Une industrie locale s'était développée peu à peu, et avec des moyens rudimentaires, dans les régions du Centre et du Nord, alors qu'il n'y avait le long du littoral, selon le rapport du procureur Larramendi en 1795, « aucun art ni manufacture ». A Tucumán et à Santiago del Estero, qui sont aujourd'hui des puits de sous-développement, fleurissaient des centres textiles qui fabriquaient des ponchos de trois sortes, des ateliers d'où sortaient des charrettes de bonne qualité, et des manufactures de cigares et de cigarettes, de cuirs et de semelles. Des étoffes d'une grande variété virent le jour à Catamarca, ainsi que des draps fins et de la flanelle de coton noir pour les soutanes des prêtres ; Córdoba produisait chaque année plus de soixante-

---

(1) Caio Prado Júnior, *Historia económica del Brasil*, Buenos Aires, 1960.
(2) The University Society, *Bolivia en el primer centenario de su independencia*, La Paz, 1925.
(3) Luis C. Alen Lascano, *Imperialismo y comercio libre*, Buenos Aires, 1963.

dix mille ponchos, vingt mille couvertures et quarante mille aunes de flanelle, des chaussures et des articles de cuir, des sangles et des vergues, des tapis. Les tanneries et les bourrelleries les plus importantes se trouvaient à Corrientes. Les fauteuils de Salta étaient renommés pour leur élégance. Mendoza produisait annuellement entre deux et trois millions de litres de vins qui n'avaient rien à envier aux vins andalous et San Juan distillait trois cent cinquante mille litres d'eau-de-vie. Mendoza et San Juan formaient « la gorge du commerce » entre l'Atlantique et le Pacifique, en Amérique du Sud (1).

Les agents commerciaux de Manchester, de Glasgow et de Liverpool parcoururent l'Argentine et copièrent les ponchos de Santiago et de Córdoba, les articles de cuir de Corrientes et les étriers de bois « à la mode du pays ». Les ponchos argentins valaient sept pesos ; ceux du Yorkshire, trois. L'industrie textile la plus développée du monde triomphait à toute allure des tissages locaux et le même phénomène se reproduisait avec la fabrication des bottes, des éperons, des grilles, des mors et même des clous. La misère désola les provinces intérieures de l'Argentine, qui levèrent bientôt leurs lances contre la dictature du port de Buenos Aires. Les principaux marchands (Escalada, Belgrano, Pueyrredón, Vieytes, Las Heras, Cerviño) avaient pris le pouvoir arraché à l'Espagne (2) et le commerce leur apportait la possibilité d'acheter des soieries et des couteaux anglais, des draps fins de Louviers, des dentelles des Flandres, des sabres suisses, du gin hollandais, des jambons de Westphalie et des havanes de Hambourg. En contrepartie, l'Argentine exportait des cuirs, du suif, des os, de la viande salée, et les éleveurs de la province de Buenos Aires étendaient leurs marchés grâce au libre-échange. Le consul anglais à La Plata, Woodbine Parish, décrivait en 1837 un robuste gaucho de la pampa : « Prenez toutes les pièces de son habillement, examinez tout ce qui l'entoure et, à l'exception des objets de cuir, qu'y aura-t-il qui ne soit anglais ? Si sa femme porte une jupe, il y a

(1) Pedro Santos Martínez, *Las industrias durante el virreinato (1776-1810)*, Buenos Aires, 1969.
(2) Ricardo Levene, introduction à *Documentos para la historia argentina, 1919*, in *Obras completas*, Buenos Aires, 1962.

quatre-vingt-dix neuf chances sur cent qu'elle ait été fabriquée à Manchester. Le chaudron ou la marmite dans lesquels elle cuisine, l'assiette en faïence dans laquelle il mange, son couteau, ses éperons, le mors de son cheval, le poncho qui le couvre, tout vient d'Angleterre (1). » L'Argentine recevait d'Angleterre jusqu'aux pavés de ses trottoirs.

James Watson Webb, ambassadeur des États-Unis à Rio de Janeiro, relatait, approximativement à la même époque : « Dans toutes les haciendas du Brésil, les patrons et leurs esclaves s'habillent avec la production du travail libre et les neuf dixièmes de ces manufactures sont anglaises. L'Angleterre apporte tout le capital nécessaire au progrès intérieur du Brésil et fabrique tous les ustensiles habituels, depuis la houe jusqu'à presque tous les articles de luxe, depuis l'épingle jusqu'au vêtement le plus cher. La céramique anglaise, les articles de verre, de fer et de bois anglais sont aussi courants que les draps de laine et les tissus de coton. La Grande-Bretagne fournit au Brésil ses bateaux à vapeur et à voiles, pave ses rues et les aménage, éclaire ses villes au gaz, construit ses voies ferrées, exploite ses mines, elle est son banquier et installe les lignes télégraphiques, achemine le courrier, fabrique les meubles, les moteurs, les wagons dont il a besoin (2)... » L'euphorie de la libre importation faisait perdre la tête aux marchands des ports : à cette époque, le Brésil recevait également des cercueils, déjà capitonnés et prêts à abriter les défunts, des selles, des candélabres de cristal, des casseroles et même des patins à glace, d'un usage assez improbable sur les côtes brûlantes du tropique ; également des portefeuilles alors que le papier monnaie n'existait pas au Brésil, et une quantité inexplicable d'instruments de mathématiques (3). Le traité de commerce et de navigation signé en 1810 imposait à l'importation des produits anglais un tarif moins élevé que celui appliqué aux produits portugais, et le texte en avait été si précipitamment traduit de l'anglais que le mot *policy*, par exemple, devint en portugais *police* au

---

(1) Woodbine Parish, *Buenos Aires y las provincias del Río de la Plata*, Buenos Aires, 1958.
(2) Paulo Schilling, *Brasil para extranjeros*, Montevideo, 1966.
(3) Alan K. Manchester, *British Preeminence in Brazil : its Rise and Decline*, Chapel Hill, Caroline du Nord, 1933.

lieu de *politique* (1). Les Anglais jouissaient au Brésil d'un droit de justice spécial qui les soustrayait à la juridiction nationale : le Brésil était « un membre non officiel de l'empire économique de la Grande-Bretagne (2) ».

Au milieu du siècle, un voyageur suédois arriva à Valparaiso et fut témoin du gaspillage et du faste que la liberté du commerce entraînait au Chili : « L'unique façon de s'élever, écrivait-il, c'est de se soumettre aux directives des revues de mode de Paris, au frac et à tous les accessoires adéquats... La femme s'achète un chapeau élégant qui la fait se sentir parfaitement parisienne, tandis que le mari arbore une cravate énorme et raide et se sent au pinacle de la culture européenne (3). » Trois ou quatre maisons anglaises s'étaient emparées du marché du cuivre chilien et fixaient les prix selon les intérêts des fonderies de Swansea, de Liverpool et de Cardiff. Le consul général d'Angleterre informait son gouvernement, en 1838, « du prodigieux développement » des ventes de cuivre, qui était exporté « principalement, si ce n'est en totalité, par des bateaux britanniques ou pour le compte des Britanniques (4) ». Les négociants anglais monopolisaient le commerce à Santiago et à Valparaiso, et le Chili était le second marché latino-américain, en importance, pour les produits britanniques.

Les grands ports d'Amérique latine, escales de transit des richesses extraites du sol et du sous-sol et destinées aux lointains centres de domination, se consolidaient comme instruments de conquête et de pouvoir contre leurs propres pays ; ils étaient les déversoirs par où se dilapidaient les revenus nationaux. Les ports et les capitales voulaient ressembler à Paris ou à Londres et derrière eux s'étendait le désert.

---

(1) Celso Furtado, *Formación económica del Brasil*, Mexico-Buenos Aires, 1959.
(2) J.F. Normano, *Evolução econômica do Brasil*, São Paulo, 1934.
(3) Gustavo Beyhaut, *Raíces contemporáneas de América latina*, Buenos Aires, 1964.
(4) Hernán Ramírez Necochea, *Historia del imperialismo en Chile*, Santiago du Chili, 1960.

Protectionnisme et libre-échange en Amérique latine : le court vol de Lucas Alamán

L'expansion des marchés latino-américains accélérait l'accumulation de capitaux dans les pépinières de l'industrie britannique. L'Atlantique était depuis longtemps l'axe du commerce mondial et les Anglais avaient su profiter de la situation de leur île et de ses nombreux ports, à mi-chemin entre la Baltique et la Méditerranée, et tournés vers les côtes de l'Amérique. L'Angleterre organisait un système universel et se convertissait en prodigieuse usine fournisseuse de la planète : les matières premières arrivaient du monde entier et les objets manufacturés étaient déversés sur le monde entier. L'Empire possédait le port le plus grand et l'appareil financier le plus puissant de son temps ; il avait le niveau le plus élevé de spécialisation commerciale, disposait du monopole mondial des assurances et du fret et dominait le marché international de l'or. Friedrich List, le père de l'Union douanière allemande, avait déclaré que le libre-échange était le principal produit d'exportation de la Grande-Bretagne (1). Rien ne rendait plus furieux les Anglais que le protectionnisme douanier et ils le faisaient parfois savoir par le sang et par le feu, comme dans la guerre de l'Opium avec la Chine. Pourtant, la libre concurrence sur les marchés ne devint une vérité révélée pour l'Angleterre qu'à partir du moment où elle fut assurée d'être la plus forte, et après avoir développé son industrie textile à l'abri de la législation protectionniste la plus rigide d'Europe. Dans les débuts difficiles, lorsque l'industrie britannique n'était pas encore

---

(1) Cet économiste allemand, né en 1789, répandit aux États-Unis et dans son propre pays la doctrine du protectionnisme douanier et du développement industriel. Il se suicida en 1846, mais ses idées s'imposèrent dans les deux pays.

compétitive, le citoyen anglais que l'on surprenait à exporter de la laine brute, non traitée, était condamné à perdre la main droite et, s'il récidivait, on le pendait ; il était interdit d'enterrer un cadavre avant que le curé de l'endroit n'eût certifié que le suaire provenait d'une fabrique nationale (1).

« Tous les phénomènes destructeurs suscités par la libre concurrence à l'intérieur d'un pays, a constaté Marx, se reproduisent dans des proportions gigantesques sur le marché mondial (2). » L'entrée de l'Amérique latine dans l'orbite britannique, dont elle n'allait sortir que pour s'intégrer au système nord-américain, se fit à l'intérieur de ce cadre général, et la dépendance des nouveaux pays indépendants s'y consolida. La libre circulation des marchandises et la libre circulation de l'argent pour les paiements et le transfert des capitaux eurent des conséquences dramatiques.

Au Mexique, Vicente Guerrero arriva au pouvoir en 1829, « porté par le désespoir des artisans, un désespoir insufflé par le grand démagogue Lorenzo de Zavala, qui lança sur les boutiques pleines de marchandises anglaises du Parián une foule affamée et désespérée (3) ». Guerrero y resta peu de temps et s'effondra au milieu de l'indifférence des travailleurs car il ne sut pas, ou ne put pas, imposer un barrage à l'importation des marchandises européennes, « dont l'abondance, dit Chávez Orozco, faisait gémir les masses artisanales citadines sans emploi, elles qui, avant l'indépendance et surtout pendant les périodes de guerre en Europe, vivaient dans une certaine aisance ». L'industrie mexicaine avait manqué de capitaux, d'une main-d'œuvre suffisante et de techniques modernes ; elle n'avait bénéficié ni d'une organisa-

---

(1) Claudio Véliz, « La mesa de tres patas, » in *Desarrollo económico*, vol. 3, n°ˢ 1 et 2, Santiago du Chili, septembre 1963.

(2) « Il n'y a rien d'étonnant à ce que les libre-échangistes soient incapables de comprendre comment un pays peut s'enrichir aux dépens d'un autre, si ces mêmes messieurs ne veulent pas comprendre non plus comment, à l'intérieur d'un pays, une classe peut s'enrichir au détriment d'une autre. » (Karl Marx, *Discours sur le libre-échange*, in *Misère de la philosophie*, Moscou, s.d.)

(3) Luis Chávez Orozco, *La Industria de transformación mexicana (1821-1867)*, in Banque nationale du commerce extérieur, *Colección de documentos para la historia del comercio exterior de México*, tome VII, Mexico, 1962.

tion efficace, ni de voies de communications, ni de moyens de transport pour rejoindre les marchés et les sources d'approvisionnement. « Les seules choses qui probablement ne lui firent pas défaut, dit Alonso Aguilar, furent les interventions, les restrictions et les obstacles de tous ordres (1). » Malgré tout, comme l'observera Humboldt, l'industrie s'était réveillée dans les moments de stagnation du commerce extérieur, lorsque les communications maritimes étaient interrompues ou difficiles, et on avait commencé à fabriquer de l'acier et à utiliser le fer et le mercure. Le libéralisme que l'indépendance apporta ajouta des perles à la Couronne britannique et paralysa les centres textiles et métallurgiques de Mexico, de Puebla et de Guadalajara.

Lucas Alamán, homme politique conservateur de grande qualité, comprit à temps que les idées d'Adam Smith contenaient du poison pour l'économie nationale et favorisa, en tant que ministre, la création d'une banque nationale, la Banque d'équipement, afin d'encourager l'industrialisation. Un impôt sur les cotonnades venant de l'étranger fournirait au pays les ressources nécessaires à l'achat à l'extérieur des machines et moyens techniques dont le Mexique avait besoin pour couvrir sa demande en tissus de coton nationaux. Le pays disposait de la matière première, d'une énergie hydraulique plus économique que le charbon et put former rapidement des ouvriers qualifiés. La Banque vit le jour en 1830, et peu après arrivèrent des meilleures usines européennes les machines les plus modernes pour filer et tisser le coton ; en outre, l'État engagea des experts étrangers. En 1844, les grands tissages de Puebla fabriquèrent un million quatre cent mille coupes de cotonnade rustique. La nouvelle capacité industrielle du pays dépassait la demande intérieure ; le marché de consommation « du règne de l'inégalité », formé en majeure partie d'Indiens affamés, ne pouvait suivre ce développement manufacturier vertigineux. L'effort en vue de rompre la structure héritée de la colonisation butait contre cette muraille. Néanmoins, l'industrie s'était à tel point modernisée que les usines textiles nord-américaines comptaient en moyenne, jusqu'en 1840,

---

(1) Alonso Aguilar Monteverde, *Dialéctica de la economía mexicana*, Mexico, 1968.

moins de fuseaux que les fabriques mexicaines (1). Dix ans plus tard, la proportion s'était largement inversée. L'instabilité politique, les pressions des commerçants anglais et français et de leurs puissants associés à l'intérieur du pays, et l'allure étriquée du marché national, étranglé d'avance par l'économie minière et latifondiste, mirent fin à cette expérience réussie. Avant 1850, le progrès de l'industrie textile mexicaine avait déjà cessé. Les créateurs de la Banque d'équipement avaient élargi leur rayon d'action et, lorsqu'elle disparut, les crédits s'étendaient également aux tissages de la laine, aux fabriques de tapis et à la production du fer et du papier. Esteban de Antuñano voyait même la nécessité pour le Mexique de créer au plus tôt une industrie nationale de la mécanique « pour contrecarrer l'égoïsme européen ». Le grand mérite du cycle d'industrialisation de Lucas Alamán et d'Esteban de Antuñano réside dans le fait que tous deux rétablirent la concordance absolue « entre l'indépendance politique et l'indépendance économique, et préconisèrent comme seul système de défense contre les puissances agressives une impulsion énergique de l'économie industrielle (2) ». Alamán lui-même se fit industriel, créa la plus importante usine textile mexicaine de l'époque (elle s'appelait *Cocolapan* et elle existe toujours) et organisa les industriels en groupe de pression devant les gouvernements successifs partisans du libre-échange (3). Mais Alamán,

(1) Jan Bazant, *Estudio sobre la productividad de la industria algodonera mexicana en 1843-1845 (Lucas Alamán y la Revolución industrial en México)*, in Banco Nacional de Comercio Exterior. *op. cit.*
(2) Luis Chávez Orozco, *op. cit.*
(3) Dans le tome III de la collection déjà citée de documents de la Banque nationale du commerce extérieur sont rapportés divers plaidoyers protectionnistes publiés dans *El Siglo XIX*, fin 1850 : « La conquête de la civilisation espagnole, avec ses trois siècles de domination militaire, étant passée, le Mexique entra dans une ère nouvelle, qui peut garder la dénomination de conquête, mais scientifique et commerciale... Sa puissance, ce sont les bateaux de commerce ; sa doctrine, la liberté économique absolue ; sa règle capitale guidant ses rapports avec les pays moins développés, la réciprocité... « Envoyez en Europe, nous a-t-on dit, tous les produits manufacturés que vous pouvez expédier [à l'exception de ceux que nous interdisons], et en échange laissez-nous vous fournir tous les nôtres, même si cela ruine vos propres productions »... Adoptons les doctrines qu'ils [ces messieurs de l'autre côté de l'océan et du río Bravo] préconisent aux autres sans les retenir pour eux-mêmes et notre trésor grossira un peu, si l'on veut... sans

conservateur et catholique, n'arriva pas à poser la question agraire car lui-même se sentait idéologiquement lié à l'ordre ancien et ne pressentit pas que le développement industriel était d'avance condamné à rester une utopie s'il manquait de bases sur lesquelles s'appuyer dans ce pays de latifondi immenses et de misère généralisée.

Les lances rebelles et la haine qui survécut à Juan Manuel de Rosas

Le protectionnisme contre le libre-échange, le pays contre le port : telle fut l'opposition qui fermenta au cœur des guerres civiles argentines durant le siècle dernier. Buenos Aires, qui n'avait été au XVIIe siècle qu'un bourg de quatre cents maisons, s'empara de la nation tout entière à partir de la révolution de mai et de l'indépendance. C'était l'unique port et tous les produits qui entraient ou sortaient du pays devaient passer sous ses fourches caudines. Les déformations qu'imposa l'hégémonie *porteña* (1) sont frappantes : la capitale englobe, avec ses faubourgs, plus du tiers de la population et exerce sur les provinces diverses formes de proxénétisme. Elle détenait à l'époque le monopole de la rente douanière, des banques et de l'émission de la monnaie, et prospérait de façon vertigineuse aux dépens des provinces. Dans leur quasi-totalité, les revenus de Buenos Aires provenaient de la douane nationale, que le port usurpait et dont plus de la moitié étaient destinés aux frais de guerre contre les provinces, qui, de cette façon, payaient pour être anéanties (2).

De la Chambre de commerce de Buenos Aires, fondée en 1810, les Anglais dirigeaient leurs télescopes pour surveiller le transit des bateaux, et approvisionnaient les habitants de la

encourager, il est vrai, le travail du peuple mexicain, mais celui des peuples anglais et français, suisse et nord-américain. »
(1) De Buenos Aires. *(N. du T.)*
(2) Miron Burgin, *Aspectos económicos del federalismo argentino*, Buenos Aires, 1960.

capitale en toiles fines, fleurs artificielles, dentelles, parapluies, boutons et chocolats, tandis qu'un déluge de ponchos et d'étriers de fabrication standard faisait ses ravages à l'intérieur. Pour mesurer l'importance attribuée sur le marché mondial aux cuirs du Río de la Plata, il ne faut pas oublier qu'à cette époque le plastique et les matières synthétiques n'existaient pas, même dans l'imagination des chimistes. Et aucun espace n'était plus propice à l'élevage massif des troupeaux que la plaine fertile du littoral. En 1816, on découvrit un moyen permettant de conserver indéfiniment les cuirs par un traitement à l'arsenic ; en outre, les *saladeros*, les abattoirs où l'on salait ensuite la viande, prospéraient et se multipliaient. Le Brésil, les Antilles et l'Afrique ouvraient leurs marchés à l'importation de viande séchée *(tasajo)* et, à mesure que la viande ainsi préparée, débitée en tranches, gagnait la faveur des consommateurs étrangers, les consommateurs argentins notaient le changement. On créa des impôts sur la consommation intérieure de la viande, en même temps que l'on dégrevait les exportations ; en quelques années, le prix des bouvillons tripla et les éleveurs s'intéressèrent de plus près à leurs terres. Les gauchos étaient habitués à chasser librement les jeunes bœufs à ciel ouvert, dans la pampa sans clôtures, pour en consommer les meilleurs morceaux et jeter le reste, avec la seule obligation de remettre le cuir au propriétaire. La tradition se modifia. La réorganisation de la production impliquait la soumission du gaucho nomade à une nouvelle dépendance servile : un décret de 1815 établit que tout homme de la campagne qui ne possédait pas de propriétés serait déclaré domestique et contraint de porter sur lui une fiche signée tous les trois mois par son patron. Sinon, il était considéré comme un vagabond, et les vagabonds étaient enrôlés de force dans les bataillons frontaliers (1). Le natif farouche, qui avait servi de chair à canon dans les armées des patriotes, se trouvait ainsi transformé en paria, en péon misérable ou en soldat de fortin. A moins qu'il ne se révoltât, la lance à la main, et ne rejoignît les *montoneras*, le tourbillon des rebelles (2). Ce gaucho dépossédé de tout, hormis la

(1) Juan Alvarez, *Las guerras civiles argentinas*, Buenos Aires, 1912.
(2) La *montonera* « naît dans le désert, comme les tourbillons. Elle fonce, mugit et déchiquette comme les tourbillons, puis s'arrête, subitement,

gloire et le courage, alimenta les charges de cavalerie qui fréquemment bravèrent les armées de ligne, bien équipées, de Buenos Aires. L'*estancia* capitaliste, qui apparaissait dans la pampa humide du littoral, mettait tout le pays au service des exportations de cuir et de viande et marchait main dans la main avec la dictature du port libre-échangiste de Buenos Aires. L'Uruguayen José Artigas avait été, jusqu'à sa chute et son exil, le plus lucide des caudillos qui dirigèrent la lutte des masses nationales contre les marchands et les propriétaires terriens liés au marché mondial, mais, beaucoup plus tard, Felipe Varela fut lui aussi capable de fomenter une grande rébellion dans le Nord argentin car, selon ses propres paroles, « être de la province c'est être un mendiant sans patrie, sans liberté, sans aucun droit ». Son soulèvement rencontra un écho retentissant dans tout l'intérieur. Il fut le dernier

et meurt comme eux ». (Dardo de la Vega Díaz, *La Rioja heroica*, Mendoza, 1955.)

José Hernández, qui fut soldat de la cause fédérale, chanta dans *Martín Fierro*, le plus populaire des livres argentins, les malheurs du gaucho déraciné et persécuté par l'autorité :

> *L'aigle vit dans son haut repaire,*
> *le tigre vit dans la forêt,*
> *le renard dans l'antre d'autrui,*
> *et dans son avenir précaire,*
> *seul le gaucho vit sans abri*
> *là où le hasard le conduit.*

Car :

> *On lui réserve les cachots,*
> *les plus cruelles des prisons,*
> *on n'écoute pas ses raisons*
> *à lui qui n'a que trop raison,*
> *car les raisons des pauvres gens*
> *ne sont que cloches étouffées.*

Jorge Abelardo Ramos constate *(Revolución y contrarrevolución en la Argentina*, Buenos Aires, 1965) que les deux noms véritables qui apparaissent dans *Martín Fierro* sont ceux de Anchorena et de Gaínza, représentatifs de l'oligarchie qui extermina les natifs en armes ; de nos jours, ces deux noms se sont fondus en une seule famille, propriétaire du journal *La Prensa*.

Ricardo Güiraldes a dépeint dans *Don Segundo Sombra* (traduction Marcelle Auclair, Paris, 1932) l'opposé de *Martín Fierro* : le gaucho domestiqué, attaché à sa paye, adulateur du maître, bon modèle pour le folklore nostalgique ou la compassion.

montonero ; il mourut tuberculeux et dans la misère, en 1870 (1). Le défenseur de « l'Union américaine », projet de résurrection de la grande patrie écartelée, est toujours considéré comme un bandit — comme le fut Artigas jusqu'à ces derniers temps — dans l'histoire argentine officielle, celle qu'on enseigne dans les écoles.

Felipe Varela était né dans un petit village perdu des sierras de Catamarca et avait été un douloureux témoin de la pauvreté de sa province, ruinée par le port dédaigneux et lointain. Fin 1824 — Varela avait alors trois ans —, Catamarca ne put payer les frais des délégués qu'il envoya au Congrès constituant qui se réunit à Buenos Aires. Misiones, Santiago del Estero et d'autres provinces se trouvèrent dans la même situation. Le député de Catamarca, Manuel Antonio Acevedo, dénonça « l'abominable changement » provoqué par la concurrence des produits étrangers : « Catamarca a observé voilà quelque temps, et observe aujourd'hui, sans pouvoir y remédier, son agriculture, dont le produit est inférieur à ses dépenses ; son industrie, dont ceux qui la fomentent et l'exercent ne sont guère encouragés par la consommation ; et son commerce, dans un état d'abandon presque total (2). » Le représentant de la province de Corrientes, le général de brigade Pedro Ferré, résumait ainsi, en 1830, les conséquences possibles du protectionnisme qu'il défendait : « Oui, un petit nombre de personnes fortunées souffriront certainement, car elles devront se priver de boire à table des vins et des liqueurs excellents... Les classes moins favorisées ne trouveront pas une grande différence entre les vins et les liqueurs qu'elles boivent actuellement, sinon dans le prix ; elles en diminueront donc la consommation, ce qui, à mon avis, ne leur sera pas très préjudiciable. Nos compatriotes ne porteront pas de ponchos anglais ; ils ne disposeront pas de *boleadoras* (3) ni de lassos importés d'Angleterre ; nous

---

(1) Rodolfo Ortega Peña et Eduardo Luis Duhalde, *Felipe Varela contra el Imperio Británico*, Buenos Aires, 1966. En 1870, le Paraguay, unique État latino-américain à ne pas être entré dans la prison impérialiste, tomba lui aussi dans un bain de sang sous l'invasion étrangère.

(2) Miron Burgin, *op. cit.*

(3) Instruments de jet typiques constitués par de longues courroies terminées par des boules pesantes. Ils servent à capturer les animaux en liberté, en les atteignant à l'encolure ou aux pattes. *(N. du T.)*

délaisserons les vêtements confectionnés à l'étranger et refuserons les articles que nous pouvons nous-mêmes fabriquer ; mais, en revanche, la condition de nombreux Argentins commencera à être moins malheureuse et l'idée de l'effrayante misère à laquelle ils sont condamnés ne nous hantera plus (1). »

Faisant un pas important vers la reconstruction de l'unité nationale brisée par la guerre, le gouvernement de Juan Manuel de Rosas édicta en 1835 un règlement douanier fortement protectionniste. La loi interdisait l'importation d'objets de fer et de fer-blanc, de harnachements, de ponchos, de ceinturons, d'écharpes de laine ou de coton, de paillasses, d'instruments agricoles, de roues de charrettes, de bougies et de peignes, et taxait très lourdement l'importation des voitures, des chaussures, de la passementerie, des vêtements, des harnais, des fruits secs et des boissons alcoolisées. La viande transportée sous pavillon argentin n'était pas frappée d'impôts, et l'on encourageait la bourrellerie nationale et la culture du tabac. Les effets se firent sentir sans attendre. Jusqu'à la bataille de Caseros, qui renversa Rosas en 1852, les goélettes et les bateaux qui naviguaient sur les fleuves étaient construits dans les chantiers de Corrientes et de Santa Fe, Buenos Aires comptait plus de cent fabriques prospères et tous les voyageurs reconnaissaient l'excellence des tissus et des chaussures de Córdoba et de Tucumán, des cigarettes et des produits artisanaux de Salta, des vins et eaux-de-vie de Mendoza et de San Juan. L'ébénisterie de Tucumán exportait vers le Chili, la Bolivie et le Pérou (2). Dix ans après le vote de la loi, les bateaux de guerre anglais et français rompirent à coups de canon les chaînes barrant le Paraná afin d'ouvrir la navigation sur les fleuves argentins que Rosas maintenait solidement fermés. Le blocus succéda à l'invasion. Dix requêtes des centres industriels du Yorkshire, de Liverpool, Manchester, Leeds, Halifax et Bradford, signées par mille cinq cents banquiers, commerçants et industriels avaient pressé le gouvernement anglais de prendre des mesures contre les restrictions imposées au commerce dans le Río de la Plata. Le blocus mit en évidence les limites de l'industrie nationale,

(1) Juan Alvarez, *op. cit.*
(2) Jorge Abelardo Ramos, *op. cit.*

qui, malgré les progrès apportés par la loi de protection douanière, se révéla incapable de satisfaire la demande intérieure. En réalité, à partir de 1841, le protectionnisme languissait au lieu de s'accentuer ; Rosas défendait comme personne les intérêts des *estancieros* de la province de Buenos Aires, et aucune bourgeoisie industrielle capable de donner de l'impulsion à un capitalisme national authentique et puissant n'existait ni ne naquit alors : la grande propriété occupait le centre de la vie économique du pays, et aucune politique industrielle ne pouvait s'affirmer avec indépendance et vigueur sans amoindrir la toute-puissance du latifondo exportateur. Rosas demeura toujours, au fond, fidèle à sa classe. « Le plus grand cavalier de toute la province (1) », guitariste et danseur, expert dans l'art de dresser les chevaux, qui savait s'orienter dans l'obscurité des nuits d'orage rien qu'en mâchonnant quelques brins d'herbe, était un important *estanciero* producteur de viande séchée et de cuir, dont ses semblables avaient fait leur chef. La légende noire ourdie plus tard pour le diffamer ne put cacher le caractère national et populaire de nombre de ses mesures gouvernementales (2), mais la contradiction de classes explique l'absence d'une politique industrielle dynamique et constante, au-delà de la chirurgie douanière, pendant la dictature du chef des grands éleveurs. Cette absence ne peut être imputée à l'instabilité et aux pénuries découlant des guerres nationales et du blocus étranger car, en définitive, c'est au milieu du tourbillon d'une révolution aux abois que José Artigas avait proclamé, vingt ans plus tôt, ses décrets protégeant l'industrie nationale et permettant une réforme agraire en profondeur. Vivian Trías, dans un livre plein d'enseignement (3), a comparé le protectionnisme de Rosas avec le cycle de mesures qu'Artigas

(1) José Luis Busaniche, *Rosas visto por sus contemporáneos*, Buenos Aires, 1955.
(2) José Rivera Indarte dressa dans son célèbre *Relevé du sang* un inventaire des crimes de Rosas, afin de bouleverser la sensibilité européenne. Selon l'*Atlas* de Londres, la banque anglaise Samuel Lafone paya à l'écrivain un penny par cadavre. Rosas avait interdit l'exportation de l'or et de l'argent, dur coup pour l'empire, et avait dissous la Banque nationale, qui était un instrument du commerce britannique. (John F. Cady, *La intervención extranjera en el Río de la Plata*, Buenos Aires, 1943.)
(3) Vivian Trías, *Juan Manuel de Rosas*, Montevideo, 1970.

lança depuis la Zone Orientale, entre 1813 et 1815, pour conquérir la véritable indépendance de la région de la vice-royauté du Río de la Plata. Rosas n'interdit pas aux étrangers de commercer à l'intérieur du pays, il ne rendit pas à la nation le soin de recouvrer la rente douanière que Buenos Aires continuait à usurper, il ne mit pas fin non plus à la dictature du port unique. En revanche, la nationalisation du commerce intérieur et la destruction du monopole portuaire et douanier de Buenos Aires, ainsi que la question agraire, avaient été des chapitres fondamentaux de la politique d'Artigas. Celui-ci avait voulu la libre navigation sur les fleuves, alors que Rosas ne donna jamais aux provinces cette clef d'accès au commerce d'outre-mer. Rosas, au fond, demeura fidèle à sa province privilégiée. En dépit de toutes ces restrictions, le nationalisme et le populisme du « gaucho aux yeux bleus » continuent d'engendrer la haine parmi les classes dirigeantes en Argentine. Rosas est toujours « criminel d'État », selon une loi de 1857 restée en vigueur, et le pays refuse encore une sépulture nationale à sa dépouille enterrée en Europe. Son image officielle est celle d'un assassin.

L'hérésie de Rosas reléguée au passé, l'oligarchie se retrouva avec son destin. En 1858, le président du comité directeur de l'Exposition agricole inaugurait la manifestation par ces paroles : « Contentons-nous, nous qui sommes encore dans l'enfance, de l'humble perspective d'envoyer nos produits et nos matières premières à ces bazars européens et ils nous les retourneront transformés par l'intermédiaire des agents puissants dont ils disposent. L'Europe a besoin de matières premières, pour les transformer en machines puissantes (1). »

L'illustre Domingo Faustino Sarmiento et d'autres écrivains libéraux ne virent dans la *montonera* paysanne que le symbole de la barbarie, le retard et l'ignorance, l'anachronisme d'un mouvement pastoral face à la civilisation urbaine : le poncho

---

(1) Discours de Gervasio A. de Posadas. Cité par Dardo Cúneo, *Comportamiento y crisis de la clase empresaria*, Buenos Aires, 1967. En 1876, le ministre des Finances dira au Congrès : « Nous ne devons pas imposer un droit exagéré qui rende impossible l'introduction de la chaussure, de telle sorte qu'alors que quatre malheureux savetiers exercent ici, mille fabricants de chaussures étrangers ne peuvent vendre une seule paire de souliers. »

et le *chiripá* (1) contre la redingote ; la lance et le couteau contre les armées de métier ; l'analphabétisme contre l'école (2). En 1861, Sarmiento écrivait à Mitre : « N'essayez pas d'économiser le sang des gauchos, c'est tout ce qu'ils ont d'humain. C'est un engrais qu'il faut utiliser pour le bien du pays. » Tant de mépris et tant de haine révélaient une négation de la patrie en même temps qu'ils exprimaient une politique économique : « Nous ne sommes ni navigateurs ni industrieux, affirmait Sarmiento, et l'Europe nous fournira pendant bien des siècles ses produits fabriqués, en échange de nos matières premières (3). » Le président Bartolomé Mitre engagea, en 1862, une guerre d'extermination contre les provinces et leurs caudillos. Sarmiento fut désigné chef d'état-major et les troupes marchèrent vers le nord pour tuer les gauchos, « animaux bipèdes de naturel si pervers ». Dans La Rioja, le « Chacho » Peñaloza, général des plaines, qui étendait son influence sur Mendoza et sur San Juan, était un des derniers bastions de la lutte contre le port et Buenos Aires considéra qu'il était temps d'en finir avec lui. On lui coupa la tête et on exposa celle-ci au bout d'une pique au centre de la place d'Olta. Le chemin de fer et les routes achevèrent de ruiner La Rioja, dont le déclin avait commencé avec la révolution de 1810 : le libre-échange avait provoqué la crise de son artisanat et accentué la pauvreté chronique de la région. Au XXe siècle, les paysans de La Rioja fuient leurs villages des montagnes ou des plaines et descendent offrir leurs bras à Buenos Aires : comme les humbles paysans des autres provinces, ils ne vont jamais au-delà des portes de la ville. Dans les faubourgs ils se retrouvent avec les sept cent mille habitants des autres villes de la misère et se contentent de grignoter les miettes que leur jette le banquet de la grande capitale. « Avez-vous remarqué des changements chez ceux qui sont partis et qui reviennent ici vous rendre visite ? », ont demandé les sociologues aux cent cinquante survivants d'un

---

(1) Pantalon du gaucho. L'expression « gente de chiripá » désigne en Argentine des paysans lourds et incultes. *(N. du T.)*
(2) Armando Raúl Bazán, « Las bases sociales de la montonera », in *Revista de historia americana y argentina*, n°s 7 et 8, Mendoza, 1962-1963.
(3) Domingo Faustino Sarmiento, *Facundo*, traduction Marcel Bataillon, Paris, 1934.

village de La Rioja, voici quelques années. Ceux-ci, avec envie, avaient constaté qu'à Buenos Aires les manières, la façon de s'habiller et de parler des émigrés s'étaient améliorées. Et certains les trouvaient aussi « plus blancs » (1).

La guerre de la Triple Alliance contre le Paraguay réduisit à néant l'unique expérience réussie de développement indépendant

L'homme voyageait à mon côté, silencieusement. Son profil, nez pointu, pommettes hautes, se découpait dans la lumière aveuglante du plein midi. De la frontière du Sud, nous nous dirigions vers Asunción, dans un omnibus pour vingt personnes qui en contenait, je ne sais par quel miracle, une cinquantaine. Au bout de quelques heures, nous fîmes une halte. Nous nous assîmes dans une cour sans portes, à l'ombre d'un arbre aux feuilles charnues. Devant nos yeux, aveuglés par son éclat, s'étendait l'immense terre paraguayenne rouge, inhabitée, intacte ; d'un bout à l'autre de l'horizon, rien ne perturbait la transparence de l'air. Nous allumâmes une cigarette. Mon compagnon, un paysan qui parlait le guarani, risqua quelques paroles tristes en espagnol. « Nous, les Paraguayens, nous sommes pauvres et peu nombreux », me dit-il. Il m'expliqua qu'il était descendu à Encarnación pour chercher du travail mais qu'il n'en avait pas trouvé. C'est à peine s'il avait pu réunir quelques pesos pour le voyage de retour. Autrefois, quand il était jeune, il avait tenté sa chance à Buenos Aires et au sud du Brésil. Ces jours-ci, c'était la récolte du coton et beaucoup de péons paraguayens s'en allaient, comme tous les ans, en Argentine. « Mais moi, j'ai maintenant soixante-trois ans. Mon cœur devient stupide quand il y a trop de monde. »

Un demi-million de Paraguayens ont abandonné définitive-

(1) Mario Margulis, *Migración y marginalidad en la sociedad argentina*, Buenos Aires, 1968.

ment leur patrie, ces vingt dernières années. La misère pousse à l'exode les habitants de ce pays qui était, jusqu'au siècle dernier, le plus avancé de l'Amérique du Sud. La population du Paraguay a, depuis, à peine doublé et, avec la Bolivie, c'est une des nations les plus pauvres et les plus arriérées de l'Amérique latine. Les Paraguayens supportent l'héritage d'une guerre d'extermination qui constitue l'un des chapitres les plus abjects de l'histoire du continent. Elle s'appelle la guerre de la Triple Alliance. Le Brésil, l'Argentine et l'Uruguay furent responsables du génocide. Ils ne laissèrent pas une pierre debout, pas un habitant mâle parmi les décombres. Bien que l'Angleterre n'ait pas participé directement à l'horrible exploit, ce furent ses marchands, ses banquiers et ses industriels qui tirèrent les bénéfices de ce crime contre le Paraguay. L'invasion fut financée, du début à la fin, par la Banque de Londres, la firme Baring Brothers et la banque Rothschild, lesquelles consentirent des prêts léonins, pour les pays vainqueurs, hypothéquèrent leurs chances (1).

Jusqu'à sa destruction, le Paraguay se dressait comme une exception en Amérique latine : il était l'unique nation que le capital étranger n'avait pas déformée. Le long gouvernement à main de fer du dictateur Gaspar Rodríguez de Francia (1814-1840) avait engendré, dans la matrice de l'isolement, un développement économique autonome et durable. L'État, paternaliste et tout-puissant, remplaçait une bourgeoisie nationale inexistante dans la mission d'organiser la nation, d'orienter ses ressources et son destin. Francia s'était appuyé sur les masses paysannes pour écraser l'oligarchie para-

(1) Pour écrire ce chapitre, nous avons consulté les ouvrages suivants : Juan Bautista Alberdi, *Historia de la guerra del Paraguay* (Buenos Aires, 1962) ; Pelham Horton Box, *Los orígenes de la Guerra de la Triple Alianza* (Buenos Aires-Asunción, 1958) ; Efraím Cardozo, *El Imperio del Brasil y el Río de la Plata* (Buenos Aires, 1961) ; Julio César Chaves, *El presidente López* (Buenos Aires, 1955) ; Carlos Pereyra, *Francisco Solano López y la guerra del Paraguay* (Buenos Aires, 1945) ; Juan F. Pérez Acosta, *Carlos Antonio López, obrero máximo. Labor administrativa y constructiva* (Asunción, 1948) ; José María Rosa, *La guerra del Paraguay y las montoneras argentinas* (Buenos Aires, 1965) ; Bartolomé Mitre et Juan Carlos Gómez, *Cartas polémicas sobre la guerra del Paraguay*, avec un prologue de J. Natalicio González (Buenos Aires, 1940). Également un travail inédit de Vivian Trías.

guayenne et avait conquis la paix intérieure en tendant un cordon sanitaire rigide face aux autres pays de l'ancienne vice-royauté du Río de la Plata. Les expropriations, l'exil, les prisons, les persécutions et les amendes n'avaient pas été utilisés pour la consolidation de l'empire interne des propriétaires terriens et des commerçants mais, au contraire, pour sa ruine. Il n'y avait — il n'y aurait jamais — ni libertés politiques ni droit d'opposition, mais à cette période de l'histoire, seuls les nostalgiques des privilèges perdus souffraient du manque de démocratie. Lorsque Francia mourut, les grandes fortunes privées n'existaient pas et le Paraguay était le seul pays d'Amérique latine à ne compter ni mendiants, ni affamés, ni voleurs (1) ; les voyageurs de l'époque y découvraient une oasis de tranquillité au milieu des autres régions secouées par des guerres continuelles. L'agent nord-américain Hopkins rapportait à son gouvernement, en 1845, qu'au Paraguay « il n'y a pas d'enfant qui ne sache lire et écrire… ». C'était aussi le seul pays qui ne vivait pas les yeux rivés sur l'autre côté de l'Océan. Le commerce extérieur ne constituait pas l'axe de la vie nationale ; la doctrine libérale — expression idéologique de l'articulation mondiale des marchés — manquait de réponses quant au défi que le Paraguay, contraint à un développement intérieur à cause de son isolement, se posait depuis le début du siècle. L'anéantissement de l'oligarchie rendit possible la concentration des ressorts économiques fondamentaux entre les mains de l'État et permit la poursuite de cette politique autarcique de croissance.

(1) Francia figure parmi les monstres les plus horribles dans le bestiaire de l'histoire officielle. Les déformations optiques imposées par le libéralisme ne sont pas un privilège des classes dominantes en Amérique latine ; nombre d'intellectuels de gauche qui se penchent avec des lunettes étrangères sur l'histoire de nos pays partagent certains mythes, canonisations et excommunications de la droite. Le *Chant général* de Pablo Neruda (traduction de Claude Couffon, Paris, 1977), magnifique hommage poétique aux peuples latino-américains, montre clairement cette déformation. Neruda ignore Artigas, Carlos Antonio et Francisco Solano López ; mais il s'identifie à Sarmiento. Il qualifie Francia de « roi lépreux, entouré par/les grands espaces du maté » qui « clôtura le Paraguay,/comme un nid de sa majesté » et « lia torture et boue aux frontières ». Envers Rosas, il ne se montre guère plus aimable : il fustige les « poignards, éclats de rire des limiers/sur le martyre » d'une « Argentine volée à coups de crosse/dans la vapeur du petit jour, châtiée/jusqu'au sang, jusqu'à la folie,/vide, montée par d'âpres contremaîtres ! ».

Les gouvernements qui suivirent, celui de Carlos Antonio López et de son fils Francisco Solano, continuèrent l'œuvre et la consolidèrent. L'économie était en plein essor. Lorsque les envahisseurs parurent à l'horizon, en 1865, le Paraguay possédait une ligne de télégraphe, un chemin de fer et une bonne quantité de fabriques de matériaux de construction, de tissus, de toiles, de ponchos, de papier et d'encre, de vaisselle et de poudre à fusil. Deux cents techniciens étrangers, bien rémunérés par l'État, prêtaient une collaboration décisive. Dès 1850, la fonderie d'Ibycuí fabriquait des canons, des mortiers et des balles de tous calibres ; canons de bronze, obus et balles sortaient également de l'arsenal d'Asunción. La sidérurgie, comme toutes les autres activités économiques essentielles, était entre les mains de l'État. Le pays possédait une flotte marchande nationale et plusieurs bateaux qui battaient pavillon paraguayen au long du Paraná ou à travers l'Atlantique et la Méditerranée avaient été construits dans les chantiers d'Asunción. Pratiquement l'État monopolisait le commerce extérieur : le maté et le tabac approvisionnaient la consommation du sud du continent ; les bois précieux étaient exportés en Europe. La balance commerciale accusait un fort excédent. Le Paraguay avait une monnaie forte et stable et des ressources qui lui permettaient de pratiquer une politique d'énormes investissements publics sans recourir au capital étranger. Le pays n'avait pas un centime de dettes à l'extérieur, bien qu'il se permît de maintenir la meilleure armée d'Amérique du Sud, d'engager des techniciens anglais qui se mettaient au service du pays au lieu de mettre le pays à leur service, et d'envoyer en Europe des universitaires pour y perfectionner leurs études. L'excédent économique engendré par la production agricole n'était pas dilapidé dans le luxe stérile de l'oligarchie — ici inexistante ; il ne restait pas davantage dans les poches des intermédiaires ou entre les mains de sorciers des prêteurs ; il ne figurait pas non plus dans la rubrique des bénéfices que l'Empire britannique faisait avec les compagnies d'affrètement et d'assurances. L'éponge impérialiste n'absorbait pas la richesse que le pays produisait. 98 % du territoire paraguayen appartenait à la nation : l'État cédait aux paysans l'exploitation de parcelles de terre à condition d'y vivre, de les cultiver en permanence et de ne pas les vendre. Il y avait en outre soixante-quatre fermes de la patrie, propriétés que l'État administrait directement. Les ouvrages d'irrigation, barrages et canaux, et les nouveaux ponts et chemins contribuaient grandement à l'accroissement de la production agricole. On ressuscita la tradition indigène des deux récoltes annuelles, abandonnée par les conquistadores. Le souffle vivant des traditions jésuites facilitait sans doute tout ce processus d'entreprise (1).

L'État pratiquait un protectionnisme jaloux, qui fut renforcé en 1864, afin de défendre l'industrie nationale et le marché intérieur ; les fleuves étaient fermés aux navires britanniques, qui inondaient par ailleurs l'Amérique latine d'objets manufacturés de Manchester et de Liverpool. Le commerce anglais ne dissimulait pas son inquiétude, non seulement parce que ce dernier foyer de résistance nationale

(1) Les moines fanatiques de la Compagnie de Jésus, « garde noire du pape », avaient assumé la défense de l'ordre médiéval devant les forces nouvelles qui surgissaient sur la scène historique européenne. Mais, en Amérique latine, les missions des jésuites s'exercèrent sous le signe du progrès. Elles venaient purifier, par leur exemple d'abnégation et d'ascétisme, une Église catholique vouée à l'oisiveté et à la jouissance effrénée des biens que la conquête avait mis à la disposition du clergé. Au Paraguay, elles atteignirent le niveau le plus élevé ; en un peu plus d'un siècle et demi (1603-1768), elles montrèrent la capacité et les buts de leurs créateurs. Les jésuites attirèrent, par le langage de la musique, les Indiens guaranis qui avaient cherché refuge dans la forêt ou qui y étaient restés à l'écart du processus civilisateur des *encomenderos* et des latifondistes. Cent cinquante mille Indiens guaranis purent ainsi reconstituer leur organisation communautaire primitive et appliquer à nouveau leurs propres techniques dans les métiers et dans les arts. Le latifondio n'existait pas dans les missions ; la terre était cultivée en partie pour satisfaire aux besoins individuels et en partie pour développer des œuvres d'intérêt général et acquérir les instruments de travail indispensables, qui étaient propriété collective. La vie des Indiens était savamment organisée ; dans les ateliers et les écoles, on formait des musiciens et des artisans, des agriculteurs, des tisserands, des acteurs, des peintres, des constructeurs. On ne connaissait pas l'argent ; l'entrée des commerçants était interdite et ceux-ci devaient négocier en s'installant dans des hôtels, à une certaine distance.

La Couronne céda finalement aux pressions des *encomenderos* nationaux et les jésuites furent expulsés. Les propriétaires terriens et les esclavagistes se lancèrent à la chasse aux Indiens. Les cadavres pendaient aux arbres dans les missions et des villages entiers furent vendus sur les marchés du Brésil. De nombreux Indiens retournèrent chercher refuge dans la forêt. Les bibliothèques des jésuites finirent comme combustible dans les fours ou furent utilisées pour fabriquer des gargousses de poudre. (Jorge Abelardo Ramos, *Historia de la nación latinoamericana*, Buenos Aires, 1968.)

au cœur du continent s'avérait invulnérable, mais aussi, et surtout, parce que l'expérience paraguayenne irradiait dangereusement son exemple chez ses voisins. Le pays le plus progressiste d'Amérique latine construisait son avenir sans recourir aux investissements étrangers ni aux prêts de la banque anglaise, et sans la bénédiction du libre-échange.

Pourtant, à mesure que le Paraguay réussissait dans son entreprise, la nécessité de rompre son isolement se faisait plus urgente. Le développement industriel impliquait des contacts plus nombreux et plus directs avec le marché international et les sources de la technique de pointe. Le Paraguay était stratégiquement bloqué entre l'Argentine et le Brésil, et ces deux pays pouvaient l'étouffer en lui fermant l'embouchure des fleuves, comme le firent Rivadavia et Rosas, ou en fixant des impôts arbitraires au transit de ses marchandises. Pour ses voisins soucieux de consolider l'État oligarchique, en finir avec le scandale de ce pays détestable qui se suffisait à lui-même et ne voulait pas s'agenouiller devant les marchands britanniques devenait une condition indispensable.

Le ministre anglais à Buenos Aires, Edward Thornton, participa efficacement aux préparatifs de guerre. A la veille du conflit, il assistait comme conseiller du gouvernement aux réunions du cabinet argentin, assis au côté du président Bartolomé Mitre. La trame de provocations et de duperies dont le summum fut l'accord argentino-brésilien, qui décida du sort du Paraguay, fut ourdi sous son regard attentif. Venancio Flores envahit l'Uruguay porté en croupe par les deux grands voisins et, après la tuerie de Paysandú, établit à Montevideo son gouvernement fidèle à Rio de Janeiro et à Buenos Aires. La Triple Alliance entrait en fonction. Le président paraguayen Solano López avait menacé d'intervenir militairement si l'on attaquait l'Uruguay car il savait qu'alors la tenaille d'acier se refermerait sur la gorge de sa patrie encerclée par la géographie et les ennemis. Ce qui n'empêche pas l'historien libéral Efraím Cardozo d'affirmer que Solano López affronta le Brésil simplement parce qu'il s'était senti offensé : l'empereur lui avait refusé la main d'une de ses filles. Le conflit était engagé. Mais c'était l'œuvre de Mercure et non de Cupidon.

La presse de Buenos Aires appelait le président Solano

López « l'Attila d'Amérique » : « Il faut le tuer comme un reptile », clamaient les éditoriaux. En septembre 1864, Thornton envoya à Londres un long rapport confidentiel, daté d'Asunción. Il y décrivait le Paraguay comme Dante l'Enfer, en insistant sur les éléments qui apportaient de l'eau à son moulin : « Les droits d'importation sur presque tous les articles sont de 20 % à 25 % *ad valorem* ; mais, comme cette valeur est calculée sur le prix courant des articles, le droit versé atteint fréquemment 40 % ou 45 % du prix de la facturation. Les droits d'exportation sont de 10 % à 20 % de la valeur... » En avril 1865, le *Standard*, journal anglais de Buenos Aires, célébrait déjà la déclaration de guerre de l'Argentine contre le Paraguay, dont le président « a enfreint tous les usages des nations civilisées », et annonçait que l'épée du président argentin Mitre emporterait « dans sa course victorieuse, outre le poids des gloires passées, l'élan irrésistible de l'opinion publique pour une juste cause ». Le traité avec le Brésil et l'Uruguay fut signé le 1er mai 1865 ; ses clauses draconiennes furent rendues publiques un an plus tard, dans le *Times* de Londres, qui les avait obtenues des banquiers créanciers de l'Argentine et du Brésil. Les futurs vainqueurs se répartissaient d'avance les dépouilles du Paraguay vaincu. L'Argentine s'attribuait tout le territoire de Misiones et l'immense Chaco ; le Brésil dévorait une immense étendue à l'ouest de ses frontières. L'Uruguay, gouverné par une marionnette au service des deux autres puissances, n'obtenait rien. Mitre annonça qu'il prendrait Asunción en trois mois. En fait, la guerre dura cinq ans. Ce fut une boucherie tout au long des fortins qui jalonnaient et défendaient le fleuve Paraguay. « L'ignominieux tyran » Francisco Solano López incarna héroïquement la volonté nationale de survivre ; le peuple paraguayen, qui n'avait pas connu la guerre depuis un demi-siècle, s'immola à ses côtés. Hommes, femmes, enfants et vieillards, tous se battirent comme des lions. Les prisonniers blessés arrachaient leurs pansements pour qu'on ne les oblige pas à se battre contre leurs frères. En 1870, López, à la tête d'une armée de fantômes — des vieillards, et des enfants qui se mettaient de fausses barbes pour impressionner de loin l'adversaire —, s'enfonça dans la forêt. Les armées envahisseuses prirent d'assaut les ruines d'Asunción, le couteau entre les dents. Lorsque le président paraguayen fut finalement assassiné dans la végétation épaisse du Corá, il réussit à dire : « Je meurs avec ma patrie ! » Et c'était vrai. Le Paraguay mourait avec lui. Auparavant, López avait fait fusiller son frère et un évêque qui l'accompagnaient dans cette caravane de la mort. Les envahisseurs venaient, prétendaient-ils, pour racheter le peuple paraguayen : ils l'exterminèrent. Le Paraguay, au commencement du conflit, n'était guère moins peuplé que l'Argentine. En 1870, seuls deux cent cinquante mille Paraguayens — le sixième à peine de la population — survivaient. C'était le triomphe de la civilisation. Les vainqueurs, ruinés par le coût exorbitant du crime, restèrent entre les mains des banquiers anglais qui avaient financé l'aventure. L'empire esclavagiste de Pedro II, dont les troupes se nourrissaient d'esclaves et de prisonniers, gagna cependant des territoires — plus de soixante mille kilomètres carrés — et de la main-d'œuvre, car de nombreux prisonniers paraguayens furent envoyés, marqués au fer de l'esclavage, dans les caféières de São Paulo. L'Argentine du président Mitre, qui avait écrasé ses caudillos fédéraux, se retrouva avec quatre-vingt-quatorze mille kilomètres carrés de terre paraguayenne et autres fruits du butin, selon ce que Mitre lui-même avait annoncé en écrivant : « Nous nous partagerons les prisonniers et autres prises de guerre de la manière convenue. » L'Uruguay, dont les héritiers d'Artigas étaient déjà morts ou vaincus et où l'oligarchie commandait, participa à la guerre comme petit partenaire et sans récompense. Quelques-uns des soldats uruguayens envoyés dans cette campagne du Paraguay étaient montés à bord des bateaux les mains liées. Les trois pays subirent une banqueroute qui augmenta leur dépendance à l'égard de l'Angleterre. La tuerie du Paraguay les marqua à tout jamais (1).

(1) Le souvenir de Solano López brûle encore dans les mémoires. Lorsque le Musée historique national de Rio de Janeiro annonça en septembre 1969 qu'il allait inaugurer une vitrine consacrée au président paraguayen, les militaires réagirent violemment. Le général Mourão Filho, qui avait déclenché le coup d'État de 1964, déclara à la presse : « Un vent de folie souffle sur le pays... La figure de Solano López doit être gommée à tout jamais de notre histoire, car il est l'exemple même du dictateur sud-américain en uniforme. Ce fut un sanguinaire qui détruisit le Paraguay en l'entraînant dans une guerre sans merci. »

Le Brésil avait empli le rôle que l'Empire britannique lui avait assigné depuis l'époque où les Anglais avaient transporté le trône portugais à Rio de Janeiro. Au début du XIXᵉ siècle, les instructions de Canning à l'ambassadeur lord Strangford avaient été claires : « Faire du Brésil un grand centre commercial pour les produits britanniques destinés à la consommation de toute l'Amérique du Sud. » Peu avant de se lancer dans la guerre, le président argentin avait inauguré une nouvelle ligne de chemins de fer britanniques dans son pays et prononcé à cette occasion un discours enflammé : « Quelle est la force qui donne l'impulsion à ce progrès ? Messieurs : c'est le capital anglais ! » Du Paraguay vaincu disparurent non seulement les habitants mais aussi les tarifs douaniers, les fonderies, l'interdiction des fleuves au commerce étranger, l'indépendance économique et de vastes portions du territoire national. Les vainqueurs implantèrent à l'intérieur des frontières rétrécies par la spoliation le libre-échange et le latifondo. Tout fut pillé et vendu : les terres et les forêts, les mines, les plantations de maté, les écoles. Des gouvernements fantoches successifs furent installés à Asunción par les forces d'occupation. La guerre à peine terminée, sur les ruines encore fumantes du Paraguay s'abattit le premier emprunt étranger de toute son histoire. Il était anglais, naturellement. Sa valeur nominale atteignait le million de livres sterling, mais une moitié à peine arriva au Paraguay ; les années suivantes, des renflouements portèrent la dette à plus de trois millions. La guerre de l'Opium était terminée, en 1842, lorsque fut signé à Nankin le traité de libre-échange qui assurait aux commerçants britanniques le droit d'introduire librement la drogue sur le territoire chinois. Après la défaite, la liberté de commerce fut également garantie pour le Paraguay. On abandonna la culture du coton et Manchester ruina la production textile ; l'industrie nationale fut définitivement enterrée.

Le parti *colorado* (1), qui gouverne aujourd'hui le Para-

---

(1) Créé en septembre 1887, deux mois après le parti libéral, qui avait choisi le bleu, l'une des couleurs du drapeau national comme emblème. Ses fondateurs choisirent le rouge *(colorado)*, autre couleur du drapeau. Nationaliste, il est plutôt favorable aux régimes forts, dirigés par des militaires. *(N. du T.)*

guay, spécule allégrement sur la mémoire des héros, mais exhibe au bas de son acte de fondation la signature de vingt-deux traîtres au maréchal Solano López, « légionnaires » à la solde des troupes brésiliennes d'occupation. Le dictateur Alfredo Stroessner, qui depuis quinze ans a transformé le Paraguay en un vaste camp de concentration, a effectué sa formation militaire au Brésil, et les généraux brésiliens l'ont rendu à son pays avec de hautes qualifications et de vibrants éloges : « Il est digne d'un grand avenir... » Stroessner a substitué aux intérêts anglo-argentins, dominants au Paraguay ces dernières décennies, ceux du Brésil et de ses maîtres nord-américains. Depuis 1870, le Brésil et l'Argentine, qui libérèrent le Paraguay pour mieux le dévorer à deux, se relayaient pour accaparer l'usufruit provenant du butin du pays vaincu, mais ils subissent à leur tour l'impérialisme de la grande puissance régnante. Le Paraguay supporte à la fois l'impérialisme et le sous-impérialisme. Auparavant l'Empire britannique constituait le principal maillon de la chaîne des dépendances successives. Actuellement les États-Unis, qui n'ignorent pas l'importance géopolitique de ce pays enclavé au centre de l'Amérique du Sud, maintiennent sur son sol d'innombrables conseillers qui instruisent et orientent les forces armées, accommodent les plans économiques, restructurent l'université à leur convenance, inventent un nouveau schéma politique démocratique pour le pays et rétribuent par des prêts dispendieux les bons services du régime (1). Mais le Paraguay est aussi une colonie de colonies. Prenant la réforme agraire comme prétexte, le gouvernement de Stroessner a dérogé, comme par mégarde, à la disposition légale qui interdit la vente aux étrangers de terres frontalières et, de nos jours, même les territoires de l'État sont tombés entre les mains des latifondistes brésiliens du café. L'onde envahisseuse traverse le Paraná avec la complicité du président, associé aux grands propriétaires terriens qui parlent portugais. Quand je suis arrivé à la frontière fluctuante du nord-est du Paraguay,

(1) Peu de temps avant les élections de 1968, le général Stroessner visita les États-Unis. « Lors de mon entrevue avec le président Johnson, déclara-t-il alors à l'Agence France-Presse, je lui ai fait remarquer qu'il y avait déjà douze ans que je remplissais les fonctions de premier magistrat élu. Johnson m'a répondu que c'était là une raison de plus pour continuer à les exercer durant la période prochaine. »

j'avais en poche des billets de banque à l'effigie de l'infortuné maréchal Solano López, mais j'ai vite compris que seuls les billets portant celle de l'empereur victorieux Pedro II avaient de la valeur. Le résultat de la guerre de la Triple Alliance conserve, à un siècle de distance, une brûlante actualité. Les gardes brésiliens exigent des citoyens paraguayens un passeport pour circuler dans leur propre pays ; les drapeaux et les églises sont brésiliens. La piraterie à terre s'étend aux chutes du Guayrá — la plus importante source d'énergie future de toute l'Amérique latine —, qui s'appellent aujourd'hui, en portugais, *Sete Quedas,* et à la zone d'Itapú, où le Brésil construira la plus grande centrale hydro-électrique du monde.

Le sous-impérialisme, ou impérialisme des satellites, s'exprime de mille façons. Lorsque le président Johnson décida de noyer dans un bain de sang les Dominicains, en 1965, Stroessner envoya des soldats paraguayens à Saint-Domingue participer à l'opération. Sinistre plaisanterie : le bataillon s'appelait « Maréchal Solano López » ! Les Paraguayens se battirent sous les ordres d'un général brésilien car ce fut le Brésil qui reçut les honneurs de la trahison : le général Panasco Alvim fut chargé de commander les troupes latino-américaines complices dans la tuerie. On pourrait citer d'autres exemples. Le Paraguay a accordé au Brésil une concession pétrolière, mais la distribution des combustibles et la pétrochimie sont, au Brésil, exploitées par des sociétés nord-américaines. La mission culturelle brésilienne contrôle la faculté de philosophie et de pédagogie de l'Université du Paraguay, mais les Nord-Américains dirigent actuellement les universités du Brésil. L'état-major de l'armée paraguayenne reçoit les conseils des techniciens du Pentagone et également ceux des généraux brésiliens, mais ces derniers ne sont que l'écho du Pentagone. Par la voie ouverte de la contrebande, les produits industriels brésiliens envahissent le marché paraguayen, mais la plupart des usines qui les produisent à São Paulo sont, depuis l'avalanche des dénationalisations de ces dernières années, propriété des multinationales.

Stroessner se prétend l'héritier de Lopez. Or le Paraguay d'il y a un siècle peut-il être sérieusement comparé au Paraguay d'aujourd'hui, haut lieu de la contrebande dans le bassin de la Plata et royaume de la corruption institutionnalisée ? Dans une réunion politique où le parti du gouvernement revendiquait au milieu des vivats et des applaudissements les deux Paraguay, un gamin vendait, sur un plateau suspendu à sa poitrine, des cigarettes de contrebande : l'assistance fervente fumait nerveusement des Kent, des Marlboro, des Camel et des Benson & Hedges. A Asunción, la classe moyenne, peu nombreuse, boit du whisky Ballantine's plutôt que de l'alcool paraguayen. On peut voir les derniers modèles des plus luxueuses voitures fabriquées aux États-Unis ou en Europe, importées en contrebande ou détaxées au maximum, voisiner avec des charrettes tirées par des bœufs et transportant lentement les fruits au marché ; on cultive la terre avec des charrues de bois mais les taxis sont des Impalas 70. Stroessner proclame que la contrebande est « le prix de la paix » : les généraux se remplissent les poches et ne conspirent pas. Naturellement, l'industrie agonise avant de se développer. L'État ne respecte même pas le décret demandant de préférer les produits nationaux pour les acquisitions publiques. Les seules réussites que le gouvernement étale avec orgueil sont les fabriques de Coca-Cola, Crush et Pepsi-Cola, installées depuis la fin 1966, comme contribution nord-américaine au progrès du peuple paraguayen.

L'État déclare qu'il n'interviendra directement dans la création d'entreprises « que lorsque le secteur privé ne s'y intéressera pas » (1) et la Banque centrale informe le Fonds monétaire international qu'elle « a décidé d'implanter un régime de libre marché des changes et d'abolir les restrictions au commerce et aux transactions en devises » ; un bulletin édité par le ministère de l'Industrie et du Commerce annonce aux investisseurs que le pays accorde « des avantages spéciaux au capital étranger ». Les entreprises étrangères sont exemptées d'impôts et de droits de douane, « afin de créer un climat propice aux investissements ». Un an après s'être installée à Asunción, la National City Bank de New York a récupéré intégralement le capital investi. La banque étrangère, qui dispose de l'épargne interne, fournit au Paraguay des crédits extérieurs qui accentuent son déséquilibre économique et hypothèquent encore plus sa souveraineté. Dans les cam-

(1) Présidence de la Nation, Secrétariat technique de Planification, *Plan nacional de desarrollo económico y social*, Asunción, 1966.

pagnes, 1,5 % des propriétaires disposent de 90 % des terres exploitées, et moins de 2 % de la superficie totale du pays est cultivée. Le plan officiel de colonisation dans le triangle de Caaguazú offre aux paysans affamés plus de tombes que de prospérité (1). La patrie refuse à ses enfants le droit au travail et au pain quotidien : les Paraguayens émigrent en masse.

La Triple Alliance continue d'être un énorme succès.

La fonderie d'Ibycuí, où furent coulés les canons qui défendirent la patrie envahie, se dressait en un endroit appelé aujourd'hui « Mina-cué » — ce qui en guarani signifie « La-mine-qui-fut ». Là, parmi les marécages et les moustiques, auprès d'un mur en ruine, gît à présent la base de la cheminée que les envahisseurs firent sauter à la dynamite, voilà un siècle, et on peut voir les débris de fer rouillé des anciennes installations. Dans cette zone vivent quelques paysans en guenilles qui ne savent même pas quelle guerre a détruit ce que leurs regards contemplent. Certaines nuits pourtant, affirment-ils, ils entendent des bruits de machines et un tonnerre de marteaux, des canonnades et des hurlements de soldats.

Les emprunts et les chemins de fer dans la déformation économique de l'Amérique latine

Le vicomte de Chateaubriand, ministre français des Affaires étrangères sous Louis XVIII, sans doute bien informé, écrivait avec dépit : « Au moment de l'émancipation, les colonies

---

(1) Beaucoup de paysans ont finalement choisi de retourner dans la région de petites propriétés du Centre ou bien ils ont pris le chemin d'un nouvel exode vers le Brésil, où ils offrent leurs bras à bon marché dans les plantations de maté de Curitiba et de Mato Grosso ou dans les caféières du Paraná. La situation des pionniers qui se retrouvent brusquement devant la forêt, sans la moindre orientation technique et sans aide économique, sur des terres *concédées* par le gouvernement et dont ils devront tirer suffisamment pour se nourrir et pouvoir *les payer*, est désespérée. Car, si le paysan ne paie pas le prix stipulé, il ne reçoit pas l'acte de propriété.

espagnoles devinrent d'une certaine manière des colonies anglaises (1). » Il citait quelques chiffres. Il rapportait qu'entre 1822 et 1826 l'Angleterre avait facilité aux colonies espagnoles libérées dix emprunts d'une valeur nominale de près de vingt et un millions de livres sterling, mais qu'une fois déduits les intérêts et les commissions des intermédiaires le versement réel qui était parvenu en Amérique s'élevait à peine à sept millions de livres. Dans la même période, plus de quarante sociétés anonymes pour l'exploitation des ressources naturelles — mines, agriculture — de l'Amérique latine et pour l'installation d'entreprises de services publics s'étaient créées à Londres. Les banques poussaient comme des champignons sur le sol britannique : durant la seule année 1836 il en fut fondé quarante-huit. L'apparition des chemins de fer anglais à Panama, au milieu du siècle, et de la première ligne de tramways inaugurée en 1868 par une entreprise britannique dans la ville de Recife, au Brésil, n'empêcha pas la Banque d'Angleterre de continuer à financer directement les trésoreries des gouvernements (2). Les actions latino-américaines circulaient activement, avec leurs fluctuations, sur le marché financier anglais. Les services publics étaient entre des mains britanniques, mais les nouveaux États naissaient débordés par les dépenses militaires et devaient, en outre, faire face au déficit de la dette extérieure. Le libre-échange impliquait une augmentation frénétique des importations, en particulier des produits de luxe, et, pour qu'une minorité puisse vivre à la dernière mode, les gouvernements contractaient des emprunts qui, à leur tour, engendraient l'obligation de nouveaux emprunts ; les pays hypothéquaient ainsi leur destin, ils aliénaient leur liberté économique et leur souveraineté politique. Le même processus — qui subsiste aujourd'hui avec d'autres créanciers et d'autres mécanismes — régissait toute l'Amérique latine, à l'exception du Paraguay. Le financement extérieur devenait indispensable, comme la morphine au drogué. On ouvrait des trous pour boucher d'autres trous. La détérioration des termes

---

(1) R. Scalabrini Ortiz, *Política británica en el Río de la Plata*, Buenos Aires, 1940.
(2) J. Fred Rippy, *British Investments in Latin America (1822-1949)*, Minneapolis, 1959.

de l'échange n'est pas non plus un phénomène particulier à notre époque ; selon Celso Furtado (1), les prix des exportations brésiliennes entre 1821 et 1830, puis entre 1841 et 1850, baissèrent presque de moitié, tandis que ceux des importations restaient stables : les fragiles économies latino-américaines compensaient la perte par des emprunts.

« Les finances de ces jeunes États ne sont pas saines, écrit Schnerb. Il faut recourir à l'inflation, qui engendre la dépréciation de la monnaie, et aux emprunts onéreux. L'histoire de ces républiques est, d'une certaine façon, celle de leurs obligations économiques contractées avec le monde dévorant des finances européennes (2). » Les banqueroutes, les suspensions de paiements et les renflouements de dernière heure, en effet, étaient fréquents. Les livres sterling s'échappaient comme de l'eau entre les doigts de la main. Sur un emprunt d'un million de livres conclu par le gouvernement de Buenos Aires, en 1824, avec la firme Baring Brothers, l'Argentine ne reçut que cinq cent soixante-dix mille livres, et non en or, comme le stipulait l'accord, mais en billets. Le prêt se fit à partir d'ordres de paiement envoyés aux commerçants anglais établis à Buenos Aires, et ceux-ci ne disposaient pas d'or à remettre au pays, leur mission consistant précisément à envoyer à Londres tout le métal précieux qui passait sous leurs yeux. On toucha donc du papier-monnaie, mais il fallut rembourser en or véritable : ce n'est qu'au début de ce siècle que l'Argentine se libéra de cette dette qui avait atteint, à cause des renflouements successifs, quatre millions de livres (3). La province de Buenos Aires avait été totalement hypothéquée — rentes et terres publiques — en garantie du paiement. Le ministre des Finances de l'époque disait : « Nous ne sommes pas en état de prendre des mesures contre le commerce étranger, en particulier contre celui de l'Angleterre, car nous sommes fortement endettés à l'égard de cette nation et nous nous exposerions à une rupture qui causerait de grands dommages... » L'utilisation de la dette comme moyen

---

(1) Celso Furtado, *op. cit.*
(2) Robert Schnerb, *Le XIXe siècle. L'apogée de l'expansion européenne (1815-1914)*, tome VI de l'*Histoire générale des civilisations*, dirigée par Maurice Crouzet, Paris, 1968.
(3) R. Scalabrini Ortiz, *op. cit.*

de chantage n'est pas, on le voit, une invention récente des États-Unis.

L'agiotage emprisonnait les pays libres. Au milieu du XIXᵉ siècle, la dette extérieure absorbait déjà presque 40 % du budget du Brésil, et la situation était partout la même. Les chemins de fer constituaient également une partie essentielle de la cage de fer de la dépendance : ils étendirent l'influence impérialiste, en pleine ère du capitalisme des monopoles, jusqu'aux arrière-gardes des économies coloniales. Un grand nombre d'emprunts étaient destinés à financer la construction de chemins de fer afin de faciliter l'exportation des minerais et des denrées alimentaires. Les voies ferrées ne constituaient pas un réseau destiné à unir les différentes régions entre elles mais à relier les centres de production aux ports. Le tracé coïncide encore avec les doigts d'une main ouverte : ainsi les chemins de fer, si souvent salués comme les champions du progrès, empêchaient la formation et le développement du marché intérieur. Ils le bloquaient aussi d'autres façons, surtout par une politique de tarifs au service de l'hégémonie britannique. Le transport des produits manufacturés dans le pays revenait, par exemple, beaucoup plus cher que celui des produits bruts destinés à l'exportation. Les tarifs ferroviaires étaient assenés comme une malédiction qui rendait impossible la fabrication des cigarettes dans les régions de production du tabac, les filatures et les tissages dans les centres lainiers ou le travail du bois dans les zones forestières (1). Les chemins de fer argentins développèrent, c'est certain, l'industrie du bois à Santiago del Estero, mais avec des conséquences telles qu'un auteur local en arrive à écrire : « Ah ! si Santiago n'avait pas eu d'arbres ! (2). » Les traverses des voies étaient en bois et le charbon de bois servait de combustible ; son exploitation industrielle, créée par les chemins de fer, désintégra les noyaux ruraux de population, détruisit l'agriculture et l'élevage en dévastant les pâturages et les boqueteaux servant d'abri, tint en esclavage dans la forêt plusieurs générations d'habitants de Santiago et provoqua le dépeuplement. L'exode massif n'a pas cessé et Santiago del Estero est

(1) *Ibid.*
(2) J. Eduardo Retondo, *El bosque y la industria forestal en Santiago del Estero*, Santiago del Estero, 1962.

aujourd'hui une des provinces les plus pauvres d'Argentine. L'utilisation du pétrole comme combustible ferroviaire a plongé la région dans une crise profonde.

Ce ne furent pas les capitaux anglais qui installèrent les premières voies ferrées en Argentine, au Brésil, au Chili, au Guatemala, au Mexique et en Uruguay. Au Paraguay non plus, comme nous l'avons vu, mais les chemins de fer construits par l'État paraguayen avec l'aide de techniciens européens sous contrat passèrent aux mains des Anglais après la défaite. Les transports ferroviaires des autres pays connurent un destin identique et n'apportèrent pas un centime d'investissement nouveau ; l'État se préoccupait même d'assurer, par contrat, aux entreprises, un niveau minimum de profit, afin de leur épargner d'éventuelles surprises désagréables.

Bien des décennies plus tard, à la fin de la Seconde Guerre mondiale, lorsque les chemins de fer ne rapportèrent plus de dividendes et tombèrent dans un marasme relatif, l'administration publique les récupéra. Presque tous les États rachetèrent aux Anglais la vieille ferraille et nationalisèrent ainsi les pertes des compagnies.

A l'époque de l'essor ferroviaire, les sociétés britanniques avaient souvent obtenu d'immenses concessions de terrain de chaque côté des voies, en plus des voies elles-mêmes et du droit de construire de nouveaux tronçons et embranchements. Les terres constituaient une merveilleuse affaire additionnelle : le fabuleux cadeau octroyé en 1911 à la Brazil Railway causa l'incendie d'innombrables cabanes et l'expulsion ou la mort des familles paysannes habitant sur le territoire concédé. Ce fut la goutte de nitroglycérine qui fit exploser la rébellion du *Contestado*, une des pages les plus violentes écrites par la fureur populaire dans toute l'histoire du Brésil.

Protectionnisme et libre-échange aux États-Unis : leur succès ne fut pas l'œuvre d'une main invisible

En 1865, alors que la Triple Alliance annonçait l'imminente destruction du Paraguay, le général Ulysses Grant célébrait à Appomatox la reddition du général Robert Lee. La guerre de Sécession se terminait par la victoire des centres industriels du Nord, 100 % protectionnistes, sur les planteurs libre-échangistes de coton et de tabac du Sud. La guerre qui allait déterminer le destin colonial de l'Amérique latine commençait en même temps que prenait fin celle qui avait rendu possible la consolidation des États-Unis comme puissance mondiale. Devenu peu après président des États-Unis, Grant affirma : « Pendant des siècles l'Angleterre a pratiqué le protectionnisme, elle l'a poussé à l'extrême et en a obtenu des résultats satisfaisants. Il ne fait pas de doute qu'elle doit sa force actuelle à ce système. Depuis deux siècles, elle a jugé profitable d'adopter le libre-échange, car elle pense que le protectionnisme ne peut plus rien lui rapporter. Alors, très bien, messieurs, la connaissance que j'ai de mon pays me porte à croire que dans deux cents ans, lorsque l'Amérique aura tiré du protectionnisme tout ce qu'il peut lui offrir, elle adoptera également le libre-échange (1). »

Deux siècles et demi auparavant, le jeune capitalisme anglais avait exporté dans ses colonies du nord de l'Amérique ses hommes, ses capitaux, ses modes de vie, ses élans et ses projets. Les treize colonies, vannes d'évacuation pour la population européenne excédentaire, mirent rapidement à profit le handicap que leur imposait la pauvreté de leur sol et de leur sous-sol et constituèrent une conscience industrialisatrice que la métropole laissa s'épanouir sans problèmes

(1) Cité par André Gunder Frank, *Capitalism and Underdevelopment in Latin America*, New York, 1967.

majeurs. En 1631, les colons de Boston — nouveaux arrivants — lancèrent sur les eaux de l'Océan un volier de trente tonnes, le *Blessing of the Bay*, qu'ils avaient construit eux-mêmes, et dès lors l'industrie navale connut un essor étonnant. Le chêne blanc, abondant dans les forêts, donnait un bois excellent pour les œuvres vives et les charpentes intérieures ; le pont, le beaupré et les mâts étaient en sapin. Le Massachusetts subventionnait les producteurs de chanvre pour les cordes et les cordages et encourageait la fabrication locale des voiles. Au nord et au sud de Boston, des chantiers prospères s'installèrent tout au long des côtes. Les gouvernements des colonies accordaient des subventions et décernaient des prix aux manufactures de toute espèce. On stimulait la culture du lin et la production de la laine, matières premières pour la fabrication de tissus qui, s'ils n'étaient pas très élégants, avaient au moins le mérite d'être solides et nationaux. Pour exploiter les gisements de fer de Lyn, on créa en 1643 la première fonderie ; en peu de temps, le Massachusetts approvisionna toute la région en fer. Comme les encouragements à la production textile paraissaient ne pas donner de résultats suffisants, cette colonie opta pour la contrainte : en 1655, elle vota une loi menaçant chaque famille de sanctions graves si elle ne comptait pas au moins un fileur en activité et assurant une production intense. Chaque comté de Virginie était obligé, à la même époque, de désigner des enfants aptes à l'apprentissage dans l'industrie textile. En même temps, l'exportation des cuirs était interdite : ils devaient être transformés localement en bottes, en courroies, en harnais.

« Les inconvénients contre lesquels l'industrie coloniale doit lutter ont les origines les plus diverses mais ne proviennent pas de la politique coloniale anglaise », affirme Kirkland (1). Au contraire, les difficultés de communication faisaient que la législation prohibitive perdait presque toute sa force à tant de milles de distance et favorisaient la tendance à l'approvisionnement sur place. Les colonies du Nord n'envoyaient à l'Angleterre ni argent, ni or, ni sucre ; en revanche,

---

(1) Edward C. Kirkland, *Historia económica de Estados Unidos*, Mexico, 1941.

leurs besoins provoquaient un excès d'importations qu'il fallait nécessairement trouver le moyen de contrecarrer. Les relations commerciales n'étaient pas très actives d'un côté à l'autre de l'Océan et il devenait indispensable de développer les manufactures locales pour survivre. Au XVIIIe siècle, l'Angleterre prêtait encore si peu d'attention à ses colonies du Nord qu'elle n'empêchait pas le transfert vers leurs ateliers des techniques métropolitaines les plus avancées, réalité qui démentait les interdits de papier du pacte colonial. Ce n'était certes pas le cas des colonies latino-américaines qui fournissaient l'air, l'eau et le sel au capitalisme européen grandissant, et pouvaient entretenir avec largesse les goûts de luxe de leurs classes dominantes, en important d'outre-mer les objets les plus fins et les plus coûteux. Seules les activités tournées vers l'exportation étaient en expansion en Amérique latine, et le restèrent au cours des siècles qui suivirent : les intérêts économiques et politiques de la bourgeoisie minière ou terrienne ne coïncidèrent jamais avec la nécessité d'un développement économique intérieur, et les commerçants étaient moins liés au Nouveau Monde qu'aux marchés étrangers des métaux et des denrées alimentaires qu'ils vendaient et aux sources étrangères des articles manufacturés qu'ils achetaient.

Quand elle proclama son indépendance, la population nord-américaine était équivalente à celle du Brésil. La métropole portugaise, aussi sous-développée que l'espagnole, exportait son sous-développement dans sa colonie. L'économie brésilienne avait été orientée pour le profit de l'Angleterre, qu'elle approvisionna en or pendant tout le XVIIIe siècle. La structure sociale de la colonie reflétait cette fonction de pourvoyeuse. La classe dirigeante brésilienne n'était pas formée, comme celle des États-Unis, de fermiers, de fabricants actifs et de commerçants de l'intérieur. Les principaux interprètes des idéaux des classes dominantes des deux pays, Alexander Hamilton et le vicomte de Cairú, expriment clairement la différence (1). Ils avaient été tous les deux disciples d'Adam Smith, en Angleterre. Mais alors qu'Hamilton était devenu le champion de l'industrialisation et

---

(1) Celso Furtado, *op. cit.*

proclamait que l'État devait encourager et protéger les manufactures nationales, Cairú croyait en l'opération magique de la main invisible du libéralisme : laisser faire, laisser passer, laisser vendre.

A la fin du XVIIIe siècle, les États-Unis possédaient déjà la deuxième flotte marchande du monde, entièrement constituée de bateaux construits dans les chantiers nationaux, et les usines textiles et sidérurgiques étaient en plein essor. Peu après naquit l'industrie mécanique : les fabriques n'avaient plus besoin d'acheter à l'étranger leur matériel. Les puritains pleins de ferveur du *Mayflower* avaient jeté les bases d'une nation dans les campagnes de la Nouvelle-Angleterre ; sur le littoral aux baies profondes, le long des grands estuaires, une bourgeoisie industrielle avait prospéré sans discontinuer. Le trafic commercial avec les Antilles, qui incluait la vente d'esclaves africains, joua dans ce sens, comme nous l'avons vu, un rôle capital, mais l'exploit nord-américain ne pourrait s'expliquer s'il n'avait été animé, dès le début, par le plus ardent des nationalismes. George Washington l'avait préconisé dans son message d'adieu : les États-Unis devaient suivre une route solitaire (1). Emerson, en 1837, proclamait : « Nous avons écouté les muses raffinées de l'Europe pendant trop longtemps. Nous marcherons avec nos propres pieds, nous travaillerons avec nos propres mains, nous parlerons selon nos propres convictions (2). »

Les fonds publics facilitaient le développement du marché intérieur. L'État ouvrait des routes et des voies ferrées et construisait des ponts et des canaux (3). Au milieu du siècle, la Pennsylvanie participait à la gestion de plus de cent cinquante sociétés d'économie mixte, tout en administrant les

(1) Claude Fohlen, *L'Amérique anglo-saxonne de 1815 à nos jours*, Paris, 1965.
(2) Robert Schnerb, *op. cit.*
(3) « Le capital national prend le risque initial... L'aide officielle aux chemins de fer facilite non seulement le rassemblement des capitaux, il réduit aussi les coûts de construction. Dans certains cas, entre autres dans celui des lignes secondaires, les fonds publics ont rendu possible la construction de chemins de fer qui n'auraient pu voir le jour autrement. En dans beaucoup d'autres cas, ils ont accéléré la réalisation de projets que le recours à des capitaux privés aurait certainement retardés. » (Harry H. Pierce, *Railroads of New York, A Study of Government Aid, 1826-1875*, Cambridge, Massachusetts, 1953.)

cent millions de dollars investis dans les entreprises publiques. Les opérations militaires de conquête, qui enlevèrent au Mexique plus de la moitié de son territoire, contribuèrent également, dans une large mesure, au progrès du pays. L'État ne se contentait pas de participer au développement par des investissements et des dépenses militaires destinés à l'expansion ; dans le Nord, il avait commencé à appliquer un strict protectionnisme douanier. Les propriétaires terriens du Sud étaient, au contraire, libre-échangistes. La production du coton doublait tous les dix ans et, si elle fournissait d'importants revenus à la nation tout entière et alimentait les tissages modernes du Massachusetts, elle était surtout dépendante des marchés européens. L'aristocratie du Sud était liée avant tout au marché mondial, comme l'Amérique latine ; du travail de ses esclaves provenaient 80 % du coton utilisé dans les filatures européennes. Quand le Nord ajouta au protectionnisme industriel l'abolition de l'esclavage, la divergence totale d'intérêts déclencha la guerre. Le Nord et le Sud formaient deux mondes en vérité opposés, deux époques historiques différentes, deux conceptions antagoniques du destin national. Le XXe siècle gagna cette guerre du XIXe siècle :

> *Chante, chante, homme libre...*
> *Le Roi Coton si vieux est mort et enterré.*

s'écriait un poète de l'armée victorieuse (1). Après la défaite du général Lee, les tarifs douaniers prirent une valeur sacrée ; on les avait renforcés pendant le conflit pour obtenir des ressources, on les garda pour protéger l'industrie victorieuse. En 1890, le Congrès vota le tarif McKinley, ultra-protectionniste, et la loi Dingley releva les droits de douane en 1897. Peu après, les pays développés d'Europe se virent obligés à leur tour de poser des barrières de protection devant l'irruption des produits nord-américains dangereusement compétitifs. Le mot *trust* avait été prononcé pour la première fois en 1882 ; le pétrole, l'acier, les denrées alimentaires, les chemins de fer et le tabac étaient entre les mains des

---

(1) Claude Fohlen, *op. cit.*

monopoles, qui avançaient avec des bottes de sept lieues (1).

Avant la guerre de Sécession, le général Grant avait participé à la spoliation du Mexique. Après la guerre, le même général fut un président aux idées protectionnistes. Tout relevait du même processus d'affirmation nationale. L'industrie du Nord orientait l'histoire et, déjà maîtresse du pouvoir politique, elle veillait, du gouvernement, à maintenir dans une forme florissante ses intérêts principaux. La frontière agricole se dilatait à l'ouest et au sud, aux dépens des Indiens et des Mexicains ; mais elle n'agrandissait pas les latifondi sur son passage, elle implantait de petits propriétaires dans les nouveaux espaces occupés. La terre promise n'attirait pas seulement les paysans européens ; les maîtres artisans les plus divers et les ouvriers spécialisés en mécanique, métallurgie et sidérurgie arrivèrent également d'Europe pour enrichir l'intense industrialisation nord-américaine. A la fin du siècle dernier, les États-Unis étaient déjà la première puissance industrielle du globe ; en trente ans, après la guerre civile, les usines avaient multiplié par sept leur rendement. La production de charbon américain égalait déjà celle de l'Angleterre, et celle de l'acier lui était deux fois supérieure ; les voies ferrées étaient neuf fois plus développées. Le centre de l'univers capitaliste commençait à se déplacer.

Comme l'Angleterre, les États-Unis allaient prôner, à partir de la Seconde Guerre mondiale, la doctrine du libre-échange, de la liberté commerciale et de la libre concurrence, mais pour la consommation extérieure. Le Fonds monétaire internatio-

(1) Le Sud devint une colonie intérieure des capitalistes du Nord. Après la guerre, la propagande pour la construction de filatures dans les deux Carolines, la Georgie et l'Alabama, prit le caractère d'une croisade. Ce n'était pas le triomphe d'une cause morale, les industries nouvelles ne naissaient pas par pur souci humanitaire : le Sud offrait une main-d'œuvre moins chère, de l'énergie à bon marché et des bénéfices substantiels, qui atteignaient parfois 75 %. Les capitaux venaient du Nord pour lier le Sud au centre de gravité du système. L'industrie du tabac, concentrée en Caroline du Nord, dépendait du trust Duke, réinstallé dans le New Jersey pour profiter d'une législation plus favorable ; la Tennessee Coal and Iron Co., qui exploitait le fer et le charbon de l'Alabama, passa en 1907 sous le contrôle de la U.S. Steel, qui décida dès lors des prix et élimina ainsi la concurrence gênante. Au début du siècle, le revenu *per capita*, dans le Sud, avait baissé de moitié, comparé au niveau d'avant la guerre. (C. Vann Woodward, *Origins of the New South, 1879-1913*, in *A History of the South*, divers auteurs, Baton Rouge, 1948.)

nal et la Banque Mondiale virent le jour en même temps, afin de refuser aux pays sous-développés le droit de protéger leurs industries nationales et de décourager chez eux l'action de l'État. On attribua des propriétés curatives infaillibles à l'initiative privée. Néanmoins, les États-Unis n'abandonnèrent pas une politique économique qui reste rigoureusement protectionniste et qui écoute attentivement les voix de sa propre histoire : dans le Nord, on ne confond jamais la maladie avec le remède.

Chapitre 2

LA STRUCTURE ACTUELLE DE LA SPOLIATION

Un talisman qui a perdu tous ses pouvoirs

Lorsque Lénine écrivit, au printemps de 1916, son livre sur l'impérialisme, le capital nord-américain représentait moins du cinquième du total des investissements privés directs, d'origine étrangère, en Amérique latine. Il en constitue aujourd'hui près des trois quarts. L'impérialisme que connut Lénine — la rapacité des centres industriels à la recherche de marchés mondiaux pour l'exportation ; la fièvre de capture de toutes les sources possibles de matières premières ; le pillage du fer, du charbon et du pétrole ; les chemins de fer organisant la domination des zones colonisées ; les emprunts voraces des monopoles financiers ; les expéditions militaires et les guerres de conquête — était un impérialisme qui stérilisait les lieux sur lesquels une colonie, ou une semi-colonie, aurait osé élever ses propres usines. Pour les pays pauvres, l'industrialisation, privilège des métropoles, devenait incompatible avec le système de domination imposé par les pays riches. En Amérique latine, depuis la Seconde Guerre mondiale, le repli des intérêts européens s'accentue au bénéfice de l'avance irrésistible des investissements nord-américains. On assiste dès lors à un changement important dans le destin des investissements. Pas à pas, année après année, les capitaux destinés aux services publics et à l'industrie minière perdent une importance relative, alors qu'augmente la proportion des placements dans le pétrole et surtout dans l'industrie manufacturière. Actuellement, sur trois dollars investis en Amérique latine, un seul l'est dans l'industrie (1).

En échange d'investissements insignifiants, les filiales des grandes sociétés sautent d'un bond les barrières douanières latino-américaines, paradoxalement élevées contre la concurrence étrangère, et s'emparent des canaux internes d'industrialisation. Elles exportent des usines ou, mieux, traquent et dévorent les fabriques nationales déjà existantes. Pour ce faire, elles peuvent compter sur l'aide enthousiaste de la majorité des gouvernements et sur la capacité d'extorsion mise à leur service par les organismes internationaux de crédit. Le capital impérialiste capture les marchés de l'intérieur, faisant sien les secteurs clefs de l'industrie locale : il conquiert ou bâtit les citadelles décisives, d'où il domine tout le reste. L'O.E.A. décrit ainsi le processus : « Les entreprises latino-américaines exercent peu à peu leur prédominance sur les industries et technologies peu sophistiquées déjà en place, et les placements privés nord-américains, et probablement aussi ceux provenant d'autres pays industrialisés, accroissent rapidement leur participation dans certaines industries de pointe, qui requièrent un degré d'avance technologique relativement élevé et qui sont d'une importance plus grande dans la détermination du courant de développement économique (2). » Le dynamisme des usines nord-américaines au sud du río Bravo est donc beaucoup plus puissant que celui de l'industrie latino-américaine en général. Les cadences des trois principaux pays sont éloquentes : le produit industriel en Argentine est passé de l'indice 100 en 1961 à l'indice 112,5 en 1965, et pendant la même période, les

(1) Il y a quarante ans, les investissements nord-américains dans les industries de transformation ne représentaient que 6 % des capitaux des États-Unis en Amérique latine. En 1960, la proportion frôlait déjà les 20 % et elle a continué son ascension jusqu'au tiers du total. Nations Unies, CEPAL, *El financiamiento externo de América Latina*, New York-Santiago du Chili, 1964, et *Estudio económico de América Latina* de 1967, 1968 et 1969.

(2) Secrétariat général de l'Organisation des États américains, *El financiamiento externo para el desarrollo de la América Latina*, Washington, 1969. Document à distribution limitée ; sixièmes réunions annuelles du C.I.E.S.

ventes des filiales des États-Unis ont atteint 166,3. Pour le Brésil, les chiffres respectifs sont de 120 contre 109,2 ; pour le Mexique, de 186,8 contre 142,2 (1).

L'intérêt des groupes impérialistes à s'approprier la croissance industrielle latino-américaine et à la capitaliser à son bénéfice n'implique en aucune manière de l'indifférence pour toutes les autres formes traditionnelles d'exploitation. Il est évident que le chemin de fer de la United Fruit Co. au Guatemala n'était plus rentable et que l'Electric Bond and Share et l'International Telephone and Telegraph Corporation ont fait une merveilleuse affaire lorsqu'elles ont été nationalisées au Brésil, voyant leurs installations rouillées et leur matériel de musée indemnisés en or. Mais l'abandon des services publics pour des activités plus lucratives ne signifie pas l'abandon des matières premières. Quel destin aurait l'empire sans le pétrole et les minerais de l'Amérique latine ? Malgré la baisse relative des investissements dans les mines, l'économie nord-américaine ne peut se passer, comme nous l'avons vu, des approvisionnements vitaux et des bénéfices substantiels qui lui viennent du Sud. En outre, les investissements qui font des usines latino-américaines de simples pièces de l'engrenage mondial constitué par les sociétés géantes ne modifient en rien la répartition internationale du travail. Le système de vases communicants par où circulent les capitaux et les marchandises entre les pays pauvres et les pays riches ne subit pas la moindre modification. L'Amérique latine continue à exporter son chômage et sa misère, autrement dit les matières premières dont le marché mondial a besoin et de la vente desquelles dépend l'économie du pays et certains produits industriels, fabriqués par une main-d'œuvre à bon marché, dans les filiales des multinationales. L'échange inégal fonctionne comme à l'ordinaire ; les salaires de famine de l'Amérique latine contribuent à financer les salaires élevés des États-Unis et de l'Europe.

Les politiciens et les démocrates prêts à démontrer que l'invasion du capital étranger « industrialisateur » est bénéfique pour les régions où il s'implante ne manquent pas.

(1) Renseignements fournis par le Département du Commerce des États-Unis et le Comité interaméricain de l'Alliance pour le Progrès. Secrétariat général de l'O.E.A., *op. cit.*

Contrairement à l'ancien impérialisme, celui-ci, d'un type nouveau, impliquerait une action vraiment civilisatrice, une bénédiction pour les pays dominés, de telle sorte que, pour la première fois, le texte des déclarations d'amour de la puissance dominante coïnciderait avec ses intentions réelles. Les consciences coupables n'auraient plus besoin d'alibi puisqu'il n'y aurait plus de culpabilité : l'impérialisme actuel irradierait la technologie et le progrès, et il serait même de mauvais goût d'utiliser cette vieille et odieuse appellation pour le définir. Chaque fois que l'impérialisme se met à exalter ses propres vertus, il convient néanmoins de consulter son porte-monnaie. Et l'on constatera facilement ceci : cet impérialisme nouveau style n'enrichit pas ses colonies, mais ses pôles de développement ; il ne soulage pas, mais au contraire aggrave les tensions sociales internes ; il propage la pauvreté et concentre encore plus la richesse ; il offre des salaires vingt fois moins élevés qu'à Detroit et perçoit des prix trois fois supérieurs à ceux de New York ; il s'empare du marché intérieur et des points clefs de l'appareil productif ; il s'approprie le progrès, l'oriente et en trace les frontières ; il dispose du crédit national et guide à son gré le commerce extérieur ; il dénationalise non seulement l'industrie, mais aussi les ressources qu'elle fournit ; il facilite le gaspillage des ressources en déviant vers l'extérieur la partie substantielle de l'excédent économique ; il n'apporte pas de capitaux au développement : il les soustrait. La CEPAL a rapporté que l'hémorragie des bénéfices des investissements directs des États-Unis en Amérique latine a été cinq fois plus importante, ces dernières années, que la transfusion d'investissements nouveaux. Pour que les sociétés puissent emporter leurs bénéfices, les pays s'hypothèquent, ils s'endettent vis-à-vis de la banque étrangère et des organismes internationaux de crédit, avec lesquels ils multiplient le débit des saignées futures. Le placement industriel agit, dans ce sens, avec les mêmes conséquences que le placement « traditionnel ».

Dans le cadre d'acier d'un capitalisme mondial gravitant autour des trusts nord-américains, l'industrialisation de l'Amérique latine s'identifie chaque jour un peu moins au progrès et à la libération nationale. Le talisman a perdu tous ses pouvoirs durant les défaites décisives du siècle dernier, lorsque les ports ont triomphé sur les pays en même temps que la liberté de commerce anéantissait l'industrie nationale naissante. Le xxe siècle n'a pas engendré une bourgeoisie industrielle forte et capable de recommencer la tâche et de la mener à son plus haut niveau. Toutes les tentatives ont avorté à mi-chemin. La bourgeoisie industrielle latino-américaine a connu le même phénomène que les nains : elle est arrivée à la décrépitude avant d'avoir grandi. Nos bourgeois sont, à l'heure actuelle, les commissionnaires ou les fonctionnaires des compagnies étrangères toutes-puissantes. On doit à la vérité de dire qu'ils n'ont jamais rien fait pour mériter une autre destinée.

Ce sont les sentinelles qui ouvrent les portes : la stérilité coupable de la bourgeoisie nationale

La structure actuelle de l'industrie en Argentine, au Brésil et au Mexique — les trois grands pôles de développement en Amérique latine — laisse déjà apparaître les déformations caractéristiques d'un développement reflet. Dans les autres pays, plus faibles, la satellisation de l'industrie s'est effectuée sans difficultés majeures, à quelques exceptions près. Ce n'est sûrement pas un capitalisme concurrentiel qui exporte aujourd'hui des usines en plus des marchandises et des capitaux, qui pénètre et accapare tout : c'est l'intégration industrielle consolidée, à l'échelle internationale, par le capitalisme à l'âge des grandes multinationales, des monopoles aux dimensions illimitées qui couvrent les activités les plus variées dans les régions les plus diverses du globe terrestre (1). Les capitaux nord-américains se concentrent d'une façon plus étroite en Amérique latine que sur le territoire des États-Unis ; une poignée de trusts contrôlent l'immense majorité des investissements. Pour eux, la nation

(1) Paul A. Baran et Paul M. Sweezy, *El capital monopolista*, Mexico, 1971.

n'est pas une tâche à entreprendre, ni un drapeau à défendre, ni un destin à conquérir : la nation n'est qu'un obstacle à franchir — car la dépendance indispose quelquefois — et un fruit délicieux à dévorer. Pour les classes dirigeantes de chaque pays, la nation constitue-t-elle, au contraire, une mission à accomplir ? Le grand galop du capital impérialiste a trouvé l'industrie locale sans défense et sans conscience de son rôle historique. La bourgeoisie s'est alliée à l'invasion étrangère sans verser ni larmes ni sang ; quant à l'État, son influence sur l'économie latino-américaine, qui s'affaiblit depuis deux décennies, a été réduite au minimum grâce aux bons offices du Fonds monétaire international. Les trusts nord-américains ont fait irruption en Europe à pas de conquérants et se sont emparés du développement du Vieux Continent à un tel point que, nous annonce-t-on, l'industrie nord-américaine installée sur place sera la troisième puissance industrielle de la planète, après les États-Unis et l'Union soviétique (1). Si la bourgeoisie européenne, avec toute sa tradition et sa force, n'a pu opposer de digues à cette marée, comment la bourgeoisie latino-américaine aurait-elle réussi à mener à bien l'impossible aventure d'un développement capitaliste indépendant ? En Amérique latine, au contraire, le processus de dénationalisation a été beaucoup plus rapide et plus économique et a eu des conséquences incomparablement plus terribles.

A notre siècle, la croissance manufacturière de l'Amérique latine avait été guidée du dehors. Elle ne fut pas engendrée par une politique planifiée de développement national, ne constitua pas le couronnement de la maturité des forces productrices, ni le résultat de l'éclatement des conflits internes, déjà « dépassés », entre les propriétaires terriens et un artisanat national qui avait à peine vécu. L'industrie latino-américaine naquit du ventre même du système agro-exportateur, pour répondre au déséquilibre aigu provoqué par la ruine du commerce extérieur. En effet, les deux guerres mondiales, et surtout la grave dépression dont le capitalisme fut frappé à partir de l'explosion du *vendredi noir* d'octobre 1929, provoquèrent une violente réduction des exportations

(1) Jean-Jacques Servan-Schreiber, *Le Défi américain*, Paris, 1967.

et, par conséquent, firent tomber d'un coup la possibilité d'importer. Les prix intérieurs des articles industriels étrangers, devenus rares du jour au lendemain, montèrent en flèche. Aucune classe industrielle, dégagée de la dépendance traditionnelle, ne surgit alors ; la grande impulsion manufacturière provint du capital accumulé entre les mains des latifondistes et des importateurs. Ce furent les grands éleveurs qui imposèrent le contrôle des changes en Argentine ; le président de la Société rurale, transformé en ministre de l'Agriculture, déclarait en 1933 : « L'isolement dans lequel nous a relégués un monde disloqué nous oblige à fabriquer ici ce que nous ne pouvons dorénavant acquérir dans les pays qui ne nous achètent plus (1). » Les *fazendeiros* du café déversèrent dans l'industrialisation de São Paulo une bonne partie de leurs capitaux accumulés grâce au commerce extérieur : « A la différence de l'industrialisation dans les pays aujourd'hui développés, diagnostique un document gouvernemental (2), le processus de l'industrialisation brésilienne ne se fit pas lentement, inséré dans un processus de transformation économique générale. Ce fut au contraire un phénomène rapide et intense, qui se superposa à la structure économico-sociale déjà existante, sans la modifier totalement, engendrant de profondes différences sectorielles et régionales qui caractérisent la société brésilienne. »

La nouvelle industrie se retrancha aussitôt derrière les barrières douanières dressées par les gouvernements afin de la protéger, et elle prospéra grâce aux mesures que l'État adopta pour restreindre et contrôler les importations, fixer des taux de change spéciaux, éviter les impôts, acheter ou financer les excédents de production, construire des routes pour le transport des matières premières et des marchandises et créer ou amplifier les sources d'énergie. Les gouvernements de Getulio Vargas (1930-1945 et 1951-1954), de Lázaro Cárdenas (1934-1940) et de Juan Domingo Perón (1946-1955), de tendance nationaliste et à large audience populaire, exprimè-

(1) Cité par Alfredo Parera Dennis, *Naturaleza de las relaciones entre las clases dominantes argentinas y las metrópolis*, in *Fichas de investigación económica y social*, Buenos Aires, décembre 1964.
(2) Ministère de Planification et Coordination générale, *A industrialização brasileira : diagnóstico e perspectivas*, Rio de Janeiro, 1969.

rent au Brésil, au Mexique et en Argentine le besoin de démarrage, de développement ou de consolidation, selon le cas et la période, de l'industrie nationale. En réalité, « l'esprit d'entreprise », que définit une série de traits caractéristiques de la bourgeoisie industrielle dans les pays capitalistes développés, fut, en Amérique latine, le fait de l'État, surtout pendant ces périodes d'élan décisif. L'État occupa la place d'une classe sociale dont l'histoire réclame l'apparition sans grand succès : il incarna la nation et imposa l'accès politique et économique des masses populaires aux bénéfices de l'industrialisation. Dans cette matrice, œuvre des caudillos populistes, ne se forma pas une bourgeoisie industrielle radicalement différente de l'ensemble des classes jusqu'alors dominantes. Perón, par exemple, provoqua la panique de l'Union industrielle, dont les dirigeants voyaient, non sans raison, que le spectre des *montoneras* réapparaissait dans la révolte du prolétariat des faubourgs de Buenos Aires. Les forces de la coalition conservatrice reçurent, avant d'être renversées par lui aux élections de février 1946, un fameux chèque du leader des industriels ; juste après sa chute, dix ans plus tard, les propriétaires des usines les plus importantes confirmèrent à nouveau que les contradictions avec l'oligarchie — dont, vaille que vaille, ils faisaient partie — n'étaient pas fondamentales. En 1956, l'Union industrielle, la Société rurale et la Bourse du commerce formèrent un front commun pour la défense de la liberté d'association, de la libre entreprise, de la liberté du commerce et de la libre embauche du personnel (1). Au Brésil, un important secteur de la bourgeoisie manufacturière serra les rangs avec les forces qui poussèrent Vargas au suicide. L'expérience mexicaine eut, en ce sens, des caractéristiques exceptionnelles ; elle promettait beaucoup plus qu'elle n'apporta au processus de changement en Amérique latine. Le cycle nationaliste de Lázaro Cárdenas fut le seul à lutter contre les grands propriétaires terriens en faisant progresser la réforme agraire qui agitait le pays depuis 1910 ; dans les autres pays, et non seulement en Argentine et au Brésil, les gouvernements industrialisateurs ne touchèrent pas à la structure latifondiste, qui continua d'étrangler le dévelop-

(1) Dardo Cúneo, *Comportamiento y crisis de la clase empresaria,* Buenos Aires, 1967.

pement du marché intérieur et de la production agricole (1).

En général, l'industrie atterrit comme un avion, sans modifier l'aéroport dans ses structures de base : conditionnée par la demande d'un marché interne déjà existant, elle répondit à ses besoins de consommation et ne réussit pas à lui donner l'ampleur et la démocratisation que les grands changements de structure, s'ils s'étaient produits, auraient rendues possibles. Dans le même ordre d'idée, le développement industriel obligea à augmenter les importations de machines, de pièces de rechange, de combustibles et de produits intermédiaires (2), alors que les exportations, sources de devises, ne pouvaient répondre à ce défi car elles provenaient d'un camp condamné par ses maîtres au retard. Sous le gouvernement de Perón, l'État argentin alla jusqu'à monopoliser l'exportation des grains ; en revanche, il n'égratigna même pas le régime de la propriété rurale, ne nationalisa pas les grands établissements frigorifiques nord-américains ou britanniques, ni les exportateurs de laine (3). L'impulsion officielle donnée à l'industrie lourde fut faible, très faible, et l'État ne comprit pas à temps que, s'il ne créait pas une technologie propre, sa politique nationaliste prendrait son vol

(1) Pendant la même période, le Chili, la Colombie et l'Uruguay connurent également des processus d'industrialisation destinés à remplacer les importations. Le président uruguayen José Battle y Ordóñez (1903-1907 et 1911-1915) avait été, auparavant, un prophète de la révolution bourgeoise en Amérique latine. La loi pour la journée de travail de huit heures fut votée en Uruguay avant de l'être aux États-Unis. L'expérience de *welfare state* de Battle ne se contenta pas de mettre en pratique la législation sociale la plus avancée de son temps, elle donna en outre une forte impulsion au développement culturel et à l'éducation des masses ; Battle nationalisa les services publics et diverses activités productives, d'une importance économique considérable. Mais il ne toucha pas au pouvoir des propriétaires terriens et ne nationalisa ni la banque ni le commerce extérieur. L'Uruguay subit actuellement les conséquences de ces omissions, peut-être inévitables, du prophète, et de la trahison de ses héritiers.

(2) « Le passage à la production intérieure d'un bien déterminé « remplace » à peine une partie de la valeur ajoutée, engendrée auparavant en dehors de l'économie... Dans la mesure où la consommation de ce bien « substitué » s'accroît rapidement, la demande d'importations qui en découle peut rapidement dépasser l'économie de devises... » (María de Conceição Tavares, *O processo de substitução de importações como modelo de desenvolvimento recente na América latina*, CEPAL-ILPES, Rio de Janeiro, s.d.).

(3) Ismael Viñas et Eugenio Gastiazoro, *Economía y dependencia (1900-1968)*, Buenos Aires, 1968.

avec des ailes coupées. Déjà, en 1953, Perón, qui était arrivé au pouvoir en affrontant directement l'ambassadeur des États-Unis, recevait avec d'élogieux discours la visite de Milton Eisenhower et demandait la coopération du capital étranger pour stimuler les industries dynamiques (1). La nécessité d'« association » de l'industrie nationale avec les sociétés impérialistes se faisait plus pressante au fur et à mesure que l'on brûlait les étapes dans la « substitution » des produits manufacturés importés et que les nouvelles usines exigeaient de plus hauts niveaux de technique et d'organisation. La tendance mûrissait également au sein du modèle industrialisateur de Getulio Vargas ; elle apparut au grand jour dans la tragique décision finale du président. Les oligopoles étrangers, qui concentrent la technologie la plus moderne, s'emparaient assez ouvertement de l'industrie nationale de tous les pays de l'Amérique latine, y compris du Mexique, en vendant des techniques de fabrication, des brevets et des équipements nouveaux. Wall Street avait définitivement remplacé Lombard Street, et les principales entreprises qui se frayèrent un chemin vers l'usufruit d'un super-pouvoir furent nord-américaines. A la pénétration dans le domaine manufacturier s'ajoutait l'ingérence de plus en plus importante dans les circuits bancaire et commercial : le marché de l'Amérique latine s'intégrait peu à peu au marché interne des multinationales.

En 1965, Roberto Campos, tsar économiste de la dictature de Castelo Branco, déclarait : « L'ère des leaders charismatiques, ceints d'une auréole romantique, cède le pas à la technocratie (2). » L'ambassade américaine avait participé directement au coup d'État qui avait renversé le gouvernement João Goulart. La chute de Goulart, héritier de Getulio Vargas par le style et les perspectives, marqua la liquidation

(1) A la question du journaliste de la revue *Vision* (27 novembre 1953) : « En plus de l'industrie du pétrole, quelles autres industries l'Argentine veut-elle développer avec la coopération du capital étranger ? », le ministre des Affaires économiques répondait ainsi : « Pour être plus précis, par ordre de priorité nous citerons le pétrole... Ensuite, l'*industrie sidérurgique*... La *chimie industrielle*... La fabrication d'*éléments de transport*... La fabrication de *pneus et* d'*axes*... Et la construction dans le pays de *moteurs Diesel*. » (Alfredo Parera Dennis, *op. cit.*)

(2) Octavio Ianni, *O colapso do populismo no Brasil*, Rio de Janeiro, 1968.

du populisme et de la politique de masses. « Nous sommes une nation vaincue, dominée, conquise, détruite », m'écrivait un ami, de Rio de Janeiro, quelques mois après le triomphe de la conspiration militaire : la dénationalisation du Brésil impliquait la nécessité d'exercer avec une main de fer une dictature impopulaire. Le développement capitaliste ne s'accordait plus avec les grandes mobilisations de masses autour de caudillos comme Vargas. Il fallait interdire les grèves, détruire les syndicats et les partis, emprisonner, torturer, tuer, réduire par la violence les salaires des ouvriers, et contenir ainsi, en aggravant encore la pauvreté des pauvres, le vertige de l'inflation. Une enquête faite de 1966 à 1967 révéla que 84 % des grands industriels du Brésil considéraient que le gouvernement Goulart avait pratiqué une politique économique préjudiciable. Parmi eux se trouvaient sans doute beaucoup de grands capitaines de la bourgeoisie nationale sur lesquels Goulart avait essayé de s'appuyer pour contenir la saignée par l'impérialisme de l'économie brésilienne (1). Le même processus de répression et d'asphyxie du peuple se produisit sous le régime du général Juan Carlos Onganía, en Argentine ; il avait commencé, en réalité, après la déroute péroniste de 1955, de même qu'au Brésil il s'était déclenché à partir du coup de revolver qui avait mis fin à la vie de Getulio Vargas le 24 août 1954. La dénationalisation de l'industrie mexicaine coïncida également avec un durcissement de la politique répressive du parti qui monopolise le pouvoir.

Fernando Henrique Cardoso a fait remarquer (2) que l'industrie légère ou traditionnelle, accrue à l'ombre généreuse des gouvernements populistes, exige une augmentation de la consommation de masse : celle des gens qui achètent des chemises ou des cigarettes. Au contraire, l'industrie dynamique — biens intermédiaires et biens de capital — s'adresse à un marché restreint, à la tête duquel se trouvent les grandes entreprises et l'État : peu de consommateurs, mais d'une grande capacité financière. L'industrie dynamique, actuellement entre des mains étrangères, s'appuie sur l'exis-

(1) Luciano Martins, *Industrialização, burguesia nacional e desenvolvimento*, Rio de Janeiro, 1968.
(2) Fernando Henrique Cardoso, *Ideologías de la burguesía industrial en sociedades dependientes (Argentina y Brasil)*, Mexico, 1971.

tence préalable de l'industrie traditionnelle et la subordonne. Dans les secteurs traditionnels, de faible technologie, le capital national conserve une certaine force ; moins le capitaliste est lié au mode international de production par la dépendance technologique ou financière, plus il a tendance à regarder d'un bon œil la réforme agraire et l'augmentation de la capacité de consommation des classes populaires à travers la lutte syndicale. Les capitalistes les plus imbriqués avec l'extérieur — les représentants de l'industrie dynamique — exigent simplement, en revanche, le renforcement des liens économiques entre les îlots de développement des pays dépendants et le système économique mondial, et subordonnent les transformations internes à cet objectif prioritaire. Ces derniers sont les ténors de la bourgeoisie industrielle, comme le révèle en particulier le résultat des enquêtes récentes effectuées en Argentine et au Brésil, et qui servent de matière première à l'étude de F.H. Cardoso. Les grands patrons s'élèvent en termes catégoriques contre la réforme agraire ; ils nient pour la plupart que le secteur manufacturier ait des intérêts divergents de ceux des secteurs ruraux et considèrent qu'il n'y a rien de plus important pour le développement de l'industrie que la cohésion de toutes les classes productrices et le renforcement du bloc occidental. 2 % seulement des grands industriels d'Argentine et du Brésil considèrent que, politiquement, il faut d'abord compter sur les travailleurs. Les interviewés étaient en majorité des chefs d'entreprises nationaux ; en majorité aussi, les multiples cordes de la dépendance les maintenaient pieds et mains liés aux centres étrangers de pouvoir.

Pouvait-on, à ce niveau, espérer un autre résultat ? La bourgeoisie industrielle constitue la constellation d'une classe dominante qui est, à son tour, dominée de l'extérieur. Les principaux latifondistes de la côte du Pérou, aujourd'hui expropriés par le gouvernement de Velasco Alvarado, sont également propriétaires de trente et une industries de transformation et de beaucoup d'autres entreprises (1). Les

---

(1) François Bourricaud, Jorge Bravo Bresani, Henri Favre, Jean Piel, *La oligarquía en el Perú*, Lima, 1969. Nous empruntons ce renseignement au travail d'Henri Favre.

autres pays connaissent des situations identiques (1). Le Mexique n'est pas une exception : la bourgeoisie nationale, subordonnée aux grands consortiums nord-américains, redoute beaucoup plus la pression des masses populaires que l'oppression de l'impérialisme au sein duquel elle se développe sans l'indépendance ni l'imagination créatrice qu'on lui attribue, et elle a multiplié efficacement ses intérêts (2). En Argentine, le fondateur du Jockey Club, centre du prestige social des latifondistes, était en même temps le chef de file des industriels (3) ; ainsi commença, à la fin du siècle dernier, ce qui allait devenir une tradition : les artisans enrichis se marient avec les filles des grands propriétaires terriens pour ouvrir, par la voie conjugale, les portes des salons les plus fermés de l'oligarchie, ou bien ils achètent des terres dans le même but, et nombreux sont aussi les éleveurs qui ont investi dans l'industrie, au moins en période de prospérité, les excédents du capital par eux accumulés. Faustino Fano, qui réalisa une bonne partie de sa fortune dans le commerce et l'industrie du textile, fut réélu quatre fois président de la Société rurale, jusqu'à sa mort en 1967. « Fano détruisit la fausse antinomie entre l'agriculture et l'industrie », proclamaient les nécrologies que les journaux lui consacrèrent. L'excédent industriel est converti en bêtes à cornes. Les frères Di Tella, industriels très puissants, ont vendu à des sociétés étrangères leurs usines de construction automobile et de réfrigérateurs et ils élèvent à présent des taureaux pour les

---

(1) Ricardo Lagos Escobar *(La concentración del poder económico. Su teoría. Realidad chilena*, Santiago du Chili, 1961) et Vivian Trías (*Reforma agraria en el Uruguay*, Montevideo, 1962) apportent des exemples irréfutables : quelques centaines de familles sont propriétaires des usines et des terres, des grands commerces et des banques.

(2) « Les capitalistes mexicains sont de plus en plus versatiles et ambitieux. Avec la liberté de commerce, qui a servi de point de départ à leur fortune, ils disposent d'un réseau très souple de canaux qui leur donne à tous, ou du moins aux plus importants, la possibilité de multiplier et de lier leurs intérêts par certains biais : l'amitié, l'association commerciale, le mariage, la connivence, l'octroi de faveurs mutuelles, l'appartenance à certains clubs ou sociétés, les réunions sociales fréquentes et, bien entendu, l'affinité dans les prises de position politiques. » (Alonso Aguilar Monteverde, in *El milagro mexicano*, ouvrage collectif, Mexico, 1970.)

(3) C'était Carlos Pellegrini. Lorsque le Jockey Club lui rendit hommage en éditant ses discours, on supprima ceux qui défendaient les thèses industrialistes. (Dardo Cúneo, *op. cit.*)

expositions de la Société rurale. Un demi-siècle plus tôt, la famille Anchorena, propriétaire des horizons de la province de Buenos Aires, avait construit une des plus importantes usines métallurgiques de la ville.

En Europe et aux États-Unis, la bourgeoisie industrielle apparut sur la scène historique, grandit et consolida son pouvoir d'une tout autre manière.

Quel drapeau flotte sur les machines ?

La vieille se pencha et agita la main en guise de soufflet pour raviver le feu. Avec son dos voûté et son cou tendu, aux rides sinueuses, on aurait dit une très, très vieille tortue noire. Mais sa pauvre robe usée ne la protégeait sûrement pas comme une carapace et il fallait attribuer sa lenteur au seul effet des ans. Derrière elle, et tout aussi tordue, on apercevait sa hutte de bois et de tôle ondulée et, plus loin, d'autres cabanes semblables de ce même faubourg de São Paulo ; devant elle, l'eau pour le café chauffait dans une bouilloire noircie. Elle porta une petite boîte en fer-blanc à ses lèvres ; avant de boire, elle secoua la tête et ferma les yeux : « *O Brasil é nosso* » (« le Brésil est à nous »), murmura-t-elle. En plein centre de la ville et au même instant, le président directeur général de l'Union Carbide, en levant son verre pour célébrer l'annexion d'une autre fabrique brésilienne de plastique par son trust, pensait exactement la même chose, mais dans une autre langue. L'un des deux était dupe.

Depuis 1964, les dictateurs militaires qui se succèdent au Brésil prennent la parole, lors des anniversaires des entreprises de l'État, pour annoncer leur prochaine dénationalisation, appelée par eux récupération. Les ministres assistent à l'inauguration de toutes les usines étrangères. La loi 56570, promulguée le 6 juillet 1965, donna à l'État l'exclusivité de l'exploitation de la pétrochimie ; le même jour, la loi 56571 modifiait la précédente et ouvrait l'exploitation aux investissements privés. C'est ainsi que la Dow Chemical, l'Union Carbide, la Phillips Petroleum et le groupe Rockefeller obtinrent directement ou par « association » avec l'État le mets le plus convoité : l'industrie des dérivés chimiques du pétrole, *boom* prévisible des années 70. Que se passa-t-il pendant les heures qui séparèrent les deux décrets ? Des rideaux qui tremblent, des pas qui s'affairent dans les couloirs, des coups désespérés heurtant une porte, des billets verts qui volent dans les airs, le palais livré au branle-bas : de Shakespeare à Brecht, beaucoup auraient aimé imaginer la scène. Un ministre reconnaît : « Outre l'État, et à part d'honorables exceptions, seul le capital étranger est fort au Brésil (1). » Et le gouvernement fait de son mieux pour éviter toute concurrence gênante avec les sociétés nord-américaines et européennes.

L'entrée en quantités massives du capital étranger destiné aux manufactures commença dans les années 50 et reçut une forte impulsion du Plan de Metas (1957-1960), appliqué par le président Juscelino Kubitschek. Ce furent les heures d'euphorie de la croissance. Brasilia naissait comme sous l'effet d'une baguette magique, au milieu d'un désert où les Indiens ne connaissaient même pas l'existence de la roue ; on ouvrit des routes et on créa de grands barrages ; une voiture neuve sortait toutes les deux minutes des usines automobiles. L'industrie grandissait à un rythme accéléré. On ouvrait en grand les portes aux investissements étrangers, on applaudissait à l'invasion des dollars, on sentait vibrer le dynamisme du progrès. Les billets circulaient, fraîchement imprimés ; le bond en avant était financé par l'inflation et une lourde dette extérieure, qui serait léguée — écrasant héritage — aux gouvernements futurs. Un change spécial, garanti par Kubitschek, fut accordé pour l'envoi des bénéfices aux maisons mères des sociétés étrangères et pour l'amortissement de leurs investissements. L'État partageait avec les entreprises la responsabilité du paiement des dettes contractées par elles à l'extérieur et chiffrait au plus bas les dollars destinés à l'amortissement et aux intérêts de ces dettes : selon un

(1) Discours prononcé par Hélio Beltrão à l'occasion du déjeuner de l'Association commerciale de Rio de Janeiro, *Correio do Povo*, 24 mai 1969.

document publié par la CEPAL (1), plus de 80 % du total des investissements entrés entre 1955 et 1962 provenaient d'emprunts obtenus avec la caution de l'État. C'est-à-dire que plus des quatre cinquièmes des fonds étaient prêtés aux entreprises par des banques étrangères et venaient grossir l'imposante dette extérieure de l'État brésilien. En outre, des avantages spéciaux étaient offerts pour l'importation des machines (2). Les sociétés nationales ne jouissaient pas de ces facilités, accordées à la General Motors ou à Volkswagen.

Le résultat dénationalisateur de cette politique de séduction envers le capital impérialiste éclata lorsque les données de la patiente recherche réalisée par l'Institut des sciences sociales de l'Université sur les grands groupes économiques du Brésil furent publiées (3). Parmi les conglomérats au capital supérieur à quatre milliards de cruzeiros, plus de la moitié étaient étrangers et en majorité nord-américains ; au-delà des dix milliards de cruzeiros, il y avait douze groupes étrangers et seulement cinq groupes nationaux. « Plus le groupe est puissant, plus la possibilité qu'il soit étranger est grande », concluait Maurício Vinhas de Queiroz dans l'analyse de l'enquête. Mais tout aussi éloquent, et même davantage, est le fait que, sur les vingt-quatre groupes nationaux au capital de plus de quatre milliards, neuf seulement n'étaient pas liés par des actions à des capitaux américains ou européens, et deux étaient associés à des directions étrangères. L'enquête révéla que dix groupes économiques exerçaient un monopole de fait

(1) CEPAL-BNDE, *Quince años de política económica en el Brasil*, Santiago du Chili, 1965.
(2) Un économiste très favorable aux investissements étrangers, Eugênio Gudin, calcule que par ce seul moyen le Brésil a donné un milliard de dollars aux entreprises nord-américaines et européennes ; Moacir Paixão a estimé que les avantages accordés à l'industrie automobile pendant la période de son implantation s'élèveront à la même somme que le budget national. Paulo Schilling signale (*Brasil para extranjeros*, Montevideo, 1966) que, tandis que l'État brésilien ouvrait un torrent de bénéfices aux grandes sociétés industrielles et leur favorisait le maximum de gains avec le minimum d'investissements, il refusait tout appui à la Fabrique nationale de moteurs, fondée à l'époque de Vargas. Plus tard, pendant le gouvernement de Castelo Branco, cette entreprise de l'État fut vendue à Alfa Romeo.
(3) Maurício Vinhas de Queiroz, « Os grupos multibilionarios », *Revista do Instituto de Ciências Sociais*, Université fédérale de Rio de Janeiro, janvier-décembre 1965.

dans leurs spécialités respectives. Huit d'entre eux étaient des filiales de grandes sociétés nord-américaines.

Mais tout cela paraît presque bénin comparé à ce qui allait survenir bientôt. Entre 1964 et juin 1968, quinze fabriques d'autorails ou de pièces pour automobiles furent absorbées par Ford, Chrysler, Willys, Simca, Volkswagen ou Alfa Romeo ; dans les secteurs électriques et électroniques, trois entreprises brésiliennes de premier ordre passèrent aux mains des Japonais ; Wyeth, Bristol, Mead Johnson et Lever dévorèrent plusieurs laboratoires, de sorte que la production nationale de médicaments ne représenta plus que le cinquième du marché ; l'Anaconda s'abattit sur les métaux non ferreux et l'Union Carbide sur les plastiques, les produits chimiques et la pétrochimie ; American Can, American Machine and Foundry et autres comparses s'emparèrent de six firmes nationales de mécanique et de métallurgie ; la Campanhia de Mineração Geral, une des usines métallurgiques les plus importantes, fut achetée à un prix de misère par un consortium dont font partie la Bethlehem Steel, la Chase Manhattan Bank et la Standard Oil. Les conclusions d'une commission parlementaire nommée pour étudier l'affaire firent sensation, mais le régime militaire ferma les portes du Congrès et le public brésilien n'eut jamais connaissance de ces résultats (1).

Sous le régime du maréchal Castelo Branco, un accord de garantie des investissements avait été signé qui offrait pratiquement l'extraterritorialité aux entreprises étrangères ; leurs impôts sur le revenu étaient abaissés et on leur accor-

---

(1) La commission arriva à la conclusion que le capital étranger contrôlait en 1968 40 % du marché des capitaux du Brésil, 62 % de son commerce extérieur, 82 % des transports maritimes, 67 % des transports aériens extérieurs, 100 % de la production des véhicules à moteur, 100 % des pneumatiques, plus de 80 % de l'industrie pharmaceutique, près de 50 % des produits chimiques, 59 % de la production des machines, 62 % de la fabrication des pièces automobiles, 48 % de l'aluminium et 90 % du ciment. La moitié du capital étranger appartenait à des entreprises nord-américaines, suivies par les firmes allemandes, en ordre d'importance. Il est intéressant de noter au passage la masse grandissante des investissements de l'Allemagne fédérale en Amérique latine. Une automobile sur deux fabriquées au Brésil l'est par Volkswagen, la firme ici la plus puissante. La première usine d'automobiles en Amérique du Sud fut une entreprise allemande : Mercedes-Benz Argentina, fondée en 1951. Bayer, Hoechst, BASF et Schering dominent une grande partie de l'industrie chimique des pays latino-américains.

dait d'extraordinaires facilités de crédit, en même temps que les garrots appliqués par le gouvernement antérieur de Goulart au drainage des bénéfices se relâchaient. La dictature s'efforçait de tenter les capitalistes étrangers : elle leur offrait le pays comme les proxénètes offrent une femme et mettait l'accent là où il le fallait : « Le traitement accordé aux étrangers s'installant au Brésil est le plus libéral du monde... Aucune restriction quant à la nationalité des actionnaires... aucune limite au pourcentage du capital enregistré qui peut être remis comme bénéfice... aucune limite au rapatriement du capital, et le réinvestissement des gains est considéré comme une augmentation du capital originel... (1). »

L'Argentine dispute au Brésil le rôle de place de prédilection des investissements impérialistes, et son gouvernement militaire n'est pas resté à la traîne pour exalter durant la même période les avantages proposés. Dans le discours où il définissait sa politique économique, en 1967, le général Juan Carlos Onganía réaffirmait que les poules offraient au renard l'égalité des chances : « Les placements étrangers en Argentine seront considérés exactement comme les placements nationaux, en accord avec la politique traditionnelle de notre pays, qui n'a jamais fait de discrimination à l'égard du capital étranger (2). » L'Argentine n'impose pas elle non plus de limitations à l'entrée de ce capital ni à sa gravitation dans l'économie nationale, comme d'ailleurs à la sortie des revenus et au rapatriement du capital ; le paiement des brevets, primes et assistance technique s'exerce librement. Les entreprises sont exemptées d'impôts et jouissent de taux de change spéciaux, et de nombreux encouragements et franchises. Entre 1963 et 1968, cinquante firmes argentines importantes ont été dénationalisées et vingt-neuf d'entre elles sont tombées dans des mains nord-américaines, dans des secteurs aussi divers que les aciéries, la construction automobile et les pièces de rechange, la pétrochimie, la chimie, l'industrie électrique, le papier ou les cigarettes (3). En 1962, deux

(1) Supplément spécial du *New York Times*, 19 janvier 1969.
(2) Sergio Nicolau, *La inversión extranjera directa en los países de la ALALC*, Mexico, 1968.
(3) Rogelio García Lupo, *Contra la ocupación extranjera*, Buenos Aires, 1968.

sociétés nationales au capital privé, Siam di Tella et Industrias Kaiser Argentinas, figuraient parmi les cinq trusts les plus puissants de l'Amérique latine ; en 1967, l'une et l'autre avaient été capturées par la haute finance impérialiste. Dans les entreprises les plus prospères du pays, dont le chiffre d'affaires dépasse sept milliards de pesos par an, la moitié du total des ventes revient à des firmes étrangères, un tiers à des organismes de l'État et à peine un sixième à des sociétés privées à capital argentin (1).

Le Mexique rassemble presque le tiers des investissements nord-américains dans l'industrie manufacturière en Amérique latine. Ce pays n'oppose pas non plus de restrictions au transfert de capitaux ni au rapatriement des bénéfices, et les restrictions sur les changes brillent par leur absence. La *mexicanisation* obligatoire des capitaux, qui impose à certaines industries une majorité nationale d'actions, « a été bien accueillie, d'une façon générale, par les investisseurs étrangers, qui ont publiquement reconnu divers avantages à la création de sociétés mixtes », selon la déclaration faite en 1967 par le secrétaire à l'Industrie et au Commerce : « Il faut noter que même des entreprises de renommée internationale ont adopté ce système d'association de compagnies établi au Mexique, et il convient également de souligner que cette politique de mexicanisation de l'industrie non seulement n'a pas découragé l'investissement étranger mais que, après avoir battu un record en 1965, le volume alors atteint a encore été dépassé en 1966 (2). » En 1962, cinquante-six des cent entreprises les plus importantes du Mexique étaient totalement ou partiellement contrôlées par le capital étranger, vingt-quatre appartenaient à l'État et vingt au capital privé mexicain. Ces vingt dernières entraient à peine pour un septième dans le volume des ventes des cent entreprises en question (3). Actuellement, les grandes firmes étrangères contrôlent plus de la moitié des capitaux investis dans les calculateurs, le matériel de bureau, les machines et les équipements industriels ; General Motors, Ford, Chrysler et

---

(1) Cité par les Nations Unies, CEPAL, *Estudio económico de América Latina, 1968*, New York-Santiago du Chili, 1969.
(2) Reportage de la revue *Visión*, 3 février 1967.
(3) José Luis Ceceña, *Los monopolios en México*, Mexico, 1962.

Volkswagen ont consolidé leur emprise sur l'industrie automobile et le réseau des fabriques annexes ; la nouvelle industrie chimique appartient à Du Pont, Monsanto, Imperial Chemical, Allied Chemical, Union Carbide et Cyanamid ; les grands laboratoires sont entre les mains de Parke Davis, Merck & Co., Sidney Ross et Squibb ; l'influence de la Celanese est décisive dans la fabrication des fibres synthétiques ; Anderson Clayton et Lieber Brothers accaparent de plus en plus les huiles de table, et les capitaux étrangers ont une participation de plus en plus écrasante dans la production du ciment, des cigarettes, du caoutchouc et de ses dérivés ainsi que des articles ménagers et de l'alimentation (1).

Le bombardement du Fonds monétaire international facilite le débarquement des conquistadores

Deux des ministres qui firent des déclarations sur la dénationalisation industrielle du Brésil devant la commission parlementaire reconnurent que les mesures adoptées sous le gouvernement de Castelo Branco pour permettre l'afflux direct du crédit extérieur vers les entreprises avaient laissé les usines au capital national en condition d'infériorité. L'un et l'autre se référaient à la célèbre Instruction 289, datant du début de 1965 : les sociétés étrangères obtenaient des prêts hors des frontières à 7 % ou 8 %, avec un change spécial garanti par le gouvernement en cas de dévaluation du cruzeiro. Dans le même temps, les sociétés nationales devaient payer près de 50 % d'intérêts pour les crédits qu'elles obtenaient, avec beaucoup de difficultés, dans leur propre pays. L'inventeur de cette mesure, Roberto Campos, l'expliquait ainsi : « Visiblement, le monde est inégal. Il y a ceux qui naissent intelligents et ceux qui naissent pauvres d'esprit. Il y a ceux qui naissent athlètes et ceux qui naissent infirmes. Le monde se compose de petites et de grandes

(1) José Luis Ceceña, *México en la órbita imperial*, Mexico, 1970, et Alonso Aguilar et Fernando Carmona, *México, riqueza y miseria*, Mexico, 1968.

entreprises. Les uns meurent jeunes, dans la fleur de l'âge ; d'autres s'attardent, d'une façon criminelle, dans une longue existence inutile. Il existe une inégalité fondamentale dans la nature humaine et dans la condition des choses. Le mécanisme du crédit n'y échappe pas. Prétendre que les entreprises nationales doivent avoir la même facilité d'accès au crédit étranger que les sociétés étrangères revient tout simplement à méconnaître les réalités fondamentales de l'économie (1)... » Si l'on en croit les termes de ce bref mais savoureux *Manifeste capitaliste,* la loi de la jungle est le code qui régit naturellement la vie humaine, et l'injustice n'existe pas puisque ce que nous appelons ainsi n'est que l'expression de la cruelle harmonie de l'univers : les pays pauvres sont pauvres... parce qu'ils sont pauvres ! Le destin est écrit dans les astres et nous venons sur terre uniquement pour l'accomplir : les uns, condamnés à obéir ; les autres, désignés pour commander. Les uns tendant le cou et les autres passant la corde. L'auteur fut l'artisan de la politique du Fonds monétaire international au Brésil.

Comme dans les autres pays d'Amérique latine, la mise en pratique des recettes du Fonds monétaire international facilita l'entrée des conquistadores étrangers sur une terre ravagée. A partir de la fin des années 50, la récession économique, l'instabilité monétaire, l'épuisement du crédit et l'affaissement du pouvoir d'achat sur le marché intérieur ont beaucoup contribué à renverser l'industrie nationale et à la mettre aux pieds des sociétés impérialistes. Sous le prétexte d'une magique stabilisation monétaire, le Fonds monétaire international, qui, de façon intéressée, confond la fièvre avec la maladie et l'inflation avec la crise des structures en vigueur, impose en Amérique latine une politique accentuant les

(1) Témoignage du ministre Roberto Campos, dans le rapport de la Commission parlementaire d'investigations sur les transactions effectuées entre les entreprises nationales et étrangères. Texte dactylographié. Chambre des députés, Brasilia, 6 septembre 1968.
Peu après, Campos publiait une curieuse interprétation des attitudes nationalistes du gouvernement péruvien. Pour lui, l'expropriation de la Standard Oil par le gouvernement du général Velasco Alvarado n'était rien d'autre qu'une « exhibition de virilité ». Le nationalisme, écrivait-il, n'a d'autre objet que de satisfaire le besoin primitif de haine de l'être humain. Mais, ajoutait-il, « l'orgueil n'engendre pas les investissements, il n'augmente pas la masse des capitaux... » (Journal *O Globo,* 25 février 1969.)

déséquilibres au lieu de les réduire. Il libéralise le commerce, en interdisant les échanges multiples et les accords de troc, oblige à resserrer jusqu'à l'asphyxie les crédits internes, gèle les salaires et décourage l'activité de l'État. A ce programme il ajoute les fortes dévaluations monétaires, théoriquement destinées à redonner à la monnaie sa valeur réelle et à stimuler les exportations. En réalité, les dévaluations stimulent seulement la concentration interne des capitaux au bénéfice des classes dirigeantes et favorisent l'absorption des entreprises nationales par ceux qui arrivent de l'étranger avec une poignée de dollars dans leurs valises.

Dans toute l'Amérique latine, le système produit beaucoup moins que ses besoins et l'inflation résulte de cette impuissance structurelle. Mais le F.M.I. n'attaque pas les causes de l'offre insuffisante de l'appareil de production, il lance ses charges de cavalerie contre les conséquences, écrasant encore plus la maigre capacité du marché interne de consommation : une demande excessive, dans ces pays d'affamés, endosserait la responsabilité de l'inflation. Ses formules ont non seulement échoué dans le processus de stabilisation ou de développement mais elles ont accentué l'étranglement externe des pays, augmenté la misère des masses dépossédées, portant à l'incandescence les tensions sociales, et elles ont activé la dénationalisation économique et financière, au nom des principes sacrés de la liberté de commerce, de la liberté de concurrence et de la liberté de circulation des capitaux. Les États-Unis, qui pratiquent un vaste système de protectionnisme — droits de douane, impôts, subventions —, n'ont jamais reçu le moindre avertissement du F.M.I. En revanche, avec l'Amérique latine, il s'est montré inflexible : c'est sa raison d'exister. Depuis que le Chili a accepté la première de ses missions en 1954, les *conseils* du F.M.I. se sont propagés partout et la majeure partie des gouvernements suivent aujourd'hui, aveuglément, leurs orientations. La thérapeutique aggrave l'état du malade pour mieux lui imposer la drogue des emprunts et des placements. Le F.M.I. fournit les prêts ou donne l'indispensable feu vert permettant à d'autres de les fournir. Né et ayant son siège aux États-Unis, placé au service des États-Unis, le Fonds opère en effet comme un inspecteur international sans l'accord duquel la banque nord-américaine ne desserre pas les cordons de la bourse ; la Banque Mondiale, l'Agence pour le développement international et d'autres organismes philanthropiques d'importance universelle conditionnent également leurs crédits à la signature et à l'application des lettres d'intentions des gouvernements devant cet organisme tout-puissant. L'ensemble des pays latino-américains n'arrive pas à totaliser la moitié des votes dont disposent les États-Unis pour orienter la politique de ce suprême administrateur de l'équilibre monétaire dans le monde : le F.M.I. fut créé pour institutionnaliser la prédominance financière de Wall Street sur la planète lorsqu'à la fin de la Seconde Guerre mondiale le dollar inaugura son hégémonie comme monnaie internationale. Le F.M.I. ne fut jamais infidèle à son maître (1).

La bourgeoisie latino-américaine qui a, c'est certain, une vocation de rentière, n'a pas opposé de barrières considérables à l'avalanche étrangère sur l'industrie, mais il est non moins certain que les sociétés impérialistes ont utilisé toute une gamme de méthodes de dévastation. Le bombardement préalable du F.M.I. a facilité la pénétration. Ainsi, des entreprises ont été enlevées sur un simple coup de téléphone, après une brusque chute des cours en Bourse, contre un peu d'oxygène administré sous forme d'actions, ou encore par liquidation à la suite de dette pour approvisionnements ou pour usage de brevets, labels ou innovations techniques. Les dettes, multipliées par les dévaluations qui obligent les entreprises locales à payer davantage en monnaie nationale pour leurs engagements en dollars, deviennent ainsi un piège fatal. La dépendance à l'aide technologique se paie cher : le *know-how* des sociétés comporte une grande habileté dans l'art de dévorer le prochain. Un des derniers Mohicans de l'industrie nationale brésilienne déclarait, il y a moins de trois ans, dans un journal de Rio de Janeiro : « L'expérience prouve que le produit de la vente d'une entreprise nationale arrive rarement au Brésil et continue de rapporter des intérêts au marché financier du pays acheteur (2). » Les créanciers se

(1) Samuel Liechtenstein et Alberto Couriel, *El F.M.I. y la crisis económica nacional*, Montevideo, 1967 ; Vivian Trías, *La crisis del Imperio*, Montevideo, 1970.
(2) Fernando Gasparian, *Correio da Manhã*, 1ᵉʳ mai 1968.

remboursent en s'emparant des installations et des machines des débiteurs. Les chiffres de la Banque centrale du Brésil indiquent que le cinquième des nouveaux investissements industriels des années 1965, 1966 et 1967 correspondait en réalité au placement des dettes impayées.

Au chantage financier et technologique s'ajoute la concurrence déloyale et libre du fort en face du faible. Les filiales des trusts multinationaux étant intégrées dans une structure mondiale, elles peuvent s'offrir le luxe de perdre de l'argent pendant un an ou deux, ou plus si nécessaire. Elles baissent alors les prix et s'assoient pour attendre la reddition de celui qu'elles traquent. Les banques collaborent à l'action : l'entreprise nationale n'est pas aussi solvable qu'elle le paraissait : on lui coupe les vivres. Aux abois, l'entreprise ne tarde pas à lever le drapeau blanc de la capitulation. Le capitaliste local devient l'associé modeste ou le fonctionnaire de ses vainqueurs. A moins qu'il n'accède au plus envié des sorts : toucher le rachat de ses biens en actions de la maison mère étrangère pour finir ses jours en menant grassement une existence de rentier. A propos du *dumping* des prix, l'histoire de l'annexion d'une usine brésilienne de rubans adhésifs, l'Adesite, par la puissante Union Carbide est significative. La firme Scotch, entreprise bien connue ayant son siège dans le Minnesota et des tentacules universels, commença à vendre ses propres rubans de moins en moins cher sur le marché brésilien. Les ventes de l'Adesite allant diminuant, les banques lui coupèrent les crédits. La Scotch continua à baisser ses prix : ils tombèrent de 30 %, puis de 40 %. L'Union Carbide entra alors en scène : elle acheta l'entreprise brésilienne à un prix de misère. Après quoi, elle se mit d'accord avec la Scotch pour se partager à égalité le marché national. On augmenta alors de 50 % le prix des bandes adhésives. La loi antitrust des vieux temps de Vargas avait été abrogée des années plus tôt.

L'Organisation des États américains elle-même reconnaît [1] que l'abondance des moyens financiers des filiales nord-américaines, « dans les moments où les entreprises nationales disposaient de peu de liquidité, a parfois

---

[1] Secrétariat général de l'O.E.A., *op. cit.*

favorisé l'acquisition de certaines d'entre elles par des acheteurs étrangers ». La pénurie de moyens financiers, rendue plus aiguë par le resserrement du crédit interne imposé par le Fonds monétaire, étouffe les usines locales. Mais le même rapport de l'O.E.A. révèle que 95,7 % des fonds nécessaires aux entreprises nord-américaines pour leur fonctionnement et leur développement en Amérique latine proviennent de sources latino-américaines, sous forme de crédits, d'emprunts et de bénéfices réinvestis. Cette proportion est de 80 % s'il s'agit d'industries manufacturières.

Les États-Unis protègent leur épargne mais disposent de celle des autres : l'invasion des banques

La canalisation des ressources nationales vers les filiales impérialistes s'explique en grande partie par la prolifération des succursales bancaires nord-américaines qui ont jailli, comme des champignons après la pluie, pendant ces dernières années, sur toute l'étendue de l'Amérique latine. L'offensive sur l'épargne locale des satellites est liée au déficit chronique de la balance des paiements des États-Unis, qui oblige à freiner les investissements à l'étranger, et à la détérioration dramatique du dollar comme monnaie universelle. L'Amérique latine fournit la salive en plus du repas, et les États-Unis se contentent de tendre la bouche. La dénationalisation de l'industrie a été un cadeau.

Selon l'International Banking Survey (1), il y avait soixante-dix-huit succursales de banques nord-américaines au sud du río Bravo en 1964, et cent trente-trois en 1967. Elles avaient en dépôt huit cent dix millions de dollars en 1964, pour atteindre en 1967 un milliard deux cent soixante-dix millions de dollars. En 1968 et 1969, la banque étrangère a encore progressé dans son élan : la First National City Bank compte

(1) International Banking Survey, *Journal of Commerce*, New York, 25 février 1968.

actuellement cent dix filiales dispersées dans dix-sept pays d'Amérique latine. Le chiffre englobe diverses banques nationales acquises depuis peu par la City Bank. La Chase Manhattan Bank, du groupe Rockefeller, a acquis en 1962 la Banque Lar Brasileiro, avec trente-quatre succursales au Brésil ; en 1964, la Banque Continental, avec quarante-deux agences au Pérou ; en 1967, la Banque del Comercio, avec cent vingt succursales en Colombie et à Panama, et la Banque Atlántida, avec vingt-quatre agences au Honduras ; puis, en 1968, la Banque Argentino de Comercio. La révolution cubaine avait nationalisé vingt agences des États-Unis, mais les banques se sont largement remises de ce terrible coup : pour la seule année 1968, plus de soixante-dix nouvelles filiales de banques nord-américaines ont été ouvertes en Amérique centrale, aux Caraïbes et dans les pays les moins importants de l'Amérique du Sud.

Il n'est pas possible d'évaluer exactement l'augmentation simultanée des activités parallèles — sociétés d'aide et de financement, *holdings,* bureaux de représentation —, mais on sait que les fonds latino-américains absorbés par certaines banques qui ne travaillent pas ouvertement comme succursales mais sont contrôlées du dehors, à travers de décisives liasses d'actions ou par l'ouverture de lignes externes de crédit sévèrement conditionnées, se sont accrus en proportion égale ou supérieure.

Cette invasion bancaire sert à dévier l'épargne latino-américaine vers les entreprises nord-américaines établies dans nos pays, alors que les usines nationales périssent étranglées, faute de crédits. Les départements de relations publiques de diverses banques nord-américaines qui travaillent à l'extérieur proclament sans honte que leur principal objectif consiste à canaliser l'épargne des pays où elles sont installées, au bénéfice des multinationales, clientes de leur siège central (1). Qui imaginerait une banque latino-américaine s'installant à New York pour s'emparer des disponibilités nationales des États-Unis ? Ce serait une bulle d'air crevant dans l'espace : cette aventure insolite est expressément interdite. Aucune banque étrangère ne peut recevoir aux États-Unis les

(1) Robert A. Bennett et Karen Almonti, *International Activities of United States Bank,* in *The American Banker,* New York, 1969.

économies de ses citoyens. En revanche, à travers leurs nombreuses filiales, les banques nord-américaines disposent à leur gré de l'épargne latino-américaine. L'Amérique latine veille sur la nord-américanisation de ses finances avec autant de zèle que les États-Unis. En juin 1966, pourtant, la banque brésilienne Banco Brasileiro de Descontos consulta ses actionnaires en vue de prendre une décision énergiquement nationaliste. Il s'agissait d'imprimer la phrase *Nós confiamos em Deus* sur tous ses documents. Avec orgueil, la banque faisait remarquer que le dollar portait la devise *In God We Trust*.

Les banques latino-américaines, même indépendantes, c'est-à-dire échappant à l'infiltration partielle ou totale des capitaux étrangers, n'orientent pas leurs crédits dans un sens différent de celui des filiales de la City Bank, de la Chase Bank ou de la Bank of America : elles aussi préfèrent satisfaire la demande des entreprises industrielles et commerciales étrangères, qui offrent de solides garanties et brassent de grosses affaires.

Un empire qui importe des capitaux

Le programme d'action économique du gouvernement, élaboré par Robert Campos (1), prévoyait qu'en réponse à sa politique salutaire les capitaux afflueraient de l'extérieur pour favoriser le développement du Brésil et contribuer à sa stabilisation économique et financière. De nouveaux investissements d'origine étrangère et d'un montant de cent millions de dollars furent annoncés pour 1965. On n'en reçut que

(1) Ministère de Planification et de Coordination économique, *Programa de Ação Econômica do Govêrno*, Rio de Janeiro, novembre 1964. Deux ans plus tard, parlant à l'Université Mackenzie de São Paulo, Campos insistait : « Puisque les économies en voie d'organisation ne disposent pas de moyens pour fructifier, par le simple fait qu'autrement elles ne seraient pas en retard, il est normal d'accepter le concours de tous ceux qui voudront bien prendre avec nous les risques de l'aventure merveilleuse qu'est le progrès, pour en recevoir une partie des fruits. » (22 décembre 1966.)

soixante-dix. On assurait que durant les années suivantes le niveau dépasserait les prévisions de 1965. Hélas ! les appels restèrent sans écho. En 1967, les rentrées s'élevèrent à soixante-seize millions ; mais l'évasion pour bénéfices et dividendes, assistance technique, brevets, royalties ou primes et utilisation de labels dépassa de plus de quatre fois le nouvel investissement. A toutes ces saignées, il faudrait ajouter les virements clandestins. La Banque centrale reconnaît que cent vingt millions de dollars quittèrent le Brésil par des voies illégales en 1967.

Ces sorties, on le voit, furent infiniment plus importantes que les rentrées. En définitive, les chiffres des nouveaux investissements pendant les années *décisives* de la dénationalisation industrielle — 1965, 1966, 1967 — furent très inférieurs au niveau de 1961 (1). Les investissements dans l'industrie constituent la part la plus importante des capitaux nord-américains au Brésil ; pourtant ils représentent moins de 4 % de leur total dans les manufactures mondiales. En Argentine, ils atteignent à peine 3 % et au Mexique 3,5 %. L'absorption des principaux centres industriels latino-américains n'a pas exigé de Wall Street de grands sacrifices. Ils demandent peu de dollars et en rapportent des quantités.

« Ce qui caractérise le capitalisme moderne, où règne le monopole, c'est l'exportation de capitaux », avait écrit Lénine. De nos jours, comme l'ont montré Baran et Sweezy, l'impérialisme importe des capitaux des pays où il opère. Durant la période 1950-1967, les nouveaux investissements nord-américains en Amérique latine atteignirent, sans compter les bénéfices réinvestis, un total de trois milliards neuf cent vingt et un millions de dollars ; les versements et dividendes expédiés à l'extérieur par les entreprises furent de douze milliards huit cent dix-neuf millions de dollars. Les gains dépassèrent le triple du montant des nouveaux capitaux placés sur le continent (2). Depuis, selon la CEPAL, la

(1) « Les virements du Brésil sont en hausse sensible depuis la législation de 1965 », claironnait le département du Commerce des États-Unis. « Le flux des intérêts, bénéfices, dividendes et primes augmente ; les termes et les conditions des prêts sont sujets à compromis avec le Fonds monétaire international. » (*International Commerce*, 24 avril 1967.)

(2) Secrétariat général de l'O.E.A., *op. cit.* Le président Kennedy avait déjà reconnu en 1960 : « Du monde sous-développé qui a besoin de capitaux

saignée des bénéfices s'est accrue ; pour les dernières années, ils dépassent de cinq fois les nouveaux investissements ; l'Argentine, le Brésil et le Mexique ont eu à supporter les plus fortes de ces évasions. Encore s'agit-il d'un calcul conservateur. Une grande partie des fonds rapatriés au titre d'amortissement de la dette correspondent en réalité aux bénéfices des placements et ces chiffres n'incluent en aucune façon les envois à l'extérieur pour paiements de brevets, royalties, et assistance technique, ils ne tiennent pas compte des transferts invisibles qui se cachent derrière la rubrique « erreurs et omissions » (1), ils oublient les gains que font les sociétés en exagérant les prix des approvisionnements fournis à leurs filiales, et en grossissant aussi, avec un égal enthousiasme, les coûts de l'opération.

L'imagination des entreprises agit de la même façon envers les investissements. En effet, comme le vertige du progrès technologique abrège de plus en plus les délais de renouvellement du capital fixe dans les économies avancées, la grande majorité des installations et des équipements envoyés dans les pays d'Amérique latine ont déjà accompli un cycle rentable de fonctionnement dans leurs lieux d'origine. L'amortissement en a donc été effectué en totalité ou en partie. Dans les effets de l'investissement à l'étranger, ce détail n'est pas pris en considération : la valeur arbitrairement surfaite attribuée aux machines ne serait certainement que l'ombre d'elle-même si l'on considérait les cas d'usure antérieure. Au surplus, la maison mère n'a pas à se mettre en frais pour produire en Amérique latine les articles qu'elle lui vendait auparavant de son lointain siège. Les gouvernements se chargent de lui éviter cette peine en donnant les moyens nécessaires à la filiale qui vient s'installer et accomplir sa mission salvatrice : la filiale accède au crédit local à partir du moment où elle pose un écriteau sur le terrain où s'élèvera son usine ; elle peut compter sur des privilèges de change pour ses importations —

nous avons retiré un milliard trois cents millions de dollars alors que nous n'avions exporté que deux cent millions en capitaux de placement. » (Discours devant le congrès de l'A.F.L.-C.I.O., à Miami, le 8 décembre 1961.)

(1) Les mystérieuses *erreurs et omissions* se sont élevées par exemple, entre 1955 et 1966, à plus d'un milliard de dollars au Venezuela, sept cent quarante-trois millions de dollars en Argentine, sept cent quatorze millions au Brésil, trois cent dix millions en Uruguay. (Nations Unies, CEPAL, *op. cit.*)

lesquelles proviennent le plus souvent de la maison mère — et peut même être assurée, dans certains pays, d'un type de change spécial pour le paiement à l'extérieur de ses dettes, d'ailleurs fréquemment contractées avec la branche financière de la même société. Un calcul réalisé par la revue *Fichas* (1) indique que les devises non déclarées entre 1961 et 1964 par l'industrie automotrice en Argentine étaient trois fois et demie supérieures à la somme nécessaire à la construction de dix-sept centrales thermo-électriques et de six centrales hydro-électriques d'une puissance totale de plus de deux mille deux cents mégawatts ; elles représentaient la valeur des importations de machines et équipements nécessaires pendant onze années aux industries dynamiques pour provoquer un accroissement annuel de 2,8 % du produit par habitant.

LES TECHNOCRATES SAUTENT A LA GORGE PLUS EFFICACEMENT QUE LES « MARINES »

En emportant beaucoup plus de dollars qu'elles n'en apportent, les entreprises contribuent à aviver la soif chronique en devises du continent ; les pays « bénéficiaires » se décapitalisent au lieu de se capitaliser. C'est alors qu'entre en action le mécanisme de l'emprunt. Les organismes internationaux de crédit jouent un rôle très important dans le démantèlement des fragiles citadelles défensives de l'industrie latino-américaine à capital national, et favorisent la consolidation des structures néo-coloniales. L'aide fonctionne à l'exemple du philanthrope de l'histoire, dont le cochon a une patte de bois parce qu'il le mange petit à petit. Le déficit de la balance des paiements des États-Unis, provoqué par les dépenses militaires et l'aide étrangère, dangereuse épée de Damoclès placée au-dessus de la prospérité nord-américaine, rend en même temps possible cette prospérité : l'empire envoie à l'extérieur ses *marines* pour sauver les dollars de

(1) *Fichas de investigación económica y social*, Buenos Aires, juin 1965.

ses monopoles lorsqu'ils sont en danger et déverse très efficacement ses technocrates et ses emprunts pour développer ses affaires et assurer les matières premières et les marchés.

Le capitalisme actuel montre, en son centre universel de pouvoir, un accord absolu entre les monopoles privés et l'appareil gouvernemental (1). Les multinationales utilisent directement l'État pour accumuler, multiplier et concentrer les capitaux, approfondir la révolution technologique, militariser l'économie et, à travers différents mécanismes, assurer le succès de la nord-américanisation du monde capitaliste. L'Eximbank (Banque d'exportation et d'importation), l'A.I.D. (Agence pour le développement international) et d'autres organismes moins importants remplissent leurs fonctions dans ce sens. C'est aussi la façon d'opérer de certains autres organismes prétendument internationaux sur lesquels les États-Unis exercent leur incontestable hégémonie : le Fonds monétaire international, sa sœur jumelle, la Banque internationale de reconstruction et de développement, et la B.I.D. (Banque interaméricaine de développement), qui s'arrogent le droit de décider quelle politique économique doivent suivre les pays qui sollicitent des crédits. En se lançant à l'assaut de leurs banques centrales et des ministères-clefs, ils s'emparent des documents secrets de l'économie et des finances, rédigent et imposent des lois nationales, et rejettent ou autorisent les mesures des États, dont ils tracent noir sur blanc les orientations.

La charité internationale n'existe pas ; elle commence par soi-même, y compris pour les États-Unis. L'aide extérieure remplit d'abord une fonction interne : l'économie américaine se sert elle-même. Roberto Campos, lorsqu'il était ambassadeur du gouvernement nationaliste de Goulart, la définissait comme un programme d'extension des marchés à l'étranger destiné à absorber les excédents nord-américains et à soulager la production dans l'industrie d'exportation des États-Unis (2). Le département du Commerce des États-Unis célébrait la bonne marche de l'Alliance pour le Progrès, juste

(1) V.A. Cheprakov, *El capitalismo monopolista de Estado*, Moscou, s.d. ; Paul A. Baran et Paul M. Sweezy, *op. cit.*, et Vivian Trías, *op. cit.*
(2) *O Estado de São Paulo*, 24 janvier 1963.

après sa création, en déclarant qu'elle avait créé de nouveaux débouchés et sources de travail pour les entreprises privées de quarante-quatre États nord-américains (1). En janvier 1968, dans son message au Congrès, le président Johnson assurait que plus de 90 % de l'aide extérieure de 1969 s'appliquerait à financer des achats aux États-Unis. « J'ai intensifié personnellement et d'une manière directe les efforts pour augmenter ce pourcentage », annonçait-il (2). En octobre 1969, les dépêches de presse transmirent les déclarations explosives du président du Comité interaméricain de l'Alliance pour le Progrès, Carlos Sanz de Santamaría, affirmant à New York que l'aide avait été une bonne affaire pour l'économie des États-Unis et pour leur trésorerie. Depuis la crise née, à la fin des années 50, du déséquilibre de la balance nord-américaine des paiements, les prêts furent conditionnés à l'acquisition des produits industriels nord-américains, plus chers en général que ceux proposés par les autres pays du monde. Plus récemment certains mécanismes, comme les « listes négatives », ont été mis en action pour éviter que les crédits ne servent à l'exportation des articles que les États-Unis peuvent placer sur le marché mondial dans de bonnes conditions de concurrence. Les « listes positives » postérieures ont rendu possible, par le canal de l'aide, la vente de certains produits nord-américains à des prix de 30 % à 50 % supérieurs à ceux des autres sources internationales. Le lien du financement, dit l'O.E.A. dans le document cité plus haut, accorde « une subvention générale aux exportations nord-américaines ». Les usines fabriquant des machines souffrent de sérieux désavantages au niveau des prix sur le marché international, avoue le département du Commerce des États-Unis, « à moins qu'elles ne puissent profiter du financement plus libéral proposé par les divers programmes d'assistance (3) ». Lorsque Richard Nixon, dans un discours prononcé quelques jours avant la fin de l'année 1969, promit de libéraliser l'aide, il se référait uniquement à la possibilité d'effectuer les achats dans les pays latino-américains. Les prêts de la Banque interaméricaine de développement,

(1) *International Commerce*, 4 février 1963.
(2) *Wall Street Journal*, 31 janvier 1968.
(3) *International Commerce*, 17 juillet 1967.

accordés par l'intermédiaire de son Fonds pour les opérations spéciales, relevaient déjà de cette conception. Mais l'expérience montre que les États-Unis, ou les filiales latino-américaines de leurs sociétés, sont toujours, en définitive, les fournisseurs choisis dans les contrats. Les prêts de l'A.I.D., de l'Eximbank et, dans leur majorité, ceux de la B.I.D. exigent également qu'au moins la moitié des transports se fassent sur des bateaux battant pavillon nord-américain. Le coût du fret peut s'élever, dans certains cas, au double de celui demandé par les autres lignes internationales les plus économiques. D'une façon générale, les compagnies assurant les marchandises transportées sont elles aussi nord-américaines, et nord-américaines les banques par le canal desquelles s'effectuent les opérations.

L'Organisation des États américains a établi une estimation révélatrice de l'importance de l'aide réelle que reçoit l'Amérique latine (1). Une fois séparée la paille du grain, on arrive à cette conclusion qu'à peine 38 % de l'assistance théorique peut être considérée comme réelle. Les prêts pour l'industrie, les mines, les communications, et les crédits compensatoires ne constituent qu'un cinquième de l'aide autorisée. Dans le cas de l'Eximbank, celle-ci voyage du Sud au Nord : le financement consenti par l'Eximbank, dit l'O.E.A., au lieu de signifier une aide, implique un coût additionnel pour le continent en vertu de la surévaluation des articles que les États-Unis exportent par son intermédiaire.

L'Amérique latine fournit la majeure partie des ressources ordinaires du capital de la Banque interaméricaine de développement. Mais les documents de la B.I.D. portent en plus de leur propre sceau l'emblème de l'Alliance pour le Progrès, et les États-Unis sont le seul pays à y avoir un droit de veto. Les votes des pays latino-américains, proportionnels à leur apport de capitaux, ne réunissent pas les deux tiers de majorité nécessaires lors des résolutions importantes. « Si le droit de veto des États-Unis sur les prêts de la B.I.D. n'a pas été appliqué, la menace de son utilisation pour des motifs politiques a influencé les décisions », reconnaisssait Nelson

---

(1) Secrétariat général de l'O.E.A., *op. cit.*

Rockefeller, en août 1969, dans son fameux rapport au président Nixon. Pour la plupart des prêts qu'elle concède, la B.I.D. impose les mêmes conditions que les organismes ouvertement nord-américains : l'obligation d'utiliser les fonds pour l'achat de marchandises des États-Unis, dont une moitié au moins doivent être transportées par des bateaux battant pavillon étoilé, sans oublier de mentionner expressément l'Alliance pour le Progrès à titre publicitaire. La B.I.D. détermine la politique des tarifs et des taxes des services qu'elle touche avec sa baguette de bonne fée ; elle établit le prix de l'eau et fixe les impôts sur les égouts ou les logements, après proposition des conseillers nord-américains désignés avec son autorisation. Elle approuve les plans des travaux, rédige les licitations, administre les fonds et veille à l'exécution (1). La B.I.D. a joué un rôle décisif dans la restructuration de l'enseignement supérieur en accord avec les modèles du néo-colonialisme culturel. Ses prêts aux universités paralysent la possibilité de modifier sans son accord les lois organiques ou les statuts, tout en lui permettant d'imposer des réformes précises à l'enseignement, à son administration et à ses finances. Le secrétaire général de l'O.E.A. désigne un arbitre en cas de controverse (2).

Les contrats de l'Agence pour le développement international (A.I.D.) imposent marchandises et frets nord-américains et interdisent habituellement le commerce avec Cuba et le Viêt-nam du Nord ; ils obligent aussi à accepter la tutelle administrative de techniciens de son choix. Pour compenser la différence de prix entre les tracteurs ou les engrais américains et ceux du marché mondial, beaucoup moins chers, ils exigent la suppression des taxes et droits de douane pour les produits importés avec les crédits. L'aide de l'A.I.D. comprend les jeeps et les armes modernes destinées à la police, afin que l'ordre intérieur des pays puisse être efficacement sauvegardé. Ce n'est pas en vain qu'un tiers des crédits de l'A.I.D. ont été

---

(1) Par exemple, en Uruguay, le texte du contrat signé le 21 mai 1963 entre la B.I.D. et le conseil départemental de Montevideo pour l'extension des égouts.

(2) Par exemple, en Bolivie, le texte du contrat signé le 1ᵉʳ avril 1966 entre la B.I.D. et l'Université Mayor de San Simón, à Cochabamba, pour améliorer l'enseignement de l'agronomie.

obtenus immédiatement après son approbation, alors que les deux autres tiers sont conditionnés à l'accord du Fonds monétaire international, dont les orientations font généralement flamber l'agitation sociale.

Et, au cas où le F.M.I. n'aurait pas réussi à démonter, pièce par pièce, comme une montre, tous les mécanismes de la souveraineté, l'A.I.D. exige aussi l'approbation de certaines lois ou décrets. L'A.I.D. est le principal agent véhiculaire des fonds de l'Alliance pour le Progrès. Un exemple de cette générosité labyrinthique : le Comité interaméricain de l'Alliance pour le Progrès a obtenu du gouvernement uruguayen la signature d'un compromis faisant passer les recettes et les dépenses des firmes de l'État, ainsi que la politique officielle en matière de tarifs, salaires et investissements, sous le contrôle direct de cet organisme étranger (1). Mais les conditions les plus préjudiciables figurent rarement dans les textes des contrats et des engagements publics ; elles se cachent dans les clauses annexes, qui sont secrètes. Le Parlement uruguayen n'a jamais su que le gouvernement avait accepté, en mars 1968, de limiter les exportations de riz afin que le pays puisse recevoir de la farine, du maïs et du sorgho, excédentaires aux États-Unis.

De nombreuses dagues brillent sous la cape de l'assistance aux pays pauvres. Teodoro Moscoso, futur administrateur général de l'Alliance pour le Progrès, n'hésite pas à le reconnaître : « ... il arrive que les États-Unis aient besoin du vote de tel ou tel pays à l'O.N.U. ou à l'O.E.A., et il se peut que le gouvernement dudit pays, obéissant à une tradition consacrée de la froide diplomatie, demande alors une compensation en échange (2) ». En 1962, le délégué de Haïti à la conférence de Punta del Este troqua son vote contre un nouvel aéroport, et les États-Unis obtinrent ainsi la majorité nécessaire pour expulser Cuba de l'Organisation des États américains (3). L'ex-dictateur du Guatemala, Miguel Ydígo-

---

(1) Document publié par le journal *Ya*, Montevideo, 28 mai 1970.
(2) *Panorama*, Centre d'études et de documentation sociales, Mexico, novembre-décembre 1965.
(3) On promit également à la dictature de François Duvalier, en signe de reconnaissance, une route conduisant à l'aéroport. Irving Pflaum (*Arena of Decision. Latin American Crisis*, New York, 1964) et John

ras Fuentes, a déclaré avoir dû menacer les Nord-Américains de ne pas accorder le vote de son pays aux conférences de l'Alliance pour le Progrès afin que ceux-ci tiennent leur promesse de lui acheter davantage de sucre (1). A première vue, il peut paraître paradoxal que le Brésil ait été le pays le plus favorisé par l'Alliance pour le Progrès durant le gouvernement nationaliste de João Goulart (1961-1964). Mais le paradoxe cesse dès que l'on connaît la répartition interne de l'aide reçue : les crédits de l'Alliance furent semés comme des mines explosives sur le chemin de Goulart. Carlos Lacerda, gouverneur de Guanabara, et alors leader de l'extrême droite, obtint sept fois plus de dollars que tout le Nord-Est : l'État de Guanabara, avec sa maigre population de quatre millions d'habitants, put ainsi inventer de magnifiques jardins pour les touristes, en bordure de la baie la plus spectaculaire du monde, alors que les gens du Nord-Est, eux, restaient la plaie à vif de l'Amérique latine. En juin 1964, après le succès du coup d'État qui installa au pouvoir Castelo Branco, Thomas Mann, sous-secrétaire d'État aux Affaires interaméricaines et bras droit du président Johnson, expliqua : « Les États-Unis ont distribué aux gouverneurs efficients de certains États brésiliens l'aide qui était destinée au gouvernement Goulart, pensant financer de cette manière la démocratie ; Washington n'a rien donné pour la balance des paiements ou le budget fédéral, puisque cela aurait pu bénéficier directement au gouvernement central (2). » L'administration nord-américaine avait décidé de refuser tout type de coopération au gouvernement de Belaúnde Terry, au Pérou, « à moins qu'il ne donnât les garanties souhaitées, selon lesquelles il suivrait une politique conciliante envers l'International Petroleum Company. Belaúnde refusa et, conséquence directe, à la fin de

Gerassi (*The Great Fear in Latin America*, New York, 1965) conviennent qu'il s'agit là d'un cas de corruption. Mais les États-Unis ne tinrent pas leurs promesses. Duvalier, « Papa Doc », gardien de la mort dans la mythologie vaudou, se sentit roulé. On dit que le vieux sorcier invoqua l'aide du Diable pour se venger de Kennedy et sourit, satisfait, lorsque les balles de Dallas mirent fin à la vie du président.

(1) Reportage de Georgie Anne Geyer, *The Miami Herald*, 24 décembre 1966.

(2) Déclaration faite devant la sous-commission de la Chambre des Représentants. Cité par Nelson Werneck Sodré, *História militar do Brasil*, Rio de Janeiro, 1965.

1965 il n'avait pas encore reçu de l'Alliance pour le Progrès la part lui revenant (1) ». Plus tard, on le sait, Belaúnde transigea. Il obéissait pour survivre, mais il perdit dans l'opération le pétrole et le pouvoir. En Bolivie, les prêts nord-américains ne fournirent pas un centavo pour permettre au pays de construire ses fonderies d'étain, si bien que celui-ci continua à être transporté brut à Liverpool, pour repartir, traité, à New York ; en revanche, l'aide donna naissance à une bourgeoisie commerciale parasitaire, gonfla la bureaucratie, multiplia les buildings et construisit des autoroutes modernes et autres merveilles inimaginables dans un pays qui dispute à Haïti le taux le plus élevé de mortalité infantile de l'Amérique latine. Les crédits des États-Unis ou de leurs organismes internationaux refusaient à la Bolivie le droit d'accepter les offres de l'Union soviétique, de la Tchécoslovaquie et de la Pologne afin de créer une industrie pétrochimique, d'exploiter le zinc, le plomb et les gisements de fer, et d'installer des fonderies d'étain et d'antimoine. Mais la Bolivie demeura obligée d'importer des produits exclusivement américains. Lorsque le gouvernement dirigé par le mouvement nationaliste révolutionnaire tomba enfin, sapé à la base par l'aide nord-américaine, l'ambassadeur des États-Unis, Douglas Henderson, commença à assister régulièrement aux conseils ministériels du dictateur René Barrientos (2).

Les prêts offrent des indications aussi précises qu'un baromètre pour évaluer le climat général des affaires de chaque pays, et ils aident à débarrasser le ciel transparent des millionnaires des gros nuages politiques ou des tempêtes révolutionnaires. « Les États-Unis vont concentrer leur programme d'assistance économique sur les pays qui montrent la plus grande tendance à favoriser le climat d'investissements, et retirer l'aide à ceux qui ne révèlent pas une performance satisfaisante », annoncèrent en 1963 divers hommes d'affaires ayant à leur tête David Rockefeller (3). Le texte de la loi

(1) Frederick B. Pike, *The Modern History of Peru*, New York, 1968.
(2) Amado Canelas, *Radiografía de la Alianza para el Atraso*, La Paz, 1963 ; Mariano Baptista Gumucio et autres, *Guerrilleros y generales sobre Bolivia*, Buenos Aires, 1968 ; et John Gunther, *Inside South America*, New York, 1967.
(3) La fille de David Rockefeller, Peggy, décida peu après d'aller vivre dans une *favela* de Rio de Janeiro appelée Jacarezinho. Son père, un des

d'aide étrangère se fait catégorique quand elle suspend l'assistance à tout gouvernement qui aura « nationalisé, exproprié ou acquis la propriété ou le contrôle de la propriété de n'importe quel citoyen des États-Unis ou de n'importe quelle compagnie, société ou association » où des actionnaires américains seraient majoritaires (1). Ce n'est pas en vain que le Comité commercial de l'Alliance pour le Progrès compte parmi ses membres distingués les plus hauts cadres supérieurs de la Chase Manhattan et de la City Bank, de la Standard Oil, de l'Anaconda et de la Grace. L'A.I.D. déblaie le terrain devant les capitalistes nord-américains, de multiples façons, entre autres en exigeant l'approbation des accords de garanties des investissements contre les pertes possibles résultant des guerres, des révolutions, des insurrections ou des crises monétaires. En 1966, selon le département du Commerce, les investisseurs privés nord-américains reçurent ces garanties dans quinze pays d'Amérique latine, pour cent projets totalisant plus de trois cents millions de dollars, dans le

hommes les plus riches du monde, se rendit au Brésil pour surveiller ses affaires florissantes et visita l'humble foyer où Peggy avait choisi d'habiter, goûta le modeste repas, constata avec stupeur qu'il pleuvait dans la maison et que les souris allaient et venaient sous la porte. En partant, il laissa sur la table un chèque avec plusieurs zéros. Peggy vécut là pendant plusieurs mois, collaborant avec les Corps de la Paix. Les chèques continuèrent à arriver. Chacun équivalait à ce que le maître des lieux aurait pu gagner en dix ans de travail. Lorsque Peggy repartit, la maison et la famille de Jacarezinho s'étaient transformées. Jamais la *favela* n'avait connu une telle opulence. Peggy était tombée tout droit du ciel. C'était comme si l'on avait remporté les gros lots de toutes les loteries en même temps. Le logeur de Peggy devint alors le héros de l'histoire. Reportages à la télévision et à la radio, articles dans les journaux et les revues, la publicité se déchaîna : l'homme était un exemple que tous les Brésiliens se devaient d'imiter. Il était sorti de la misère grâce à son inébranlable volonté de travail et à ses qualités d'épargne : « Voyez, voyez, lui au moins ne dépense pas en eau-de-vie ce qu'il gagne, il économise et il a maintenant la télévision, un réfrigérateur, des meubles neufs, et ses enfants ne vont pas pieds nus. » La propagande oubliait un détail : la visite de Peggy la fée. Car le Brésil a quatre-vingt-dix millions d'habitants et le miracle ne s'est produit que pour un seul.
(1) Hickenlooper Amendment, Section 620, Foreign Assistance Act. Ce n'est pas par hasard que ce texte légal se réfère explicitement aux mesures adoptées contre les intérêts nord-américains « au 1er janvier 1962, ou postérieurement ». Le 16 février 1962, le gouverneur Leonel Brizola avait exproprié la Compagnie des téléphones de l'État de Rio Grande do Sul, filiale de l'International Telephone and Telegraph Corporation, et cette décision avait durci les relations entre Washington et Brasilia. L'entreprise n'acceptait pas l'indemnisation proposée par le gouvernement.

cadre du programme de garantie des investissements de l'A.I.D. (1).

ADELA n'est pas une chanson de la révolution mexicaine mais le nom d'un consortium international d'investissements, créé sur l'initiative de la First National City Bank de New York, de la Standard Oil de New Jersey et de la Ford Motor Co. Le groupe Mellon s'y intégra avec enthousiasme, ainsi que de nombreuses entreprises européennes car, au dire du sénateur Jacob Javits, « l'Amérique latine offre aux États-Unis une excellente occasion de montrer, en invitant l'Europe à " entrer ", qu'ils ne cherchent pas une position de domination ou d'exclusivité... (2) ». Ainsi, dans son rapport annuel de 1968, ADELA remercia tout particulièrement la Banque interaméricaine de développement pour les emprunts consentis afin d'aider le consortium à développer ses affaires en Amérique latine et, dans le même sens, salua l'œuvre de la Société pour le financement international, un des bras de la Banque mondiale. ADELA est en contact permanent avec ces deux institutions afin d'éviter le gaspillage des efforts et d'évaluer l'opportunité de l'investissement (3). On pourrait multiplier les exemples d'autres saintes alliances du même type. En Argentine, les apports latino-américains aux fonds de la B.I.D. ont servi à favoriser par des prêts très intéressants des entreprises comme Petrosur S.A.I.C., filiale de l'Electric Bond and Share, qui a reçu plus de dix millions de dollars pour la construction d'un complexe pétrochimique, ou à financer une usine de pièces d'automotrices de l'Armetal S.A., filiale de la Budd Co., Philadelphie, U.S.A. (4). Les crédits de l'A.I.D. ont permis l'expansion de l'usine de produits chimiques de l'Atlántica Richfield Co., au Brésil, et l'Eximbank a accordé de généreux emprunts à l'ICOMI, filiale de la Bethlehem Steel dans ce pays. Grâce aux apports de l'Alliance pour le Progrès et de la Banque mondiale, la Phillips Petroleum Co. a pu créer en 1966, au Brésil, la plus grande fabrique d'engrais de l'Amérique latine. Tout est calculé en

(1) *International Commerce*, 10 avril 1967.
(2) Cité par *NACLA Newsletter*, mai-juin 1970.
(3) ADELA Annual Report, 1968. Cité par *NACLA, op. cit.*
(4) Banque interaméricaine de développement, dixième rapport annuel, 1969, Washington, 1970.

fonction de l'assistance, et tout pèse sur la dette extérieure des pays « favorisés » par la déesse Fortune.

Lorsque Fidel Castro, dans les premiers temps de la révolution cubaine, fit appel à la Banque mondiale et au Fonds monétaire international pour reconstituer les réserves de devises épuisées par la dictature de Batista, ces deux organismes lui répondirent qu'il devait d'abord accepter un programme de stabilisation qui impliquait, comme partout ailleurs, le démantèlement de l'État et la paralysie des réformes de structure (1). La Banque mondiale et le F.M.I. travaillent en étroite liaison et dans un but commun ; ils sont nés en même temps, à Bretton Woods. Les États-Unis détiennent le quart des votes à la Banque mondiale ; les vingt-deux pays d'Amérique latine réunissent moins du dixième des voix. La Banque mondiale répond aux États-Unis comme le tonnerre à l'éclair.

Selon la Banque mondiale, ses prêts, pour la plus grande partie, sont consacrés à la construction de routes et autres voies de communication et au développement des sources d'énergie électrique, « qui sont une condition indispensable à la croissance de l'entreprise privée (2) ». Ces travaux d'infrastructure facilitent en effet l'accès des matières premières aux ports et aux marchés mondiaux, et servent au progrès de l'industrie, déjà dénationalisée, des pays pauvres. La Banque mondiale croit que, « dans la plus grande mesure possible, l'industrie compétitive devrait être laissée à l'entreprise privée. Cela ne veut pas dire que la Banque exclue radicalement les prêts aux sociétés industrielles de l'État, mais elle n'assumera ces financements que dans les cas où le capital privé ne sera pas disponible, et si l'on est pleinement assuré, au terme des enquêtes, que la participation du gouvernement est compatible avec l'efficacité des opérations et n'a aucun effet indûment restrictif sur l'expansion de l'initiative et de l'entreprise privée ». Les prêts sont accordés à la condition d'appliquer la formule stabilisatrice du F.M.I. et de payer ponctuellement la dette extérieure ; ils sont incompatibles

---

(1) Harry Magdoff, « La era del imperialismo », *Monthly Review*, sélection en espagnol, janvier-février 1969.
(2) The World Bank, I.F.C. and I.D.A., *Policies and Operations*, Washington, 1962.

avec la politique de contrôle des bénéfices des entreprises, « si restrictive que les gains ne peuvent être calculés sur une base claire, et encore moins favoriser l'expansion future » (1) ». Depuis 1968, la Banque mondiale a orienté en grande partie ses emprunts vers la promotion du contrôle des naissances, les plans d'éducation, les secteurs agricoles et le tourisme.

Comme toutes les machines à engloutir l'argent des hautes finances internationales, la Banque constitue aussi un instrument efficace d'extorsion, au bénéfice de pouvoirs très concrets. Ses présidents successifs ont été, depuis 1946, d'importants hommes d'affaires des États-Unis. Eugène R. Black, qui dirigea la Banque mondiale de 1949 à 1962, occupa ensuite la direction des nombreuses sociétés privées dont l'une, l'Electric Bond and Share, est le plus puissant monopole de l'énergie électrique mondiale (2). Est-ce donc un hasard si la Banque mondiale, en 1966, a obligé le Guatemala à accepter un accord honorable avec l'Electric Bond and Share, condition préalable à la réalisation du projet hydro-électrique de Jurún-Marinalá ? L'accord honorable consistait à payer une forte indemnité pour les dommages pouvant survenir à l'entreprise dans une vallée qui lui avait été gratuitement concédée quelques années auparavant et, de plus, incluait un engagement de l'État permettant à la Bond and Share de continuer à fixer librement le prix de l'électricité dans le pays. Est-ce encore un hasard si la Banque mondiale a imposé en 1967 à la Colombie le paiement de trente-six millions de dollars d'indemnisation à la Compagnie colombienne d'électricité, filiale de la Bond and Share, pour ses machines usagées récemment nationalisées ? Ainsi l'État acheta-t-il ce qui lui appartenait, car la concession à l'entreprise avait expiré en 1944. Trois présidents de la Banque mondiale appartiennent à la constellation dirigeante des Rockefeller. John J. MacCloy, qui présida l'organisme entre 1947 et 1949, passa peu après à la direction de la Chase

(1) The World Bank, I.F.C. and I.D.A., *op. cit.*
(2) « Nos programmes d'aide à l'étranger... stimulent le développement de nouveaux marchés pour les sociétés américaines... et orientent l'économie des bénéficiaires vers un système de libre entreprise dans lequel les firmes américaines pourront prospérer ». (Eugène R. Black, *Columbia Journal of World Business*, tome 1, 1965.)

Manhattan Bank. Son successeur à la tête de la Banque mondiale, Eugene R. Black, avait fait le chemin inverse : il venait de la direction de la Chase. George D. Woods, autre homme du clan Rockefeller, hérita de Black en 1963. Et la Banque mondiale participe directement, avec un dixième du capital et des prêts substantiels, à la plus grande aventure des Rockefeller au Brésil : Petroquímica União, le complexe pétrochimique le plus important de l'Amérique du Sud.

Plus de la moitié des prêts que reçoit l'Amérique latine proviennent, après le feu vert du F.M.I., des organismes privés et officiels des États-Unis ; les banques internationales totalisent aussi un pourcentage important. Le F.M.I. et la Banque mondiale exercent des pressions de plus en plus fortes pour que les pays latino-américains restructurent leur économie et leurs finances en fonction de la dette extérieure. La réalisation des engagements contractés, clef de la bonne conduite internationale, devient de plus en plus difficile et se fait en même temps plus impérieuse. Le continent vit le phénomène que les économistes appellent l'explosion de la dette. C'est le cercle vicieux de l'étranglement : les emprunts augmentent et les investissements se succèdent et, par conséquent, les paiements des amortissements, des intérêts, des dividendes et autres services deviennent plus lourds ; pour les effectuer, on a recours à de nouvelles injections de capital étranger, engendrant des engagements de plus en plus impératifs. Le service de la dette dévore une proportion croissante des revenus provenant des exportations, incapables en elles-mêmes — à cause de l'inflexible détérioration des prix — de financer les importations nécessaires. Les emprunts nouveaux deviennent indispensables, comme l'air aux poumons, pour que les pays puissent s'approvisionner. Le cinquième des exportations était consacré en 1955 au paiement des amortissements, intérêts et bénéfices des investissements ; la proportion a continué de grandir et frise l'éclatement. En 1968, les remboursements représentaient 37 % des exportations (1). Si l'on continuait à faire appel au capital étranger pour colmater la brèche du commerce et financer l'évasion des gains des investissements capitalistes, 80 % des devises se

(1) Nations Unies, CEPAL, *op. cit.*, et *Estudio económico de América Latina, 1969*, New York-Santiago du Chili, 1970.

trouveraient, en 1980, entre les mains des créanciers étrangers, et le montant total de la dette excéderait de six fois la valeur des exportations (1). La Banque mondiale avait prévu qu'en 1980 les paiements de la dette absorberaient complètement la rentrée des nouveaux capitaux étrangers vers les pays sous-développés, mais déjà en 1965 l'afflux des nouveaux prêts et placements vers l'Amérique latine fut inférieur aux capitaux drainés hors de celle-ci par les seuls amortissements et intérêts, pour satisfaire aux engagements contractés.

L'INDUSTRIALISATION N'ENTAME PAS L'ORGANISATION DE L'INÉGALITÉ SUR LE MARCHÉ MONDIAL

L'échange mutuel de marchandises constitue, avec les investissements directs à l'extérieur et les emprunts, la camisole de force de la division internationale du travail. Les pays dits du Tiers Monde échangent entre eux à peine plus du cinquième de leurs exportations mais, en revanche, les trois quarts du total de leurs ventes extérieures vers les centres impérialistes dont ils sont tributaires (2). Dans leur majorité, les pays latino-américains s'identifient, sur le marché mondial, à une seule matière première ou à une seule denrée (3).

(1) Institut Latino-américain de planification économique et sociale, *La brecha comercial y la integración latinoamericana*, Mexico-Santiago du Chili, 1967.

(2) Pierre Jalée, *Le Pillage du Tiers Monde*, Paris, 1966.

(3) Pendant les trois années correspondant à 1966, 1967 et 1968, le café a procuré à la Colombie 64 % de ses revenus provenant de l'exportation ; au Brésil, 43 % ; au Salvador, 48 % ; au Guatemala, 42 % et 36 % au Costa Rica. La banane a rapporté à l'Équateur 61 % de ses devises, 54 % de celles de Panama et 47 % de celles du Honduras. Le Nicaragua dépendait du coton pour 42 %, la République Dominicaine du sucre pour 56 %. La viande, les cuirs et la laine ont fourni à l'Uruguay 83 % de ses devises et à l'Argentine 38 %. Le cuivre a représenté 74 % des rentrées commerciales du Chili et 26 % de celles du Pérou ; l'étain atteignait 54 % de la valeur des exportations de la Bolivie. Le Venezuela a tiré du pétrole 93 % de ses devises. (Nations Unies, CEPAL, *op. cit.*)

L'Amérique latine dispose de laine, de coton et de fibres naturelles en abondance, elle possède une industrie textile traditionnellement reconnue, et pourtant ses filatures et tissages ne reçoivent guère que 0,6 % des commandes de l'Europe et des États-Unis. Le continent a été condamné à vendre surtout des produits bruts pour donner du travail aux usines étrangères et ces produits « sont exportés, en grande partie, par de puissants consortiums ayant des liens internationaux et disposant sur les marchés mondiaux des relations nécessaires pour placer leurs produits aux conditions les plus intéressantes (1) » — les plus intéressantes pour eux, bien entendu, donc, en général, pour les pays acheteurs : c'est-à-dire aux prix les plus bas. Il y a sur les marchés internationaux un monopole de fait concernant la demande en matières premières et l'offre en produits manufacturés ; en revanche, les vendeurs en produits de base, qui sont aussi des acheteurs de produits finis, opèrent individuellement ; les uns, forts, gravitent autour de la puissance dominante, les États-Unis, qui consomment presque autant que le reste de la planète : les autres, faibles, agissent isolément, les opprimés entrant en concurrence avec les opprimés. Le prétendu libre jeu de l'offre et de la demande n'existe pas sur les prétendus marchés internationaux, mais plutôt la dictature de l'une sur l'autre, toujours au bénéfice des pays capitalistes développés. Les centres de fixation des prix se trouvent à Washington, à New York, à Londres, à Paris, à Amsterdam, à Hambourg, dans les conseils de ministres et à la Bourse. Que l'on ait souscrit en grande pompe des accords internationaux pour protéger les prix du blé (1949), du sucre (1953), de l'étain (1956), de l'huile d'olive (1956) et du café (1962) ne sert pas à grand-chose, pour ne pas dire à rien du tout. Il suffit d'examiner la courbe descendante de la valeur relative de ces produits pour constater que les accords n'ont été que de symboliques excuses présentées par les pays forts aux pays faibles

Quant au Mexique, « il dépend pour plus de 30 % de trois produits, pour plus de 40 % de cinq produits, pour plus de 50 % de dix produits, en grande partie non manufacturés, ayant pour principal débouché le marché nord-américain ». (Pablo González Casanova, *La democracia en México*, Mexico, 1965.)

(1) Marco D. Pollner, dans l'ouvrage collectif de l'INTAL-BID, *Los empresarios y la integración de América Latina*, Buenos Aires, 1967.

lorsque les prix de leurs produits ont atteint des niveaux scandaleusement bas. Ce que vend l'Amérique latine vaut de moins en moins cher et ce qu'elle achète coûte de plus en plus cher.

En 1954, l'Uruguay pouvait acheter un tracteur Ford Major avec le produit de la vente de vingt-deux bouvillons ; aujourd'hui, il en faut plus du double. Dans un rapport établi pour la centrale syndicale, un groupe d'économistes chiliens a estimé que si le prix des exportations latino-américaines avait augmenté depuis 1928 au même rythme que le prix des importations, l'Amérique latine aurait obtenu, entre 1958 et 1967, cinquante-sept milliards de dollars de plus que ce qu'elle a reçu, durant cette période, pour ses ventes à l'extérieur (1). Sans remonter aussi loin dans le temps, et en prenant comme base les prix de 1950, les Nations Unies estiment que l'Amérique latine a perdu, à cause de la détérioration des échanges, plus de dix-huit milliards de dollars entre 1955 et 1964. Par la suite, la chute s'est poursuivie. La brèche du commerce — différence entre les besoins en importations et les ressources provenant des exportations — sera de plus en plus large si les structures actuelles du commerce extérieur ne changent pas : chaque année qui s'écoule, l'abîme se creuse davantage pour l'Amérique latine. Si le continent se proposait d'atteindre, dans un proche avenir, un rythme de développement légèrement supérieur à celui — très bas — des quinze dernières années, il devrait affronter des besoins en importations qui dépasseraient amplement l'accroissement prévisible de ses rentrées en devises. Selon les calculs de l'ILPES (2), la brèche du commerce atteindra en 1975 quatre milliards six cents millions de dollars et, en 1980, huit milliards trois cents millions. Ce dernier chiffre ne représente pas moins de la moitié de la valeur des exportations prévues pour la même année. Ainsi, le chapeau à la main, les pays latino-américains frapperont de plus en plus désespérément aux portes des prêteurs internationaux.

A. Emmanuel affirme (3) que la malédiction des prix bas

(1) Central Unica de Trabajadores de Chile, *América Latina, un mundo que ganar*, Santiago du Chili, 1968.
(2) Institut latino-américain de planification économique et sociale, *op. cit.*
(3) A. Emmanuel, *El cambio desigual*, ed. Siglo XXI, Mexico.

ne pèse pas sur des produits déterminés, mais sur des pays déterminés. Après tout, le charbon, une des principales exportations de l'Angleterre jusqu'à ces dernières années, n'est pas une matière moins brute que la laine ou le cuivre et le sucre exige plus de travail de préparation que le whisky écossais ou les vins français ; la Suède et le Canada exportent du bois, une matière première, à d'excellents prix. Le marché mondial crée l'inégalité commerciale, selon A. Emmanuel, dans la variation des heures de travail, plus nombreuses dans les pays pauvres, moins nombreuses dans les pays riches : la clef de l'exploitation réside dans le fait qu'il existe une différence énorme des niveaux des salaires des pays entre eux et que cette différence n'est pas liée à des différences de même grandeur dans la productivité du travail. Ce sont les bas salaires, affirme A. Emmanuel, qui déterminent les prix bas et non le contraire : les pays pauvres exportent leur pauvreté et s'appauvrissent ainsi chaque jour davantage, alors que les pays riches obtiennent le résultat inverse. Selon les estimations de Samir Amin (1), si les marchandises exportées par les pays sous-développés en 1966 avait été produites par les pays développés, avec les mêmes techniques mais à leur niveau de salaires, beaucoup plus élevé, les prix auraient varié à un tel point que les pays sous-développés auraient perçu quatorze milliards de dollars supplémentaires.

Bien sûr, les pays riches ont utilisé et utilisent les barrières douanières pour protéger leurs salaires dans les secteurs où ils ne pourraient concurrencer les pays pauvres. Les États-Unis se servent du Fonds monétaire, de la Banque mondiale et des accords douaniers du G.A.T.T. pour imposer à l'Amérique latine la doctrine de la liberté commerciale et de la libre concurrence, en l'obligeant à baisser ses différents changes, ses tarifs et permis d'importation et d'exportation, ses droits et charges de douane, mais ils ne prêchent pas par l'exemple. De même qu'il décourage l'activité des États hors des frontières, chez lui l'État américain protège les monopoles par un vaste système de subventions et de prix de faveur, pratiquant par ailleurs un protectionnisme agressif pour son commerce extérieur, à l'aide de tarifs élevés et de restrictions rigoureu-

(1) Cité par André Gunder Frank, *Toward a Theory of Capitalist Underdevelopment*, introduction à l'anthologie *Underdevelopment*. Inédit.

ses. Les droits de douanes s'enchevêtrent avec d'autres taxes, contributions et embargos (1). Qu'adviendrait-il de la prospérité des éleveurs du Middle West si les États-Unis permettaient l'entrée sur le marché intérieur, sans tarifs ni interdictions sanitaires fantaisistes, de la viande de la meilleure qualité produite par l'Argentine et l'Uruguay à plus bas prix ? Le fer entre librement, mais s'il arrive transformé en fonte il est taxé à raison de seize cents la tonne et proportionnellement à son degré de traitement ; c'est aussi le cas du cuivre et d'une infinité d'autres produits : il suffit de sécher les bananes, de couper le tabac, de dulcifier le cacao, de débiter le bois ou de dénoyauter les dattes pour que les droits de douane s'abattent implacablement sur ces produits (2). En janvier 1969, le gouvernement américain décida de suspendre pratiquement ses achats de tomates au Mexique, qui donnent du travail à cent soixante-dix mille paysans de l'État de Sinaloa, et cela jusqu'au jour où les cultivateurs de tomates de Floride réussirent à obtenir des Mexicains qu'ils augmentent leurs prix pour éviter la concurrence.

Mais la plus brûlante contradiction entre la théorie et la réalité du commerce mondial éclata lorsque la guerre du café soluble prit, en 1967, une ampleur mondiale. Il devint alors évident que seuls les pays riches avaient le droit d'exploiter les « avantages naturels comparatifs » que détermine, théoriquement, la répartition internationale du travail. Le marché du café soluble, en sa prodigieuse expansion, est entre les mains de Nestlé et de la General Foods ; on estime qu'avant peu ces deux grandes sociétés fourniront à notre planète plus de la moitié du café qu'elle boit. Les États-Unis et l'Europe achètent le café en grains au Brésil et à l'Afrique ; ils le concentrent dans leurs usines et le vendent sous forme de café soluble au monde entier. Le Brésil est le plus grand producteur mondial ; il n'a pas pour autant le droit d'entrer en concurrence en exportant son propre café transformé, ce qui lui permettrait de profiter de ses prix de revient plus avantageux et d'employer les excédents de production

---

(1) L. Delwart (*The Future of Latin American Exports to the United States : 1965 and 1970*, New York, 1970) publie une liste très éloquente des restrictions en vigueur quant à l'importation des produits latino-américains.
(2). Harry Magdoff, *op. cit.*

qu'auparavant il détruisait et qu'il stocke maintenant dans les magasins de l'État. Son seul droit est de fournir la matière première pour enrichir les entreprises étrangères. Lorsque ses usines — cinq à peine sur un total de cent dix — commencèrent à offrir du café soluble sur le marché international, elles furent accusées de concurrence déloyale. Les pays riches poussèrent les hauts cris et le Brésil accepta une imposition humiliante : il appliqua à son café soluble une taxation si élevée qu'il le plaça hors de compétition sur le marché nord-américain (1).

L'Europe ne resta pas en arrière dans l'érection de barrières douanières, fiscales et sanitaires contre les produits latino-américains. Le Marché commun multiplie les taxes d'importation pour défendre les prix élevés de ses produits agricoles et en même temps subventionne ceux-ci afin de pouvoir les exporter à des prix compétitifs : avec les fonds ainsi obtenus il finance les subsides. Les pays pauvres paient donc leurs acheteurs riches pour qu'ils les concurrencent. Un kilo d'entrecôte vaut à Buenos Aires ou à Montevideo cinq fois moins cher que lorsqu'il pend au croc d'une boucherie de Hambourg ou de Munich (2). « Les pays développés veulent nous permettre de leur vendre des jets et des calculatrices pourvu que nous ne soyons pas en mesure de les produire avantageusement », se plaignait avec juste raison un représentant du gouvernement chilien lors d'une conférence internationale (3).

Les investissements impérialistes dans le domaine industriel n'ont absolument pas modifié les limites du commerce international de l'Amérique latine. Celle-ci continue à être étranglée par l'échange de ses matières premières contre les produits spécialisés des économies centrales. L'expansion des ventes des entreprises nord-américaines établies au sud du río Bravo vise les marchés locaux et non l'exportation. La proportion correspondant à cette dernière tend même à diminuer : d'après l'O.E.A., les filiales, qui exportaient en 1962 10 % de leurs ventes totales, n'en exportaient plus que

(1) Revue *Fator*, Rio de Janeiro, novembre-décembre 1968.
(2) Carlos Quijano, « Las víctimas del sistema », *Marcha*, Montevideo, 23 octobre 1970.
(3) *New York Times*, 3 avril 1968.

7,5 % trois années plus tard (1). Le commerce des produits industrialisés par l'Amérique latine augmente seulement à l'intérieur de ses frontières : en 1955, ils constituaient le dixième des échanges entre les pays du continent contre 30 % en 1966 (2).

Le responsable d'une mission technique nord-américaine au Brésil, John Abbink, avait prophétiquement déclaré en 1950 : « Les États-Unis doivent être prêts à " guider " l'inévitable industrialisation des pays non développés s'ils veulent éviter le choc d'un développement économique très intense hors de leur égide... L'industrialisation, si elle n'est pas contrôlée d'une façon ou d'une autre, entraînera une réduction substantielle des marchés pour l'exportation nord-américaine (3) .» En effet, l'industrialisation, bien qu'elle soit guidée de l'extérieur, ne remplace-t-elle pas par la production nationale les marchandises que chaque pays devait auparavant importer ? Celso Furtado fait remarquer qu'au fur et à mesure que l'Amérique latine progresse dans la substitution d'importations de produits plus élaborés « la dépendance des facteurs de production provenant des maisons mères tend à augmenter ». Entre 1957 et 1964, les ventes des filiales nord-américaines doublèrent, alors que leurs importations, sans compter les équipements, triplèrent largement. « Cette tendance paraît indiquer que l'efficacité du remplacement est une fonction décroissante de l'expansion industrielle contrôlée par les sociétés étrangères (4) ». La dépendance n'est pas rompue, elle change simplement de qualité : à l'heure actuelle, les États-Unis vendent à l'Amérique latine une plus

(1) Secrétariat général de l'O.E.A., *op. cit.* Une vaste enquête sur les filiales nord-américaines au Mexique, effectuée en 1969 pour le compte de la National Chamber Foundation, révéla que *les maisons mères des États-Unis interdisaient à la moitié des entreprises qui avaient répondu au questionnaire de vendre leurs produits à l'extérieur.* Elles n'avaient pas été installées pour cela. (Miguel S. Wionczek, « La inversión extranjera privada en México : problemas y perspectivas », *Comercio Exterior*, Mexico, octobre 1970.)

Le rapport entre les exportations des objets manufacturés et le produit industriel brut ne dépassa pas 2 % en 1963 en Argentine, au Brésil, au Pérou, en Colombie et en Équateur ; il fut de 3,7 % au Mexique et de 3,2 % au Chili. (Aldo Ferrer, dans le volume collectif déjà mentionné de l'INTAL-BID.)

(2) Nations Unies, CEPAL, *op. cit.*
(3) *Jornal do Comercio*, Rio de Janeiro, 23 mars 1950.
(4) Celso Furtado, *Um projeto para o Brasil*, Rio de Janeiro, 1968.

grande proportion de produits plus sophistiqués et de haut niveau technologique. « A longue échéance, déclare le Département du Commerce, à mesure que croît la production industrielle du Mexique, des opportunités plus nombreuses d'exportations supplémentaires sont créées au bénéfice des États-Unis... (1). L'Argentine, le Mexique et le Brésil sont d'excellents acheteurs de machines industrielles et électriques, de moteurs, de matériel d'équipement et de pièces de rechange d'origine nord-américaine. Les filiales se fournissent aux maisons mères à des prix délibérément élevés. Se référant aux coûts d'installation de l'industrie automobile étrangère en Argentine, Viñas et Gastiazoro écrivent : « Ces importations étant payées très cher, on expédiait des fonds à l'extérieur. Dans bien des cas, ces versements étaient si importants que les entreprises non seulement accusaient des déficits [malgré l'onéreux prix de vente des automobiles], mais commencèrent à faire faillite — la valeur des actions placées dans le pays se volatilisant rapidement... Le résultat fut que sur vingt-deux entreprises " installées sur le territoire " il n'en reste actuellement que dix, certaines se trouvant au bord de la faillite... (2). »

Pour la plus grande gloire du pouvoir mondial des sociétés, les filiales disposent ainsi des rares devises des pays latino-américains. Le schéma de fonctionnement de l'industrie satellisée par rapport à ses lointains centres de pouvoir ne se distingue pas beaucoup du système traditionnel d'exploitation impérialiste des matières premières, Antonio García affirme (3) que l'exportation « colombienne » de pétrole brut a toujours été strictement un simple transfert physique d'un champ d'extraction nord-américain jusqu'à des centres industriels de raffinage, de commercialisation et de consommation des États-Unis, tout comme l'exportation « hondurienne » ou « guatémaltèque » des bananes a toujours offert le caractère d'un transport de denrées effectué par des compagnies nord-américaines depuis leurs terres coloniales de culture jusqu'aux secteurs nord-américains de commercialisation et

(1) *International Commerce*, 24 avril 1967.
(2) Ismael Viñas et Eugenio Gastiazoro, *op. cit.*
(3) Antonio García, « Las constelaciones del poder y el desarrollo latinoamericano », *Comercio exterior*, Mexico, novembre 1969.

de consommation. Mais les usines « argentines », « brésiliennes » ou « mexicaines », pour ne citer que les plus importantes, se rattachent elles aussi à un espace économique qui n'a rien à voir avec leur localisation géographique. Elles forment, avec beaucoup d'autres fils, la trame internationale des sociétés, dont les maisons mères déplacent les bénéfices d'un pays à l'autre, facturant les ventes au-dessus ou au-dessous des prix réels, selon la direction vers laquelle elles souhaitent déverser les fonds acquis (1). Les ressorts fondamentaux du commerce extérieur restent ainsi entre les mains d'entreprises nord-américaines ou européennes orientant la politique commerciale des pays selon le critère de gouvernements ou de directions étrangers à l'Amérique latine. Ainsi, les filiales des États-Unis, qui n'exportent pas de cuivre en U.R.S.S. ni en Chine et ne vendent pas de pétrole à Cuba, ne se fournissent pas non plus en matières premières ou en machines aux sources internationales les moins chères et les plus adéquates.

Cette efficience dans la coordination des opérations à l'échelle mondiale, totalement en marge du « libre jeu des forces du marché », ne se traduit pas, naturellement, par des prix plus bas pour les consommateurs nationaux, mais par des bénéfices plus importants pour les actionnaires étrangers. Le cas de l'automobile est éloquent. A l'intérieur des pays latino-américains, les firmes disposent d'une main-d'œuvre abondante, à très bon marché, et d'une politique officielle en tous points favorable à l'expansion des investissements : terrains accordés gratuitement, tarifs électriques privilégiés, réescompte de l'État pour financer les ventes à crédit, argent facilement accessible et, comme si ce n'était pas suffisant, l'aide a été poussée dans certains pays jusqu'à exempter les entreprises du paiement des impôts sur le revenu ou sur les ventes. Le contrôle du marché est d'autre part facilité à l'avance par le prestige magique qu'exercent aux yeux des

(1) Bien entendu, le mécanisme n'est pas nouveau. L'entreprise frigorifique Anglo a toujours été déficitaire en Uruguay afin de toucher les subventions de l'État et pour que ses six mille boucheries de Londres, où chaque kilo de viande est vendu quatre fois plus cher qu'il n'est acheté en Uruguay, rapportent des millions. (Guillermo Bernhard, *Los monopolios y la industria frigorífica*, Montevideo, 1970.)

classes moyennes les marques et les modèles lancés par de gigantesques campagnes de publicité. Tous ces facteurs n'empêchent pourtant pas que les voitures fabriquées en Amérique latine soient vendues beaucoup plus cher que dans les pays d'origine des mêmes entreprises. Les dimensions des pays latino-américains sont beaucoup plus limitées, et pourtant la soif de gains des sociétés est ici plus vive que partout ailleurs. Une Ford Falcon construite au Chili est trois fois plus chère qu'aux États-Unis (1) ; une Valiant ou une Fiat fabriquée en Argentine l'est deux fois plus qu'aux États-Unis ou en Italie (2); il en est de même pour le prix de la Volkswagen du Brésil comparé à celui de la Volkswagen en Allemagne (3).

La déesse Technologie ne parle pas espagnol

Wright Patman, le parlementaire nord-américain bien connu, considère que 5 % des actions d'une grande société peuvent être suffisants, dans bien des cas, pour qu'un individu, une famille ou un groupe économique la contrôlent purement et simplement (4). Si 5 % des actions suffisent à assurer l'hégémonie au sein des toutes-puissantes entreprises des États-Unis, quel pourcentage faut-il pour dominer une firme latino-américaine ? En réalité, beaucoup moins : les sociétés *mixtes*, qui constituent une des rares fiertés encore offertes à notre bourgeoisie, fournissent au pouvoir étranger une participation nationale de capitaux pouvant être majoritaire, mais jamais déterminante face à la force massive des

(1) Déclaration du président Salvador Allende, d'après une dépêche de l'A.F.P. du 12 décembre 1970.
(2) *La Razón*, Buenos Aires, 2 mars 1970.
(3) *Resultados da indústria automobilística*, étude spéciale de *Conjuntura econômica*, février 1969.
(4) *NACLA Newsletter*, avril-mai 1969.

copossesseurs du dehors. Souvent, c'est l'État lui-même qui s'associe à l'entreprise impérialiste, qui obtient de cette façon, en devenant une société nationale, toutes les garanties souhaitables et un climat général de compréhension et même de sollicitude. La participation « minoritaire » des capitaux étrangers se justifie, en général, au nom des nécessaires transferts de techniques et de brevets. La bourgeoisie latino-américaine — constituée de marchands dépourvus de sens créateur et attachés par le cordon ombilical au pouvoir de la terre — s'agenouille devant les autels de la déesse Technologie. Si l'on tenait compte, comme preuve de dénationalisation, des actions étrangères, même en petit nombre, et de la dépendance technologique, qui, elle, est rarement minime, combien d'usines pourraient être considérées comme vraiment nationales en Amérique latine ? Au Mexique, par exemple, les maîtres étrangers de la technologie, dans les contrats de cession de brevets ou de *know-how* qu'ils signent, exigent fréquemment une partie du montant des actions, en plus des contrôles techniques et administratifs décisifs et de l'obligation de vendre la production à des intermédiaires désignés, eux aussi étrangers, et d'importer les machines et autres produits des maisons mères (1). Mais le Mexique n'est pas un cas unique. Il est significatif que les membres du Groupe Andin (Bolivie, Colombie, Chili, Équateur et Pérou) aient élaboré un projet pour un régime commun de traitement des capitaux étrangers qui insiste sur la nécessité de rejeter des contrats de transfert de technologie présentant de telles conditions. Le projet propose de refuser, en outre, d'accepter que les entreprises étrangères, propriétaires des brevets, fixent les prix des produits fabriqués ou qu'elles empêchent leur exportation vers certains pays.

Le premier système de brevets destinés à protéger la propriété des inventions fut créé voilà près de quatre siècles par Sir Francis Bacon. « Le savoir, c'est le pouvoir », se plaisait-il à répéter, et on a constaté depuis qu'il n'avait pas tort. La science universelle a peu d'universalité ; elle est retranchée derrière les frontières des nations avancées.

(1) Miguel S. Wionczek, *La trasmisión de la tecnología a los países en desarrollo : proyecto de un estudio sobre México*, in *Comercio exterior*, Mexico, mai 1968.

L'Amérique latine ne bénéficie pas des résultats de sa recherche scientifique pour la bonne raison qu'elle n'en possède pas ; elle se condamne par conséquent à subir la technologie des puissants, qui épuise et déplace les matières premières, mais se révèle incapable de créer une technologie nationale pour entretenir et protéger son propre développement. La simple transplantation de la technologie des pays avancés n'implique pas seulement la subordination culturelle et, en définitive, économique : après quatre siècles et demi d'expérience de multiplication des oasis de modernisme importés au milieu des déserts du retard et de l'ignorance, on peut affirmer qu'elle ne résout aucun des problèmes du sous-développement (1). Ce vaste continent d'analphabètes investit dans la recherche technologique une somme deux cents fois inférieure à celle que lui consacrent les États-Unis. Il y a moins de mille ordinateurs en Amérique latine contre cinquante mille aux États-Unis ; ce sont ces derniers, naturellement, qui dessinent les modèles électroniques et qui créent les langages de programmation importés par l'Amérique latine. Notre sous-développement n'est pas une étape sur le chemin du développement, mais le contrecoup du développement de l'étranger ; le continent progresse sans se libérer structurellement de son retard et, selon Manuel Sadosky, ne pas participer au progrès avec des programmes et des objectifs propres n'est pas, comme certains le prétendent, un *avantage* (2). Les symboles de la prospérité sont les symboles de la dépendance. On reçoit la technologie moderne comme au siècle dernier les chemins de fer, pour servir les intérêts étrangers, qui modèlent et remodèlent le statut colonial de ces pays. « Il nous arrive la même chose qu'à une montre qui retarde et qui n'est pas réglée, dit Sadosky. Ses aiguilles

(1) Victor L. Urquidi, dans l'ouvrage collectif de Claudio Véliz, *Obstacles to Change in Latin America*, Londres, 1967.
(2) Manuel Sadosky, « America Latina y la computación », *Gaceta de la Universidad*, Montevideo, mai 1970. Sodosky, pour illustrer l'illusion du développement, cite le témoignage d'un spécialiste de l'O.E.A. : « Les pays sous-développés, affirme George Landau, ont certains avantages sur les pays développés car lorsqu'ils incorporent quelque nouveau dispositif ou processus technologique, ils choisissent généralement le plus avancé et recueillent ainsi le bénéfice des années de recherches et le fruit d'investissements considérables que durent consentir les pays industrialisés pour obtenir ces résultats. »

continuent de trotter, mais la différence entre l'heure qu'elle indique et l'heure véritable va grandissant. »

Les universités latino-américaines forment, sur une petite échelle, des mathématiciens, des ingénieurs et des programmateurs qui, de toute façon, ne trouvent pas de travail, à moins qu'ils ne s'expatrient : nous nous offrons le luxe de fournir aux États-Unis nos meilleurs techniciens et les scientifiques les plus capables, qui émigrent, tentés par les hauts salaires et les possibilités ouvertes dans le Nord à la recherche. D'autre part, chaque fois qu'une université ou un centre supérieur de culture tentent de promouvoir les sciences fondamentales pour jeter les bases d'une technologie qui ne soit pas copiée sur les modèles étrangers et échappe à leurs intérêts, un coup d'État opportun détruit l'expérience sous le prétexte d'éliminer un foyer d'incubation de la subversion (1). Ce fut le cas de l'université de Brasilia, fermée en 1964 ; il faut avouer que les archanges blindés qui protègent l'ordre établi ne s'y trompent pas : la politique culturelle autonome requiert et favorise, lorsqu'elle est authentique, de profonds changements dans toutes les structures en vigueur.

Le choix consiste à se reposer sur les sources étrangères : la copie simiesque des peuples avancés que propagent les trusts entre les mains desquels la technologie la plus moderne est monopolisée pour créer de nouveaux produits et améliorer la qualité ou réduire le coût des produits existants. Le cerveau électronique applique des méthodes de calcul infaillibles pour estimer les prix de revient et les bénéfices ; l'Amérique latine importe ainsi des techniques de production étudiées pour économiser de la main-d'œuvre alors que sa force de travail est en excédent et que les chômeurs sont en train de constituer une majorité écrasante dans divers pays. De même, l'impuissance fait dépendre le continent, pour son progrès, de la volonté des investisseurs étrangers. En contrôlant les leviers de la technologie, les multinationales dirigent aussi, pour des raisons évidentes, d'autres ressorts clefs de l'économie latino-américaine. Naturellement, les maisons mères ne fournissent jamais à leurs filiales les dernières nouveautés et ne favorisent pas non plus une indépendance contraire à leurs

(1) Oscar J. Maggiolo, dans l'ouvrage collectif *Hacia una política cultural autónoma para América Latina*, Montevideo, 1969.

intérêts. Une enquête de *Business International* effectuée pour le compte de la B.I.D. arriva à cette conclusion : « Il est clair que les filiales des sociétés internationales établies en Amérique latine ne font pas d'efforts significatifs en matière de " recherche et de développement ". En effet, la plupart n'ont pas de département spécialisé et, dans des cas très limités, elles mènent à bien les travaux d'adaptation technologique, tandis qu'une minorité d'entreprises — situées presque invariablement en Argentine, au Brésil et au Mexique — entreprend de modestes activités de recherche (1). » Raúl Prebisch signale que « les sociétés nord-américaines installent des laboratoires et font des recherches dans les pays d'Europe qui contribuent à renforcer leur capacité scientifique et technique, ce qui n'est pas le cas en Amérique latine ». Et il dénonce un fait très grave : « L'investissement national, par son manque de connaissances spécialisées [*know-how*], réalise la majeure partie de son transfert de technologie en recevant des techniques qui sont du domaine public mais qu'on importe comme des brevets de connaissances spécialisées... (2) ».

A plusieurs titres, le coût de la dépendance technologique est très élevé : il se règle également en dollars, bien que les escamotages multiples pratiqués par les entreprises sur leurs déclarations de virements à l'extérieur rendent les estimations difficiles. Les chiffres officiels indiquent néanmoins que le drainage de dollars, au titre de l'assistance technique, s'est multiplié par quinze au Mexique, entre 1950 et 1964, alors que, pendant la même période, les investissements n'ont même pas doublé. Les trois quarts du capital étranger dans ce pays sont aujourd'hui destinés à l'industrie manufacturière ; en 1950, la proportion était du quart. Cette concentration de ressources dans l'industrie implique seulement une modernisation reflet, avec une technologie de second ordre, payée comme s'il s'agissait d'une technique de pointe. L'industrie automobile a drainé hors du Mexique, d'une façon ou d'une autre, un milliard de dollars, mais un fonctionnaire du syndicat de l'automobile aux États-Unis, après avoir parcouru

---

(1) Gustavo Lagos, dans l'ouvrage collectif *Las inversiones multinacionales en el desarrollo y la integración de América Latina*, Bogota, 1968.
(2) Raúl Prebisch « La cooperación internacional en el desarrollo latinoamericano », *Desarrollo*, Bogota, janvier 1970.

la nouvelle usine de la General Motors à Toluca, écrivait : « Elle est pire qu'archaïque. Pire, car délibérément archaïque : d'une désuétude soigneusement calculée... Les usines mexicaines sont volontairement équipées de machines de bas rendement (1) .» Et que dire de la gratitude que l'Amérique latine doit à Coca-Cola, à Pepsi-Cola ou à Crush, qui touchent de leurs concessionnaires des fortunes pour des licences industrielles permettant de dissoudre une pâte dans de l'eau et de la mélanger avec du gaz et du sucre ?

LA MARGINALISATION DES HOMMES ET DES RÉGIONS

Grow with Brazil. De grands placards dans les journaux new-yorkais exhortent les hommes d'affaires à s'intéresser à la croissance impétueuse du géant des tropiques. La ville de São Paulo dort les yeux ouverts ; les crépitations du développement l'assourdissent ; usines et gratte-ciel, ponts et routes surgissent spontanément, comme certaines plantes sauvages sur les terres tropicales. Pourtant la traduction correcte de ce slogan publicitaire devrait être, on le sait : « Grandissez *aux dépens* du Brésil ». Le développement est un banquet qui réunit peu d'invités, bien que ses fastes fassent illusion, et les principaux plats sont réservés aux mâchoires étrangères. Le Brésil a déjà plus de quatre-vingt-dix millions d'habitants et sa population doublera avant la fin du siècle, mais les usines modernes limitent la main-d'œuvre et le latifondisme intact refuse aussi du travail dans les campagnes.

(1) Leo Fenster, juillet 1969. Cité par André Gunder Frank, *Lumpenburguesía : lumpendesarrollo*, Montevideo, 1970.
Les filiales étrangères sont, de toute façon, infiniment plus modernes que les entreprises nationales. Dans l'industrie textile, par exemple, un des derniers réduits du capital national, l'automatisation est très faible. Selon la CEPAL, en 1962 et 1963, quatre pays européens investirent en équipements nouveaux dans ce secteur une somme six fois supérieure à celle que dépensa en 1964 la totalité de l'Amérique latine.

Un enfant en haillons regarde, émerveillé, le tunnel le plus long du monde, récemment inauguré à Rio de Janeiro. L'enfant éprouve une légitime fierté, mais il est analphabète et vole pour manger.

Dans toute l'Amérique latine, l'irruption du capital étranger dans le secteur de la manufacture, accueillie avec enthousiasme, a souligné encore les différences entre les « modèles classiques » d'industrialisation, tels qu'on les trouve dans l'histoire des pays développés, et les caractéristiques du processus sur notre continent. Le système dégorge des hommes à foison, mais l'industrie s'offre le luxe de sacrifier de la main-d'œuvre dans une proportion supérieure à celle de l'Europe (1). Il n'existe aucune relation cohérente entre la main-d'œuvre disponible et la technologie appliquée, si ce n'est celle qui naît de la facilité d'utiliser une des forces de travail les moins chères du monde. Terres fertiles, sous-sol très riche, hommes très pauvres dans ce royaume de l'abondance et de la détresse : l'immense marginalisation des travailleurs que le système jette au bord des chemins freine le développement du marché intérieur et abaisse le niveau des salaires. La perpétuation du régime traditionnel de propriété non seulement aggrave le problème chronique de la faible productivité rurale par le gaspillage de la terre et du capital dans les haciendas improductives et par le gâchis de la main-d'œuvre dans la prolifération des minifundia, mais elle implique aussi un afflux puissant et croissant de travailleurs sans emploi vers les villes. Le sous-emploi rural se déverse dans le sous-emploi urbain. La bureaucratie et la marginalité, dépotoir sans fond où vont échouer les hommes privés du droit au travail, prospèrent. Si les usines n'accueillent pas la main-d'œuvre en excédent, l'existence de cette vaste armée de réserve toujours disponible permet de payer des salaires plusieurs fois inférieurs à ceux des ouvriers nord-américains ou allemands. Les salaires peuvent demeurer bas alors que la productivité augmente et la productivité augmente alors que la main-d'œuvre diminue. L'industrialisation « satellisée » a

---

(1) En 1957 — il n'existe pas de documents plus récents —, les filiales nord-américaines occupaient dans l'industrie européenne, proportionnellement au capital investi, une main-d'œuvre plus grande qu'en Amérique latine. (Secrétariat général de l'O.E.A., *op. cit.*)

un caractère d'exclusion : les masses se multiplient à un rythme vertigineux dans cette partie du monde qui affiche le taux de croissance démographique le plus élevé, mais le développement du capitalisme dépendant — un voyage avec plus de naufragés que de navigateurs — marginalise beaucoup plus qu'il n'intègre. La proportion des travailleurs de l'industrie manufacturière (et cela dans toute la population active latino-américaine) *diminue au lieu d'augmenter* : durant les années 50, 14,5 % des travailleurs contre 11,5 % aujourd'hui (1). D'après une étude récente, au Brésil, « le nombre total d'emplois nouveaux qui devraient être créés atteindrait en moyenne un million et demi par an pendant la prochaine décennie (2) ». En fait, le total des travailleurs employés dans les usines de cette nation la plus industrialisée de l'Amérique latine atteint à peine le chiffre de deux millions et demi.

Dans chaque pays, l'invasion des bras provenant des zones les plus déshéritées est considérable ; les villes excitent et déçoivent les espérances de travail de familles entières attirées par le désir d'élever leur niveau de vie et de se faire une place dans le grand cirque magique de la civilisation urbaine. Un escalier mécanique peut sembler mener au Paradis, mais tout ce qui éblouit ne nourrit pas : la ville rend les pauvres encore plus pauvres car elle leur étale cruellement des mirages de richesses auxquelles ils n'auront jamais accès : automobiles, maisons, machines toutes-puissantes comme le Diable ou le Bon Dieu ; en revanche, elle leur refuse un emploi stable, un toit décent pour s'abriter et des assiettes pleines quand ils ont faim. Les Nations Unies (3) estiment qu'au moins le quart de la population des villes latino-américaines habite « des emplacements qui échappent aux normes modernes de construction urbaine », somptueux euphémisme des techniciens pour désigner ces taudis appelés *favelas* à Rio de Janeiro, *callampas* à Santiago du Chili, *jacales* à Mexico,

(1) Nations Unies, CEPAL, *op. cit.*
(2) F.S. O'Brien, *The Brazilian Population and Labor Force in 1968*, rapport pour une discussion privée, Ministère de Planification et de Coordination générale, Rio de Janeiro, 1969.
(3) Nations Unies, CEPAL, *Estudio económico de América Latina, 1967*, New York-Santiago du Chili, 1968.

barrios à Caracas et *barriadas* à Lima, *villas miseria* à Buenos Aires et *cantegriles* à Montevideo. Dans les abris de fer-blanc, de torchis et de bois qui surgissent chaque jour avant l'aube autour des villes s'entasse la population marginale poussée vers elles par la misère et par l'espoir. *Huaico* signifie, en quechua, glissement de terrain, et les Péruviens emploient ce même mot pour désigner l'avalanche humaine descendant de la sierra sur la capitale côtière : près de 70 % des habitants de Lima viennent des provinces. A Caracas, on les surnomme *toderos*, car ils font de tout : les marginaux vivent de *changas* (corvées), en mordillant le travail par bribes et d'une manière intermittente ou en accomplissant des tâches sordides ou interdites ; ils sont domestiques, casseurs de pierre, maçons, électriciens, plombiers ou peintres en bâtiment occasionnels, gardiens de voitures, vendeurs de limonade ou de n'importe quoi. Ils deviennent aussi mendiants ou voleurs, tenant leurs bras disponibles à l'affût de toute opportunité. Le nombre des marginaux augmentant plus rapidement que celui des « intégrés », les Nations Unies prévoient, dans le rapport cité, que, dans quelques années, « les campements sauvages abriteront une majorité de la population urbaine ». Une majorité de guenilleux. En attendant, le système choisit de cacher ses ordures sous un tapis. Il balaie, à coups de mitraillette, les *favelas* des collines de la baie et les *villas miseria* de la capitale fédérale ; il repousse par milliers les marginaux loin des regards. Rio de Janeiro et Buenos Aires escamotent le spectacle de la misère que le système engendre : bientôt on ne verra plus que la mastication de la prospérité, et non ses excréments, dans ces villes où la richesse créée par l'ensemble du Brésil et de l'Argentine est dilapidée.

On retrouve à l'intérieur de chaque pays le même processus international de domination. La concentration de l'industrie dans certaines régions reflète la concentration préalable de la demande dans les grands ports ou dans les zones d'exportation. 80 % de l'industrie brésilienne est localisée dans le triangle du Sud-Est — São Paulo, Rio de Janeiro, Belo Horizonte — alors que le Nord-Est famélique participe de plus en plus faiblement à la production industrielle nationale ; les deux tiers de l'industrie argentine se situent à Buenos Aires et à Rosario ; Montevideo accapare les trois quarts de l'industrie uruguayenne, comme Santiago et Valparaiso au Chili ; Lima et son port concentrent 60 % de l'industrie péruvienne (1). Le retard relatif croissant des grands espaces de l'intérieur, plongés dans la pauvreté, n'est pas dû à leur isolement, comme certains l'affirment ; il est, au contraire, le résultat de l'exploitation directe ou indirecte qu'ils subissent de la part des vieux centres coloniaux transformés aujourd'hui en centres industriels. « Un siècle et demi d'histoire nationale, proclame un leader syndical argentin (2), a été le témoin de la violation de tous les pactes de solidarité, de la faillite de la foi jurée dans les hymnes et les constitutions, de la domination de Buenos Aires sur les provinces. Armées et douanes, lois conçues par un petit nombre et supportées par tout le monde, gouvernements qui, à quelques exceptions près, ont été des agents du pouvoir étranger, ont édifié cette orgueilleuse métropole qui accumule richesse et pouvoir. Mais si nous cherchons l'explication de cette grandeur et la condamnation de cet orgueil, nous les trouverons dans les anciens champs de maté de Misiones, dans les villages morts de la forêt, dans la désolation des raffineries de Tucumán et des mines de Jujuy, dans les ports abandonnés du Paraná, dans l'exode de Berisso : toute une carte de misère entourant un centre d'opulence qui s'affirme dans l'exercice d'une hégémonie intérieure dorénavant impossible à dissimuler et à tolérer. » Dans son étude sur le développement du sous-développement au Brésil, André Gunder Frank observe que ce pays, étant un satellite des États-Unis, le Nord-Est y joue à son tour un rôle de satellite de la « métropole interne », située dans la zone sud-est. La polarisation apparaît sous de nombreux aspects : non seulement la majeure partie des investissements privés et publics sont concentrés à São Paulo, mais cette ville gigantesque s'approprie aussi les capitaux engendrés dans tous le pays grâce à un système de vaste entonnoir, encore favorisé par un échange commercial désavantageux, une politique arbitraire des prix, des barèmes privilé-

---

(1) Nations Unies, CEPAL, *op. cit.*
(2) Raimundo Ongaro, lettre de prison, *De Frente*, Buenos Aires, 25 septembre 1969.

giés d'impôts, et elle accapare en masse les cerveaux et la main-d'œuvre qualifiée (1).

L'industrialisation dépendante accentue la concentration des revenus, sur le plan régional et sur le plan social. La richesse produite n'est pas irradiée sur la totalité du pays ni sur la société dans son ensemble ; elle consolide au contraire les inégalités existantes et même les aggrave. Ses ouvriers, les « intégrés », de moins en moins nombreux, ne bénéficient pas non plus à égalité de la croissance industrielle ; ce sont les couches supérieures de la pyramide sociale qui récoltent les fruits, amers pour beaucoup, de l'augmentation de la production. Entre 1955 et 1966, au Brésil, l'industrie mécanique, les matériels électriques, les communications et l'industrie automobile ont accru leur productivité de 130 %, mais, durant cette même période, les salaires de leurs ouvriers n'ont augmenté, en valeur réelle, que de 6 % (2). L'Amérique latine offre des bras à bon marché : en 1961, le salaire horaire moyen était aux États-Unis de deux dollars contre trente-deux cents en Argentine, vingt-huit au Brésil, dix-sept en Colombie, seize au Mexique, et dix à peine au Guatemala (3). Depuis, la brèche s'est élargie. Pour gagner le salaire horaire d'un ouvrier français, un Brésilien doit actuellement travailler deux jours et demi. L'ouvrier nord-américain gagne en un peu plus de dix heures l'équivalent d'un mois de travail de l'ouvrier de Rio de Janeiro, et ce dernier, pour une journée de huit heures, gagne moins que l'ouvrier anglais ou allemand en trente minutes (4). Le bas niveau salarial en Amérique latine se traduit seulement par des prix également bas sur les marchés internationaux, où cette partie du monde offre ses matières premières à des cours réduits, au bénéfice des consommateurs des pays riches ; sur les marchés intérieurs, au contraire, où l'industrie dénationalisée vend ses produits manufacturés, les prix sont élevés

(1) André Gunder Frank, *Capitalism and Underdevelopment in Latin America*, New York, 1967.
(2) Ministère de Planification et de Coordination économique, *op. cit.*
(3) Z. Romanova, *La expansión económica de Estados Unidos en América Latina*, Moscou, s.d.
(4) Renseignements fournis par Serge Birn, technicien nord-américain dans l'organisation du travail, *Jornal do Brasil*, Rio de Janeiro, 5 janvier 1969.

afin de procurer aux sociétés impérialistes des bénéfices substantiels.

Tous les économistes sont d'accord pour reconnaître l'importance de l'augmentation de la demande comme catapulte du développement industriel. En Amérique latine l'industrie, dominée de l'extérieur, ne se montre absolument pas soucieuse d'accroître, en étendue et en profondeur, le marché de masses, qui ne pourrait s'amplifier que si l'on pratiquait des transformations profondes dans toute la structure économico-sociale, ce qui impliquerait l'éclatement de désagréables tempêtes politiques. Le pouvoir d'achat de la population salariée, après intervention, anéantissement ou soumission des syndicats des villes les plus industrialisées, n'augmente pas suffisamment et les prix des produits industriels ne baissent pas non plus : l'Amérique latine est un continent gigantesque présentant un marché potentiel énorme et un marché *réel* réduit à cause de la pauvreté des masses. En fait, la production des grandes usines d'automobiles ou de réfrigérateurs n'est destinée qu'à 5 % à peine de la population (1). Un Brésilien sur quatre peut se considérer comme un consommateur véritable. Quarante-cinq millions de Brésiliens totalisent le même revenu que neuf cent mille privilégiés situés à l'autre extrémité de l'échelle sociale (2).

---

(1) André Gunder Frank, *op. cit.*
(2) Nations Unies, CEPAL, *Estudio sobre la distribución del ingreso en América Latina*, New York-Santiago du Chili, 1967. « Avant 1953, il y eut en Argentine un processus significatif de redistribution progressive du revenu. Des trois années au sujet desquelles nous avons des informations plus détaillées, ce fut précisément celle où les inégalités furent les plus réduites, alors qu'elles s'accrurent considérablement en 1959... Au Mexique, pendant une période plus longue allant des années 1940 à 1964... des indications permettent de supposer que la perte du pouvoir d'achat fut non seulement relative mais absolue pour 20 % des familles aux revenus les plus bas. »

L'UNIFICATION DE L'AMÉRIQUE LATINE SOUS LE DRAPEAU RAYÉ ET ÉTOILÉ

Certains cœurs angéliques croient encore que tous les pays s'arrêtent là où s'étendent leurs frontières. Ce sont ceux qui affirment que les États-Unis n'ont rien ou presque à voir avec l'unification économique de l'Amérique latine, pour la simple raison qu'ils ne font pas partie de l'Association latino-américaine de Libre commerce (ALALC) ni du Marché commun de l'Amérique centrale. Ils prétendent que, selon les vœux du libertador Simon Bolivar, cette unification ne va pas au-delà de la frontière séparant le Mexique de son puissant voisin du Nord. Ceux qui professent ce critère séraphique oublient, par une amnésie non désintéressée, qu'une légion de pirates, de marchands, de banquiers, de *marines*, de technocrates, de « bérets verts », d'ambassadeurs et de chefs d'entreprises nord-américains s'est emparée, tout au long d'une histoire sinistre, de la vie et du destin de la plupart des peuples du Sud et qu'actuellement encore l'industrie latino-américaine stagne au fond de l'appareil digestif de l'empire. « Notre » union fait « sa » force, dans la mesure où les pays, en ne rompant pas au préalable avec les moules du sous-développement et de la dépendance, consolident leurs servitudes respectives.

Dans la documentation officielle de l'ALALC, on a coutume d'exalter le rôle du capital privé dans le développement de l'unification. Nous avons vu, dans les chapitres précédents, qui détenait ce capital privé. A la mi-avril 1969, par exemple, se réunit à Asunción la Commission consultative des Affaires patronales. Elle réaffirma, entre autres, « l'orientation de l'économie latino-américaine, pour que l'unification économique de la zone se réalise avec comme base fondamentale le développement de l'entreprise privée ».

Et elle recommanda aux gouvernements d'instituer une législation commune pour la formation « de multinationales, constituées principalement par des capitaux et des entreprises des pays membres ». Toutes les clefs sont remises au voleur : à la Conférence des présidents réunie à Punta del Este en avril 1967, on en vint à proposer dans la déclaration finale, où Lindon Johnson en personne apposa son cachet d'or, la création d'un marché commun des actions, une sorte de fusion des bourses, pour que d'un bout à l'autre de l'Amérique latine on pût acheter des entreprises. On va même plus loin dans les documents officiels : on conseille purement et simplement la dénationalisation des entreprises publiques. En avril 1969, la résolution de la première réunion sectorielle de l'industrie de la viande de l'ALALC, organisée à Montevideo, sollicitait « des gouvernements... l'étude de mesures permettant le transfert progressif des usines frigorifiques nationales au secteur privé ». Au même moment, l'Uruguay, dont l'un des membres avait présidé la rencontre, appuya à fond sur l'accélérateur de sa politique de sabotage visant la Société Frigorifique Nationale, propriété de l'État, en faveur des frigorifiques privés étrangers.

La suppression des barrières douanières, qui libère graduellement la circulation des marchandises à l'intérieur de la zone de l'ALALC, est destinée à réorganiser au bénéfice des multinationales la distribution des centres de production et des marchés de l'Amérique latine. C'est le règne de « l'économie échelonnée » : dans un premier temps, correspondant aux années qui viennent de s'écouler, on a perfectionné l'impulsion étrangère des bases de lancement — les villes industrialisées — qui devront se répandre sur le marché régional dans son ensemble. Les entreprises du Brésil les plus intéressées par une communauté économique latino-américaine sont, précisément, les entreprises étrangères [1], surtout les plus puissantes. Plus de la moitié des multinationales, en majorité nord-américaines, qui répondirent à une enquête de la Banque Interaméricaine de Développement dans toute l'Amérique latine étaient en train de planifier — ou se proposaient de le faire — pour la seconde

---

[1] Maurício Vinhas de Queiroz, *op. cit.*

moitié de la décennie 1960, leurs activités sur le marché élargi de l'ALALC, en créant ou en renforçant leurs départements régionaux (1). En septembre 1969, Henry Ford II annonçait, de Rio de Janeiro, qu'il désirait s'intégrer au processus économique du Brésil, « car la situation est très bonne. Notre participation a commencé par l'achat de la Willys Overland do Brasil », déclara-t-il dans une conférence de presse, et il affirma qu'il allait exporter des véhicules brésiliens dans plusieurs pays d'Amérique latine. Caterpillar, « une firme qui a toujours traité le monde comme un seul marché », dit *Business International*, ne tarda pas à profiter des réductions de tarifs dès qu'elles furent négociées et, en 1965, fournissait, de son usine de São Paulo, des niveleuses et des pièces de tracteurs à divers pays de notre continent. Avec la même célérité, l'Union Carbide envoyait à son tour, de son usine mexicaine, du matériel électrotechnique, en profitant des exonérations de droits de douane, impôts et dépôts préalables pour les échanges entre les pays de la zone de l'ALALC (2).

Appauvris, isolés, sans capitaux et connaissant de très graves problèmes de structure à l'intérieur de chaque frontière, les pays latino-américains abattent progressivement leurs barrières économiques, financières et fiscales pour que les monopoles, qui continuent de les étrangler un à un, puissent avoir une plus grande liberté de mouvements. Ils consolideront ainsi une nouvelle division du travail, à l'échelle nationale, au moyen d'une spécialisation par pays et par branches, que renforcent la fixation de dimensions optimales pour leurs filiales, la réduction des prix de revient, l'élimination de la concurrence étrangère à la zone et la stabilisation des marchés. Les filiales des multinationales peuvent seulement aspirer à la conquête du marché latino-américain dans des secteurs déterminés et sous certaines conditions qui

---

(1) Gustavo Lagos, dans l'ouvrage collectif de la B.I.D., *Las inversiones multinacionales en el desarrollo y la integración de América Latina*, Bogota, 1968. 64 % des entreprises exportaient, grâce aux concessions de l'ALALC, des produits chimiques et pétrochimiques, des fibres synthétiques, du matériel électronique, des machines industrielles et agricoles, des équipements de bureau, des moteurs, des instruments de mesure, des tubes d'acier et autres produits.

(2) *Business International*, « LAFTA, Key America's 200 Million Consumers », enquête, juin 1966.

n'affectent pas la politique mondiale tracée par les maisons mères. Comme nous l'avons vu, la division internationale du travail continue à fonctionner pour l'Amérique latine dans les mêmes conditions que par le passé. Les innovations ne sont admises qu'à l'intérieur de la zone contrôlée. A Punta del Este, les présidents ont déclaré : « L'initiative privée étrangère pourra jouer un rôle important afin d'assurer la réussite des objectifs communautaires. » Et ils décidèrent que la Banque Interaméricaine de Développement augmenterait « les sommes disponibles pour les crédits d'exportation dans le commerce intérieur latino-américain ».

La revue *Fortune* évaluait en 1967 les « séduisantes occasions nouvelles » que le Marché commun latino-américain ouvrait aux affaires du Nord : « Dans plus d'un conseil d'administration, le Marché commun est en train de devenir un élément sérieux pour les plans de l'avenir. Ford Motor do Brasil, qui construit les Galaxies, pense tisser un joli réseau avec la Ford Argentine, qui fabrique les Falcon, et participer à la nouvelle politique économique en coproduisant des voitures pour des marchés plus étendus. Kodak, qui fabrique actuellement au Brésil du papier photographique, voudrait produire des pellicules exportables au Mexique, des caméras et des projecteurs qu'il vendrait en Argentine (1). La revue citait d'autres exemples de « rationalisation de la production » et d'extension de la zone d'opérations d'autres sociétés comme I.T.T., General Electric, Remington Rand, Otis Elevator, Worthington, Firestone, Deere, Westinghouse et American Machine and Foundry. Raúl Prebisch, fougueux avocat de l'ALALC, écrivait, voici neuf ans : « Un autre argument que j'entends souvent de Mexico à Buenos Aires, en passant par São Paulo et Santiago, c'est que le Marché commun va offrir à l'industrie étrangère des possibilités d'expansion qu'elle n'a pas aujourd'hui sur nos marchés limités... Mais l'inquiétude d'une menace existe, c'est que les avantages du Marché commun profitent surtout à cette industrie étrangère et non aux industries nationales... Cette inquiétude, je l'ai partagée, et je la partage, non par simple imagination, mais parce que j'ai constaté son bien-fondé

(1) *Fortune*, « A Latin American Common Market Makes Common Sense For U.S. Businessmen Too », juin 1967.

dans la pratique... (1). » Cette constatation n'empêcha pas Prebisch de souscrire, quelque temps plus tard, à propos de l'unification en marche, à un document dans lequel on affirmait qu' « un rôle important revient sans doute au capital étranger dans le développement de nos économies (2) » ; on y proposait la constitution de sociétés mixtes dans lesquelles « le chef d'entreprise latino-américain participerait efficacement et en toute équité ». En toute équité ? Il faut sauvegarder, bien sûr, l'égalité des chances. Anatole France affirmait avec raison que la loi, dans sa majestueuse égalité, interdit au riche comme au pauvre de dormir sous les ponts, de mendier dans les rues et de voler du pain. Mais il se trouve que sur cette planète et à notre époque, une seule firme, la General Motors, occupe autant d'ouvriers que tout l'Uruguay réuni, et gagne en une seule année quatre fois plus que le produit national brut de la Bolivie.

Les sociétés connaissent déjà, grâce à d'autres expériences antérieures d'intégration, les avantages que constitue le rôle d'*insiders* dans le développement capitaliste d'autres pays. Ce n'est pas par hasard que le total des ventes des filiales nord-américaines disséminées de par le monde est six fois plus élevé que le montant des exportations des États-Unis (3). En Amérique latine, comme sur d'autres continents, les contraignantes lois antitrusts en usage aux États-Unis n'existent pas. Ici les pays se transforment, en toute impunité, en prête-noms des entreprises étrangères qui les dominent. Le premier accord complémentaire de l'ALALC fut paraphé, en août 1962, par l'Argentine, le Brésil, le Chili et l'Uruguay ; mais, en réalité, il fut signé entre I.B.M. et I.B.M. et I.B.M. et I.B.M. L'accord supprimait les taxes d'importation pour le commerce des machines statistiques fabriquées dans l'un ou

(1) Raúl Prebisch, « Problemas de la integración económica », *Actualidades económicas financieras*, Montevideo, janvier 1962.
(2) Raúl Prebisch, Sanz de Santamaría, Mayobre et Herrera, *Proposiciones para la creación del Mercado común latinoamericano*, rapport présenté au président Frei, 1966.
(3) Judd Polk (de l'U.S. Council of the International Chamber of Commerce) et C.P. Kindleberger (du Massachusetts Institute of Technology) apportent de savoureux documents et points de vue sur l'américanisation de l'économie capitaliste mondiale, dans la publication du Département d'État, *The Multinational Corporation*, Office of External Research, Washington, 1969.

l'autre des quatre pays signataires, en même temps qu'il augmentait les charges à l'importation des machines de même usage produites ailleurs. L'I.B.M. World Trade « fit alors une suggestion aux gouvernements du pacte : s'ils abolissaient les taxes pour le commerce entre eux, elle construirait des usines au Brésil et en Argentine... (1). Le Mexique se joignit au second accord, signé entre les mêmes pays : R.C.A. et Philips of Eindhoven obtinrent l'exonération des droits pour la circulation du matériel de radio et de télévision. Et ainsi de suite. Au printemps de 1969, le neuvième accord consacra le partage du marché latino-américain pour les biens d'équipement de production, de transmission et de distribution d'électricité entre l'Union Carbide, la General Electric et la Siemens.

Le Marché commun de l'Amérique centrale, pour sa part, tentative d'union des économies rachitiques et difformes de cinq pays, n'a servi qu'à renverser d'un revers de main les fragiles producteurs nationaux de tissus, peinture, médicaments, cosmétiques ou petits biscuits et à augmenter les gains et le rayon d'action de la General Tire and Rubber Co., Procter and Gamble, Grace and Co., Colgate Palmolive, Sterling Products ou National Biscuits (2). La libération des droits de douane s'est accompagnée, en Amérique centrale, de l'érection de barrières contre la concurrence étrangère extérieure (appelons-la ainsi) afin que les entreprises étrangères intérieures puissent vendre plus cher et réaliser de plus gros bénéfices : « Les subsides perçus grâce à la protection des tarifs dépassent la valeur totale accumulée par le processus domestique de production », conclut Roger Hansen (3).

Les sociétés étrangères ont essentiellement le sens des proportions. Les leurs et celles des autres. A quoi servirait-il d'installer en Uruguay, par exemple, ou en Bolivie, ou au Paraguay, ou en Équateur, avec leurs marchés minuscules, une grande usine d'automobiles, des hauts fourneaux ou une importante fabrique de produits chimiques ? Les tremplins

---

(1) *Business International, op. cit.*
(2) E. Lizano F., « El problema de las inversiones extranjeras en Centro América », *Revista del Banco Central*, Costa Rica, septembre 1966.
(3) *Columbia Journal of World Business.* Cité par *NACLA Newsletter*, janvier 1970.

sont choisis en fonction des dimensions des marchés internes et de leurs possibilités d'extension. FUNSA, l'usine uruguayenne de pneumatiques, dépend en grande partie de Firestone, mais ce sont les filiales de Firestone au Brésil et en Argentine qui s'agrandissent en prévision de l'unification. On freine le développement de la firme installée en Uruguay, pour la même raison qui décide Olivetti, l'entreprise italienne envahie par la General Electric, à fabriquer ses machines à écrire au Brésil et ses machines à calculer en Argentine. « L'attribution efficace des moyens requiert un développement inégal des différentes zones d'un pays ou d'une région », affirme Rosenstein-Rodan (1), et la communauté latino-américaine aura aussi ses Nord-Est et ses pôles de développement. Faisant le bilan des huit années de vie du traité de Montevideo, qui donna naissance à l'ALALC, le délégué uruguayen soulignait amèrement que « les écarts dans les niveaux de développement économique [entre les différents pays] tendaient à s'accentuer » : la simple progression du commerce par le système de concessions mutuelles ne pouvant qu'accroître l'inégalité préexistante entre les pôles du privilège et les secteurs surapprovisionnés. L'ambassadeur du Paraguay se plaignit dans les mêmes termes : les pays faibles subventionnaient de façon absurde le développement industriel des pays les plus avancés de la zone de libre-échange, en absorbant leurs prix internes élevés par le truchement du dégrèvement douanier ; il ajouta que la détérioration des fins communautaires frappait son pays aussi durement à l'intérieur de l'ALALC qu'en dehors d'elle : « Le Paraguay paie avec deux tonnes de ses produits chaque tonne importée de la zone. » « Nous nous trouvons en réalité, affirma le représentant de l'Équateur, devant onze nations ayant des niveaux différents de développement, ce qui se traduit par des capacités grandes ou infimes de bénéficier de la zone de commerce libérée des entraves et qui conduit à une polarisation des bénéfices et des préjudices... » L'ambassadeur de Colombie en tira « une seule conclusion : le programme de libération profite d'une manière disproportionnée aux trois

---

(1) Paul N. Rosenstein-Rodan, *Reflections on Regional Development*. Cité dans B.I.D., ouvrage collectif, *op. cit.*

grands pays (1) ». A mesure que la communauté progressera, les petits pays renonceront peu à peu à leurs rentrées douanières — qui, au Paraguay, alimentent presque la moitié du budget national — contre l'avantage discutable de recevoir, par exemple, de São Paulo, de Buenos Aires ou de Mexico des automobiles fabriquées par les mêmes entreprises qui les vendent, expédiées de Detroit, Wolfsburg ou Milan, moitié moins cher (2). C'est la certitude qui s'établit sous les frictions que le processus communautaire provoque avec de plus en plus d'acuité. L'apparition applaudie du Pacte Andin, qui réunit les nations du Pacifique, est une des conséquences de l'hégémonie notoire des trois grands dans le cadre élargi de l'ALALC : les petits essaient de former un groupe à part.

Mais en dépit de toutes les difficultés — pour épineuses qu'elles paraissent — les marchés s'étendent à mesure que les satellites incorporent de nouveaux satellites à leur orbite de pouvoir dépendant. Sous la dictature militaire de Castelo Branco, le Brésil signa une convention garantissant les investissements étrangers et confiant à l'État le soin de prendre en charge les risques et les déboires de chaque affaire. Il est très significatif que le fonctionnaire qui avait conclu l'accord ait défendu ses conditions humiliantes devant le Congrès, en affirmant que, « dans un proche avenir, le Brésil investirait des capitaux en Bolivie, au Paraguay ou au Chili, et alors aurait besoin d'accords semblables (3) ». Au sein des

(1) Séances extraordinaires du Comité Exécutif Permanent de l'ALALC, juillet et septembre 1969. *Apreciaciones sobre el proceso de integración de la ALALC*, Montevideo, 1969.
Le Marché commun comme simple processus de réduction des barrières commerciales, constate le directeur de l'UNCTAD à New York, maintiendra « les *enclaves* de haut développement à l'intérieur de la dépression générale du continent ». (Sidney Dell, dans l'ouvrage collectif *The Movement Toward Latin American Unity*, édité par Ronald Hilton, New York-Washington-Londres, 1969.)

(2) L'industrie automobile est à 100 % étrangère au Brésil et en Argentine, et en majorité étrangère au Mexique. (ALALC, *La industria automotriz en la ALALC*, Montevideo, 1969.)

(3) Vivian Trías, *Imperialismo y geopolítica en América Latina*. Montevideo, 1967. L'Uruguay s'engagea, par exemple, à augmenter ses importations de machines en provenance du Brésil contre des faveurs telles que la fourniture d'énergie électrique à la zone nord du pays. Actuellement, les départements uruguayens d'Artigas et de Rivera ne peuvent augmenter leur consommation d'énergie sans y être autorisés par le Brésil.

gouvernements qui se sont succédé après le coup d'État de 1964 s'est, en effet, affirmée une tendance qui attribue au Brésil une fonction « sous-impérialiste » sur ses voisins. Une mascarade de militaires influents postule pour le pays le rôle de grand administrateur des intérêts nord-américains dans cette partie du globe et incite le Brésil à exercer, au sud, une hégémonie semblable à celle qu'il subit lui-même de la part des États-Unis. Le général Golbery do Couto e Silva, théoricien du sous-impérialisme, invoque, dans ce sens, un autre « Destin manifeste » (1) : ce théoricien du « sous-impérialisme » écrivait, en 1952 : « Surtout lorsque ce destin manifeste ne côtoie pas, dans les Caraïbes, celui de nos grands frères du Nord... » Le général do Couto e Silva est l'actuel président de la Dow Chemical au Brésil. La structure de sous-impérialisme souhaitée compte, sans doute, de nombreux antécédents historiques, qui vont de l'anéantissement du Paraguay au nom de la banque britannique, au moment de la guerre de 1865, à l'envoi de troupes brésiliennes pour commander l'opération appuyant l'invasion des *marines* à Saint-Domingue, exactement un siècle plus tard.

Ces dernières années, la concurrence entre les gérants des grands intérêts impérialistes installés aux commandes du Brésil et de l'Argentine a redoublé autour du problème fiévreux du leadership continental. Tout indique que l'Argentine n'est pas en état de résister au puissant défi brésilien : le Brésil est deux fois plus vaste et sa population quatre fois plus importante, il produit presque trois fois plus d'acier, plus du double d'énergie, et fabrique deux fois plus de ciment ; le taux de rénovation de sa marine marchande est quinze fois plus élevé. Il a, en outre, enregistré un rythme de croissance économique bien supérieur pendant les deux dernières décennies. L'Argentine produisait, il n'y a pas longtemps encore, plus d'automobiles et de camions que le Brésil. Au rythme actuel, en 1971, la puissance de l'industrie automobile brésilienne aura triplé par rapport à celle de sa voisine. La flotte brésilienne qui, en 1966, était égale à celle de l'Argentine, totalisera celle de toute l'Amérique latine réunie.

---

(1) Golbery do Couto e Silva. *Aspectos geopolíticos do Brasil*. Rio de Janeiro, 1952.

Le Brésil offre à l'investissement étranger l'ampleur de son marché potentiel, ses fabuleuses richesses naturelles, la haute valeur stratégique de son territoire, qui confine à tous les pays sud-américains, sauf l'Équateur et le Chili, et toutes les conditions pour que les sociétés nord-américaines installées sur son sol avancent avec des bottes de sept lieues : le Brésil dispose de bras à meilleur marché et plus nombreux que sa rivale. Ce n'est pas un hasard si le tiers des produits élaborés ou semi-élaborés vendus à l'intérieur de l'ALALC proviennent du Brésil. C'est le pays appelé à constituer l'axe de la libération ou de la servitude de toute l'Amérique latine. Le sénateur nord-américain Fulbright ne fut peut-être pas entièrement conscient de la portée de ses paroles lorsqu'en 1965 il attribua au Brésil, dans ses déclarations publiques, la mission de diriger le Marché commun de l'Amérique latine.

« JAMAIS NOUS NE SERONS HEUREUX, JAMAIS ! » AVAIT PROPHÉTISÉ SIMON BOLIVAR

Si l'impérialisme nord-américain peut aujourd'hui nous rassembler pour régner en Amérique latine, c'est qu'hier l'Empire britannique avait contribué à nous diviser pour les mêmes objectifs. La naissance d'un archipel de pays, sans relations entre eux, fut la conséquence de notre unité nationale manquée. Lorsque les peuples en armes conquirent leur indépendance, l'Amérique latine surgissait sur la scène historique unie par les traditions communes de ses diverses régions, elle présentait une unité territoriale sans fissures et parlait fondamentalement deux langues de même origine, l'espagnol et le portugais. Mais il nous manquait, comme le signale Trías, une condition essentielle pour constituer une grande et seule nation : la communauté économique.

Les centres de prospérité qui fleurissaient pour répondre aux besoins européens en métal et en denrées alimentaires n'étaient pas reliés entre eux : les branches de l'éventail avaient leur sommet de l'autre côté de la mer. Les hommes et les capitaux se déplaçaient au gré des variations de l'or ou du sucre, de l'argent ou de l'indigo, et seuls les ports et les capitales, sangsues des zones productives, avaient une existence permanente. L'Amérique latine naquit avec l'aspect d'un territoire unique dans l'imagination et l'espérance de Simon Bolivar, de José Artigas et de San Martín, mais elle était déjà fissurée par les déformations de base du système colonial. Les oligarchies portuaires, grâce au libre-échange, consolidèrent cette structure de fragmentation qui était leur source de profit : ces trafiquants éclairés ne pouvaient engendrer l'unité nationale que la bourgeoisie avait incarnée en Europe et aux États-Unis. Les Anglais, héritiers de l'Espagne et du Portugal longtemps avant l'indépendance, parachevèrent cette structure tout au long du siècle dernier, en utilisant les intrigues des diplomates gantés de blanc, la force d'extorsion des banquiers et le pouvoir de séduction des commerçants. « Pour nous, la patrie c'est l'Amérique », avait proclamé Bolivar. La Grande-Colombie se scinda en cinq pays et le libertador mourut vaincu : « Jamais nous ne serons heureux, jamais ! », confia-t-il au général Urdaneta. Trahis par Buenos Aires, San Martín arracha ses insignes de commandement, et Artigas, qui appelait ses soldats des Américains, s'en alla mourir dans son exil solitaire du Paraguay : la vice-royauté du Río de la Plata avait été morcelée en quatre. Francisco de Morazán, fondateur de la République Fédérale d'Amérique centrale, mourut fusillé (1), et la taille de l'Amérique se fragmenta en cinq parcelles

(1) « Il commanda de préparer les armes, se découvrit, ordonna qu'on le mît en joue, corrigea la ligne de tir, donna l'ordre d'ouvrir le feu et tomba ; il releva encore sa tête ensanglantée et dit : " Je suis vivant " ; une nouvelle décharge l'acheva. » (Gregorio Bustamente Maceo, *Historia militar de El Salvador*, San Salvador, 1951.)
Tous les dimanches soir un orchestre joue de la musique légère au pied de la statue en bronze de Morazán, sur la place de Tegucigalpa. Mais l'inscription est erronée : la statue équestre ne représente pas le champion de l'unité centre-américaine. Les Honduriens venus à Paris quelque temps après l'exécution afin de confier à un sculpteur la commande du gouvernement dépensèrent l'argent à faire la noce et finirent par acheter une statue du maréchal Ney au Marché aux puces. La tragédie de l'Amérique centrale tournait rapidement à la farce.

auxquelles allait venir s'ajouter Panama, détaché en 1903 de la Colombie par Teddy Roosevelt.

Le résultat est clair : actuellement, n'importe quelle multinationale travaille avec plus de cohésion et un sentiment d'unité plus fort que cet ensemble d'îles que constitue l'Amérique latine, déchirée par tant de frontières et une telle absence de communications. Quelle communauté peuvent former des pays qui n'ont même pas réussi à faire leur unité nationale ? Chacun souffre dans son propre sein de profondes fractures, de vives divisions sociales et de tensions non résolues entre ses vastes déserts marginaux et ses oasis urbaines. Le drame se reproduit à l'échelle continentale. Les chemins de fer et les routes, construits pour transporter la production à l'étranger par les voies les plus directes, constituent encore la preuve irréfutable de l'impuissance ou de l'incapacité de l'Amérique latine à donner vie au rêve national de ses héros les plus lucides. Le Brésil n'a pas de liaisons terrestres permanentes avec trois de ses voisins, la Colombie, le Pérou et le Venezuela, et les villes des côtes de l'Atlantique n'ont pas de communications par câbles avec celles du Pacifique, de sorte que les télégrammes entre Buenos Aires et Lima, Rio de Janeiro ou Bogota, passent forcément par New York ; on retrouve la même situation en ce qui concerne le téléphone entre les Caraïbes et le sud du continent. Chaque pays latino-américain continue de se confondre avec son port, niant ses racines et son identité réelle, à tel point que presque tous les produits sont exportés par mer : les transports par voies intérieures n'existent pratiquement pas. Or il se trouve que le cartel mondial du fret fixe les tarifs et les itinéraires à son gré, et l'Amérique latine doit supporter, résignée, les prix exorbitants et les trajets absurdes. Sur cent dix-huit lignes régulières par bateaux desservant notre continent, dix-sept seulement battent pavillon national ; ce type de transport saigne l'économie latino-américaine d'un milliard de dollars par an (1). Ainsi les marchandises envoyées de Porto Alegre à Montevideo arrivent plus vite à destination si elles passent par Hambourg, tout comme la laine uruguayenne destinée aux États-Unis ; les

(1) Nations Unies, CEPAL, *Los fletes marítimos en el comercio exterior de América latina*, New York-Santiago du Chili, 1968.

frais de transport de Buenos Aires à un port du golfe du Mexique diminuent de plus du quart si le trafic est effectué par Southampton (1). Transporter du bois du Mexique au Venezuela coûte deux fois plus cher que de la Finlande au même Venezuela, bien que le Mexique soit, selon les cartes, beaucoup plus proche. Un envoi direct de produits chimiques de Buenos Aires à Tampico revient beaucoup plus cher que s'il est acheminé par La Nouvelle-Orléans (2).

Les États-Unis, c'est certain, se proposèrent et se forgèrent un destin bien différent. Sept ans après l'indépendance, les treize colonies avaient déjà doublé leur superficie, s'étendant au-delà des Alleghanys jusqu'aux rives du Mississippi ; quatre ans plus tard, elles consacraient leur unité en créant un marché unique. En 1803, les États-Unis achetèrent à la France, à un prix dérisoire, la Louisiane, ce qui leur permit de doubler leur territoire. En 1821, ce fut la Floride, et l'on était à peine à la moitié du siècle lorsqu'ils envahirent et amputèrent d'une moitié le Mexique au nom du « Destin manifeste ». Vinrent ensuite l'achat de l'Alaska, l'usurpation des îles Hawaii, de Porto Rico et des Philippines. Les colonies devinrent nation et la nation devint empire, tout au long de la matérialisation d'objectifs clairement exprimés et poursuivis depuis les temps lointains des pères fondateurs. Tandis que le nord de l'Amérique grandissait et se développait à l'intérieur de ses frontières en expansion, le Sud, tourné vers l'extérieur, éclatait en petits morceaux comme une grenade.

Le processus communautaire actuel ne nous fait pas retrouver notre origine et ne nous rapproche pas de nos objectifs. Bolivar avait affirmé, dans une prophétie qui s'est révélée exacte, que les États-Unis semblaient désignés par la Providence pour couvrir l'Amérique de misères au nom de la liberté. La General Motors et I.B.M. n'auront pas l'amabilité de lever à notre place les vieux drapeaux de l'unité et de l'émancipation tombés dans la lutte, et ce ne sont pas les traîtres d'aujourd'hui qui concrétiseront l'idéal des héros trahis d'hier. La pourriture qu'il faut jeter au fond de la mer,

---

(1) Enrique Angulo H., dans l'ouvrage collectif *Integración de América Latina, experiencias y perspectivas*. México, 1964.
(2) Sidney Dell, *Experiencias de la integración económica en América Latina*, Mexico, 1966.

sur le chemin de la reconstruction de l'Amérique latine, est considérable. Les dépossédés, les humiliés, les maudits ont, eux, cette tâche entre leurs mains. La cause nationale latino-américaine est, avant tout, une cause sociale : pour que l'Amérique latine puisse renaître, il faudra qu'elle commence par renverser ses maîtres, pays par pays. Des temps s'ouvrent, de rébellion et de changement. Certains croient que le destin repose sur les genoux des dieux, mais la vérité est qu'il travaille, comme un défi brûlant, dans les consciences des hommes (1).

Montevideo, décembre 1970.

---

(1) Ce livre n'aurait pu être réalisé sans la collaboration, sous diverses formes, de Sergio Bagú, Luis Carlos Benvenuto, Fernando Carmona, Adicea Castillo, Alberto Couriel, André Gunder Frank, Rogelio García Lupo, Miguel Labarca, Carlos Lessa, Samuel Lichtenstein, Juan A. Oddone, Adolfo Perelman, Artur Poerner, Germán Rama, Darcy Ribeiro, Orlando Rojas, Julio Rossiello, Paulo Schilling, Karl-Heinz Stanzick, Vivian Trías et Daniel Vidart.
A tous, et aux nombreux amis qui m'ont encouragé dans mon travail, ces dernières années, je dédie ce résultat dont ils ne peuvent, bien entendu, être rendus responsables.

SEPT ANNÉES ONT PASSÉ *

* *Texte écrit pour l'édition de* Terre Humaine.

Sept années ont passé depuis la première édition en espagnol des *Veines ouvertes de l'Amérique latine.*

Ce livre avait été écrit pour converser avec chacun. Un auteur non spécialisé s'adressait à un public également non spécialisé, avec l'intention de divulguer certains faits que l'histoire officielle, racontée par les vainqueurs, cache ou déforme.

La réponse la plus stimulante ne vint pas des pages littéraires des journaux, mais de quelques épisodes réels de la vie quotidienne. Cette jeune fille, par exemple, qui, dans un autobus de Bogota, lisait mon livre à sa voisine et qui finit par le lire à haute voix à tous les passagers ; ou cette femme qui s'enfuit de Santiago du Chili, pendant la tuerie, avec un exemplaire enveloppé dans les langes de son bébé ; ou encore cette étudiante qui, pendant une semaine, parcourut les librairies de la rue Corrientes, à Buenos Aires, et lut le volume par bribes, car elle n'avait pas assez d'argent pour l'acheter.

De même, les commentaires les plus favorables ne vinrent pas de tel ou tel critique prestigieux, mais des dictatures militaires qui le célébrèrent... en l'interdisant ! *Les Veines ouvertes* ne peut circuler dans mon pays, l'Uruguay, ni au Chili, et les autorités argentines l'ont dénoncé à la télévision et dans la presse comme un instrument de corruption pour la jeunesse. « On ne laisse pas voir ce que j'écris, disait le poète espagnol antifranquiste Blas de Otero, car j'écris ce que je vois. »

Je crois qu'il n'y a pas de vanité à constater avec plaisir, au bout d'un certain temps, que *Les Veines ouvertes* n'aura pas été un livre muet.

Je sais qu'il a pu paraître sacrilège que ce manuel de divulgation parle d'économie politique sur le ton d'un roman d'amour ou de piraterie. Mais j'avoue qu'il m'est pénible de lire des œuvres importantes de certains sociologues, politologues, économistes ou historiens qui écrivent en langage codé. L'hermétisme n'est pas le prix inévitable de la profondeur. Il peut tout bonnement cacher, quelquefois, une incapacité de communication élevée au rang de vertu intellectuelle. Je soupçonne l'ennui de servir ainsi, trop souvent, à bénir l'ordre établi, en confirmant que le savoir est un privilège des élites.

Il semble que ce soit aussi le cas, disons-le en passant, d'une certaine littérature militante destinée à un public de convaincus. Malgré toute sa rhétorique révolutionnaire possible, un langage qui répète mécaniquement, pour les mêmes oreilles, les mêmes phrases toutes faites, les mêmes adjectifs, les mêmes formules déclamatoires, me paraît conformiste. Cette littérature de chapelle est peut-être aussi éloignée de la révolution que la pornographie l'est de l'érotisme.

On écrit pour essayer de répondre aux questions qui vous bourdonnent dans la tête, mouches tenaces qui vous empêchent de dormir, et ce que l'on écrit peut prendre un sens collectif lorsqu'il coïncide d'une certaine manière avec le besoin social de la réponse. J'ai écrit *Les Veines ouvertes* pour diffuser des idées émises par d'autres et des expériences personnelles susceptibles d'aider un peu, par leur aspect réaliste, à éclairer les interrogations qui nous poursuivent depuis toujours : l'Amérique latine est-elle une région du monde condamnée à l'humiliation et à la pauvreté ? Et condamnée par qui ? Par la faute de Dieu ou de la nature ? Par son climat accablant, ses races inférieures ? Par la religion, les coutumes ? Le malheur ne serait-il pas un produit de l'histoire, une œuvre des hommes et qui pourrait, par conséquent, être vaincu par les hommes ?

Le culte du passé m'a toujours paru réactionnaire. La droite choisit le passé, car elle préfère les morts : un monde tranquille, une époque tranquille. Les puissants, qui légitiment leurs privilèges par l'héritage, cultivent la nostalgie. On étudie l'histoire comme on visite un musée ; et cette collection de momies est une escroquerie. On nous ment sur le passé comme on nous ment sur le présent : on nous masque la réalité. On contraint l'opprimé à faire sienne une mémoire fabriquée par l'oppresseur, lointaine, empaillée, stérile. Et l'opprimé se résignera donc à vivre une vie qui n'est pas la sienne, comme si c'était la seule possible.

Dans *Les Veines ouvertes,* le passé apparaît toujours convoqué par le présent, comme la mémoire vivante de notre temps. Ce livre est une recherche des clefs de l'histoire. Elles contribuent à expliquer le temps présent, qui fait aussi l'histoire, en partant de ce principe : la première condition pour changer la réalité consiste à la connaître. On ne présente pas ici un catalogue de héros vêtus comme pour un bal costumé, prononçant de longues phrases solennelles en mourant au champ d'honneur, mais on s'enquiert de la rumeur et de la trace des pas nombreux qui ont pressenti nos pas d'aujourd'hui. *Les Veines ouvertes* est né de la réalité, mais aussi d'autres livres, meilleurs que lui. Ces livres nous ont aidés à nous connaître, à savoir qui nous pouvons être, à vérifier d'où nous venons pour mieux deviner où nous allons. A leur lecture, une réalité apparaît : le sous-développement latino-américain est une conséquence du développement étranger ; nous, Latino-Américains, nous sommes pauvres parce que le sol que nous foulons, si riche et si privilégié soit-il par la nature, a été maudit par l'histoire. Dans ce monde qui est le nôtre, monde aux centres puissants et aux faubourgs asservis, il n'y a pas de richesse qui ne soit pour le moins suspecte.

Pendant la période qui s'est écoulée depuis la première édition de cet ouvrage, l'histoire n'a pas cessé d'être pour nous une cruelle enseignante.

Le système a multiplié la faim et la peur ; la richesse a continué à se concentrer et la pauvreté à s'étendre. C'est ce que reconnaissent les documents des organismes internationaux spécialisés, dont le langage aseptisé appelle « pays en voie de développement » nos régions opprimées et nomme « redistribution régressive du revenu » l'appauvrissement implacable de la classe ouvrière.

L'engrenage international a fonctionné comme par le passé : les pays au service des marchandises, les hommes au service des objets.

A mesure que le temps passe, les méthodes d'exportation des crises se perfectionnent. Le capital des monopoles atteint son plus haut degré de concentration et le contrôle international des marchés, du crédit et des investissements permet le transfert systématique et croissant des contradictions : les faubourgs paient sans grands sursauts le prix de la prospérité des centres.

Le marché international reste l'une des clefs maîtresses de l'opération. Les multinationales exercent ici leur dictature — elles sont multinationales, dit Sweezy, parce qu'elles opèrent en de nombreux pays, mais elles demeurent ultra-nationales pour le contrôle et la propriété. L'organisation mondiale de l'inégalité n'est pas perturbée par le fait qu'actuellement le Brésil exporte, par exemple, des Volkswagen vers d'autres pays sud-américains et vers les lointains marchés d'Afrique et du Proche-Orient. En définitive, c'est la firme allemande qui a décidé qu'il était plus propice d'exporter des automobiles sur certains marchés, à partir de sa filiale brésilienne : les prix de revient peu élevés et la main-d'œuvre à bon marché sont brésiliens et les gains substantiels sont allemands.

La camisole de force ne se rompt pas davantage par magie quand une matière première réussit à échapper à la malédiction des prix peu élevés. Ce fut le cas du pétrole à partir de 1973. Le pétrole n'est-il donc pas un commerce international ? La Standard Oil de New Jersey, rebaptisée Exxon, la Royal Dutch Shell ou la Gulf sont-elles des compagnies arabes ou latino-américaines ? Qui reçoit la part du lion ? Le scandale soulevé contre les pays producteurs parce qu'ils ont osé défendre leurs prix et auxquels on a aussitôt reproché d'être les responsables de l'inflation et du chômage en Europe et aux États-Unis est révélateur. Les pays développés ont-ils jamais consulté qui que ce soit avant d'augmenter l'une ou l'autre de leurs marchandises ? Depuis vingt ans, le cours du pétrole baissait sans arrêt. Son prix ridiculement bas représentait un énorme bénéfice pour les grands centres industriels du monde dont les produits étaient, en revanche, de plus en plus chers. Par rapport à l'incessante augmentation des tarifs nord-américains et européens, les nouveaux prix du pétrole lui ont simplement permis de se replacer à son niveau de 1952. En 1973, le pétrole brut n'a fait que rattraper le pouvoir d'achat qu'il avait alors.

Un des épisodes importants survenus pendant ces sept années a été la nationalisation du pétrole au Venezuela. Celle-ci n'a pas supprimé la dépendance vénézuélienne en matière de raffinage et de commercialisation, mais elle a ouvert au pays un nouveau champ d'autonomie. Peu après sa création, l'entreprise nationale Petróleos de Venezuela occupait déjà la première place parmi les cinq cents sociétés les plus importantes d'Amérique latine. Elle a commencé l'exploration de nouveaux marchés et Petroven a gagné rapidement cinquante nouveaux clients.

Néanmoins, comme toujours lorsque l'État devient patron de la principale richesse d'un pays, il convient de se demander qui est le patron de l'État. La nationalisation des ressources de base n'implique pas obligatoirement la redistribution du revenu au bénéfice de la majorité, de même qu'elle ne met pas forcément en péril le pouvoir et les privilèges de la minorité dirigeante. L'économie de gaspillage continue de fonctionner, inchangée, au Venezuela. Au centre, illuminée par le néon, resplendit une classe sociale multimillionnaire et dilapidatrice. En 1976, les importations ont augmenté d'un quart, en grande partie pour alimenter le flot d'articles de luxe qui inondent le marché. Fétichisme de la marchandise comme symbole de pouvoir, condition humaine réduite à des relations de concurrence et de consommation : au milieu de l'océan du sous-développement, la minorité privilégiée imite le train de vie, les modes et les manières des plus riches parmi les riches de ce monde. Dans la trépidation de Caracas, comme à New York, les biens « naturels » par excellence — l'air et la lumière, le silence — deviennent on ne peut plus rares et chers. « Attention ! avertit Juan Pablo Pérez Alfonso, patriarche du nationalisme vénézuélien et prophète de la récupération du pétrole. On peut mourir d'indigestion aussi bien que de faim (1). »

J'ai terminé *Les Veines ouvertes* dans les derniers jours de l'année 1970.

Dans les derniers jours de l'année 1977, Juan Velasco Alvarado est mort sur une table d'opération. Son cercueil, porté à dos d'homme jusqu'au cimetière, fut accompagné par une foule comme on n'en avait encore jamais vue dans les rues de Lima. Le général Velasco Alvarado, né dans une humble maison des terres arides du nord du Pérou, avait pris l'initiative d'un processus de réformes sociales et économiques. Ce fut la tentative de changement la plus importante et la plus profonde dans l'histoire contemporaine de son pays. Après son soulèvement en 1968, le gouvernement militaire commença une authentique réforme agraire et ouvrit la voie à la récupération des ressources naturelles usurpées par le capital étranger. Mais lorsque Velasco Alvarado mourut, on avait célébré depuis longtemps les funérailles de la révolution. L'action engagée avait connu une vie fugace : ayant la fragilité inhérente à tout projet paternaliste et sans base populaire organisée, elle s'acheva étouffée par le chantage des bailleurs de fonds et des marchands.

La veille de Noël 1977, tandis qu'au Pérou le cœur du général Velasco Alvarado cessait de battre, en Bolivie, un autre général, qui ne lui ressemblait en rien, abattait violemment son poing sur son bureau. Hugo Banzer, le dictateur, disait non à l'amnistie des prisonniers, des exilés et des ouvriers licenciés. Quatre femmes et quatorze enfants, venus des mines d'étain, arrivèrent à La Paz et commencèrent une grève de la faim.

— Ce n'est pas le moment, déclarèrent les gens informés. On vous dira quand...

---

(1) Entretien avec Jean-Pierre Clerc, *le Monde*, Paris, 8-9 mai 1977.

Les femmes s'assirent par terre :
— Nous ne sommes pas venues consulter, mais informer. Notre décision est prise. Dans la mine, la grève de la faim ne cesse jamais. On naît et elle commence. Là-bas aussi nous devons mourir. Une mort plus lente, mais une mort tout aussi certaine.

Le gouvernement répondit par des représailles, des menaces, mais la résolution des quatre femmes et des quatorze enfants libéra des forces contenues pendant longtemps. La Bolivie tout entière réagit et montra les dents. Dix jours plus tard, mille quatre cents travailleurs et étudiants s'étaient joints à cette grève de la faim. La dictature sentit que le sol s'ouvrait sous ses pieds. Et l'amnistie générale fut obtenue.

Telles étaient les nouvelles qui franchissaient les frontières andines entre 1977 et 1978. Plus au nord, dans les Caraïbes, Panama attendait la liquidation promise du statut colonial du canal, au terme d'une épineuse négociation avec le nouveau gouvernement des États-Unis, et à Cuba le peuple était en fête : la révolution socialiste célébrait, invaincue, ses dix-neuf premières années d'existence. Quelques jours plus tard, au Nicaragua, la foule en colère envahissait les rues. Le dictateur Somoza — héritier de la dictature de son père — surveillait son mouvement par le trou de la serrure. Plusieurs entreprises furent incendiées par le peuple en fureur. L'une d'elles, Plasmaféresis, était spécialisée dans le vampirisme. Appartenant à des exilés cubains, elle se consacrait à la vente de sang nicaraguayen aux États-Unis. (Dans le commerce du sang, comme dans tous les autres, les producteurs reçoivent à peine un pourboire. La société Hemo Caribbean, par exemple, paie trois dollars le litre de sang haïtien qu'elle revend vingt-cinq dollars sur le marché nord-américain.)

Au mois d'août 1976, Orlando Letelier publiait un article dénonciateur : la terreur de la dictature de Pinochet et la « liberté économique » des petits groupes privilégiés, écrivait-il, étaient l'avers et le revers d'une même médaille (1). Letelier, qui avait été ministre de Salvador Allende, était exilé

(1) *The Nation*, 28 août 1976.

aux États-Unis. Il y fut assassiné peu après (1). Dans son article, il déclarait qu'il était absurde de parler de libre concurrence dans une économie comme celle du Chili, soumise aux monopoles qui manipulent les prix à leur guise, et qu'il était dérisoire de mentionner les droits des travailleurs dans un pays où les vrais syndicats sont hors la loi et les salaires fixés par décret de la junte militaire. Letelier décrivait la démolition minutieuse des conquêtes réalisées par le peuple chilien sous le gouvernement d'Unité Populaire. La dictature avait rendu à ses anciens propriétaires la moitié des monopoles et oligopoles industriels nationalisés par Salvador Allende et mis en vente l'autre moitié. Firestone avait racheté la fabrique nationale de pneumatiques ; Parsons and Whittemore, une grande usine de pâte à papier... L'économie chilienne, disait Letelier, est actuellement plus concentrée et monopolisée qu'avant le gouvernement Allende (2). Des affaires plus libres que jamais, des prisonniers plus nombreux que jamais : en Amérique latine, la liberté d'entreprise est incompatible avec les libertés publiques. Liberté du commerce ? Depuis 1975, au Chili, le prix du lait est libre. Le résultat ne s'est pas fait attendre. Deux sociétés dominant le marché, le prix du lait a augmenté immédiatement de 40 % pour les consommateurs alors qu'il tombait de 22 % pour les producteurs.

La mortalité infantile, qui avait sensiblement baissé sous l'Unité Populaire, a fait un bond dramatique sous Pinochet. Lorsque Letelier fut assassiné dans une rue de Washington, le

---

(1) Le crime eut lieu à Washington, le 21 septembre 1976. Plusieurs exilés politiques avaient été assassinés auparavant en Argentine. Les plus connus furent le général Carlos Prats, personnage clef de l'état-major du gouvernement Allende, dont l'automobile explosa dans un garage de Buenos Aires, le 27 septembre 1974 ; le général Juan José Torres, qui avait été à la tête d'un bref gouvernement anti-impérialiste en Bolivie et qui mourut criblé de balles, le 15 juin 1976 ; et les législateurs uruguayens Zelmar Michelini et Héctor Gutiérrez Ruiz, séquestrés, torturés et assassinés aussi à Buenos Aires, entre le 18 et le 21 mars 1976.
(2) La réforme agraire commencée sous le gouvernement de la démocratie chrétienne et accélérée par l'Unité Populaire fut également anéantie. Voir María Beatriz de Albuquerque W., « La agricultura chilena : modernización capitalista o regresión a formas tradicionales ? Comentarios sobre la contra-reforma agraria en Chile », *Iberoamericana*, vol. VI, 2, 1976, Institute of Latin American Studies, Stockholm.

quart de la population chilienne ne touchait *aucun* revenu et survivait grâce à la charité publique ou à sa propre obstination et par des moyens pas toujours très avouables.

L'abîme qui se creuse entre le bien-être de quelques-uns et la misère de presque tous est infiniment plus grand qu'en Europe ou aux États-Unis. Les méthodes mises en œuvre pour sauvegarder ce fossé sont nécessairement beaucoup plus dures. Le Brésil a une armée importante et bien équipée, mais ne consacre à l'éducation que 5 % de son revenu national. En Uruguay, la moitié du budget est absorbée par les forces armées et la police : le cinquième de la population active a pour fonction de surveiller, de traquer ou de punir les autres.

L'un des faits les plus importants de ces années 1970 sur notre continent aura été une tragédie : l'insurrection militaire qui, le 11 septembre 1973, renversa le gouvernement démocratique de Salvador Allende et plongea le Chili dans un bain de sang.

Peu avant, en juin, un coup d'État en Uruguay avait dissous le Parlement, mis hors-la-loi les syndicats et interdit toute activité politique (1).

En mars 1976, les généraux argentins revinrent au pouvoir : le gouvernement de la veuve de Juan Domingo Perón, devenu un pourrissoir, s'écroula dans l'indifférence générale.

Les trois pays du Sud constituent actuellement une des plaies du monde, un secteur permanent de mauvaises nouvelles. Tortures, séquestrations, assassinats, exils en sont le lot quotidien. Faut-il voir dans ces dictatures des tumeurs à extirper d'organismes sains ou le pus qui dénonce l'infection du système ?

Il existe toujours, me semble-t-il, un rapport intime entre l'intensité de la menace et la brutalité de la riposte. On ne peut pas comprendre ce qui se passe aujourd'hui au Brésil et en Bolivie si l'on ne tient pas compte de l'expérience des régimes de João Goulart et de Juan José Torres. Avant d'être renversés, ces gouvernements avaient appliqué une série de

---

(1) Trois mois plus tard, il y eut des élections universitaires, les seules maintenues. Les candidats de la dictature obtinrent 2,5 % des voix des étudiants. Au nom de la défense de la démocratie, la dictature emprisonna la moitié des électeurs et remit l'Université aux mains de cette infime minorité.

réformes sociales et pratiqué une politique économique nationaliste, tout au long d'une action interrompue par la violence en 1964 au Brésil et en 1971 en Bolivie. De la même façon, on pourrait dire que le Chili, l'Argentine et l'Uruguay sont en train d'expier le péché d'espoir. Le cycle de changements en profondeur inauguré par Salvador Allende, les drapeaux de la justice qui mobilisèrent les masses argentines et flottèrent bien haut durant le bref gouvernement d'Hector Cámpora en 1973 et la politisation accélérée de la jeunesse uruguayenne furent autant de défis qu'un système impuissant et en crise ne pouvait supporter. L'oxygène violent de la liberté foudroya les spectres et la garde prétorienne fut conviée à sauver l'ordre établi. Le plan d'assainissement est un plan d'extermination.

Les actes du Congrès des États-Unis enregistrent des témoignages irréfutables sur les interventions en Amérique latine. Mordues par les acides de la faute, les consciences réalisent leur catharsis dans les confessionnaux de l'empire. Ces derniers temps, par exemple, les reconnaissances officielles de la responsabilité des États-Unis dans nombre de désastres se sont multipliées. De longs aveux publics ont prouvé, entre autres choses, que le gouvernement américain était intervenu directement, par la corruption, l'espionnage et le chantage, dans la politique chilienne. La stratégie du crime fut réglée à Washington. A partir de 1970, Kissinger et les services de renseignements préparèrent avec soin la chute d'Allende. Des millions de dollars furent distribués aux ennemis du gouvernement légal d'Unité Populaire. Ainsi les propriétaires de camions purent-ils soutenir leur longue grève qui, en 1973, paralysa en grande partie l'économie du pays. L'assurance de l'impunité délie les langues. Lorsque se produisit le coup d'État contre Goulart, les États-Unis avaient au Brésil la plus importante de leurs ambassades dans le monde. Lincoln Gordon, qui était ambassadeur, reconnut treize ans plus tard devant un journaliste que son gouvernement finançait depuis longtemps les forces opposées aux réformes : « Diantre ! dit Gordon. A l'époque, c'était plus ou moins l'habitude... La C.I.A. disposait de fonds politiques (1). » Au cours de la même entrevue, Gordon ajouta qu'au moment du coup d'État le Pentagone avait envoyé un énorme porte-avions et quatre pétroliers devant les côtes brésiliennes « pour le cas où les forces opposées à Goulart auraient demandé notre aide ». Celle-ci, précisa-t-il, « n'aurait pas été seulement morale, mais aussi logistique. Nous aurions fourni du ravitaillement, des munitions, du pétrole ».

Depuis que le président Jimmy Carter a inauguré la politique des Droits de l'Homme, il est devenu courant que les régimes latino-américains mis en place grâce à l'intervention nord-américaine formulent des déclarations enflammées contre l'intervention nord-américaine dans leurs affaires intérieures.

Le Congrès des États-Unis décida, en 1976 et 1977, de suspendre l'aide économique et militaire à plusieurs pays. Toutefois, la plus grande part de l'aide extérieure ne passe pas par le filtre du Congrès. Ainsi, en dépit des déclarations, résolutions et protestations, le régime du général Pinochet a reçu deux cent quatre-vingt-dix millions de dollars d'aide directe, sans l'autorisation du Parlement. Au terme de sa première année, la dictature argentine du général Videla avait reçu cinq cents millions de dollars des banques privées nord-américaines et quatre cent quinze millions de dollars des deux institutions (Banque Mondiale et B.I.D.) sur lesquelles les États-Unis ont une influence décisive. Les droits de tirage spéciaux de l'Argentine, au Fonds monétaire international, qui étaient de soixante-quatre millions de dollars en 1975, ont atteint sept cents millions deux ans plus tard.

La préoccupation du président Carter pour la boucherie dont souffrent certains pays latino-américains paraît salutaire, mais les dictateurs actuels ne sont pas des autodidactes : ils ont appris la technique de la répression et l'art de gouverner dans les écoles du Pentagone aux États-Unis et dans la zone du canal de Panama. Ces cours continuent aujourd'hui et ils n'ont pas changé, que l'on sache, une virgule à leur contenu. Ces militaires latino-américains qui sont un objet de scandale pour la réputation des États-Unis ont été de bons élèves.

(1) *Veja*, n° 444, São Paulo, 9 mars 1977.

Robert McNamara, l'actuel président de la Banque Mondiale, l'a dit sans ambages il y a quelques années, lorsqu'il était Secrétaire à la Défense : « Ce sont les nouveaux leaders. Je n'ai pas besoin de m'étendre sur l'importance d'avoir dans des postes de commande des hommes qui ont vu de près comment nous, Américains, nous pensons et faisons les choses. Devenir les amis de ces hommes-là n'a pas de prix (1). »

Ceux qui ont fait de nous des paralytiques peuvent-ils nous offrir des chaises à roulettes ?

Les évêques de France parlent d'un autre genre de responsabilité, plus profonde, moins visible (2) : « Nous, qui appartenons aux nations qui prétendent être les plus avancées du monde, nous faisons partie de ceux qui bénéficient de l'exploitation des pays en voie de développement. Nous ne voyons pas les souffrances que cela provoque dans la chair et dans l'esprit de peuples entiers. Nous contribuons à renforcer la division du monde actuel, dans lequel ressort la domination des pauvres par les riches, des faibles par les puissants. Savons-nous que notre gaspillage des ressources et des matières premières ne serait pas possible sans le contrôle des échanges commerciaux par les pays occidentaux ? Ne voyons-nous pas qui profite du trafic d'armes dont notre pays a donné de tristes exemples ? Comprenons-nous donc que la militarisation des régimes des pays pauvres est une des conséquences de la domination économique et culturelle exercée par les pays industrialisés, où la vie est régie par l'appât du gain et les pouvoirs de l'argent ? »

Dictateurs, tortionnaires, inquisiteurs : la terreur a ses fonctionnaires, comme la poste et les banques, et elle s'exerce parce qu'elle se révèle nécessaire. Il ne s'agit pas d'une conspiration de dépravés. Le général Pinochet peut paraître un personnage de l'*Epoque noire* de Goya, un mets de choix pour psychanalyste ou l'héritier d'une truculente tradition des républiques bananières. Mais les traits cliniques ou folklori-

---

(1) U.S. House of Representatives, Committee on Appropriations, Foreign Operations Appropriations for 1963, Hearings 87th. Congress, 2nd Session, Part. I.
(2) Déclaration de Lourdes, octobre 1976.

ques de tel ou tel dictateur, qui servent à pimenter l'histoire, ne sont pas l'histoire. Qui oserait soutenir aujourd'hui que la Première Guerre mondiale éclata à cause des complexes du Kaiser Guillaume II, lequel avait un bras plus court que l'autre ? « Dans les pays démocratiques, on ne perçoit pas le caractère de violence de l'économie ; dans les pays autoritaires, c'est le caractère économique de la violence qu'on ne perçoit pas », avait écrit Bertolt Brecht, fin 1940, dans son journal de travail.

Dans les pays du sud de l'Amérique latine, les centurions ont occupé le pouvoir en fonction d'un besoin du système et le terrorisme d'État se met en branle lorsque les classes dirigeantes ne peuvent plus mener à bien leurs affaires par d'autres moyens. La torture, sur nos terres, n'existerait pas si elle n'était pas efficace ; et la démocratie formelle se maintiendrait si elle pouvait garantir qu'elle n'échappera pas au contrôle des maîtres du pouvoir. Dans les moments difficiles, la démocratie devient un crime contre la sécurité nationale — c'est-à-dire contre la sécurité des privilèges de l'oligarchie et des investissements étrangers. Nos machines à broyer la chair humaine font partie d'un engrenage international. La société entière se militarise, l'état d'exception devient permanent et l'appareil de répression resserre ses écrous à partir des centres du système impérialiste. Lorsque l'ombre de la crise commence à planer, il faut multiplier le pillage des pays pauvres pour garantir le plein emploi, les libertés publiques et les taux élevés de développement des pays riches. Rapports de la victime et du bourreau : dialectique sinistre. Il existe une structure d'humiliations successives qui commence sur les marchés internationaux et dans les centres financiers et qui finit dans la maison de chaque citoyen.

Haïti est le pays le plus pauvre de l'hémisphère occidental. On y compte plus de laveurs de pieds que de cireurs de bottes : contre une pièce de monnaie, des enfants lavent les pieds nus de leurs clients, qui n'ont pas de chaussures à lustrer. La durée de vie moyenne d'un Haïtien est à peine de plus de trente ans. Neuf Haïtiens sur dix ne savent ni lire ni écrire. On cultive les pentes accidentées des montagnes pour la consommation interne et les vallées fertiles pour l'exportation. Le café, la canne à sucre, le cacao et autres produits réclamés par le marché nord-américain occupent les meilleures terres. Personne ne joue au base-ball en Haïti, mais Haïti est le principal producteur mondial de balles de base-ball. On trouve des ateliers où les enfants, pour un dollar par jour, montent des cassettes et assemblent des pièces électroniques. Ce sont, bien entendu, des produits d'exportation ; et, bien entendu, les bénéfices sont aussi exportés, une fois déduite la part qui revient aux administrateurs de la terreur. Le moindre geste de protestation implique ici la prison ou la mort. Pour incroyable que cela paraisse, les salaires des travailleurs haïtiens ont perdu, entre 1971 et 1975, un quart de leur très faible valeur réelle (1). Il est significatif qu'on ait vu un nouveau flux de capitaux nord-américains entrer dans le pays pendant cette période.

Je n'ai pas oublié l'éditorial d'un journal de Buenos Aires, publié il y a deux ans. La vieille feuille conservatrice hurlait de colère parce que, dans un document international, l'Argentine apparaissait comme un pays sous-développé et dépendant. Comment une société cultivée, européenne, prospère et blanche pouvait-elle être comparée à un pays aussi pauvre et aussi noir qu'Haïti ?

Bien sûr, les différences sont considérables — bien qu'elles soient loin d'avoir les aspects que leur prêtent les analyses de l'arrogante oligarchie de Buenos Aires. Mais, avec toutes les différences et contradictions que l'on voudra, l'Argentine n'est pas à l'abri du cercle vicieux qui étrangle l'économie latino-américaine dans son ensemble et il n'y a pas d'exorcisme intellectuel qui puisse la soustraire à la réalité que partagent, plus ou moins, les autres pays latino-américains.

En fin de compte, les tueries du général Videla ne sont pas plus civilisées que celles de *Papa Doc* Duvalier ou de son héritier, même si la répression en Argentine se situe à un niveau technologique supérieur. Caractéristique essentielle : les deux dictatures travaillent au service du même objectif :

---

(1) *Le Nouvelliste*, Port-au-Prince, Haïti, 19-20 mars 1977. Cité par Agustín Cueva dans *El desarrollo del capitalismo en América Latina*, ed. Siglo XXI, Mexico, 1977.

fournir de la main-d'œuvre à très bas prix à un marché international qui exige des produits peu coûteux.

A peine arrivée au pouvoir, la dictature de Videla s'empressa d'interdire les grèves et décréta la liberté des prix, en même temps qu'elle bloquait les salaires. Cinq mois après le coup d'État, la nouvelle loi sur les investissements étrangers plaçait à égalité de conditions les sociétés étrangères et nationales. La libre concurrence mettait ainsi fin à la situation désavantageuse et injuste où se trouvaient quelques multinationales face aux entreprises locales. Par exemple, la General Motors, dont le volume mondial des ventes équivaut au produit national brut de toute l'Argentine. Aujourd'hui, le transfert des bénéfices à l'étranger et le rapatriement des capitaux investis sont également libres, avec seulement de faibles limitations.

Après un an de ce régime, la valeur réelle des salaires se trouvait réduite de 60 %. La terreur permit cet exploit. « Quinze mille disparus, dix mille prisonniers, quatre mille morts, des dizaines de milliers d'exilés sont les chiffres crus de cette terreur », dénonça l'écrivain Rodolfo Walsh dans une lettre ouverte. La lettre fut envoyée le 29 mars 1977 aux trois chefs de la junte gouvernementale. Walsh fut séquestré le jour même et disparut.

Des sources indiscutables confirment que seule une infime partie de nouveaux investissements directs étrangers en Amérique latine provient du pays d'origine. Selon une enquête publiée par le département du Commerce des États-Unis (1), à peine 12 % des fonds proviennent des États-Unis ; 22 % correspondent à des bénéfices réalisés en Amérique latine et les 66 % restants sortent des sources de crédit intérieur et, principalement, du crédit international. La proportion est identique en ce qui concerne les investissements d'origine européenne ou japonaise ; et il ne faut pas oublier que souvent ces 12 % d'investissement correspondant aux maisons mères ne représentent que la reprise de machines

(1) Ida May Mantel, « Sources and uses of funds for a sample of majority-owned foreign affiliates of U.S. companies, 1966-1972 », U.S. Department of Commerce, *Survey of Current Business*, juillet 1975.

usagées ou reflètent tout simplement la participation arbitraire que les entreprises imposent à leur *know-how* industriel, aux brevets ou aux labels. Les multinationales non seulement usurpent le crédit interne des pays où elles opèrent, en échange d'un apport de capital assez discutable, mais elles multiplient de surcroît leur dette extérieure.

La dette extérieure latino-américaine était, en 1975, presque trois fois plus élevée qu'en 1969 (1). Le Brésil, le Mexique, le Chili et l'Uruguay employèrent cette année-là presque la *moitié* de leurs revenus d'exportations au paiement des amortissements et intérêts de la dette et à celui des bénéfices des entreprises étrangères implantées sur leur territoire. La dette et les intérêts versés engloutirent également 55 % des exportations de Panama et 60 % de celles du Pérou (2). En 1969, chaque habitant de Bolivie devait cent trente-sept dollars à l'extérieur. En 1977, il en devait quatre cent quatre-vingt-trois. Les Boliviens ne furent pas consultés et ne virent pas un seul centavo de ces prêts qui leur ont passé la corde au cou.

La City Bank ne figure sur aucune liste comme candidate, dans les rares pays latino-américains où il y a encore des élections ; et aucun des généraux dictateurs ne s'appelle Fonds monétaire international. Pourtant, quelle est la main qui exécute et quelle est la conscience qui ordonne ? Le prêteur commande. Pour payer, il faut exporter davantage et davantage encore pour financer les importations et juguler l'hémorragie des bénéfices et royalties que les entreprises étrangères drainent vers leurs maisons mères. L'augmentation des exportations, dont le pouvoir d'achat diminue, implique des salaires de misère. La pauvreté massive, clef du succès d'une économie tournée vers l'extérieur, empêche la croissance d'un marché de consommation intérieur qui permettrait d'alimenter un développement économique harmonieux. Nos pays se transforment en échos et perdent peu à peu leurs

(1) Nations Unies, Commission Économique pour l'Amérique latine (CEPAL), *El desarrollo económico y social y las relaciones externas de América Latina*, Santo Domingo, République Dominicaine, février 1977.
(2) L'argent, qui a de petites ailes, voyage sans passeport. Une bonne partie des gains engendrés par l'exploitation de nos ressources s'en va aux États-Unis, en Suisse, en Allemagne Fédérale ou vers d'autres pays où il fait un saut de trapéziste pour revenir dans nos pays sous forme de prêts.

propres voix. Ils dépendent d'autres pays, ils n'existent que dans la mesure où ils répondent aux besoins de ces derniers. A son tour, la restructuration de l'économie en fonction de la demande extérieure nous ramène à l'étranglement originel : elle ouvre aux monopoles étrangers les portes du pillage et nous oblige à contracter auprès de la banque internationale des emprunts nouveaux et plus lourds. Le cercle vicieux est parfait : la dette extérieure et les investissements étrangers obligent à multiplier les exportations qu'ils dévorent eux-mêmes. La tâche ne peut être menée à bien en y mettant les formes. Pour que les travailleurs latino-américains remplissent leur fonction d'otages de la prospérité étrangère, ils doivent être maintenus prisonniers, d'un côté ou de l'autre des barreaux des prisons.

L'exploitation sauvage de la main-d'œuvre n'est pas incompatible avec la technologie avancée. Elle ne le fut jamais dans nos pays : par exemple, les milliers d'ouvriers boliviens qui laissèrent leurs poumons dans les mines d'Oruro, au temps de Simon Patiño, travaillaient sous un régime d'esclavage salarié mais avec des équipements très modernes. Le baron de l'étain sut combiner les plus hauts niveaux de la technologie avec les plus bas niveaux de salaires (1).

En outre, de nos jours, l'importation de la technologie des économies les plus avancées coïncide avec le processus d'expropriation des entreprises industrielles au capital national par les toutes-puissantes multinationales. Le mouvement de centralisation du capital s'effectue à travers « une liquidation impitoyable des entreprises vieillotes se trouvant, comme il se doit, appartenir aux nationaux (2) ». La dénationalisation accélérée de l'industrie latino-américaine entraîne une dépendance technologique croissante. La technologie, clef décisive du pouvoir, est monopolisée dans le monde capitaliste par les centres métropolitains. Cette technologie n'est que de seconde main, mais ces centres vendent les copies au prix de l'original. En 1970, le Mexique a payé deux fois plus qu'en 1968 l'importation de technologie étrangère. Entre 1965

(1) Agustín Cueva, *op. cit.*
(2) *Id.*

et 1969, le Brésil et l'Argentine ont eux aussi doublé chacun leurs paiements.

La transplantation de la technologie augmente les lourdes dettes avec l'extérieur et a des conséquences catastrophiques sur le marché du travail. Dans un système organisé pour le drainage des bénéfices hors des frontières, la main-d'œuvre de l'entreprise « traditionnelle » perd de plus en plus de possibilités d'emploi. Au nom d'un dynamisme incitateur — et discutable — pour le reste de l'économie, les îlots de l'industrie moderne sacrifient des bras en réduisant le temps de travail nécessaire à la production. L'existence d'une masse grandissante de chômeurs facilite, à son tour, l'étranglement de la valeur réelle des salaires.

Même les rapports de la CEPAL parlent aujourd'hui d'une redistribution internationale du travail. D'ici quelques années, hasardent dans leur espoir les techniciens, l'Amérique latine exportera peut-être autant de produits fabriqués qu'elle vend actuellement à l'étranger de matières premières et de denrées alimentaires. « Les différences de salaires entre les pays développés et les pays en voie de développement — y compris ceux de l'Amérique latine — peuvent entraîner une nouvelle répartition des activités entre pays en déplaçant, des premiers vers les seconds, pour des raisons de concurrence, des industries à l'intérieur desquelles le prix de revient serait très élevé. Les coûts de la main-d'œuvre dans l'industrie de manufacture, par exemple, sont généralement beaucoup plus bas au Mexique ou au Brésil qu'aux États-Unis (1).

Impulsion du progrès ou aventure néo-coloniale ? Le matériel électrique et non électrique figure déjà parmi les principaux produits d'exportation du Mexique. Au Brésil, la vente à l'étranger de véhicules et d'armes augmente. Certains pays latino-américains vivent une nouvelle étape d'industrialisation, engendrée et orientée en grande partie par les besoins extérieurs et par les maîtres étrangers des moyens de production. Ne s'agit-il pas là d'un nouveau chapitre à ajouter à notre longue histoire du « développement vers

---

(1) Nations Unies, CEPAL, *op. cit.*

l'extérieur » ? Les prix en ascension constante sur les marchés internationaux ne correspondent pas aux « produits manufacturés » mais à des marchandises techniquement plus sophistiquées, qui sont l'apanage des économies plus avancées. Le principal produit d'exportation de l'Amérique latine, quel que soit ce qu'elle vend, matières premières ou manufacturées, ce sont ses bras à bon marché.

Notre expérience n'a-t-elle pas été, historiquement, une continuelle expérience de mutilation et de désintégration déguisée en développement ? Voilà des siècles, la conquête ravagea les terres pour y implanter des cultures d'exportation et anéantit les populations indigènes dans les galeries et les laveries des mines pour satisfaire la demande d'outre-mer en or et en argent. L'alimentation de la population précolombienne qui réussit à survivre à l'extermination *régressa* avec le progrès venu d'ailleurs. De nos jours, le peuple péruvien produit de la farine de poisson, très riche en protéines, pour les vaches des États-Unis et d'Europe, mais ces protéines manquent au régime de la plupart des Péruviens. La filiale helvétique de Volkswagen plante en Suisse un arbre pour chaque automobile vendue, noble attention écologique, mais dans le même temps la filiale brésilienne déboise des centaines d'hectares de forêts afin de les consacrer à la production intensive de la viande d'exportation. Le peuple brésilien, qui ne peut consommer que peu de viande, en vend de plus en plus à l'extérieur. Darcy Ribeiro me disait, il y a peu, qu'une république Volkswagen ne différait pas, pour l'essentiel, d'une république bananière. Chaque dollar produit par l'exportation bananière abandonne à peine onze cents au pays producteur (1), et une part insignifiante de ces onze cents constitue le salaire des travailleurs des plantations. Les proportions changent-elles lorsqu'un pays d'Amérique latine exporte des automobiles ?

Les bateaux négriers ne traversent plus l'Océan. Maintenant les trafiquants d'esclaves opèrent à partir du Ministère du Travail. Salaires africains, prix européens. Que sont les coups d'État en Amérique latine, sinon les épisodes successifs d'une

(1) UNCTAD, « The Marketing and Distribution System for Bananas », décembre 1974.

guerre de rapine ? Les nouvelles dictatures invitent aussitôt les entreprises étrangères à exploiter la main-d'œuvre locale, peu chère et nombreuse, le crédit illimité, les exonérations fiscales et les ressources naturelles étalées sous les yeux.

Les employés du plan d'urgence du gouvernement chilien reçoivent des salaires mensuels équivalant à trente dollars. Un kilo de pain coûtant un demi-dollar, ils touchent donc deux kilos de pain par jour. Par mois, le salaire minimum en Uruguay et en Argentine équivaut actuellement au prix de six kilos de café. Au Brésil, il est de soixante dollars, mais les *boias frias*, les ouvriers agricoles ambulants, gagnent entre cinquante cents et un dollar par jour dans les plantations de café, de soja et autres cultures d'exportation. Le fourrage des vaches mexicaines contient plus de protéines que l'alimentation des paysans chargés de les soigner. La viande de ces animaux est destinée à quelques bouches privilégiées et surtout au commerce international. Protégée par une généreuse politique de crédits et de facilités officielles, l'agriculture d'exportation fleurit au Mexique, alors qu'entre 1970 et 1976 la quantité de protéines par habitant a baissé et que, dans les zones rurales, un enfant sur cinq seulement a une taille normale et un poids correct (1). Au Guatemala, le riz, le maïs et les haricots noirs, base de l'alimentation nationale, sont laissés à la grâce de Dieu, mais le café, le coton et les autres produits d'exportation accaparent 87 % du crédit. Sur *dix* familles travaillant à la culture et à la récolte du café, source principale de devises du pays, *une seule* se nourrit avec le minimum nécessaire (2). Au Brésil, 5 % du crédit agricole est canalisé vers le riz, les haricots et le manioc, alors qu'ils constituent l'alimentation de base des Brésiliens. Le reste est destiné aux produits d'exportation.

L'effondrement récent du prix international du sucre n'a pas entraîné comme autrefois une vague de famine pour les

(1) « Reflexiones sobre la desnutrición en México », *Comercio exterior*. Banco Nacional de Comercio Exterior, S.A., tome 28, nº 2, Mexico, février 1978.
(2) Roger Burbach et Patricia Flynn, « Agribusiness Targets Latin America », *NACLA*, vol. XII, nº 1, New York, janvier-février 1978.

paysans cubains. A Cuba, la sous-nutrition n'existe plus. A l'inverse, la hausse presque simultanée du prix international du café n'a soulagé en rien la misère chronique des travailleurs caféiers du Brésil. L'augmentation des cours en 1976 — euphorie occasionnelle provoquée par les gelées qui anéantirent les récoltes brésiliennes — « ne s'est pas répercutée directement sur les salaires », reconnut un haut fonctionnaire de l'Institut brésilien du café (1).

Naturellement, les cultures d'exportation ne sont pas en elles-mêmes incompatibles avec le bien-être de la population, de même qu'elles ne contredisent pas en principe le développement économique intérieur. En fin de compte, les ventes de sucre à l'extérieur ont servi, à Cuba, de tremplin pour la création d'un monde nouveau dans lequel tous ont accès aux fruits du développement, la solidarité devenant l'axe des relations humaines.

On connaît déjà ceux qui sont condamnés à payer les crises de remaniement du système. Les prix de la plupart des produits vendus par l'Amérique latine baissent implacablement par rapport aux prix de ceux qu'elle achète aux pays qui monopolisent la technologie, le commerce, l'investissement et le crédit. Pour compenser la différence et faire face aux obligations contractées envers le capital étranger, il est nécessaire de combler en quantité les pertes dues à la médiocrité des prix. Dans cette optique, les dictatures du Cône Sud ont réduit de moitié les salaires des ouvriers et ont transformé chaque centre de production en un camp de travaux forcés. Les travailleurs eux aussi doivent compenser la baisse de valeur de leur force de travail, qui est le produit qu'ils vendent sur le marché. Ils sont obligés de rattraper en quantité d'heures ce qu'ils perdent en pouvoir d'achat avec leur salaire. Les lois du commerce international se retrouvent ainsi dans l'humble monde quotidien de chaque ouvrier latino-américain. Pour ceux qui ont « la chance » d'avoir un emploi fixe, les journées de huit heures n'existent que dans la lettre morte des lois. Elles atteignent souvent dix, douze et

---

(1) *Id.*

même quatorze heures, et le dimanche lui-même peut ne plus constituer une parenthèse de repos.

En même temps les accidents du travail, sang humain offert sur les autels de la productivité, se sont multipliés. Nous citerons trois exemples, empruntés à l'Uruguay en 1977 :

1. Les carrières qui produisent pierres et ballast pour les voies de chemins de fer doublent leur rendement. Au début du printemps, quinze ouvriers meurent dans une explosion de dynamite.

2. Des files de chômeurs piétinent devant une fabrique de fusées et de feux de Bengale. Des enfants travaillent dans l'établissement. On bat des records. Le 20 décembre, une explosion : on compte cinq ouvriers tués et des dizaines de blessés.

3. Le 28 décembre, à sept heures du matin, les ouvriers refusent d'entrer dans une conserverie de poisson car ils surprennent une forte odeur de gaz. On les menace : ou ils entrent, ou ils perdent leur emploi. Ils s'obstinent. On les menace : nous allons appeler les soldats. Ce n'est pas la première fois que l'entreprise et l'armée se solidarisent. Les ouvriers entrent. Résultat : quatre morts et plusieurs hospitalisés. Il y avait une fuite d'ammoniac (1).

Dans l'intervalle, la dictature proclame fièrement : les Uruguayens peuvent acheter, à meilleur prix que jamais, du whisky écossais, de la confiture anglaise, du jambon danois, des vins français, du thon espagnol et des vêtements de Taïwan.

María Carolina de Jésus naquit au milieu des ordures et des charognards.

Elle grandit, souffrit, travailla dur, aima des hommes, eut des enfants. D'une main malhabile, elle notait dans un cahier ce qu'elle faisait, ce qu'elle vivait.

Un journaliste découvrit par hasard ces feuillets et María Carolina de Jésus connut la célébrité. Son livre, *Le Dépo-*

---

(1) Renseignements fournis par les syndicats et la presse, *Uruguay Informations*, n°s 21 et 25, Paris.

toir (1) (*La Favela*), journal de cinq années d'existence dans un faubourg sordide de São Paulo, fut lu dans quarante pays et traduit en treize langues.

Cendrillon du Brésil, produit de consommation mondiale, María Carolina de Jésus quitta sa *favela*, parcourut le monde, elle fut interviewée et photographiée, couronnée par les critiques, célébrée par le beau monde et reçue par les présidents.

Les années passèrent. Un dimanche matin du début de l'année 1977, María Carolina de Jésus mourut au milieu des ordures et des charognards. Tout le monde avait déjà oublié la femme qui avait écrit : « La faim est la dynamite du corps humain. »

Celle qui s'était nourrie des restes d'autrui put être, un bref instant, une élue. Il lui fut permis de s'asseoir à la table du banquet. A l'heure du café, le charme fut rompu. Et pendant qu'elle vivait son rêve, le Brésil restait ce pays où chaque jour cent ouvriers sont estropiés dans un accident du travail et où quatre enfants sur dix naissent pour devenir des mendiants, des voleurs ou des mages.

Les statistiques souriantes abusent. Dans les systèmes qui fonctionnent à rebours, lorsque l'économie se développe, l'injustice sociale s'accroît elle aussi. Durant la période la plus fameuse du « miracle » brésilien, le taux de mortalité infantile augmenta dans les faubourgs de la plus riche ville du pays. En Équateur, la prospérité subite du pétrole apporta la télévision en couleurs mais ne construisit ni écoles ni hôpitaux.

Les centres urbains se gonflent au point d'éclater. En 1950, l'Amérique latine avait six villes de plus d'un million d'habitants. En 1980, elle en aura vingt-cinq (2). Les légions de travailleurs que la campagne rejette partagent, aux abords des grandes villes, le sort que le système réserve aux jeunes citadins « excédentaires ». On y perfectionne les pratiques des *buscavidas* (débrouillards) permettant de survivre. « Le système de production a montré une nette insuffisance dans la création d'un recrutement rentable capable d'absorber la force de travail grandissante de ces régions, et spécialement

(1) Traduction Violante do Canto, Paris.
(2) Nations Unies, CEPAL, *op. cit.*

les contingents massifs de main-d'œuvre urbaine (1)... »

Une étude de l'Organisation Mondiale du Travail signalait récemment qu'en Amérique latine plus de cent dix millions de personnes vivent dans des conditions de « pauvreté grave ». Soixante-dix millions d'entre elles peuvent être considérées comme « indigentes » (2). Quel est le pourcentage de la population qui mange moins que le nécessaire ? Dans le langage des techniciens, 42 % des Brésiliens, 43 % des Colombiens, 49 % des Honduriens, 31 % des Mexicains, 45 % des Péruviens, 29 % des Chiliens et 35 % des Équatoriens perçoivent « des revenus inférieurs au prix de l'alimentation équilibrée minimale (3) ».

Comment étouffer les explosions de révolte des grandes majorités condamnées ? Comment prévenir ces explosions toujours possibles ? Comment éviter que ces majorités ne deviennent de plus en plus nombreuses si le système ne fait rien pour elles ? La charité étant exclue, il reste l'appareil policier.

Dans nos pays, l'industrie de la terreur paie cher, comme toutes les autres industries, le *know-how* étranger. La technologie nord-américaine de la répression, essayée aux quatre points cardinaux de la planète, s'achète et est appliquée sur une grande échelle. Mais il serait injuste de ne pas reconnaître, dans ce domaine, une certaine capacité créatrice aux classes dirigeantes latino-américaines.

Nos bourgeoisies ne furent pas capables de promouvoir un développement économique indépendant et leurs tentatives de création d'une industrie nationale ne connurent qu'un envol bref et court, au ras du sol comme celui des gallinacés. Tout au long de notre processus historique, les maîtres du pouvoir ont donné également des preuves multiples de leur manque d'imagination politique et de leur stérilité culturelle. En revanche, ils ont su monter une gigantesque machinerie de la peur et ont apporté leurs propres perfectionnements à la

(1) *Id.*
(2) O.I.T., « Empleo, crecimiento y necesidades esenciales », Genève, 1976.
(3) Nations Unies, CEPAL, *op. cit.*

technique d'extermination des personnes et des idées. A cet égard, l'expérience récente des pays du Río de la Plata est significative.

« La désinfection nous prendra beaucoup de temps », annoncèrent aussitôt les militaires argentins. Les forces armées furent appelées tour à tour par les classes dominantes de l'Uruguay et de l'Argentine pour anéantir les forces de changement, arracher leurs racines, perpétuer le système de privilèges et créer des conditions économiques et politiques séduisantes pour le capital étranger : terre rasée, pays où l'ordre règne, travailleurs dociles et bas salaires. Rien n'est plus « en ordre » qu'un cimetière. La population est donc devenue immédiatement l'ennemi intérieur. Le moindre signe de vie, de protestation ou de simple doute constitue, selon la doctrine militaire de la sécurité nationale, une dangereuse provocation.

Des mécanismes complexes de prévention et de répression ont été mis en place.

Un rationalisme profond se cache sous les apparences. Pour être efficace, la répression doit paraître arbitraire. Si l'on excepte la respiration, toute activité humaine peut constituer un délit. En Uruguay, la torture est une forme habituelle d'interrogatoire : n'importe qui peut en être victime, et pas seulement les suspects ou les individus coupables d'actes d'opposition. Ainsi la panique de la torture se répand parmi les citoyens, comme un gaz paralysant qui envahit chaque maison et s'insinue dans le cœur de chacun.

Au Chili, la partie de chasse à l'homme a fait trente mille morts ; mais en Argentine, on ne fusille pas : on séquestre. Les victimes disparaissent. Les armées invisibles de la nuit se chargent de l'opération. Il n'y a ni cadavres ni responsables. Ainsi la tuerie — toujours officieuse, jamais officielle — s'effectue dans l'impunité totale, et l'angoisse collective se propage au maximum. Personne ne rend de comptes à personne, on ne fournit pas d'explications. Chaque crime est une douloureuse incertitude pour les familiers de la victime en même temps qu'un avertissement pour tous. Le terrorisme d'État se propose de paralyser la population par la peur.

En Uruguay, pour trouver du travail ou pour le conserver, il faut avoir le visa des militaires. Dans un pays où il est difficile d'obtenir un emploi en dehors des casernes et des commissariats, cette obligation ne sert pas seulement à pousser vers l'exil une bonne partie des trois cent mille citoyens fichés comme appartenant à la gauche ; elle est également une menace pour ceux qui restent. Les journaux de Montevideo ont coutume de publier des repentirs publics et des déclarations de citoyens qui se frappent la poitrine, au cas où... : « Je n'ai jamais été, je ne suis pas, je ne serai jamais... »

En Argentine, il n'est plus nécessaire d'interdire aucun livre par décret. Le nouveau Code Pénal poursuit, comme toujours, l'écrivain et l'éditeur d'un ouvrage jugé subversif. Mais il poursuit aussi l'imprimeur, afin que personne ne se risque à imprimer un texte tout simplement douteux, et aussi le diffuseur et le libraire, afin que personne ne se risque à le vendre ; et, comme si ce n'était pas suffisant, il punit le lecteur, pour que personne n'ose le lire et encore moins le conserver. Le consommateur d'un livre est ainsi traité de la même façon que le consommateur de drogues (1). Dans ce projet d'une société de sourds-muets, chaque citoyen doit devenir son grand inquisiteur.

En Uruguay, ne pas dénoncer son prochain est un délit. En entrant à l'université, les étudiants jurent par écrit de dénoncer toute personne s'adonnant dans le campus à « toute activité étrangère à l'étude ». L'étudiant partage la responsabilité de tout ce qui se passe en sa présence. Dans ce projet d'une société de somnambules, chaque citoyen doit être son propre flic et celui des autres. Néanmoins, le système, à juste titre, se méfie. On compte cent mille policiers et soldats en Uruguay, mais aussi cent mille indicateurs. Les espions travaillent dans les rues et dans les cafés, dans les autobus, les usines et les lycées, dans les bureaux et à l'Université. Celui qui se plaint à voix haute de la cherté ou de la dureté de la vie

---

(16) En Uruguay, les inquisiteurs se sont modernisés. Curieux mélange de méthodes du Moyen Age et de sens commercial capitaliste. Les militaires ne brûlent plus les livres : ils les vendent aux fabricants de papier. Les papeteries les passent au pilon, en font de la pâte et remettent le produit sur le marché. Il est faux d'affirmer que Marx n'est pas à la portée du public. Simplement, il ne l'est pas sous forme de livres, mais de serviettes en papier.

se retrouve en prison : il a commis « un attentat contre la valeur morale des forces armées », et le paie de trois à six ans de détention.

Au référendum de janvier 1978, voter « oui » à la dictature de Pinochet consistait à tracer une croix sous le drapeau du Chili. On votait « non » en inscrivant une croix sous un rectangle noir.

Le système veut se confondre avec le pays. Le système, c'est le pays, dit la propagande officielle en bombardant jour et nuit les citoyens. L'ennemi du système est un traître à la patrie. S'indigner contre l'injustice ou vouloir le changement constituent des preuves de trahison. Dans nombre de pays latino-américains, celui qui n'a pas émigré vit en exil sur sa propre terre.

Pourtant, au moment même où Pinochet célébrait sa victoire, la dictature traitait de « désertion collective du travail » les grèves qui éclataient malgré la terreur dans tout le Chili. La plupart des séquestrés et des disparus en Argentine sont constitués d'ouvriers qui avaient une activité syndicale. Infatigablement, de nouvelles formes de lutte naissent de l'imagination populaire intarissable, le travail-tristesse, le travail-chahut, et la solidarité trouve de nouveaux chemins pour chasser la peur. Plusieurs grèves unanimes se sont succédé en Argentine pendant l'année 1977, lorsque le risque de perdre sa vie était aussi grand que celui de perdre son travail. On ne détruit pas d'un trait de plume la puissance contestataire d'une classe ouvrière organisée ayant une longue tradition de lutte. Au mois de mai de la même année, lorsque la dictature uruguayenne dressa le bilan de son programme de lavage des consciences et de castration collective, elle se vit obligée de reconnaître qu'il restait « encore dans le pays 37 % de citoyens intéressés par la politique (1) ».

Nous n'assistons pas, sur nos terres, à l'enfance sauvage du capitalisme mais à sa sanglante décrépitude. Le sous-

(1) Conférence de presse du président Aparicio Méndez, le 21 mai 1977, à Paysandú. « Nous sommes en train d'éviter au pays la tragédie de la passion politique. L'homme de bien ne parle pas de dictatures, il ne pense pas aux dictatures et ne réclame pas de Droits de l'Homme. »

développement n'est pas une étape du développement. Il en est la conséquence. Le sous-développement de l'Amérique latine provient du développement étranger et continue de l'alimenter. Impuissant par sa fonction de servitude internationale, moribond à la naissance, le système a des pieds d'argile. Il se prend pour le destin et voudrait se confondre avec l'éternité. Toute mémoire est subversive, car elle est différente, et aussi tout projet d'avenir. On oblige le zombie à manger sans sel : le sel, un danger, pourrait le réveiller. Le système cherche son modèle dans la société immuable des fourmis. C'est pourquoi il s'entend mal avec l'histoire des hommes, en constante transformation. Et aussi parce que, dans l'histoire des hommes, chaque acte de destruction trouve tôt ou tard sa réponse dans un acte créatif.

Calella, Barcelone,
avril 1978.

Le traducteur de LAS VEINAS ABIERTAS DE AMERICA LATINA a suivi un texte revu et retouché par l'auteur en 1979.

ANNEXE :
DONNÉES STATISTIQUES 1989*

* La révision et l'actualisation des statistiques ont été assurées par Claire Julliard, d'après *L'État du monde*, édition de La Découverte, 1990.
Les données statistiques sont celles de 1990. Lorsque celles-ci n'étaient pas disponibles, nous avons donné les derniers chiffres connus, suivis de la date à laquelle ils ont été publiés.

ARGENTINE
Statistiques

Indépendance : 9 juillet 1816
Superficie : 2 777 815 km²
Capitale : Buenos Aires
Langue : espagnol
Population : 32 000 000 habitants
 Population urbaine : 85,5 %
 Densité : 11,6 hab./km²
 Croissance annuelle : 1,3 %
 Mortalité infantile : 32 ‰
 Espérance de vie : 71 ans
 Analphabétisme : 4,5 ‰
 Armée : 95 000 hommes

ÉCONOMIE
PNB (1987) : 74,5
Croissance annuelle : 2 %
PNB par habitant (1987) :
 2 370 dollars
Structure du PIB :
 - Agriculture : 12,7 %
 - Industrie : 43,5 %
 - Services : 43,8 %
Population active (1987) :
 11,1 millions
 - Agriculture : 11,4 %
 - Industrie : 33,8 %
 - Services : 53,1 %
Dépenses publiques (1987) :
 - Éducation : 1,7 %
 - Défense : 1,3 %
Production d'énergie (1986) :
 55 millions TEC*
Consommation d'énergie (1986) :
 53,9 millions TEC
Dette extérieure :
 58 milliards de dollars
Taux d'inflation : 387,7 %

COMMERCE

Importations :
 5,3 milliards de dollars
 - Produits agricoles (1987) :
  7,8 %
 - Produits miniers et métaux
  (1986) : 10,4 %
 - Produits industriels (1986) :
  68,9 %

Exportations :
 8,9 milliards de dollars
 - Produits agricoles (1987) :
  62,7 %
  dont céréales (1986) : 18,4 %
 - Produits industriels : 27,5 %

Principaux fournisseurs (1987) :
 USA : 16,4 %
 CEE : 33 %
 Amérique latine : 29,9 %

Principaux clients (1987) :
 CEE : 29,3 %
 CAEM** : 14,3 %
 Amérique latine : 21 %

CULTURE

Scolarisation
 2ᵉ degré : 74 % (1986)
 3ᵉ degré : 38,7 %
Édition :
 4 818 titres publiés (1986)
Télévision : 214 récepteurs pour
 1 000 habitants (1986)

---
* TEC : Tonne d'équivalent charbon.
** CAEM : Conseil d'Assistance Économique Mutuelle.

BRÉSIL
Statistiques

Indépendance : 7 septembre 1882
Superficie : 8 511 965 km²
Capitale : Brasilia
Langue : portugais
Population : 144 400 000 habitants
  Population urbaine : 75,3 %
  Densité : 17 hab./km²
  Croissance annuelle : 2,1 %
  Mortalité infantile : 63 ‰
  Espérance de vie : 65 ans
  Analphabétisme : 22,3 %
  Armée : 319 200 hommes

ÉCONOMIE
PIB (1987) :
  314,6 milliards de dollars
Croissance annuelle du PIB :
  −0,3 (1988)
PIB par habitant (1987) : 2 020
Structure du PIB par branche d'activité en 1987 :
  - Agriculture : 12,2 %
  - Industrie : 40,3 %
  - Services : 47,5 %
Population active (1986) :
  58,8 millions
  - Agriculture : 26,6 %
  - Industrie : 24,9 %
  - Services : 48,5 %
Dépenses publiques (1985) :
  - Éducation : 3,3 % du PIB
  - Défense : 0,4 % du PIB
Production d'énergie (1986) :
  73,4 millions TEC
Consommation d'énergie (1986) :
  105,4 millions TEC
Dette extérieure :
  114,6 milliards de dollars
Taux d'inflation : 1 006,4 %

COMMERCE
Importations :
  15,7 milliards de dollars
  - Produits énergétiques : 38,1 %
  - Produits agricoles : 19,9 %
  - Produits industriels : 38,9 %
Exportations :
  33,7 milliards de dollars
  - Produits agricoles (1987) : 33,2 %
  - Minerais (1986) : 14,6 %
  - Produits industriels (1987) : 49,7 %
Principaux fournisseurs (% des importations) :
  USA : 20,9
  Moyen-Orient : 21,4
  CEE : 20,6
Principaux clients (% des importations) :
  USA : 26,6
  CEE : 27,8
  Amérique latine : 11,1

CULTURE
Scolarisation
  2ᵉ degré : 36 % (1985)
  3ᵉ degré : 11,3 % (1984)
Édition (1984) : 21 184 livres publiés
Télévision : 188 récepteurs pour 1 000 habitants (1986)

BOLIVIE
Statistiques

Indépendance : 5 août 1825
Superficie : 1 098 581 km²
Capitale : La Paz
Langues : espagnol, qechua, aymara, guarani
Population : 6 990 000 habitants (estimation)
    Population urbaine : 50 %
    Densité : 6,4 hab./km²
    Croissance annuelle : 2,8 %
    Mortalité infantile : 110 ‰
    Espérance de vie : 53 ans
    Analphabétisme : 25,8 %
    Armée : 27 600 hommes

ÉCONOMIE
PIB (1987) : 4 150 millions de dollars
Croissance annuelle : 1980-87 : −2,7 %
                       1988 : 2,8 %
PIB par habitant (1987): 570 dollars
Dépenses publiques (1985) : - Éducation : 2,4 %
                            - Défense : 2,2 %
Production d'énergie (1986) : 4,83 millions TEC
Consommation d'énergie (1986) : 2,19 millions TEC
Dette extérieure : 3,93 milliards de dollars
Taux d'inflation : 22 %

COMMERCE
Importations : 604 millions de dollars
Exportations : 601 millions de dollars
Principaux fournisseurs (1986) : USA : 28,6 %
                                      Argentine : 16,1 %
                                      Brésil : 23,1 %
Principaux clients (1986) :   USA : 16,1 %
                                  Argentine : 45,9 %
                                  CEE : 13,5 %

CULTURE
Scolarisation 2ᵉ degré : 37 % (1986)
                      3ᵉ degré : 19 % (1986)
Édition (1983) : 301 titres publiés
Télévision : 76 récepteurs pour 1 000 habitants (1986)

CHILI
Statistiques

Indépendance : 18 septembre 1818
Superficie : 756 945 km²
Capitale : Santiago
Langues : espagnol, mapuche
Population : 12 770 000 habitants (1982)
- Population urbaine : 84,8 %
- Densité : 16,9 hab./km²
- Croissance annuelle : 1,7 %
- Mortalité infantile : 20 ‰
- Espérance de vie : 71 ans
- Analphabétisme : 5,6 % (1985)
- Armée : 101 000 hommes

ÉCONOMIE
PIB (1987) : 16,47 milliards de dollars
Croissance annuelle : 1980-87 : −0,1 %
  1988 : 7,4 %
PIB par habitant (1987) : 1 310 dollars
Dépenses publiques (1985) - Éducation : 3,9 %
  (1986) - Défense : 4,7 %
Production d'énergie (1986) : 6,93 millions TEC
Consommation d'énergie (1986) : 11,27 millions TEC
Dette extérieure : 19,10 milliards de dollars
Taux d'inflation : 12,7 %

COMMERCE
Importations : 4 731 millions de dollars
Exportations : 7 046 millions de dollars
Principaux fournisseurs : USA : 20,5 %
  CEE : 20,2 %
  Amérique latine : 28,3 %
Principaux clients : USA : 19,5 %
  CEE : 35,9 %
  Amérique latine : 13,3 %

CULTURE
Scolarisation 2ᵉ degré : 70 % (1986)
  3ᵉ degré : 15,9 % (1985)
Édition (1986) : 1 499 livres publiés
Télévision : 164 récepteurs pour 1 000 habitants (1986)

COLOMBIE
Statistiques

Indépendance : 20 juillet 1819
Superficie : 1 138 338 km^2
Capitale : Bogota
Langue : espagnol
Population : 30 240 000 habitants (1985)
    Population urbaine : 69,2 %
    Densité : 26,6 hab./km^2
    Croissance annuelle : 2,1 %
    Mortalité infantile : 46 ‰
    Espérance de vie : 65 ans
    Analphabétisme : 11,9 %
    Armée : 86 300 hommes

ÉCONOMIE
PIB (1987) : 36 027 millions de dollars
Croissance annuelle : 1980-87 : 2,4 %
                      1988 : 4,2 %
PIB par habitant (1987) : 1 220 dollars
Dépenses publiques (1986) - Éducation : 2,6 % du PIB
                        (1987) - Défense : 0,8 % du PIB
Production d'énergie (1986) : 41,06 millions TEC
Consommation d'énergie (1986) : 22,84 millions TEC
Dette extérieure : 15,90 milliards de dollars
Taux d'inflation : 28,2 %

COMMERCE
Importations : 5 000 millions de dollars
Exportations : 5 310 millions de dollars
Principaux fournisseurs (1987) : USA : 36,1 %
                                   CEE : 23,3 %
                                     Amérique latine : 19 %
Principaux clients (1987) :   USA : 27,3 %
                                     CEE : 28,5 %
                                     Amérique latine : 12,1 %

CULTURE
Scolarisation 2e degré : 56 % (1986)
                    3e degré : 13,1 % (1986)
Édition (1986) : 15 041 livres publiés
Télévision : 102 récepteurs pour 1 000 habitants (1986)

COSTA RICA
Statistiques

Indépendance : 15 septembre 1821
Superficie : 50 900 km²
Capitale : San-José
Langues : espagnol, anglais, créole
Population : 2 870 000 habitants (1984)
- Population urbaine : 52,1 %
- Densité : 56,5 hab./km²
- Croissance annuelle : 2,6 %
- Mortalité infantile : 18 ‰
- Espérance de vie : 75 ans
- Analphabétisme : 6,4 % (1985)
- Armée : 9 500 hommes

ÉCONOMIE
PIB : 4 893 millions de dollars
Croissance annuelle : 1980-87 : 1,9 %
    1988 : 3,8 %
PIB par habitant : 1 705 dollars
Dépenses publiques (1986) : - Éducation : 4,3 % du PIB
    - Défense : 0,7 % du PIB
Production d'énergie (1986) : 353 milliers TEC
Consommation d'énergie (1986) : 1 252 milliers TEC
Dette extérieure : 4 100 millions de dollars
Taux d'inflation : 25,3 %

COMMERCE
Importations : 1 409 millions de dollars
Exportations : 1 320 millions de dollars
Principaux fournisseurs : USA : 39 %
    CEE : 12,9 %
    Amérique latine : 31,3 %
Principaux clients (1987) : USA : 47,8 %
    CEE : 21,2 %
    Amérique latine : 14 %

CULTURE
Scolarisation 2ᵉ degré : 42 % (1986)
    3ᵉ degré : 23,8 % (1986)
Édition (1986) : 807 livres publiés
Télévision : 79 récepteurs pour 1 000 habitants (1986)

CUBA
Statistiques

Indépendance : 10 décembre 1898
Superficie : 110 861 km²
Capitale : La Havane
Langue : espagnol
Population : 10 400 000 habitants (1981)
    Population urbaine : 73,7 %
    Densité : 93,8 hab./km²
    Croissance annuelle : 0,7 %
    Mortalité infantile : 15 ‰
    Espérance de vie : 74 ans
    Analphabétisme : 3,8 % (1981)
    Armée : 181 000 hommes

ÉCONOMIE
PIB (1987) : 12,2 milliards de dollars
Croissance annuelle : 1980-87 : 4,7 % (Produit matériel net)
                        1988 : 2,3 % (Produit social global)
PIB par habitant (1987) : 1 185 dollars
Dépenses publiques : - Éducation : 12,1 % (1985)
                     - Défense : 10,7 % (1987)
Production d'énergie (1986) : 1,35 million TEC
Consommation d'énergie (1986) : 14,41 millions TEC
Dette extérieure : 7 milliards de dollars (1987)

COMMERCE
Importations : 7 543 millions de dollars
Exportations : 5 147 millions de dollars
Principaux fournisseurs : URSS : 71,6 %
                             PCD* : 11,7 %
                             PVD* : 3,6 % (1986)
Principaux clients : URSS : 72,2 %
                         PCD ; 8,7 % (1986)
                         PVD : 3,1 % (1986)

CULTURE
Scolarisation 2ᵉ degré : 86 % (1986)
                   3ᵉ degré : 22,5 % (1986)
Édition (1987) : 2 315 livres publiés
Télévision : 202 récepteurs pour 1 000 habitants (1986)

---

* PCD : Pays capitalistes développés - PVD : Pays en voie de développement.

ÉQUATEUR
Statistiques

Indépendance : 1822
Superficie : 283 561 km^2
Capitale : Quito
Langues : espagnol, qechua
Population : 10 200 000 habitants (1982)
    Population urbaine : 55,1 %
    Densité : 36 hab./km^2
    Croissance annuelle : 2,8 %
    Mortalité infantile : 63 ‰
    Espérance de vie : 65 ans
    Analphabétisme : 17,6 %
    Armée : 40 000 hommes

ÉCONOMIE
PIB : 10 333 millions de dollars
Croissance annuelle : 1980-87 : 0,9 %
                           1988 : 6,5 %
PIB par habitant (1987) : 1 040 dollars
Dépenses publiques : - Éducation : 4,1 % (1986)
                          - Défense : 1,8 % (1987)
Production d'énergie (1986) : 21,59 millions TEC
Consommation d'énergie (1986) : 6,33 millions TEC
Dette extérieure : 10,50 milliards de dollars
Taux d'inflation : 85,7 %

COMMERCE
Importations : 1 714 millions de dollars
Exportations : 2 192 millions de dollars
Principaux fournisseurs (1987) : USA : 29,9 %
                                  CEE : 23,8 %
                                  Amérique latine : 20,3 %
Principaux clients (1987) :   USA : 61,2 %
                                Amérique latine : 11,2 %
                                CEE : 9,2 %

CULTURE
Scolarisation 2e degré : 55 % (1984)
                 3e degré : 33,1 % (1984)
Télévision : 73 récepteurs pour 1 000 habitants

GUATEMALA
Statistiques

Indépendance : 15 septembre 1821
Superficie : 108 890 km^2
Capitale : Guatemala
Langues : espagnol, 23 langues indiennes
Population : 8 680 000 habitants (1981)
  Population urbaine : 41,2 %
  Densité : 79,7 hab./km^2
  Croissance annuelle : 2,9 %
  Mortalité infantile : 59 ‰
  Espérance de vie : 62 ans
  Analphabétisme : 45 % (1985)
  Armée : 42 050 hommes

ÉCONOMIE
PIB (1987) : 6 839 millions de dollars
Croissance annuelle : 1980-87 : −0,9 %
                     1988 : 3,5 %
PIB par habitant (1987) : 940 dollars
Dépenses publiques : - Éducation : 1,4 % (1986)
                     - Défense : 1,7 % (1987)
Production d'énergie (1986) : 496 milliers TEC
Consommation d'énergie (1986) : 1 527 milliers TEC
Dette extérieure : 2 840 millions de dollars (1987)
Taux d'inflation : 10,8 %

COMMERCE
Importations : 1 609 millions de dollars
Exportations : 1 050 millions de dollars
Principaux fournisseurs (1987) : USA : 40,5 %
                                      CEE : 18,1 %
                                      Amérique latine : 23,1 %
Principaux clients (1987) :   USA : 50,7 %
                                      CEE : 18,1 %
                                      Amérique latine : 14,8 %

CULTURE
Scolarisation 2e degré : 20 % (1986)
            3e degré : 8,6 % (1986)
Télévision : 37 récepteurs pour 1 000 habitants (1986)

HAÏTI
Statistiques

Indépendance : 1er janvier 1804
Superficie : 27 750 km²
Capitale : Port-au-Prince
Langues : français, créole
Population (1982) : 5 520 000 hab.
  Population urbaine : 29,1 %
  Densité : 198,8 hab./km²
  Croissance annuelle : 1,9 %
  Mortalité infantile : 117 ‰
  Espérance de vie : 55 ans
  Analphabétisme : 62,4 % (1985)
  Armée : 7 300 hommes

ÉCONOMIE
PIB (1987) : 2,22 milliards de dollars
Croissance annuelle 1980-87 : −0,3 %
                          1988 : −3 %
PIB par habitant (1987) : 360 dollars
Dépenses publiques (1985) :
  - Éducation : 1 %
  - Défense : 1,6 %
Production d'énergie (1986) :
  0,04 million TEC

Consommation d'énergie (1986) :
  0,33 million TEC
Dette extérieure :
  0,80 milliard de dollars
Taux d'inflation : 5,8 %

COMMERCE
Importations : 789 millions de dollars
Exportations : 444 millions de dollars
Principaux fournisseurs (1987) :
  USA : 64 %
  CEE : 12,2 %
  Amérique latine : 8,6 %
Principaux clients (1987) :
  USA : 84,4 %
  CEE : 10 %
  Amérique latine : 2,9 %

CULTURE
Scolarisation
  2e degré : 18 % (1984)
  3e degré : 1,1 % (1984)
Télévision : 3,7 récepteurs pour 1 000 hab.

RÉPUBLIQUE DOMINICAINE
Statistiques

Indépendance : 27 février 1821
Superficie : 48 730 km²
Capitale : St-Dominique
Langue : espagnol
Population (1981) : 6 870 000 hab.
  Population urbaine : 58,5 %
  Densité : 141 hab./km²
  Croissance annuelle : 2,2 %
  Mortalité infantile : 65 ‰
  Espérance de vie : 66 ans
  Analphabétisme : 22,7 % (1985)
  Armée : 20 800 hommes

ÉCONOMIE
PIB : 5,91 milliards de dollars
Croissance annuelle 1980-87 : 0,9 %
                          1988 : 1 %
PIB par habitant : 861 dollars
Dépenses publiques :
  - Éducation : 1,4 % (1986)
  - Défense : 1,7 % (1985)
Production d'énergie (1986) :
  0,11 million TEC

Consommation d'énergie (1986) :
  2,86 millions TEC
Dette extérieure :
  3,84 milliards de dollars
Taux d'inflation : 50,9 %

COMMERCE
Importations : 1 849 millions de dollars
Exportations : 890 millions de dollars
Principaux fournisseurs (1987) :
  USA : 54,7 %
  CEE : 8,5 %
  Amérique latine : 17,1 %
Principaux clients (1987) :
  USA : 83,6 %
  CEE : 7,3 %
  URSS : 1,9 %

CULTURE
Scolarisation
  2e degré : 47 % (1986)
  3e degré : 19,3 % (1985)
Télévision : 81 récepteurs pour 1 000 hab.

HONDURAS
Statistiques

Indépendance : 5 novembre 1838
Superficie : 112 088 km²
Capitale : Tegucigalpa
Langues : espagnol, langues indiennes (miskito, sumu paya, lenca, etc.), garifuna
Population : 4 800 000 habitants (estimation)
    Population urbaine : 42,4 %
    Densité : 42,8 hab./km²
    Croissance annuelle : 3,2 %
    Mortalité infantile : 69 ‰
    Espérance de vie : 64 ans
    Analphabétisme : 40,5 % (1985)
    Armée : 18 800 hommes

ÉCONOMIE
PIB (1987) : 3 627 millions de dollars
Croissance annuelle : 1980-87 : 1,6 %
                          1988 : 4 %
PIB par habitant (1987) : 780 dollars
Dépenses publiques (1987) : - Éducation : 4,5 %
                                - Défense : 1,7 %
Production d'énergie (1986) : 108 milliers TEC
Consommation d'énergie (1986) : 922 milliers TEC
Dette extérieure : 3 230 millions de dollars
Taux d'inflation : 6,7 %

COMMERCE
Importations : 1 033 millions de dollars
Exportations : 923 millions de dollars
Principaux fournisseurs : USA : 49,6 % (1987)
                                CEE : 12,4 % (1986)
                                Amérique latine : 21,6 % (1986)
Principaux clients : USA : 52,8 % (1987)
                          CEE : 23,3 % (1986)
                        Japon : 6 % (1986)

CULTURE
Scolarisation 2ᵉ degré : 36 % (1985)
                    3ᵉ degré : 9,5 % (1985)
Télévision : 67 récepteurs pour 1 000 habitants (1986)

MEXIQUE
Statistiques

Indépendance : 16 septembre 1821
Superficie : 1 967 183 km²
Capitale : Mexico
Langues : espagnol officiel et 19 langues indiennes (maya, otomi, nahuati)
Population : 82 730 000 habitants
  Population urbaine : 71,4 %
  Densité : 42,1 hab./km²
  Croissance annuelle : 2,2 %
  Mortalité infantile : 47 ‰
  Espérance de vie : 69 ans
  Analphabétisme : 9,7 % (1985)
  Armée : 138 500 hommes

ÉCONOMIE
PIB : 157,9 milliards de dollars
Croissance annuelle : 0,5 %
PIB par habitant : 1 909 dollars
Structure du PIB (1987) :
  - Agriculture : 9,1 %
  - Industrie : 35,1 %
  - Services : 55,8 %
Dépenses publiques (1986) :
  - Éducation : 2,1 %
  - Défense : 0,5 %
Production d'énergie (1986) :
  234,3 millions TEC
Consommation d'énergie (1986) :
  129,8 millions TEC
Dette extérieure :
  96,7 milliards de dollars
Taux d'inflation : 51,7 %
Population active : 25 150 000 hab.
  - Agriculture : 23,7 %
  - Industrie : 21 %
  - Services : 55,4 %

COMMERCE
Importations :
  19,4 milliards de dollars
  - Produits agricoles :
    12,8 % (1987)
  - Métaux et produits miniers :
    4,5 % (1987)
  - Produits industriels :
    81,9 % (1987)

Exportations :
  20,8 milliards de dollars
  - Produits agricoles :
    13,8 % (1987)
  - Pétrole et gaz : 41,8 % (1987)
  - Métaux et produits miniers :
    2,8 % (1987)

Principaux fournisseurs (1987) :
  USA : 61,7 %
  CEE : 10,8 %
  Japon : 6,2 %

Principaux clients (1987) :
  USA : 64,5 %
  CEE : 12,1 %
  Espagne : 5,9 %
  Japon : 5,6 %

CULTURE
Scolarisation :
  2e degré : 55 % (1986)
  3e degré : 15,7 % (1986)

Édition : 4 897 livres publiés (1986)

Télévision : 117 récepteurs pour 1 000 habitants (1986)

NICARAGUA
Statistiques

Indépendance : 15 septembre 1821
Superficie : 139 000 km²
Capitale : Managua
Langues : espagnol officiel, anglais, créole, langues indiennes garifuna
Population : 3 620 000 habitants (estimation)
    Population urbaine : 58,5 %
    Densité : 27,9 hab./km²
    Croissance annuelle : 3,4 %
    Mortalité infantile : 62 ‰
    Espérance de vie : 63 ans
    Analphabétisme : 13 % (1980)
    Armée : 77 000 hommes

ÉCONOMIE

PIB (1987) : 2 959 millions de dollars
Croissance annuelle : 1980-87 : −0,8 %
                      1988 : −8 %
PIB par habitant (1987) : 830 dollars
Dépenses publiques (1986) : - Éducation : 5,8 %
                             - Défense : 35 %
Production d'énergie (1986) : 70 milliers TEC
Consommation d'énergie (1986) : 1 039 milliers TEC
Dette extérieure : 6 700 millions de dollars
Taux d'inflation : 23 997,4 %

COMMERCE

Importations : 750 millions de dollars
Exportations : 250 millions de dollars
Principaux fournisseurs (1986) : CAEM : 52,8 %
                                   CEE : 17,7 %
                                   Amérique latine : 19,7 %
Principaux clients (1986) :   CEE : 40,9 %
                                   Japon : 12,3 %
                                   Amérique latine : 9,6 %

CULTURE

Scolarisation 2e degré : 42 % (1986)
                     3e degré : 8,7 % (1986)
Édition : 26 livres publiés (1984)
Télévision : 59 récepteurs pour 1 000 habitants (1986)

PANAMA
Statistiques

Indépendance : 3 novembre 1903
Superficie : 77 080 km^2
Capitale : Panama
Langues : espagnol officiel, langues indiennes (guaymi, kuna)
Population : 2 320 000 habitants (1980)
  Population urbaine : 53,8 %
  Densité : 30,1 hab./km^2
  Croissance annuelle : 2,1 %
  Mortalité infantile : 23 ‰
  Espérance de vie : 72 ans
  Analphabétisme : 11,8 % (1985)
  Armée : 7 100 hommes

ÉCONOMIE
PIB (1987) : 5 128 millions de dollars
Croissance annuelle : 1980-87 : 2,5 %
                     1988   : − 20 %
PIB par habitant (1987) : 2 240 dollars
Dépenses publiques : - Éducation : 5 % du PIB (1986)
                     - Défense : 2 % du PIB (1987)
Production d'énergie (1986) : 257 milliers TEC
Consommation d'énergie (1986) : 1 417 milliers TEC
Dette extérieure : 4 170 millions de dollars
Taux d'inflation : 0,3 %

COMMERCE
Importations : 709 millions de dollars
Exportations : 225 millions de dollars
Principaux fournisseurs (1986) : USA : 18,4 %
                                    Japon : 15,4 %
                                    Amérique latine : 12,2 %
Principaux clients (1986) :   USA : 34,1 %
                                    CEE : 16,6 %
                                    Amérique latine : 8,8 %

CULTURE
Scolarisation 2e degré : 59 % (1986)
              3e degré : 28,2 %
Télévision : 161 récepteurs pour 1 000 habitants (1986)

PARAGUAY
Statistiques

Indépendance : 14 mai 1811
Superficie : 406 752 km²
Capitale : Assomption
Langues : espagnol, guarani
Population : 4 040 000 habitants (1982)
  Population urbaine : 46,3 %
  Densité : 9,94 hab./km²
  Croissance annuelle : 2,9 %
  Mortalité infantile : 42 ‰
  Espérance de vie : 67 ans
  Analphabétisme : 11,8 % (1985)
  Armée : 16 000 hommes

ÉCONOMIE
PIB (1987) : 3,92 milliards de dollars
Croissance annuelle : 1980-87 : 1,1 %
                     1988 : 6,2 %
PIB par habitant (1987) : 1 000 dollars
Dépenses publiques (1987) : - Éducation : 1 %
                            - Défense : 1,6 %
Production d'énergie (1986) : 0,20 million TEC
Consommation d'énergie (1986) : 0,96 million TEC
Dette extérieure : 2,15 milliards de dollars
Taux d'inflation : 18,7 %

COMMERCE
Importations : 1 507 millions de dollars
Exportations :   990 millions de dollars
Principaux fournisseurs : Brésil : 30,4 %
                              Argentine : 11,9 %
                              USA : 10,1 %
Principaux clients :   PCD : 43,8 %
                              Amérique latine : 29,4 %
                              Brésil : 22,2 %

CULTURE
Scolarisation 2ᵉ degré : 30 % (1986)
                  3ᵉ degré : 9,7 % (1984)
Télévision : 23 récepteurs pour 1 000 habitants (1986)

PÉROU
Statistiques

Indépendance : 2 juillet 1821
Superficie : 1 280 219 km^2
Capitale : Lima
Langues : espagnol, qechua, aymara
Population : 21 260 000 habitants (1981)
  Population urbaine : 69,1 %
  Densité : 16,5 hab./km^2
  Croissance annuelle : 2,5 %
  Mortalité infantile : 88 ‰
  Espérance de vie : 61 ans
  Analphabétisme : 15,2 %
  Armée : 118 000 hommes

ÉCONOMIE
PIB (1987) : 29 682 millions de dollars
Croissance annuelle : 1980-87 : 1,5 %
                     1988   : −9,5 %
PIB par habitant (1987) : 1 430 dollars
Dépenses publiques (1986) : - Éducation : 1,7 % du PIB
                            - Défense : 3,3 % du PIB
Production d'énergie (1986) : 14,77 millions TEC
Consommation d'énergie (1986) : 10,58 millions TEC
Dette extérieure : 16,20 milliards de dollars
Taux d'inflation : 665,3 %

COMMERCE
Importations : 3 080 millions de dollars
Exportations : 2 695 millions de dollars
Principaux fournisseurs : USA : 21,7 % (1987)
                              CEE : 21,6 % (1986)
                              Amérique latine : 23,4 % (1986)
Principaux clients (1987) : USA : 30,5 %
                                CEE : 25,2 %
                                Amérique latine : 16,1 %

CULTURE
Scolarisation 2e degré : 65 %
                  3e degré : 24,6 % (1986)
Édition : 635 titres publiés (1986)
Télévision : 84 récepteurs pour 1 000 habitants (1986)

PORTO RICO
Statistiques

« État libre associé » aux USA : 25 juillet 1952
Superficie : 8 900 km²
Capitale : San Juan
Langues : espagnol officiel, anglais
Population : 3 610 000 habitants (1980)
  Population urbaine : 72,7 %
  Densité : 405,6 hab./km²
  Croissance annuelle . 1,4 %
  Mortalité infantile : 15 ‰
  Espérance de vie : 75 ans
  Analphabétisme : 10,9 % (1980)

ÉCONOMIE
PIB (1987) : 18,59 milliards de dollars
Croissance annuelle : 1980-87 : 3,4 %
              1988   : 4,9 %
PIB par habitant : 5 150 dollars
Dépenses publiques : - Éducation : 7 % (1980)
Production d'énergie (1986) : 0,02 million TEC
Consommation d'énergie (1986) : 7,76 millions TEC
Taux d'inflation : 1,6 %

COMMERCE
Importations : 11 861 millions de dollars
Exportations : 13 186 millions de dollars
Principaux fournisseurs : USA : 67 %
Principaux clients :   USA : 89,3 %

CULTURE
Scolarisation 2ᵉ degré : 74 % (1981)
        3ᵉ degré : 48,1 % (1981)
Télévision : 247 récepteurs pour 1 000 habitants (1986)

SALVADOR
Statistiques

Indépendance : 1841
Superficie : 21 040 km^2
Capitale : San Salvador
Langues : espagnol officiel, nahuatlpipil
Population : 5 110 000 habitants
  Population urbaine : 39,5 %
  Densité : 238,9 hab./km^2
  Croissance annuelle : 1,9 %
  Mortalité infantile : 59 ‰
  Espérance de vie : 62 ans
  Analphabétisme : 27,9 % (1985)
  Armée : 42 000 hommes.

ÉCONOMIE
PIB (1987) : 4 220 millions de dollars
Croissance annuelle : 1980-87 : −0,6 %
                     1988   : 1 %
PIB par habitant (1987): 850 dollars
Dépenses publiques : - Éducation : 2,8 % (1985)
                     - Défense : 3,8 % (1987)
Production d'énergie (1986) : 205 milliers TEC
Consommation d'énergie (1986) : 951 milliers TEC
Taux d'inflation : 27 %

COMMERCE
Importations : 1 243 millions de dollars
Exportations :   690 millions de dollars
Principaux fournisseurs (1987) : USA : 39,4 %
                                      CEE : 10 %
                                      Amérique latine : 33,3 %
Principaux clients (1987) :   USA : 44,3 %
                                      RFA : 16,4 %
                                      Amérique latine : 18,5 %

CULTURE
Scolarisation 2e degré : 24 % (1984)
                  3e degré : 14,1 % (1986)
Édition : 45 livres publiés (1985)
Télévision : 70 récepteurs pour 1 000 habitants (1986)

URUGUAY
Statistiques

Indépendance : 25 août 1825
Superficie : 176 215 km²
Capitale : Montevideo
Langue : espagnol
Population : 3 080 000 habitants (1985)
    Population urbaine : 85,1 %
    Densité : 17,5 hab./km²
    Croissance annuelle : 0,8 %
    Mortalité infantile : 27 ‰
    Espérance de vie : 71 ans
    Analphabétisme : 4,6 % (1985)
    Armée : 24 400 hommes.

ÉCONOMIE
PIB (1987) : 6,56 milliards de dollars
Croissance annuelle : 1980-87 : −1,8 %
                          1988 : 0,5 %
PIB par habitant (1987) : 2 180 dollars
Dépenses publiques (1986) : - Éducation : 3,1 % du PIB
                                - Défense : 2,4 % du PIB
Production d'énergie (1986) : 0,90 million TEC
Consommation d'énergie (1986) : 1,85 million TEC
Taux d'inflation : 69 %

COMMERCE
Importations : 1 160 millions de dollars
Exportations : 1 300 millions de dollars
Principaux fournisseurs (1987) : Brésil : 26,1 %
                                      CEE : 20,9 %
                                      Argentine : 15,2 %
Principaux clients (1987) :   CEE : 26,4 %
                                    Brésil : 16,7 %
                                    USA : 11,4 %

CULTURE
Scolarisation 2ᵉ degré : 71 % (1985)
                 3ᵉ degré : 41,6 % (1986)
Édition : 941 livres publiés (1986)
Télévision : 171 récepteurs pour 1 000 habitants (1986)

VENEZUELA
Statistiques

Indépendance : 5 juillet 1811
Superficie : 912 050 km^2
Capitale : Caracas
Langue : Espagnol
Population : 18 760 000 habitants (1981)
  Population urbaine : 87,7 %
  Densité : 20,6 hab./km^2
  Croissance annuelle : 2,6 %
  Mortalité infantile : 36 ‰
  Espérance de vie : 70 ans
  Analphabétisme : 13,1 % (1985)
  Armée : 49 000 hommes.

ÉCONOMIE
PIB (1987) : 48 240 millions de dollars
Croissance annuelle : 1980-87 : −0,1 %
              1988   : 4,2 %
PIB par habitant (1987) : 3 230 dollars
Dépenses publiques (1986) : - Éducation : 4,5 %
                            - Défense : 1,3 %
Production d'énergie (1986) : 170 15& milliers TEC
Consommation d'énergie (1986) : 60 139 milliers TEC
Dette extérieure : 31,90 milliards de dollars
Taux d'inflation : 29,5 %

COMMERCE
Importations : 12 066 millions de dollars
Exportations : 10 360 millions de dollars
Principaux fournisseurs (1987) : USA : 43,9 %
                                    CEE : 28,7 %
                                    Amérique latine : 9,7 %
Principaux clients (1987) :   USA : 50 %
                                    CEE : 11,8 %
                                    Amérique latine : 18,8 %

CULTURE
Scolarisation 2e degré : 46 % (1985)
            3e degré : 26,4 %
Édition : 128 livres publiés (1983)
Télévision : 141 récepteurs pour 1 000 habitants (1986)

TABLE

INTRODUCTION
Cent vingt millions d'enfants au cœur de la tempête 9

PREMIÈRE PARTIE
LA RICHESSE DE LA TERRE
ENGENDRE LA PAUVRETÉ DE L'HOMME

1. — FIÈVRE DE L'OR, FIÈVRE DE L'ARGENT	21
Le signe de croix sur le pommeau des épées	21
Les dieux revenaient avec des armes secrètes	26
Splendeurs de Potosí : le cycle de l'argent	33
L'Espagne possédait 1 vache, mais d'autres buvaient son lait	36
Distribution des rôles entre le cheval et le cavalier..	43
Ruines de Potosí : le cycle de l'argent	48
On verse sang et pleurs, et pourtant le pape avait reconnu que les Indiens avaient une âme	57
La nostalgie combattive de Túpac Amaru	63
La Semaine Sainte des Indiens s'achève sans Résurrection	68
Vila Rica de Ouro Preto : la Potosi de l'or	74
Contribution de l'or du Brésil au progrès de l'Angleterre	80
2. — LE ROI SUCRE ET AUTRES MONARQUES AGRICOLES	84
Les plantations, les latifondi et le destin	84
L'assassinat de la terre au nord-est du Brésil	87
Les îles Caraïbes, au pas de charge	92
Des châteaux de sucre sur les terres brûlées de Cuba	95

La révolution devant la structure de l'impuissance..	100
Le sucre était le couteau et l'Empire l'assassin	104
Le sacrifice des esclaves aux Antilles a permis à la machine du James Watt et aux canons de Washington de voir le jour	110
L'arc-en-ciel est le chemin du retour en Guinée	116
La vente de paysans	121
Le cycle du caoutchouc : Caruso inaugure un théâtre monumental en pleine forêt	123
Les planteurs de cacao allumaient leurs cigares avec des billets de cinq cent mille reis	127
Des bras à bon marché pour le coton	131
Des bras à bon marché pour le café	135
La cote du café jette les récoltes au feu et règle le rythme des mariages	138
Dix ans qui ont saigné la Colombie	142
La baguette magique du marché mondial fait se réveiller l'Amérique centrale	146
Les flibustiers à l'abordage	149
La crise des années 30 : « Tuer une fourmi est un crime plus grave que de tuer un homme. »	153
Qui a déchaîné la violence au Guatemala ?	157
La première réforme agraire en Amérique latine : un siècle et demi d'échecs pour José Artigas ...	160
Artemio Cruz et la seconde mort d'Emiliano Zapata	167
La grande propriété multiplie les bouches mais pas le pain	175
Les treize colonies du Nord et l'importance qu'il y a à ne pas naître important	181
3. — LES SOURCES SOUTERRAINES DU POUVOIR	186
L'économie nord-américaine a besoin des minerais de l'Amérique latine comme les poumons ont besoin d'air	186
Le sous-sol produit aussi des coups d'État, des révolutions, des affaires d'espionnage et des péripéties dans la forêt amazonienne	188
Un chimiste allemand a mis en déroute les vainqueurs de la guerre du Pacifique	193
Des dents de cuivre sur le Chili	200
Les mineurs de l'étain, sous la terre et sur la terre.	204

Des dents de fer sur le Brésil 212
Le pétrole, records et malédictions 217
Le lac Maracaïbo dans le jabot des grands vautours de métal 229

DEUXIÈME PARTIE
LE DÉVELOPPEMENT EST UN VOYAGE QUI COMPTE PLUS DE NAUFRAGÉS QUE DE NAVIGATEURS

1. — HISTOIRE DE LA MORT PRÉCOCE
Quand les bateaux de guerre anglais saluaient l'indépendance sur les eaux du fleuve 239
Les dimensions de l'infanticide industriel 242
Protectionnisme et libre-échange en Amérique latine : le court vol de Lucas Alaman 248
Les lances rebelles et la haine qui survécut à Juan Manuel de Rosas 252
La guerre de la Triple Alliance contre le Paraguay réduisit à néant l'unique expérience réussie de développement indépendant 260
Les emprunts et les chemins de fer dans la déformation économique de l'Amérique latine 272
Protectionnisme et libre-échange aux États-Unis : leur succès ne fut pas l'œuvre d'une main invisible 277

2. — LA STRUCTURE ACTUELLE DE LA SPOLIATION 284
Un talisman qui a perdu tous ses pouvoirs 284
Ce sont les sentinelles qui ouvrent les portes : la stérilité coupable de la bourgeoisie nationale... 288
Quel drapeau flotte sur les machines ? 297
Le bombardement du Fonds monétaire international facilite le débarquement des conquistadores 303
Les États-Unis protègent leur épargne mais disposent de celle des autres : l'invasion des banques 308
Un empire qui importe des capitaux 310
Les technocrates sautent à la gorge plus efficacement que les « marines » 313

L'industrialisation n'entame pas l'organisme de l'inégalité sur le marché mondial	326
La déesse Technologie ne parle pas espagnol	335
L'unification de l'Amérique latine sous le drapeau rayé et étoilé	347
« Jamais nous ne serons heureux, jamais ! » avait prophétisé Simon Bolivar	356
SEPT ANNÉES ONT PASSÉ	361
ANNEXE STATISTIQUE	391

Achevé d'imprimer
par Maury-Eurolivres S.A.
45300 Manchecourt

Imprimé en France
Dépôt légal : février 1993

OUVRAGES PARUS DANS LA COLLECTION
TERRE HUMAINE - PLON :
OUVRAGES PARUS :

Jean MALAURIE : *Les Derniers Rois de Thulé.*
Avec les Esquimaux Polaires, face à leur destin.

Claude LEVI-STRAUSS : *Tristes tropiques.*

Victor SEGALEN : *Les Immémoriaux.*

Georges BALANDIER : *Afrique ambiguë.*

Don C. TALAYESVA : *Soleil Hopi.*
L'autobiographie d'un Indien Hopi.

Francis HUXLEY : *Aimables sauvages.*
Chronique des Indiens Urubu de la forêt Amazonienne.

René DUMONT : *Terres vivantes.*
Voyages d'un agronome autour du monde.

Margaret MEAD : *Mœurs et sexualité en Océanie.*
I) Troix sociétés primitives de Nouvelle-Guinée.
II) Adolescence à Samoa.

Mahmout MAKAL : *Un village anatolien.*
Récit d'un instituteur paysan.

Georges CONDOMINAS : *L'Exotique est quotidien.*
Sar Luk, Vietnam central.

Robert JAULIN : *La Mort Sara.*
L'ordre de la vie ou de la pensée de la mort au Tchad.

Jacques SOUSTELLE : *Les Quatre Soleils.*
Souvenirs et réflexions d'un ethnologue au Mexique.

Ronald BLYTHE : *Mémoires d'un village anglais.*
Akenfield (Suffolk).

Teodora KRŒBER : *Ishi.*
Testament du dernier Indien sauvage de l'Amérique du Nord.

Ettore BIOCCA : *Yanoama.*
Récit d'une jeune femme brésilienne enlevée par les Indiens.

Mary F. SMITH et Baba GIWA : *Baba de Karo.*
L'autobiographie d'une musulmane haoussa du Nigeria.

Richard LANCASTER : *Piegan.*
Chronique de la mort lente. La réserve indienne des Pieds-Noirs.

William H. HINTON : *Fanshen.*
La révolution communiste dans un village chinois.

James AGEE et Walker EVANS : *Louons maintenant les grands hommes.*
Trois familles de métayers en 1936 en Alabama.

Pierre CLASTRES : *Chronique des Indiens Guayaki.*
Ce que savent les Aché, chasseurs nomades du Paraguay.

Selim ABOU : *Liban déraciné.*
Autobiographies de quatre Argentins d'origine libanaise.

Francis A. J. IANNI : *Des affaires de famille. La Mafia à New York.*
Liens de parenté et contrôle social dans le crime organisé.

Gaston ROUPNEL : *Histoire de la campagne française.*

Tewfik El HAKIM : *Un substitut de campagne en Egypte.*
Journal d'un substitut de procureur égyptien.

Bruce JACKSON : *Leurs prisons.*
Autobiographies de prisonniers et d'ex-détenus américains.

Pierre-Jakez HELIAS : *Le Cheval d'orgueil.*
Mémoires d'un Breton du pays bigouden.

Per Jakez HELIAS : *Marh al lorh.* Envorennou eur Bigouter.
1986. (Édition en langue bretonne.)

Jacques LACARRIERE : *L'Eté grec.*
Une Grèce quotidienne de quatre mille ans.

Adélaïde BLASQUEZ : *Gaston Lucas, serrurier.*
Chronique de l'anti-héros.

Tahca USHTE et Richard ERDOES : *De mémoire indienne.*
La vie d'un Sioux, voyant et guérisseur.

Luis GONZALEZ : *Les Barrières de la solitude.*
Histoire universelle de San José de Garcia, village mexicain.

Jean RECHER : *Le Grand Métier.*
Journal d'un capitaine de pêche de Fécamp.

Wilfred THESIGER : *Le Désert des Déserts.*
Avec les Bédouins, derniers nomades de l'Arabie du Sud.

Josef ERLICH : *La Flamme du Shabbath.*
Le Shabbath – moment d'éternité – dans une famille juive polonaise.

C.F. RAMUZ : *La Pensée remonte les fleuves.*
Essais et réflexions.

Antoine SYLVERE : *Toinou.*
Le cri d'un enfant auvergnat. Pays d'Ambert.

Eduardo GALEANO : *Les Veines ouvertes de l'Amétique latine.*
Une contre-histoire.

Eric de ROSNY : *Les Yeux de ma chèvre.*
Sur les pas des maîtres de la nuit en pays Douala (Cameroun).

AMICALE D'ORANIENBURG-SACHSENHAUSEN : *Sachso.*
Au cœur du système concentrationnaire nazi.

Pierre GOUROU : *Terres de bonne espérance.*
Le monde tropical.

Wilfred THESIGER : *Les Arabes des marais.*
Tigre et Euphrate.

Margit GARI : *Le Vinaigre et le Fiel.*
La vie d'une paysanne hongroise.

Alexander ALLAND Jr : *La Danse de l'araignée.*
Un ethnologue américain chez les Abron (Côte d'Ivoire).

Bruce JACKSON et Diane CHRISTIAN : *Le Quartier de la Mort.*
Expier au Texas.

René DUMONT : *Pour l'Afrique, j'accuse.*
Le Journal d'un agronome au Sahel en voie de destruction.

Emie ZOLA : *Carnets d'enquêtes.*
Une ethnographie inédite de la France.

Colin TURNBULL : *Les Iks.*
Survivre par la cruauté. Nord Ouganda.

Bernard ALEXANDRE : *Le Horsain.*
Vivre et survivre en pays de Caux.

François LEPRIEUR : *Quand Rome condamne.*
Dominicains et prêtres ouvriers.

Pierre-Jakez HELIAS : *Le Quêteur de mémoire.*
Quarante ans de recherche sur les mythes et la civilisation bretonne.

Andreas LABBA : *Anta*. Mémoires d'une Lapon.

Michel RAGON : *L'Accent de ma mère*. Une mémoire vendéenne.

Robert F. MURPHY : *Vivre à corps perdu*.
Le témoignage et le combat d'un anthropologue paralysé.

Jean DUVIGNAUD : *Chebika* suivi de *Retour à Chebika*.
Changements dans un village du Sud tunisien.

Laurence CAILLET : *La Maison Yamazaki*.
La vie exemplaire d'une paysanne japonaise devenue
chef d'une entreprise de haute coiffure.

Augustin VISEUX : *Mineur de fond*. Fosses de Lens.
Soixante ans de combat et de solidarité.

Mark ZBOROWSKI-Elisabeth HERZOG : *Olam*.
Dans le shtetl d'Europe centrale, la mémoire de la tradition biblique.

Angelo RIPELLINO : *Praga Magica*.
Voyage initiatique à Prague, ville qui fascina Mozart et captiva Kafka.

JOSEF ERLICH

LA FLAMME DU SHABBATH

Il existe une géographie singulière qui, depuis la Diaspora, a dispersé les Juifs aux quatre coins du monde. En Europe orientale, à la fin du siècle dernier, le foyer du peuple juif est le Schtetl, bourgade dont l'espérance, le but unique de la vie est le Shabbath. Dans ce livre, écrit en yiddish, Josef Erlich nous fait assister, minute après minute d'un rigoureux hiver, à la préparation et au déroulement de ce jour sacré. L'auteur n'est pas un romancier : né à Wolbrom (ville polonaise proche d'Auschwitz) où il a vécu jusqu'à 24 ans et dont la mémoire l'habite, c'est avec une minutie d'ethnographe qu'il décrit, sans omettre un détail, les rites très précis suivis en famille, les offices réservés aux hommes, les vêtements, les nourritures spéciales de la cérémonie. Peu à peu, on est comme envoûté; on partage l'intimité nimbée de tendresse de cette famille pauvre et courageuse. C'est avec une ferveur grave et émerveillée, dans le respect des prescriptions divines, qu'est vécu ce temps du Shabbath, moment d'éternité. Ce texte inspiré est d'un rare pouvoir d'évocation.

RENÉ DUMONT

POUR L'AFRIQUE, J'ACCUSE

« ... J'accuse la majorité des dirigeants africains d'avoir d'abord profité des privilèges du pouvoir; j'accuse la coopération française d'avoir accepté de financer des projets somptuaires; j'accuse la banque mondiale et le fonds monétaire international d'acculer ces pays à une austérité payée par les plus pauvres; j'accuse, surtout, tous les responsables d'avoir, par leurs politiques, ignoré, ruiné et méprisé les paysans africains. »

René Dumont

René Dumont nous soumet des solutions simples. Demain, peut-être, sera-t-il trop tard pour les entendre et cette Afrique, elle aussi, basculera dans le chaos.

Implacable réquisitoire, ce livre est indispensable à tous ceux qui, pour l'avenir de l'Europe, mesurent l'importance géopolitique des convulsions et drames que vit depuis dix ans le continent africain.

THÉODORA KROEBER

ISHI

En 1849, année de la ruée vers l'or, les Yana de la Californie du Nord étaient plus de deux mille. Vingt et un ans plus tard, en 1870, ils sont exterminés. Une quinzaine d'entre eux, toutefois, de la sous-tribu yahi, disparaissent pour vivre une terrible vie clandestine qui durera trente-huit ans.

Le 10 novembre 1908, des ingénieurs, en cours d'étude d'un barrage, découvrent par hasard un village caché dans le chaparral – le maquis californien – et mettent en fuite ses quatre habitants, derniers survivants des Yahi. Ishi, l'un d'entre eux, continue à vivre entièrement seul, dans le plus grand dénuement, jusqu'au 29 août 1911, date à laquelle, à bout de forces et désespéré, il se rend à la « civilisation ». Il devait vivre cinq années encore et mourir en 1916 de la tuberculose.

Cet ouvrage est d'une lecture bouleversante. C'est le livre de la conquête, du racisme, de la sottise, de la cruauté et des occasions perdues – notamment celle de la coexistence entre les Indiens et les Blancs, dont on ne peut qu'imaginer les résultats si l'on sait ce que le comportement et le code des valeurs des Américains doivent à l'Indien. C'est aussi le livre du courage et de la sagesse.

BRUCE JACKSON
DIANE CHRISTIAN

LE QUARTIER DE LA MORT

Avec « Le Quartier de la mort », Terre Humaine donne la parole à des condamnés à la peine capitale dans l'une des prisons les plus dures des Etats-Unis à Hunstville (Ellis, Texas).
Ce grand livre interpelle notre conscience sur le droit que s'arroge la société de tuer, dans l'intérêt général, un coupable *présumé*. Dans le couloir de la mort, il n'y a que des condamnés d'origine modeste et les Noirs y sont la majorité. On est pris à témoin, non sans révolte, de l'iniquité avec laquelle la justice est administrée. Avec un bon avocat, un prisonnier fortuné a de grandes chances de s'en tirer...
Cependant tout crime est odieux, certains particulièrement haïssables : quelle réponse la société peut-elle apporter à ce défi que lui opposent les criminels ? Bruce Jackson et Diane Christian, tous deux sociologues, font preuve, dans ce livre, de la plus grande objectivité : ils tiennent à exprimer dans leur commentaire, avec honnêteté et conviction, pourquoi ils sont, eux-mêmes, *contre* la peine de mort.

PIERRE CLASTRES

CHRONIQUE DES INDIENS GUAYAKI

On les appelle Guayaki, Rats féroces. Eux-mêmes se dénomment Aché, les Personnes. Silencieux et invisibles, ces nomades parcourent encore leur domaine ancestral, la forêt tropicale, qui couvre en grande partie l'est du Paraguay. C'est ce qui leur a permis d'échapper si longtemps au sort de leurs voisins sédentaires : esclavage, mort, disparition.
Un an de séjour chez ces Indiens a permis à l'auteur d'accéder au plus intime de leur existence... Jours et nuits passés dans les campements, incidents et anecdotes cocasses ou tragiques tracent peu à peu le portrait des ces Guayaki, paillards quand ils peuvent, graves lorsqu'il le faut : fêtes du miel et celles de l'amour, scissions et conflits au sein des bandes, meurtres et sacrifices; lutte contre les morts en recourant à l'anthropophagie (ils se libèrent de leurs défunts en les mangeant). A la douceur succède la cruauté.
Cette culture aujourd'hui disparue repose sur la fidélité des Indiens à leurs anciens rites et, au-delà, aux mythes de leur origine et de leur destin, qui suscitent en nous d'étranges échos. De sorte que se rejoignent les deux extrêmes, le vécu le plus humble, la pensée la plus riche.
Ce livre est une chronique qui n'esquive aucun des problèmes que pose à l'ethnologie cette population indienne. De l'écologie très particulière d'une société de chasseurs à la logique la plus secrète de leur pensée, c'est le tout d'un univers culturel inconnu qui se révèle ici, sous le regard d'un des grands ethnologues français.

JACQUES LACARRIÈRE

L'ÉTÉ GREC

C'est sous les portiques de l'Agora d'Athènes qu'on aimerait lire ou entendre lire « L'Été Grec », témoignage passionné, approche vivante de la Grèce, chronique heureuse de vingt années d'amour avec une terre, un peuple et une histoire.

Toutes les Grèces sont contenues ici : celle d'Hésiode et de Sophocle, celle des hymnes byzantins et des chants médiévaux de Digénis, celle des mémoires de Makryannis et des kleftika, ces chants épiques de la guerre d'Indépendance et celle des poètes et des écrivains d'aujourd'hui.

Il fallait bien ces vingt années de mémoire grecque pour que cette si visitée retrouve enfin son vrai visage et nous révèle en sa vie quotidienne, ses gestes, sa langue et ses passions le fil secret qui relie Eschyle à Séfiris, Homère à Élytis, et Pindare à Ritsos.

Mais le plus rare peut-être en ce beau livre où passe un souffle libertaire est que l'érudition de l'auteur n'ait en rien entamé l'étonnement, la jeunesse et l'acuité de son regard.

COLIN TURNBULL

LES IKS

Dans le nord-est de l'Ouganda, deux mille chasseurs nomades vivent affamés, depuis que, par décision gouvernementale, leur territoire de chasse est devenu parc national. Le caractère sacré de leur montagne rive ces hommes à des lieux qu'ils se refusent à abandonner, pour se convertir, sur des terres plus fertiles, en agriculteurs sédentaires : un territoire est aussi un lieu de vie spirituelle.

Parfois, un rire violent secoue leur corps famélique : un vieillard trébuchant au bord d'un ravin, affamé auquel on ravit, dans la bouche, une parcelle de nourriture, déclenche chez eux une folle gaieté. Le rire des Iks a glacé le Britannique Colin Turnbull qui, durant une année, s'est obligé à regarder l'horrible. Il fait le décompte des atrocités minant un peuple, jadis aimable et très organisé, aujourd'hui en survie. Car c'est l'étonnant : malgré la famine, le choléra, les Iks sont toujours vivants. La cruauté serait-elle donc le seul moyen de survivre ? Le " stress " renforcerait-il une société en dérive ?

Ces questions sont d'autant plus actuelles qu'en Afrique, des millions d'hommes vivent un drame identique : guerres civiles, déplacements forcés. Que penser ? Que faire ?

DON C. TALAYESVA

SOLEIL HOPI

L'auteur, Don C. Talayesva, est un indien Hopi, chef du Clan du Soleil, né à Oraïbi, à l'est du grand Canyon du Colorado, en mars 1890. Il a assisté à l'implantation graduelle de l'administration gouvernementale et aux efforts d'américanisation soutenus en ces territoires pueblos par les autorités, parfois avec le concours de l'armée.

La présente autobiographie, *Soleil Hopi*, est un livre singulier. C'est tout d'abord un rare document sur une tribu indienne qui nous est décrite de l'intérieur, comme un ensemble vivant et gouverné par une harmonie interne. A ce titre, il est considéré comme un des grands classiques de l'ethnologie.

C'est ensuite, et surtout, un homme qui témoigne avec naïveté, vivacité et sagesse de son attachement réfléchi aux cadres traditionnels hopi, à une attitude religieuse dans tous les grands moments de la vie. Hostile par expérience à une américanisation des siens et de sa tribu, Talayesva ne se refuse toutefois pas à une évolution nécessaire, qu'il estime, quant à lui, tragique.

La richesse de la personnalité de ce chef indien, les événements historiques qu'il a vécus, nous valent un livre exceptionnel que son caractère établit comme une œuvre littéraire d'avant-garde.

VICTOR SEGALEN

LES IMMÉMORIAUX

Les *Immémoriaux,* ce sont les derniers païens des îles de Polynésie, les beaux Maori oublieux de leurs coutumes, de leur savoir, de leurs dieux familiers, en un mot de leur propre passé. C'est tout d'abord ce passé même que l'on invoque à Tahiti, vers la fin du XVIIIe siècle, avec ses rites précis, ses fêtes plus libres. Mais bientôt débarquent les Européens et parmi eux des missionnaires méthodistes anglais, armés de bibles, de codes et d'une morale plus exterminatrice que les massacres anciens.

Cependant, Terii, le récitant, héros du livre, initié presque malgré lui à des cosmogonies qu'il néglige, voyage au hasard des cieux et des îles. Vingt ans plus tard, on le retrouve à Tahiti, ignorant et païen au milieu des siens, orgueilleux de leurs nouveaux titres. Terii, à son tour, s'abandonne et se laisse baptiser et européaniser. Ainsi, toute cette race, méconnaissant ses plus nécessaires instincts, se renie avec désinvolture — et elle meurt.

Illustré de dessins, de documents tahitiens, pour la plupart issus de collections étrangères, ce texte des *Immémoriaux* est complété par d'importantes annexes qui établissent à partir de quels faits et observations a été construit par Victor Segalen un des rares romans ethnographiques que compte notre littérature.

JACQUES SOUSTELLE

LES QUATRE SOLEILS

Depuis son premier séjour au Mexique, de 1932 à 1934, Jacques Soustelle n'a cessé d'étudier les civilisations indiennes du présent et du passé sous tous leurs aspects. A maintes reprises, il a partagé l'existence quotidienne des Indiens d'aujourd'hui.

Après ses ouvrages sur les Otomi, les Lacandons, la vie des Aztèques et l'art ancien du Mexique, *les Quatre Soleils* résument donc trente-cinq ans de recherches et de réflexions. Tout en décrivant avec sympathie et précision les Indiens du Mexique, ce livre déborde largement le cadre historique et géographique du pays. Partant de son expérience personnelle, Jacques Soustelle est tout naturellement conduit à s'interroger, à la lumière des plus récentes découvertes dans le domaine des sciences de l'homme, sur les vastes synthèses historiques héritées du XIXe siècle pour en marquer les limites et parfois la précarité. C'est ainsi que cette réflexion critique, fondée sur une très vaste culture, présente une conception originale de "l'aventure humaine" et nous fait découvrir la signification exemplaire - à la fois actuelle, permanente et durable - des *Quatre Soleils* de la cosmogonie aztèque.